▶北京理工大学光电学院领导班子成员合影

（左起：副院长赵长明、党委书记蔡本睿、院长魏平、副院长郝群、副书记兼副院长邹锐）

教研并举　继往开来
亦工亦理　斯是教改
光电一体　矢志现代
勇为祖国　培养人才

王大珩
一九九三年
四月十八日

献给母校七十年校庆

献给为学科专业发展
作出贡献的人们

北京理工大学 学科专业发展史

CUI CAN ZHI GUANG

璀璨之光

光电学院学科（专业）发展史

主编/安连生
副主编/张经武 蔡本睿 魏平 邹锐

北京理工大学出版社
BEIJING INSTITUTE OF TECHNOLOGY PRESS

图书在版编目（CIP）数据

璀璨之光：光电学院学科（专业）发展史/安连生主编．—北京：北京理工大学出版社，2010.9

（北京理工大学学科专业发展史）

ISBN 978－7－5640－3415－3

Ⅰ.①璀…　Ⅱ.①安…　Ⅲ.①北京理工大学光电学院－校史　Ⅳ.① G649.281

中国版本图书馆 CIP 数据核字（2010）第 138834 号

出版发行 /北京理工大学出版社
社　　址 /北京市海淀区中关村南大街 5 号
邮　　编 /100081
电　　话 /(010)68914775(总编室)　68944990(批销中心)　68911084(读者服务部)
网　　址 /http://www.bitpress.com.cn
经　　销 /全国各地新华书店
印　　刷 /保定市中画美凯印刷有限公司
开　　本 /787 毫米×1092 毫米　1/16
印　　张 /23.5
彩　　插 /1
字　　数 /423 千字
版　　次 /2010 年 9 月第 1 版　2010 年 9 月第 1 次印刷
印　　数 /1～2100 册　　　责任校对 /张沁萍
定　　价 /75.00 元　　　责任印制 /边心超

本书编委会

PREFACE

序言

七十年峥嵘岁月，七十年桃李芬芳，七十年辉煌成就。北京理工大学从延安走来，一代代北理工人书写了发展历程上的壮丽篇章。七十年来，学校秉承延安传统，坚持服从、服务于国家重大战略需求，艰苦奋斗，勤俭办学，解放思想，改革创新，形成了鲜明的国防特色和突出的工程技术优势，学校综合实力日渐雄厚，人才培养成效日益突出，各项事业科学发展、蒸蒸日上，成为国家重点建设的“211”和“985”工程大学。

为不断推动学校改革发展，学校第十三次党代会集全校广大党员干部和师生员工的智慧，制定了“国内、亚洲和世界一流”的“三步走”的发展目标；提出了“学科优化、强师兴校、教育创新、科研提升、开放发展、深化改革”及创新党建和思想政治工作的“六加一”的发展战略；凝练了“高远的志向、精深的学术、强健的体魄、恬美的心境”和具有社会责任感、创新精神和实践能力的建设者和接班人的育人目标；确定了坚持“理工并重，工理管文协调发展，多学科交叉融合，打造‘强地、扬信、拓天’主干学科”的特色发展路径，为学校的科学发展奠定了坚实的基础。

为迎接北京理工大学七十华诞，我于2008年秋季倡议开展学科专业史研究和编写工作。开展这项工作，主要是出于以下几方面考虑。

第一，学科专业史最能反映一所大学的实力与特点。学科专业发展的成就，是奠定大学独特竞争优势的重要基石。现今各高校撰写校史比较普遍，且多以行政工作为主线，记录学校建立发展和变迁的过程，但对学科专业史的研究并不多见。学科专业起源、发展的历程，体现了一所高校的办学特色与优势，可以为学校科学决策和学科专业良性发展提供借鉴。相对于校史的研究，学科专业史更多地反映学术发展的过程与面貌，体现学术骨干的突出贡献。面对我国高校目前普遍存在的行政化倾向，重新认识学术的价值，专注于学术建设和学术研究，就显得十分必要了。

第二，开展学科专业史研究有利于丰富学校学术文化建设。世界知名大学无不重视本校的学术文化建设，各类学科专业史研究文献都从不同的角度和层面丰富着大学学术文化建设的内涵。在学术文化建设中，学术是根本、是垒土，利用撰写学科专业史引起人们对学术建设重要性的认识，无疑是对学术文化建设的有力推进。北京理工大学第十三次党代会提出要创建先进的校园文化、学术文化、人才文化、创新文化，大力推进文化建设。以研究学科专业发展历史的方式，铭记学科历史上的大师和普通工作者对于学校发展的历史贡献，记录感人事迹，总结发展经验，对于激励后人潜心学术、争创一流，对于在校园内进一步营造浓厚的学术氛围都有着重要意义。

第三，编撰学科专业史有利于拓展我校教育科学研究领域。我国高校某些学科专业的发展建设已经拥有半个世纪，甚至百年的历史。以这些学科专业为研究对象的学科专业发展史研究应运而生。这无论对于拓展教育史研究领域，还是对于学科专业发展本身都具有重大的历史和现实意义。著名教育家梅贻琦先生有句名言："所谓大学者，非谓有大楼之谓也，有大师之谓也。"综观各个学科的发展，不难发现这样一个不争的事实：凡是有大师级学者领航的学科，无一不是发展迅猛，成就卓著。学术大师是学科前行的掌舵人，他们历经沧桑，丰富的阅历和经验使得他们能够高屋建瓴地把握学科发展现状，能够敏锐地预见和洞察学科前沿动态，从而能够目标明确地引领大家冲锋陷阵。正因为这样，本着对教育科学研究的厚爱，我曾多次建议教育学科的教师们开展本校重点学科专业史的研究，挖掘学术大师对于学科专业发展的历史贡献，避免过去校史研究中"见物不见人"的弊端，突出学术大师的典范和榜样作用，从而为学科专业更好地发展提供借鉴。这些思考得到了我校教育研究院杨东平教授等专家学者的支持，并直接参与组织了这项工作。

本着"自觉自愿和有条件先开展"的原则，本次研究工作首先在光学工程、飞行器工程、车辆工程和计算机工程四个学科开展，由于时间仓促，史料零散，加之军工学科的保密性特点，研究遇到了不少困难，但这并没有改变我们"遵循辩证唯物主义和历史唯物主义的原则，从专业和学科建设的原点出发，实事求是，以史实为准绳，尊重历史，以史为鉴"的研究原则。这样的探索，也为后续学科专业史的研究奠定了基础。

在本书结集出版之际，特向开展本项研究工作的教育研究院教师，向相关专业的专家学者表示衷心的感谢！我们有理由相信，经过五年、十年，甚至更长时间的积累，北京理工大学学科专业发展史研究将会伴随学校文化建设的深入而更加精彩！

是为序。

郭大成

2010 年 9 月

FOREWORD

前言

《璀璨之光——光电学院学科（专业）发展史》的编写工作历经一年的时间，终于编写成文了。许多老师的回忆打开了尘封多年的历史，让我们感慨万千；许多捐赠来的实物折射出当年显赫的荣光，使我们激动不已。光电学院的前身——“四系”，这个令多少校友难忘的名字，它的发展史，记录着57年的光辉历程，凝聚着几代人毕生的辛劳。

“生涯一途强国梦，五十七年光和影。”从1953年“军用光学仪器专业”诞生开始，光电学院就伴随着刚刚成立的新中国，为了国家的安全和国防的强大而一路走来。在20世纪五六十年代，一枚缴获的导弹就会引发一个新专业的建设，迅速而及时地提供相应的技术和毕业生，满足国防建设的需要；20世纪六七十年代的“光学仪器系”，坚持独立自主、自力更生，成功地研制出我国第一台天象仪、三米焦距地面远程照相机和可回收式卫星相机等具有代表性的成果，奠定了光电专业在全国光学界的领先地位；20世纪七八十年代的“工程光学系”，从系名上即已开始逐渐脱离建系初期按产品设专业的思路，开始突出学科建设，先后成立了5个基础教研室，完善了本科和研究生的教学体制；20世纪90年代至21世纪初的“光电工程系”，紧跟世界潮流，加强光学和电子学两大学科的融合，借助于以电子、计算机为代表的信息技术的发展，取得了以虚拟现实与增强现实技术、先进成像技术和实时图像处理技术为代表的光电结合型成果并逐步形成了各个学科团队。2002年，光电工程系和电子工程、自动化、计算机系合并为信息科学技术学院；2008年12月，为适应新形势下学科建设和发展的需要，恢复成立了光电学院，从此光电学院走上了新的征程。

进入21世纪，我们发现光学仪器的分划板早已被CCD成像器件替代；称雄整个20世纪的胶卷照相机在琳琅满目的数码相机攻势下销声匿迹；利用全反射这个古老光学原理的光纤作为新世纪的主要通信媒体走进了千家万户；而激光器、LED、液晶、等离子体等新型发光器件正在改变着显示和照明的世界；太阳能电池也作为一种无污染的能源成为最热门的话题……。光电领域正面临着日新月异的高速进步和剧烈变迁，光学学科也面临着和电子、计算机、自动化、材料、生命等学科进一步的相互交融。纵观光电技术方兴未艾的发展前景，可以说“信息”这个具有广泛含义的词汇已无法概括当前光电领域宽广而又深邃的内涵。20 世纪五六十年代兴起的信息论、控制论、系统论作为光电领域的理论基础已显得捉襟见肘。因此，光电学院的成立不仅仅是“四系”的回归，更是要求我们面对新形势、新技术、新动向、新问题，重新认识光电领域的特点，重新对学科进行定位，顺应世界形势，改革教学体系，在众说纷纭、学说林立中确定光电学院的发展方向。“读史可以明智”，在这部学科发展史中，我们不仅可以汲取到许多前辈的经验和智慧，更重要的是可以从前辈身上学到他们对国家的忠诚，对事业孜孜不倦的追求，以及对错综复杂的形势的洞察力，以史为鉴、以史为镜，不断激励和鼓舞我们去开拓未来的道路。

57 年来，我们光电学院薪火相传，向社会输送了万余名优秀的光学及光电专业人才，桃李芬芳，遍及华夏，为共和国的国防事业作出了重大贡献。在 21 世纪第一个十年将要结束之际，在迎接 70 年校庆之年，我们奉献给大家这部光电学院的学科发展史，旨在铭记过去，把握现在，面向未来，缅怀先辈，激励后人，传承精神。具有光荣历史传统的北理工光电人，将在百舸争流、千帆竞渡的时代潮流中，高歌猛进，奋力远航。

北京理工大学光电学院院长

2010 年 7 月 1 日

CONTENTS

目录

第一部分
北京理工大学光电学院学科（专业）发展史

第一部分

北京理工大学光电学院
学科（专业）发展史

第一章

新中国第一个军用光学仪器专业的诞生与发展

（1953—1957）

第一节　新中国第一个军用光学仪器专业的诞生

北京理工大学的前身是1940年中国共产党在延安创办的自然科学研究院，其宗旨是“以培养抗战建国的技术干部和专门技术人才为目的，培养既能通晓革命理论又懂得自然科学的专业人员”。随着革命形势的变化，延安自然科学院辗转华北办学，几迁校址，几易校名，1948年定名为华北大学工学院。1949年迁京后又将始建于1920年的中法大学本部和数、理、化3个系并入。1951年年底经教育部批准，华北大学工学院改名为北京工业学院，并于1952年1月1日启用新校名。根据国际国内形势的发展，1952年春，中央人民政府确定“北京工业学院逐渐发展为国防工业学院或国防工业大学，并使之成为我国国防工业建设中新高级技术骨干的主要来源”。从此，北京工业学院转变为培养国防建设人才的基地，进入了新的发展阶段。

为了发展兵器工业，当时的主导思想是系统学习苏联经验。首先是聘请苏联专家。除了语言专家外，1953年11月德洛兹多夫、费多托夫和拉扎列夫等3名苏联专家首先到校。他们在了解学校的情况，并与第二机械工业部、教育部有关人员全面讨论后，向上级领导提出了建设11个兵工专业的建议，这些专业是：

（1）火炮设计与制造。

（2）自动武器设计与制造。

（3）炮弹设计与制造。

（4）引信设计与制造。

（5）无烟药制造。

（6）炸药制造。

（7）装药加工。

（8）光学仪器设计与制造。

（9）雷达制造。

（10）坦克设计与制造。

（11）坦克发动机设计与制造。

从此，北京工业学院进入了全面建设兵工专业的阶段。上述第八个专业就是光学仪器设计与制造（简称八专业），由于具有军工特色，所以后来的专业名称也称为军用光学仪器设计与制造。它是我国建立的首个军用光学仪器专业，开创了研究制造各军兵种所需光学仪器的先河，具有十分重要的意义。苏联专家费多托夫，来自鲍曼高等技术学校。鲍曼高等技术学校是苏联一所重要的国防军事院校，具有良好的办学条件和丰富的办学经验。费多托夫是科学技术副博士、副教授，特长是研究和讲授航空光学机械仪器和炮兵光学机械仪器。他在北京工业学院工作了近3年（1953.11—1956.7），编写了“炮兵光学机械仪器及航空光学机械仪器”讲义，开设了“航空光学机械仪器”课程，指导了校验台的设计与安装，编写了军用光学仪器设计与制造专业的教学计划，并以讲座的形式给青年教师上课。他在教材建设、实验室建设等专业建设的各个环节都发挥了指导作用，在军用光学仪器设计与制造专业的建立和建设过程中，更是功不可没。

中央人民政府高等教育部颁发给他的苏联专家到职介绍书如下图所示。

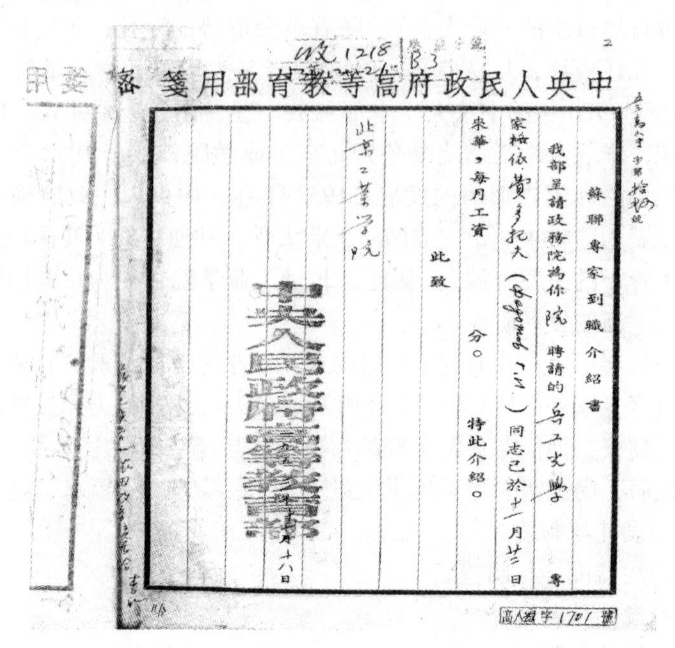
中央人民政府高等教育部用箋

蘇聯專家到職介紹書

我部呈請政務院為你院聘請的兵工光學專家費多托夫（Федотов Г.М）同志已於十一月廿三日來華，每月工資　　分。

特此介紹。

此致

北京工業學院

中央人民政府高等教育部

月十八日

高人教字1701號

▶ 中央人民政府高等教育部颁发的《苏联专家到职介绍书》

1954年4月，仪器制造系成立。1954年暑假将在原电机专业组的基础上所建立的雷达专业（第九专业）并入，这时仪器制造系下设光学仪器设计与制造和雷达设计与制造两个专业。1955年，在新到的苏联专家普里斯努恒教授的指导下，经二机部批准，又建立了火炮指挥仪专业（第十二专业）。1956年9月雷达专业从仪器制造系分出，成立无线电工程系。至此仪器制造系共设两个专业：军用光学机械仪器专业（分成炮兵光学机械仪器与航空光学机械仪器两个专门化）和火炮射击指挥仪专业。

这两个专业所研究的具体对象——军用光学机械仪器和火炮射击指挥仪是国防装备中两个重要的组成部分。光学仪器是武装力量的眼睛，指挥仪则在火炮射击中起着大脑的作用。它们属于精密机械、光学仪器、模拟计算及设计控制等科学范畴。这些学科对我国来说是崭新的领域，我们既没有教育基础，也没有相关学科领域的专家，完全是白手起家、从头开始。教职员工发挥延安自然科学院的光荣传统，自力更生、艰苦奋斗，实干、苦干、自强不息，使仪器系的面貌逐步改观。当时的学生是从机械系 1951 年、1952 年、1953 年入学的学生中抽调过来的，老师有从物理组抽调过来的留法教授马士修先生，后来又有于美文、樊大钧、连铜淑、李德熊、严沛然和谢文林、盛尔镇、韩锡勲、马志清等老师加入，他们在军用光学仪器专业和仪器制造系的创建过程中发挥了重要的作用。

表 1. 1 和表 1. 2 列出了军用光学仪器专业两个教研组最初的人员结构、课程设置和实验室状况。

表 1. 1　第一教研组（光学仪器教研组）

负责人	助教	所开课程	教材情况
马士修教授	连铜淑 马志清 盛尔镇 于美文	光学仪器理论	尚缺
		炮用机械　光学仪器	阿娜也夫：火炮仪
		光学玻璃制造工艺学	尚缺
		物理光学	尚缺
		光学测量	钱诺洛夫：光学测量
		光学仪器装配与校正	
		瞄准器射击控制仪及同步传动装置	
所设实验室准备建立			
已建立：1. 军用光学仪器实验室　2. 光学实验室　3. 光学玻璃工艺学实验室 应建立：1. 光学测量　2. 光学仪器装配与校正			

表 1. 2　第二教研组（精密仪器教研组）

负责人	教员	助教	所开课程	教材情况
薛培贞	谢文林 樊大钧	韩锡勲 李德熊	仪器零件与结构	尚缺
			仪器制造工艺学	无适当教材
			计算机及其机构	多步落谷司基：计算机及其机构
			自动控制及远距离控制	尚缺
所设实验室准备建立				
应建立：1. 仪器零件实验室　2. 仪器工艺学　3. 计算机构				

成功开设出这么多陌生的课程，靠的是教员们的刻苦努力和苏联专家的指导，年轻的教员们经常是早上听专家上课，下午给学生上课。由于师资匮乏，我们有不少教员都是从学生中抽调出来的，突击学习某一门课，然后再去教原来的同班同学。丁汉章老师、苏大图老师等都是提前抽调的。

当年苏联专家指导课程的情况如表 1.3 所示。

表 1.3　苏联专家指导课程的情况

专家姓名	指导课程	开课教师	职称	辅导教师
费多托夫	火炮机械　光学仪器	薛培贞	教授	马志清
	仪器制造工艺学	韩锡勲	助教	李振沂
	计算机机构	谢文林	教员	
	仪器零件与机构	樊大钧	教员	
	瞄准器、设计控制器及同步传动装置	连铜淑	助教	
梅德维捷夫	光学仪器理论	马士修	教授	丁汉章
	物理光学	于美文	助教	
	光学玻璃制造工艺学	严沛然	教授	
	光学测量	潘承浩		
	光学仪器装配及校正	李德熊	助教	

尽管有苏联专家的指导，但实际工作主要还是靠我们自己的教师来完成。马士修、于美文、樊大钧、连铜淑、李德熊就是我们的建系元勋和奠基人。

马士修先生 1903 年生于河北省蠡县，1923 年赴法勤工俭学，在凯恩（CAEN）大学先后取得预备电机工程师及数学教学硕士学位和预备物理学教学硕士学位，后又完成了法国教育部物理学博士论文，获得了物理学博士学位。1935 年回国报效。他首先在中法大学任教。随着革命老区的华北大学工学院 1949 年迁入北平，1950 年与中法大学本部及数、理、化 3 系合并，马先生也随之加入到华北大学工学院，并成为我校最早一批具有博士学位的教师之一。1952 年华北大学工学院易名为北京工业学院，马先生被聘为二级教授，从此成为革命职工，并由报效祖国换位于事业的主人。他服从工作需要，不挑不拣，废寝忘食地辛勤劳动。因为新系刚成立，众多的课程马上就要开设，而马先生手头又几乎没有相关的中文光学仪器资料，他便跑图书馆查阅国外资料，翻译、整理、撰写讲稿，夜以继日地奋力工作，先后为仪器系开出物理光学、应用光学、电子光学、光学仪器理论等众多课程，为军用光学仪器专业和仪器系的建立立下了汗马功劳。

▶ 马士修先生

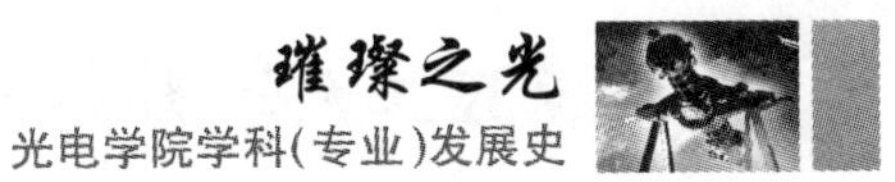

下图是马先生编写的《光學儀器理論》教材的封面。

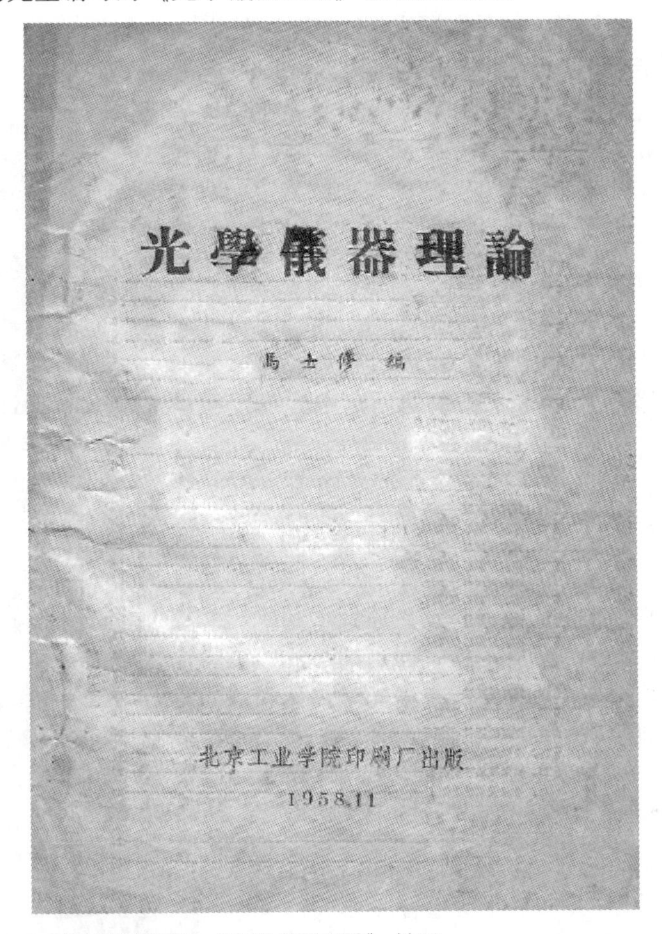

▶ 马士修编写的《光學儀器理論》封面

于美文教授，1922 年生，山东安丘市人。1948 年以优异成绩毕业于西北大学物理系，1950 年 9 月来我校工作。开始时，她协助马士修先生辅导“大学物理”和“大学物理学实验”两门课程；成立仪器制造系后，她和马士修先生一道，共同承担了物理光学课程的教学任务。她钻图书馆，查阅资料，绘制插图，撰写手稿，终于在 54 级学生上课之前赶出了第一版自编的油印教材《物理光学》，为我系的建设付出了艰辛的劳动。

▶ 于美文教授

于美文教授在以后的教学和科研生涯中，获得了巨大的成就。她著述颇丰，科研成果累累，她是我校“物理光学”“波动光学”和“全息学及光信息处理”等学科方向的开创者，也是我国光学全息学科的先驱者之一。

樊大钧老师，1929 年生，北京市人。1950 年毕业于前国立北洋大学机械系，并到北京工业学院任教，长期从事精密机械和应用固体力学的教学科研工作。他的两本力学专著《数学弹性力学》和《空间弹性力学——复变函数方法的应用》成为 KONO COB 学派弹性理论的仅有的两本专著，为我国固体力学在这方面的研究做出了奠基性和开拓性的工作。1950 年他到北京工业学院时正值军用光学仪器专业筹建之初，他配合马士修先生在专业和系的创建中发挥了重要作用。

▶ 樊大钧老师

连铜淑老师，1930 年生，广东潮阳人。1952 年毕业于清华大学机械系，并进入北京工业学院工作。在北京工业学院军用光学仪器专业和仪器制造系建立之初，他克服种种困难编写光学仪器理论和应用光学教材，配合苏联专家开展工作，为系和专业的建设作出了重大贡献。连老师长期致力于光学仪器和应用光学的教学和研究，在“反射棱镜共轭理论”的研究中，创建了“刚体运动学”体系，提出了一系列新的概念、原理、推导计算公式、作用矩阵、特性参量等，使反射棱镜共轭理论成为一个相当系统和完整的体系，在国际光学工程界享有盛誉。

▶ 连铜淑老师

李德熊老师，1930 年生，浙江上虞人。1952 年毕业于清华大学机械系，并来北京工业学院任教，在军用光学仪器专业和仪器制造系的创建过程中发挥了巨大的作用。李老师多年从事航空摄影、高速摄影和遥感技术的研究和教学。他参加了多种美制侦察航空相机残骸的分析和恢复以及我国航空侦察相机的研制工作，对创建本系航空摄影、遥感技术研究方向的专门化起了重大作用。他在遥感图像处理、遥感器的杂光分析计算等方面也都取得了众多的研究成果，出版教材和译著 10 余本，在我国航空相机和遥感技术领域产生了很好的影响。

▶ 李德熊老师

以上 5 位老师是我们军用光学仪器专业和仪器制造系的主要创建元勋和奠基者，后人将永远感激他们的辛勤劳动，并以他们为榜样，艰苦创业、努力奋斗，为我国光电领域事业的发展作出应有贡献。

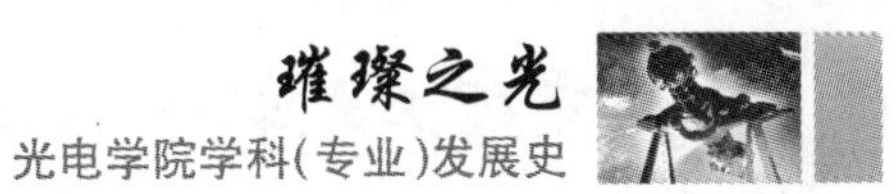

建系之初，办学条件十分艰苦，缺少现成的教材，缺少实验室，一切都要靠老师和几位老工人一起努力。仪器系最初设在东黄城根中法大学旧址和西郊的车道沟。在车道沟红色的延安大楼中，有两个实验室：一个是两开间的陈列室；另一个是两开间的维修室。在中法大学旧址地下室还有一个光学冷加工实验室。1955 年秋天搬到现在的九号楼，后随四号楼的建成又迁到四号楼。在严沛然老师的指导下，我系从德国蔡司、瑞士订购了精密坐标镗床、S28 精密螺丝车床、万能工具铣等五六台机床和木制光具座等教具，实验室初具雏形。教员们还自制实验装置和教具，如樊大钧老师在开设“仪器零件”课时，曾把擦脸油的盒子钻两个孔吊两条线挂在一个铁架子上，用来模拟发条原动机。后来樊老师确定科研方向为膜盒、膜片后，何献忠老师帮助他搞了一个实验装置，当时清华钱伟长教授听说此事后，主动与他们联系，并来校参观。这说明虽然当时器材匮乏，条件简陋，但教师们还是开动脑筋，力争把课上好，把实验做好，其精神难能可贵。

此外，来自光学兵工厂和温泉六所的七级工、八级工老师傅王森山、熊仲杰、周广荫、武志广和从校内院工厂、总务处调过来的杜书林、王金山，在建系初期、实验室的建设和后来的教学科研中都发挥了很大的作用。

随着课程的增多，两个教研组又演变成三个教研组：第一教研组是基础理论课程教研组；第二教研组是公共技术基础教研组（当时称系属公共课程教研组）；后来又成立了第三教研组，即军用光学机械仪器教研组。实际上，第三教研室是专业教研室，这个教研室先后开出了“炮兵光学机械仪器”“航空光学机械仪器”“光学机械装配与校正”“瞄准具”和“航空概论”等课程。

第二节　专业建设初期的教学计划和课程设置

1956 年 10 月修订的军用光学仪器（即八专业）的教学计划和课程设置如表 1.4 ~ 表 1.6 所示。

表 1.4　1956 年军用光学仪器专业的教学计划和课程设置

序号	课　程	学时	序号	课　程	学时
1	马列主义基础	72	20	电工学	117
2	中国革命史	86	21	仪器制造企业组织经济与计划	65
3	政治经济学	126	22	仪器零件	135
4	哲学	66	23	仪器制造工艺学	154
5	俄文	254	24	实验室光学仪器与光学测量	65
6	体育	138	25	光学零件工艺学	65

续表

序号	课　程	学时	序号	课　程	学时
7	数学	312	26	自动控制元件	72
8	物理	214	27	光学仪器理论	162
9	化学	90	28	物理光学	54
10	画法几何	72	29	电计算装置	55
11	机械制图	168	30	机械计算装置	45
12	理论力学	170	31	军用光学仪器装配与校正	52
13	材料力学	150	32	火炮概论	54
14	机械原理	116	33	航空概论	
15	机械零件	162	34	火炮光学仪器	164
16	金属切削原理刀具与机床	153	35	航空光学仪器	
17	公差及技术测量	72	36	回转仪理论	54
18	金属学及热处理	81	37	工厂实习	170
19	金属工学	102			
					总时数：4 087

表 1.5　军用光学仪器专业的选修课程

序号	课程	序号	课程
1	第二外国语	5	仪器设计原理
2	雷达原理	6	生产过程自动化
3	仪器精度理论	7	一般光学仪器
4	红外线仪器		

表 1.6　军用光学仪器专业的生产实习

序号	课程	学时	序号	课程	学时
1	教学实习	3 周	4	使用实习	3 周
2	认识性实习	3 周	5	毕业实习	8 周
3	工艺实习	7 周			

从上述课程设置和教学计划可以看出，当时总课程数已达 37 门，包含了占接近一半学时数的普通基础课，同时还有相当学时数的技术基础课、专业基础课和专业课。

各类课程学时所占比例情况如表 1.7 所示。

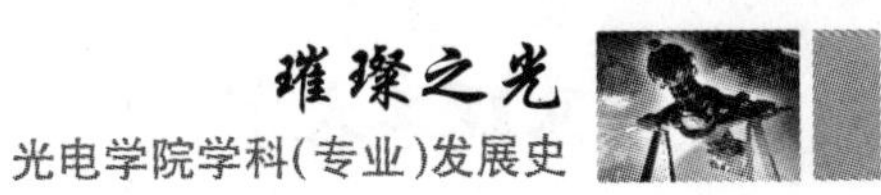

表 1.7　各类课程学时所占比例情况

序号	课程类别	学时	百分比/%
1	普通基础课	1 916	49
2	技术基础课	803	21
3	专业基础课	532	13
4	专业课	666	17
5	工厂实习	170	不计入

军用光学机械仪器专业的学习内容主要是现代国防装备中用于瞄准、观察及测量等方面的光学仪器，培养的人才主要是工程师和科学研究工作者。

随着计算工作的进一步自动化，以及作战条件的复杂化，现代军事技术要求军用光学机械仪器真正发挥眼睛的作用，并对军用光学机械仪器提出了日益严格与复杂的要求。军用光学机械仪器专业的发展是与现代各种最新科学技术的发展有着密切联系的，为了满足上述要求就需要学习精密机械、计算装置、电气自动控制、陀螺仪原理、光学系统等方面的知识。另外，作为军用光学机械仪器工程师，除了必须是一个精密机械工程师，还应掌握各种观察瞄准光学系统的设计原理、应用和相关学科的知识。因此军用光学机械仪器专业学生的学习内容是多种多样的。从教学计划和课程设置可以看出，他们要在 5 年 250 周4 087个学时中学习丰富的理论基础和多种技术知识，以满足专业培养的要求。

第三节　贯彻理论与实践相结合的原则

为了在教学中贯彻理论与实际相结合的原则和培养学生独立工作的能力，除了要求学生学习 37 门课程（其中专业 14 门）外，还在教学计划中规定学生要做 5 个课程设计、1 个毕业设计、2 个生产实习、1 次使用实习和 1 次毕业实习，各类实习共计 24 周。可见，当时对实践环节是十分重视的。

当时的实习是重要的学习和实践环节，为了搞好实习，事先必须准备好实习大纲。

下面是 1956 年 8521 班与 12521 班的生产实习大纲和 8511 班毕业实习的提纲。从中可见当时学校对实习十分重视，要求很高，考虑得十分仔细。如在毕业实习中要求系主任与该专业教研组组长共同负责总的行政领导及组织安排工作。系主任在教研组组长的参与下寻找实习地点，办理手续，组织学生安全到达实习基地，并提供实习所需的各种文件资料。教研组长直接对实习质量负责并委托教授、副教授及专业教研组业务水平较高的教师来直接指导实习。

8521 班与 12521 班实习大纲

（草案）

在光学机械工厂进行的第二次生产实习大纲。

专业“军用光学机械仪器专业”四年级第八学期，实习时间 7 周（42 工作日）。

（一）实习的目的及任务

第二次生产实习是在学生于大批或者流水生产的一般机械制造工厂进行过第一次生产实习后进行的。

这次实习是在仪器制造工厂的第一次实习。

第二次生产实习是在学生学完一系列的专业课程（仪器零件及机构，物理光学，仪器制造工艺学，光学零件制造工艺学，实验光学仪器及光学测量，火炮光学仪器理论）之后进行的。

这次实习的目的及任务是：使学生在所学理论知识的基础上深入及批判地了解仪器制造工厂的工作、工厂工作组织及特殊工艺规程。

实习时，学生在实际工作中扩大和加深自己在仪器制造工艺方面的知识。

此次实习的目的及任务是：

（1）熟悉工厂。

（2）研究工厂生产仪器的主要零件的加工工艺过程。

（3）从保证加工所需精确度稳定性的观点出发，研究工艺过程的检验方法。

（4）研究机床设备及专用机床使用法。

（5）研究提高劳动生产率的方法。

（6）研究光学零件的加工及光学车间的机构。

（7）学生熟悉本厂采用的最新最先进的零件加工方法。

（8）在光学车间实习的目的及任务是：研究光学零件加工方法，机床，刀具，加工及辅助材料，制造光学玻璃零件时测量及检验仪器。

（9）在铸造、冲压，工具，精饰车间，学生熟悉车间设备、工艺规程，获得在某些工作地点工作的实际技能。

（10）在设计室，学生跟随主导设计师工作，并在他的领导下完成仪器及仪器部件的计算及设计工作。学生要熟悉下列问题：

A. 图纸的定型、图纸的复制、修改图纸的程序、图纸的保管及发出。

B. 结构材料的技术条件、材料的分类、材料的用途及利用。

C. 设计室的劳动组织、参考资料及标准的利用。

（二）个人作业

为了提高生产实习效果及学生对实习的责任感发给学生个人作业。

题目举例：

(1) 研究仪器某些零件的加工工艺方法，拟制加工这些零件的工艺文件，作出关于工厂采用工艺方法的合理性的结论。

(2) 研究机床调整方法，作出制造一定零件调整机床的叙述。

(3) 研究和叙述加工某些零件时采用的夹具，说明使用时是否方便，能否保证所需加工精度。

(4) 拟制简图及结构，并作出仪器部件或夹具所必需的计算。

(三) 理论学习

实习期间工厂工程技术人员可根据这些题目给学生讲理论学习：本厂采用的工艺方法、材料、工具及设备。

(四) 检查的期限及方法

对学生实习工作经常的监督由学生所属工段领导者负责；关于学生遵守内部规则及劳动纪律方面的检查由企业派出的生产领导者负责；学生应和工厂工作人员遵守同样的劳动纪律；学校派出的生产实习指导教师应保证实习的准备工作及指导工厂派出的生产实习领导者及学生的实习方法；学校派出的指导教师应和工厂派出的领导者共同选择学生的实习岗位，组织理论课及参观，给学生及其工作岗位的直接领导者答疑有关实习大纲中的问题，定期检查学生的日记和报告，同时还要检查学生劳动纪律的遵守情况；学生完成实习报告经厂方填好关于学生得到的技能及知识的评语之后交给教研组，并在教研组进行答辩，实习成绩按四分制评分。

(五) 教材

学生在工厂时应了解现有资料、规格、一览表、价格表等。

仪器制造系8511班毕业实习提纲

专业：火炮光学机械仪器及指挥仪专业

年级：五年级（第十学期）

实习期限：八周（火炮光学机械仪器专业）

七周（指挥仪专业）

(一) 实习的目的和任务

实习的目的是：

(1) 巩固、进一步钻研及总结学生的理论学习和培养在行政及技术上独立领导某一生产工段的实际技能。

(2) 熟悉整个仪器制造工厂及它的一个主要工段的组织、计划及经济问题。

(3) 熟悉设计仪器零件及部件的方法。

(4) 研究装配的工艺及工厂出产仪器的试验。

毕业实习是学生理论及实践培养的学习过程，使学生可能有组织地去总结仪器制造、试验装配的整套生产过程，并开始独立地进行毕业设计的工作。

在实习过程中，学生应熟悉下列企业生产活动的主要问题：

（1）工厂所生产仪器的构造及它们的制造和验收技术条件。

（2）某些部件及整个仪器现行装配试验的工艺规程。

（3）仪器机械加工及装配生产过程自动化和机械化及采用先进工艺方面所采取的措施。

（4）新构造的设计阶段及样品仪器和成批仪器的实验步骤。

（5）提高装配部件及零件统一和标准百分数的设计室的工作。

（6）现代生产管理设计室的工作。

（7）节约材料资源及使用稀缺材料代替物的规定的方法。

（8）生产的经济、计划和准备问题。

（9）保安及防火技术的措施。

（二）学生的工作地点及时间分配

学生在下列地点进行实习（尽可能按人员职务）：

（1）生产科——5天。

（2）总设计师室（以技术员—设计师身份）——24天。

（3）工厂装配车间（以仪器最后装配及校正的装配工身份）——10天。

在生产科：

了解本专业车间的分类、生产类型、生产规模、产品的重量及外形特征；拟制车间计划的方法；选择及计算设备的指示；决定工人干部成分及数量的材料；了解所需材料的程序、车间结构和计划的指示；工厂在生产过程自动化过程中，采用先进工艺，减低加工余量，利用非稀缺材料及经济毛坯方面所进行的工作；生产技术准备的组织。

在设计室：

了解总设计室的机构和组织及其在工厂生产总系统中的地位；设计新结构的阶段；设计的国家标准工厂定额及其使用的方法；制图设备的组织。

在设计室工作时，学生根据与毕业设计题目有关的任务书研究对仪器的战术技术要求、仪器的使用条件。

在完成生产实习任务的过程中，学生应进行主要的计算及拟制仪器原理图，论证仪器误差，论证选择的材料及完成仪器一个部件的图纸。

在装配车间：

了解仪器及其部件的装配方法、装配的工艺文件、从装配的观点研究部件或仪器结构的优缺点；所规定的公差及配合的正确性；已装配部件及仪器的验收方法；车间的生产结构及生产工段的组成；车间生产计划。

成批生产工段工作的分析：

成批制品的尺寸及其生产的周期性；装配工作繁重性及适应；零件和半制品补充及供给工作地点的程序；车间中的原始登录；安全技术情况。

在实验室或技术检验科：

了解工厂检验校正设备的组织、部件的检验方法及整个仪器的验收方法、仪器使用条件和精度、最新样式的符合使用条件的检验测量仪器，并在使用这些仪器中获得实际的技能。

（三）学生个人作业

将毕业设计题目发给参加毕业实习的学生。

根据题目，工厂指导者在学校实习指导者的同意下发给每个学生个人作业。作业如：工厂生产仪器的构造；工厂检验测量装备的组织；工厂保安技术、劳动保护及防火技术；工厂在制造工艺上最新的成就等。

（四）组织领导和实习的考查

系主任与决定专业性质的教研组组长共同负责总的行政领导及组织实习。

系主任在教研组长的参与下寻找实习地点，办理手续，组织学生出发参加实习，及保证他们所需的学习方法上的文件等。

教研组负责学生全部生产实习的学习方法上的领导。

教研组长们负责领导学生实习的质量。

委托教授、副教授及专业教研组业务水平较高的教师来直接领导实习。

领导实习的教师到达实习地点，参加分配学生到生产岗位上去的工作，编制学生工作计划及监督学生的实际工作；在需要的情况下他们亲自参加组织理论学习、答疑及生产参观。

工厂对实习总领导的工作委托给一位业务水平较高的专家，他或是全部解脱自己的工作（学生人数超过50人时）或是在领导实习的同时兼做自己的工作。

工厂实习领导者的任务是：组织学生在工厂的生产工作，在组织答疑上给予实习生帮助。

关心日常生活的正常条件。

工厂的车间及部门等的直接领导实习的工作委托给常在这些车间部门工作的专家们。

每个领导者负责一个不超过十人的小组。工厂车间及部门生产实习指导者的任务是：直接领导实习生的工作，指导及介绍学生安全技术及劳动保护，监督实习生的工作质量。

根据生产实习提纲，实习领导者编制学生实习进度表，此表须经工厂领导部门的同意。

为了考查学生在实习期间的工作应每日把他们所完成的工作记录在日记本上。

生产领导者每月检查笔记的正确性。

实习结束后两天的时间内学生应将实习报告交系办公室。

根据学生所交的生产实习报告及教研组实习领导者的结论，负责实习这门课程的教师对生产实习进行考查。

评定实习成绩时同时要考虑到工厂实习指导者给予学生的评定。

实习成绩的评定按四分制进行并记入学生的记分册中。

在实习结束后不迟于两天内进行生产实习的考查。

得到不及格分数或不交生产实习本的学生让他们重新进行生产实习。

第四节　早期的科学研究方向和规划

除了进行课程建设，开展好各类实习工作外，年轻的教师们也在苏联专家的指导下初步开展了科学研究。下面摘录了仪器系第三教研组 1956 年的一个汇报材料，其中包括了 12 年内科学研究方向及主要项目规划，从中我们也可看出这个专业的军用特色。

1956—1968 年仪器系第三教研组 12 年内的科学研究方向及主要项目有：

（1）研究更完善的光学系统计算方法（指工程方面）。

（2）光学机械仪器零件及部件的标准化。

（3）研究坦克稳定瞄准具。

（4）研究红外线光学瞄准具。

（5）规定瞄准具快速运动目标光学系统最适宜的参数。

（6）确定飞机对地面及空中目标瞄准距离的实际范围。

（7）研究超音飞机的轰炸瞄准具。

（8）改善确定至快速活动目标距离，并自动记录改变距离的方法。

（9）利用外基线测远镜、现代自动射击瞄准具分析确定到目标距离的精确度。

（10）改善确定快速运动目标、航向的方法。

（11）改善确定快速运动物体线速度的方法。

（12）改善确定快速运动物体角速度方法。

（13）研究不失调的基线光学测远镜原理图和结构。

（14）在潮湿及炎热的气候条件下，保证仪器可靠的气密性。

（15）叙述及分析国内外（苏式及非苏式）的军用及民用光学机械仪器。

（16）分析用 АБП－37－1 高射炮瞄准具解决瞄准问题的精确度。

（17）建立模拟瞄准及设计实际条件的轰炸、高射、空中射击及坦克练习器。

（18）研究及改善航空摄影方法。

（19）军用民用仪器的连续可变倍率瞄准器的计算方法。

（20）研究由于飞机飞行状态的不稳定及轰炸武器的标准而产生的瞄准误差。

（21）研究及设计俯冲轰炸自动瞄准具。

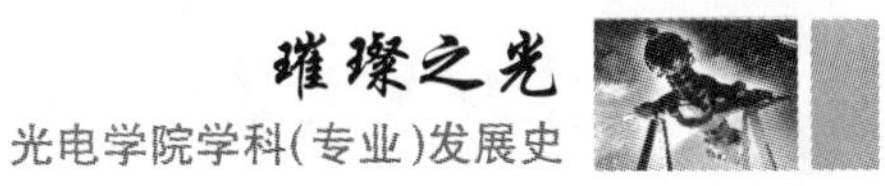

(22) 同步轰炸瞄准具中自整步原理的应用。

这22个研究方向和项目都是围绕着地面瞄准具和航空瞄准具有关原理、方法、测量精度等问题进行的。从中可见我们军用光学机械仪器专业与国内先后产生的以民用望远镜、照相机、显微镜、大地测量仪器为特色的光学仪器专业有着很大的不同。我们是以研究火炮、坦克和航空中用于瞄准、测距的各类观瞄仪器为特征的军用光学机械仪器，所设课程不同，培养方向不同。这就是我们的特色。

第五节 崭新的系和专业迅速成长壮大

经过几年的努力，仪器系的教师们在党的领导下，向苏联专家学习，边学边干，打造的专业课程一门门地新鲜出炉，实验、课程设计、实习以及毕业设计等教学环节也按计划陆续展开，教学内容和实验设备一年年地充实和提高，教师队伍一年年地扩大，在集体的努力下，崭新的系和专业终于成长壮大起来了。到1957年，根据两个专业所属学科建设和教学需要，已经建立了“光学理论”“精密机械制造工艺”“军用光学机械仪器”“自动控制”“火炮射击指挥仪”及“仪器零件”等6个教研组。全系共有教师67人，其中教授1人，副教授4人，讲师11人，助教51人；行政干部职员23人，各教研组为本系及外系开设的课程共33门。有正规的教学计划及各科的教学大纲，各层次实习及各种设计都有相应的教学和教学法文件。实验室18个，其中1/3的设备水平在国内名列前茅，投资总额260余万元，当时已经开出实验83个，实验室面积达2 604平方米。

建系3年半中，为祖国国防工业培养了两批军用光学机械仪器专业毕业生和一批火炮设计指挥仪专业毕业生。这些毕业生经过5年在校的学习（30多门理论课，20门左右的实验课，4次实习和6次设计），通过了严格的理论联系实际的锻炼过程，具备一定的专业知识，基本上适合我国在发展中的现代化国防工业建设的口径和需要。

这里还必须提到的是，苏联专家（见表1.8）在校期间，培养了我校首届由苏联专家指导的研究生。费多托夫指导的研究生是周仁忠，扎卡兹诺夫指导的研究生是邹异松，梅德维捷夫指导的研究生是查立豫和邱关明，普列斯努恒指导的研究生张绍诚、董佩刚、孙季宽、潘赞斌、倪六一。这些由苏联专家指导的研究生后来都成了有关专业的领军人物。

从前面的回顾可以看出，军用光学仪器专业是1953年建立的国内第一个军用光学仪器专业，它和以民用望远镜、照相机、显微镜和大地测量仪器为特色的光学仪器专业不同，它是以用于火炮、坦克、步枪、航空器和舰艇的军用光学仪器为主要研究对象的专业。它是根据苏联专家的建议，以苏联同类专业为模式，特别是以莫斯科鲍曼高等技术学校为参考建立起来的，当时的教材、教学计划和培养方向都是学习苏联的，所以我们的军用光学仪器专业从一开始就深深地印上了苏联的烙印。经过马士修、于美文等专业创始人的努力，经过几年的教材编写、实验室建设和人才培养，到 1957 年，我们这个带有苏联印记并具有中国特色的国防专业已初具规模并转入了快速发展的轨道。

表 1.8　苏联专家一览表

序号	姓名	信息类别	信息内容
1	费多托夫	来华时间	1953. 11. 22—1956. 07
		职称与学位	副教授　博士
		原单位	苏联鲍曼高等技术学校
		专业特长	炮兵光学机械仪器、航空光学机械仪器
		任职情况	在北京工业学院任系顾问
2	普列斯努恒	来华时间	1955. 09. 04—1957. 07
		职称与学位	教授　技术科学博士
		原单位	苏联鲍曼高等技术学校
		专业特长	火炮指挥仪原理与系统、自动控制与解算装置
		任职情况	在北京工业学院任院长顾问
3	扎卡兹诺夫	来华时间	1955. 09. 14—1957. 05
		职称与学位	副教授　候补博士
		原单位	苏联莫斯科大地测量航空摄影工程学院
		专业特长	仪器制造工艺学、仪器零件、航空摄影仪器设计和精度研究
4	梅德维捷夫	来华时间	1954. 11—1956. 01. 22
		职称与学位	副教授　副博士
		原单位	列宁格勒工学院
		专业特长	光学玻璃工艺学、玻璃冷加工、物理光学、光学仪器装配与校正、光学测量
5	鲁西诺夫	来华时间	1958. 07—1959. 01
		职称与学位	教授　博士
		原单位	列宁格勒光机学院
		专业特长	光学系统外形尺寸计算、光学系统设计

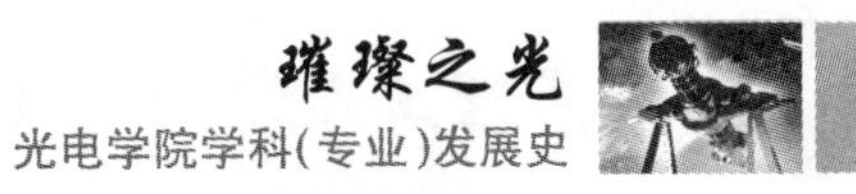

▶ 苏联专家费多托夫（左一）和青年教师马志清（右一）、王镁在一起

尼·别·扎卡兹诺夫（Н·Б·ЗАКАЗНОВ）苏联莫斯科大地测量航空摄影工程学院，仪器制造工艺副教授，技术科学硕士，1955.9.6—1957.5来我校任教。

▶ 扎卡兹诺夫

列·尼·普列斯努恒（Л·Н·ПРЕСНУХИН）苏联包曼高等技术学校教授，技术科学博士，射击指挥仪专家。1955.9.6—1957.7来我校任教。

▶ 普列斯努恒

梅德维捷夫（И.И. Медведев）副教授
化学科学硕士 火药指挥仪专家 1958.10—1960.6
在我校任教。

▶ 梅德维捷夫

鲁西诺夫 教授、博士、列宁格勒精密机
械与光学学院，光学系统设计专家 1958.5—1961.2
在我校任教。

▶ 鲁西诺夫

扎卡兹诺夫（苏联专家）在讲课，翻译郑
士贵（左）。地点：我校教室。五十年代

▶ 扎卡兹诺夫在讲课，翻译是郑士贵

第二章

军用光学仪器专业的壮大和新专业的产生

（1958—1966）

经历了1957年全国范围的“反右斗争”之后，1958年又开展了“大跃进”“大炼钢铁”“大办人民公社”的运动，这些都一定程度上影响了学校的正常教学秩序，1959年和1960年的生活困难时期，也让师生员工饱受饥饿之苦。但学科的建设和专业的发展并未停滞，特别是受到国防形势的影响，对敌斗争的需求，一些新的军用光学专业陆续诞生。1958年军用光学仪器设计与制造专业分成两个专门化，即结构设计专门化和光学设计专门化。1959年仪器系又新建4个专业：红外技术（代号42），传感器（代号44），天文导航（代号46），红外探测（代号48）。1960年，42、46、48合并为光学导引装置，后称43专业。原来的军用光学仪器专业两个专门化和光学设计专门化升格为41专业和42专业，即军用光学仪器和光学系统设计与检验专业。

第一节　对敌斗争的需要促使了新专业的诞生

新专业的诞生虽然是在“大跃进”形势下产生的，但是它确实与国防形势密切相关。正是由于对敌斗争的需求才带动了我们学科的发展。

1951年抗美援朝，我们的志愿军在朝鲜与美国兵打仗，我们的狙击手在晚上总是被美国兵打死，我们看不见人家，一抬头就被人家打中了，原来人家有红外夜视仪器。漆黑的夜晚，我们没有这种仪器只能被动挨打。国家责令我们研究红外夜视，仪器系也参加了，这才对夜视有一个初步的了解，也逐步形成建立红外夜视专业的需求。1958年我国内地解放军与我国台湾国民党蒋军在福建空战，蒋军的飞机上装备了能用红外线制导的响尾蛇导弹，这种导弹可以自动追踪产生红外线热源的目标，我内地解放军的飞机就是它跟踪的红外目标，所以我们的飞机不时被响尾蛇导弹击落。有一次一个响尾蛇导弹掉在了地上，摔坏了，但没有炸，我们军方就把那个响尾蛇导弹拿回来了。拿到北京组织有关单位分析研究，大家一时也搞不太清楚，后来苏联专家来了，他们一看，发现这是个好东西，就把实物卷走了，带回苏联去研究。他们研究清楚之后，就自行制造出来了，后来他们把全套图纸卖给我们，让我们再仿制。这样的事情也激发了我们研究红外技术的热情与愿望。后来全国不少院校都陆续地成立了红外技术专业，我们是建立较早的单位之一。

我们仪器系对红外技术的研究是有基础的。早在1958年，光学仪器系就组织周仁忠、何理、林幼娜3个人着手研究红外技术，当时还未决定建专业，只是探一探路子。他们首先想到的还是军用红外探测，用以发现目标。先搞了两个红外探测头，像一米测距机一样，放在基线的两端，这个东西被学校录用为“八一”献礼项目，参加了展览，周仁忠老师也因此参加了彭德怀国防部长的“八一”宴会。1958年下半年，总参谋部调来一台红外测向仪，用来在海岸上探测军舰的方位，探测器用的是苏联生产的真空热电偶。由于真空热电偶使用一段时间以后性能就衰减了，放在部队也没用，就送给学校做研究。我们用了一个月左右的时间把它恢复了起来。由于仪器老化，信号很弱，我们就在电路上想办法，提高了放大倍数，虽然作用距离不是很远，但总算可以用起来了。由于上述对红外技术的研究和学习，我们逐步对红外技术有了一定的了解。系里就开始组织人力编写红外技术的教材，开综合性的红外课程。在马士修先生的帮助下，周仁忠老师编写了4章内容：第一章《红外物理》，第二章《红外光源》，第三章《红外传播》，第四章《红外探测》。1959年对55级和56级学生开了课，讲课时又增加了红外仪器的内容，到了57级时系里明确要设红外专业，正式把57级当做红外专业的学生。1960年我们的红外课程引起了国防科工委的重视，国防科工委所属院校约六七十名教师来我校进修（有北航、南航、西工大、成电、哈工大等院校）。当时国防科工委准备在八所院校建红外专业，我校是第一个建立的。到1961年下半年和1962年上半年，我们的课程逐渐向红外导引的方向发展。红外仪器实际上就是红外导引仪器。编写的教材《红外线技术基础》（周仁忠编）当时在国防科工委的代号是51001，是保密教材。另外还有邓仁亮、刘振玉等编的《光学制导原理》，代号为51002；李逌吉编的《红外探测器》，代号为51003，这样红外技术专业就逐步建立起来了。

天文导航专业的建立也与对敌斗争需求紧密相关，与打下美军武器装备有关。1958年我军击落美国的U－2高空侦察飞机，国防部组织有关单位去进行“美U－2高空侦察机残骸”分析，张国威老师被系里派去南苑机场参加了此项研究，最终分离出了“光电六分仪”的残骸，由此确定U－2上应用了天文导航技术。分析之后，向中央军委、国防科委写了分析报告。看到了天文导航在军事上非常重要，我校就开始了天文导航的研究。1959年我们编写了有关天文导航原理和天文导航仪器的教材，又建立了天文导航专业（46专业）。

1959年12月学校向一机部呈送的关于设置新专业的意见中包括增设电子仪器、光学仪器及精密机械仪器方面的专业，所以系里除增设42，46，48专业外，还建立了44传感器专业。认为传感器在遥测技术中十分重要，应该培养设计弹上测量用的传感器及地面有限距离测量用传感器的人才。

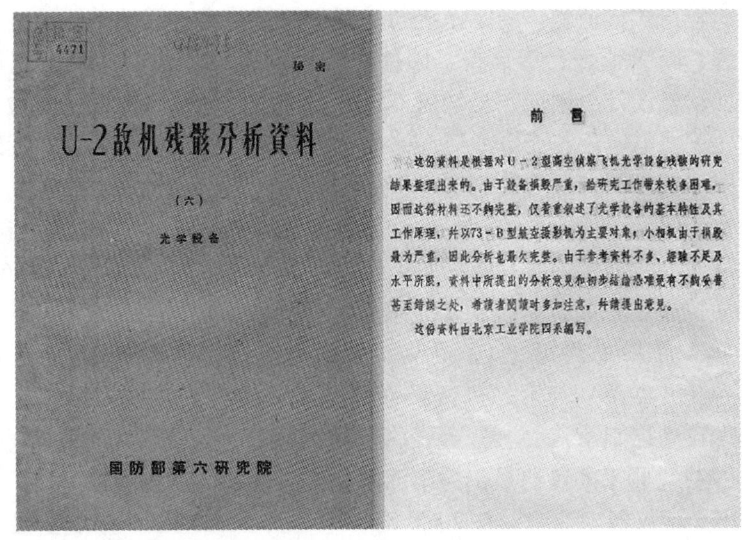

秘密

U-2敌机残骸分析资料

（六）

光学設备

国防部第六研究院

前言

这份資料是根据对U－2型高空偵察飞机光学設备残骸的研究結果整理出来的。由于設备損毁严重，給研究工作带来較多困难，因而这份材料还不夠完整，仅着重叙述了光学設备的基本特性及其工作原理，并以73－B型航空摄影机为主要对象；小相机由于損毁最为严重，因此分析也最欠完整。由于参考資料不多、經驗不足及水平所限，資料中所提出的分析意見和初步結論恐难免有不夠妥善甚至錯誤之处，希讀者閱讀时多加注意，并請提出意見。

这份資料由北京工业学院四系編写。

▶《U－2敌机残骸分析资料》封面与前方部分

1960年在实际建设中，对已有专业又进行了调整，42，46，48合并成42，后来又改为43，称为光学导引装置。至1960年年底，学校实际设置的专业为39个。属于光学仪器系的有军用光学仪器、光学系统设计与检验、光学导引装置和传感器。1961年有一份新技术专业实验室建设情况的表格，从中可见当时的专业设置和实验室建设的情况（见表2.1）。

表2.1　1961年新技术专业实验室建设情况

<table>
<tr><th rowspan="2">系别</th><th rowspan="2">专业名称</th><th rowspan="2">实验室名称</th><th rowspan="2">现占有面积/m²</th><th colspan="2">实验项目数/个</th></tr>
<tr><th>应开</th><th>已开</th></tr>
<tr><td rowspan="4">四</td><td>光学系统设计与检验</td><td>光学精密测量实验室
军用电子光学实验室</td><td rowspan="2">800</td><td rowspan="2">10
8
20
7</td><td rowspan="2">10
4
8
6</td></tr>
<tr><td>光学仪器结构设计与工艺</td><td>军用光学机械仪器实验室
光学零件工艺实验室
军用光学陈列室</td></tr>
<tr><td>光学导引装置</td><td>红外技术基础实验室
光学制导实验室</td><td>220</td><td rowspan="2">15
8
21</td><td rowspan="2">2
4
4</td></tr>
<tr><td>传感器</td><td>仪表及传感器性能实验室
仪表及传感器工艺装校实验室</td><td>60</td></tr>
</table>

但时间不长，1961年党中央提出“调整、巩固、充实、提高”的方针，为贯彻这个方针，学校的专业由39个调整为24个。调整后的专业有：火箭战斗部、引信、弹道式火箭弹体设计与制造、飞行力学与飞行操纵、火箭发射装置与

地面设备、弹道式火箭弹体稳定系统与装置、计算技术、随动系统、液压气动自动传动装置、陀螺仪表、指挥仪、固体火箭发动机设计与制造、坦克设计与制造、坦克发动机设计与制造、光学仪器设计与制造、光学系统设计与检验、光学导引装置、无线电定位、无电线遥控遥测、无线电设备机构与工艺、无线电电子物理学、固体燃料制造、炸药制造、精密机械工艺。

这些专业中属于仪器系的有光学仪器设计与制造、光学系统设计与检验、光学导引装置，取消了传感器专业。而火炮指挥仪专业，即12专业于1960年成立二系（自动控制系）时，调整到了二系。

1960年2月12日经第二十一次院务委员会通过，对部分系进行了调整：将第一机械系（武器系）与第二机械系（弹药系）合并，仍称为第一机械系；另设第二系（自动控制系），新建八系（金属材料系）、九系（工程物理系）、十系（数学力学系）。原来的仪器系仍为第四系，称为光学仪器系。

在军用光学仪器专业中，在20世纪50年代末又出现了一个航空摄影的专门化，并于1960年形成了一个教研室，即412教研室，原有的军用光学仪器教研室叫411教研室。航空摄影专门化的出现仍然是与国防斗争需求密切相关。1958年在通县打下了一架美国高空侦察机，叫RB-57D，B就是轰炸机，R就是侦察。我们国家的飞机主要是作战飞机，侦察方面偶尔配备相机，都是第二次世界大战时的东西，没有较新的相机。打下高空侦察机后，当时的空军有关部门就找人去拆分和分析，最后这个残骸被我们拿回来了。通过对残骸的分析，我们可以了解它的相机等设备的性能情况。在1961年、1962年又在前线打下RF-101A低空侦察机。国防部六院组织有关人员去研究分析残骸，当时是唐良桂、陈南光老师和武志广、杜书林师傅去的，在南苑机场对残骸进行了拆解分割和分析。后来国防部六院又开会，想研制我们自己国家的侦察机，当然也必然要装备航空摄影的设备。对这些美式装备的分析和研究，以及部队的需求都对我们航空摄影专门化的诞生和发展起到了很大的促进作用。

1958年我们就曾研制过45号航空相机，光学设计是在苏联专家鲁西诺夫的指导下完成的，当时有耿立中、安文化、樊大钧、盛鸿亮、何献忠等多位老师参加。1960年在唐山机场试飞，照出了第一张照片，山上“大跃进”三个字拍得很清楚。因这个项目安文化老师代表学校到展览馆去做讲解员，彭德怀、贺龙、许光达等军队首长都来参观，贺龙问：“你这个相机能拍到台湾吗?”安文化说正面不敢拍，怕飞机被打下来，可以斜着拍。后来我们的412教研室、421光学教研室等其他教研室的同仁们一起在航空摄影和地面远程摄影领域做了不少工作。以后的三米焦距远程照相机、一米焦距远程照相机、航空侦察的多光谱相机和侦察卫星相机尖兵一号都有我们辛勤的劳动。这些科研工作也使北京工业学院仪器系成为了国内航空摄影和地面远程相机研究领域的领跑者之一。

在前面1961年新技术专业实验室建设情况的表格中我们可以看到，在光学

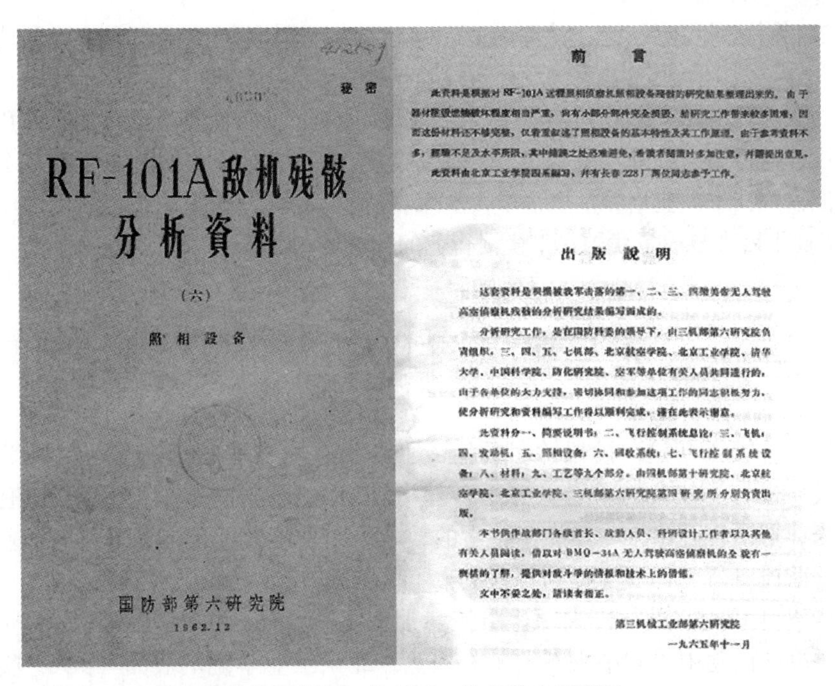
秘密

RF-101A敌机残骸
分析資料
（六）
照相設备

国防部第六研究院
1962.12

前言

此资料是根据对RF-101A这架照相侦察机照相设备残骸的研究结果整理出来的。由于器材残毁燃烧破坏程度相当严重，仅有小部分部件完全损毁，给研究工作带来较多困难，因此这份材料还不够完整，仅着重叙述了照相设备的基本特性及其工作原理。由于参考资料不多，经验不足及水平所限，其中错误之处恐难避免，希读者阅读时多加注意，并提出意见。

此资料由北京工业学院四系编写，并有长春228厂等单位同志参予工作。

出版說明

这套资料是根据被我军击落的第一、二、三、四架美帝无人驾驶高空侦察机残骸的分析研究结果编写而成的。

分析研究工作，是在国防科委的领导下，由三机部第六研究院负责组织，三、四、五、七机部、北京航空学院、北京工业学院、清华大学、中国科学院、防化研究院、空军等单位有关人员共同进行的，由于各单位的大力支持，密切协同和参加这项工作的同志积极努力，使分析研究和资料编写工作得以顺利完成，谨在此表示谢意。

此资料分一、简要说明书；二、飞行控制系统总论；三、飞机；四、发动机；五、照相设备；六、回收系统；七、飞行控制系统设备；八、材料；九、工艺等九个部分。由四机部第十研究院、北京航空学院、北京工业学院、三机部第六研究院第四研究所分别负责出版。

本书供作战部门各级首长、战勤人员、科研设计工作者以及其他有关人员阅读，借以对BMQ-34A无人驾驶高空侦察机的全貌有一概括的了解，提供对敌斗争的情报和技术上的借鉴。

文中不妥之处，请读者指正。

第三机械工业部第六研究院
一九六五年十一月

►《RF-101A 敌机残骸分析资料》的封面、前言及出版说明

系统设计与检验专业的实验室中有一个军用电子光学实验室，后来这个实验室就形成了夜视技术专门化的实验室。实际上，夜视专门化从 1958 年就开始筹建了，当时周立伟、刘茂林、邱永林 3 人在马士修先生的领导下，到长春光机所调研，到北京大学听课，为建立夜视专业做准备。

► 中国工程院院士　周立伟

1960 年 4 月，高鲁山提前毕业加入夜视专门化的行列。该专门化先划归 41 专业，叫 412；1961 年始划归光学设计与检验专业，原专业称 421，夜视称 422。1963 年 5 月的教学计划还是叫光学系统设计与检验专业红外夜视仪器专门组教学计划。至 1965 年年底，北京工业学院实有 31 个专业，即火炮设计与制造、自动武器设计与制造、炮弹设计与制造、坦克发动机设计与制造、坦克车体设计与制造、军用光学仪器、雷达线路设计、无线电遥测遥控、火箭固体燃料制造、引信设计与制造、无线电引信、火箭战斗部、战斗部装药、火工品、炸药制造、精密仪器制造工艺、随动系统设计与制造、陀螺仪表、液压气动自动传感装置、固体火箭发动机设计与制造、火箭弹体设计与制造、火炮指挥仪、

导弹控制回路及稳定系统、计算装置、雷达结构设计与制造、发射装置及地面设备、红外导引、军用光学系统设计与检验、火箭液体燃料使用、火炸药生产设备自动化、火炸药专用设备。其中属于仪器系的专业有3个：军用光学仪器、军用光学系统设计与检验、红外导引。夜视技术还是光学系统设计与检验专业的一个专门化。但夜视技术专业培养学生很早，从55级就开始了，56级、57级都有学生，该3届毕业生后来都成了我国军工夜视行业的骨干技术力量。

第二节　科学研究初结硕果

1958—1966年这一阶段除了原有专业壮大，新专业陆续产生外，科学研究较前几年也有了较大的发展。1953年建专业后主要是把方向弄明白了，把教材编出来，把课程开出来，建立了正常的教学秩序，科学研究一下子还上不来，到了这一阶段科研工作逐步提到日程上来了。

1958年校党委动员广大师生员工参加八一献礼活动，即以科研成果参加国防部举办的向党中央和中央军委献礼展览。北京工业学院的展品一共69项，其中有初步科研成果的27项，仪器系有红外线自动定位仪、红外线望远镜、红外线探测仪、坦克瞄准具设计图、航空侦察照相机、长焦距摄影机等。当时还有一份表格记录着1958年6~12月北京工业学院仪器系完成科学研究项目统计情况(见表2.2)。

表2.2　1958年6~12月北京工业学院仪器系完成科学研究项目统计

序号	项目名称	水平	完成情况
1	罗盘上用望远镜		产品试制完成
2	红外摄影	国内水平	完成底片
3	论文两篇		
4	自动驾驶仪 AΠ-5 级海军仪器的安装	产品安装完	
5	1959 式高射机关炮的半自动瞄准具的产品图	完成设计	
6	85 反坦克自动瞄准具产品图纸	国内水平	完成设计
7	轻型坦克瞄准具产品图纸	国内水平	完成设计
8	红外线探测仪一架	国内水平	完成产品
9	轰炸练习器改装图纸		完成设计
10	坦克夜间观察仪（TBH-1 型)		完成设计
11	红外线炮瞄准具		完成图纸
12	红外线导航仪	国内水平	完成实验模型
13	红外线定位实物	国内水平	完成模型

续表

序号	项目名称	水平	完成情况
14	照相机工艺过程及工艺装置		资料
15	光学玻璃		完成产品
16	掌握腐蚀刻度工艺		资料
17	掌握喷漆刻度工艺		资料
18	掌握电抛光设计及制造浸渍设备		完成产品
19	非球面光学零件加工工艺		完成产品
20	红外线光学玻璃熔炼	国内水平	完成产品
21	天象仪	国际水平	完成产品
22	电视镜头		完成产品
23	3 米高空摄影镜头		完成设计
24	1.5 米高空摄影设计		完成设计
25	广角目镜		完成设计
26	照相物镜		完成产品
27	红外观察仪		完成设计
28	104，303 瞄准具		完成设计
29	干涉仪测角仪光学系统计算		完成设计计算

1961 年科学研究任务表中还记载着当时科研项目的状况。国家项目如表 2.3 所示。

表 2.3　国家项目统计

序号	项目代号	密别	项目名称	类别	来源	主办与协办	研究地点
1	401	机	航空相机（高空、低空）	Ⅱ	光学组	主	院内
2	402	机	地面远程摄影机	Ⅱ	光学组	主	院内
3	403	秘	电容式传感器	Ⅱ	0038	主	院内
4	404	机	高空摄影传真设备	Ⅱ	光学组	主	院内
5	405	秘	大倍率炮队镜	Ⅱ	光学组	协办	704
6	406	机	红外测距仪	Ⅲ	光学组	主	院内
7	407	内	光学非球面元件加工工艺	Ⅱ	光学组	主	院内
8	408	机	弹道经纬仪	Ⅰ	光学组	协办	长春
9	409	机	大加速传感器自拟		主	院内	
10	410	机	小加速传感器自拟		主	院内	
11	411	机	温度传感器自拟		主	院内	

续表

序号	项目代号	密别	项目名称	类别	来源	主办与协办	研究地点
12	412	机	振动传感器自拟		主	院内	
13	413	机	攻角传感器自拟		主	院内	

基地自拟项目如表 2.4 所示。

表 2.4　基地自拟项目统计

序号	项目代号	密别	项目名称	来源	主办与协办	研究地点
1	421	机	420 红外制导头	自拟	主	院内
2	422	机	膜盒波纹管成型工艺	自拟	主	院内
3	423	秘	膜盒计算理论研究	自拟	主	院内
4	424	机	红外线及光学制导中基本问题研究	自拟	主	院内
5	426	机	各种能量转换及感受研究	自拟	主	院内
6	427	机	小孔精密加工工艺（超声波加工工艺）	自拟	协	院内
7	428	机	光敏热敏元件	自拟	主	院内

基地部分见表 2.5。

表 2.5　基地部分统计

序号	项目代号	密别	项目名称	来源	主办与协办	研究地点
1	414	机	加速度精度测试台	自拟	主	院内
2	416	机	振动及过渡过程测试台	自拟	主	院内
3	416	内	恒温车间	自拟	主	院内
4	417	秘	万能光学台	自拟	主	院内
5	418	机	光敏热敏元件测试台	自拟	主	院内
6	419	机	大气对红外线吸收散射模拟装置	自拟	主	院内
7	420	机	时间讯号发生测定装置	自拟	主	院内

注：基地是配合学校重大项目研究的研发中心

第三节　代表性的科研成果

一、大型天象仪

大型天象仪是北京工业学院光学仪器系代表性的大型光学仪器研制成果，它

是用于演示天体运转、各类天文现象的大型投影仪器，有复杂和众多的光学系统，复杂的机械运动机构和电气控制系统，设计和制造都反映了一个国家的水平。国外在第二次世界大战以前只有德国蔡司工厂一家生产大型天象仪（总共生产27台），战后民主德国和西德两家蔡司厂在战前仪器的基础上作了改进，继续生产了十余台，后来美国和日本的某些厂商也分别制作过少量的这种仪器，但综合性能一般不如德国制造的。

我校在1958年夏天，仪器系师生开始研制大型天象仪，当时张炳勋和盛鸿亮在系生产办公室工作，北京天文馆来人说，想制作一个小型天象仪，那时天文馆用的是东德进口的大天象仪，很贵。张炳勋和盛鸿亮等老师到天文馆去看了一下，大家商量后决定要做就做个大的。这样大型天象仪的研制工作就开始了。由于要计算大量的光学系统，当时计算技术还不发达，只能用对数表变乘除为加减，用手工计算，所以全系师生齐动员，大家都用对数表进行设计计算，即所谓人海计算机。仪器系的师生们在北京天文馆人员的帮助支持下，从1958年7月到国庆节，仅用3个月时间就试制成了第一台样机，并进行了调试和表演。1958—1960年先后共试制3台天象仪。

在前面仪器设计与制造的基础上，学院院长魏思文于1962年7月25日召集有关人员研究天象仪的试制问题，参加人员有齐尧、刘瑞生、李振沂、梅村、伍少昊、严沛然、熊威廉等人。成立了以院工厂负责人吴文彬和仪器系负责人李振沂为项目正、副组长，伍少昊、熊威廉为第二副组长的天象仪工作组，于1962—1964年又独立设计试制出第一台较成熟的大型天象仪，这台仪器较之蔡司大型天象仪有了不少发展和改进，并于1965年参加了全国仪器仪表新产品展览会，颇得好评。

▶ 天象仪研制成功，仪器系师生抬着画有天象仪的图板，向校领导报喜

1973—1975年，学院再次组织队伍从事大型天象仪的设计和试制，并由北京市组织北京光学仪器厂（负责光机加工）和无线电源控制设备厂（负责控制系统配套）以及天文馆配合协同，制成了一台全新的仪器，于1976年年初在天文馆组装调试，并成功试演，最后取代了原来的蔡司仪器。这台仪

▶ 大型天象仪

器较之蔡司仪器有很多有助于提高表演效果的改进，如恒星投射改用了反摄远系统，使视物照度分布更加均匀；增加了多种天球坐标投射系统、中外星座形象和名称投射系统；加设了24节气、3恒28宿的形象连线和名称的表演装置；对太阳系星体，尤其是月球视运动的模拟作了重要改进；采用了能适应极低转速运转、调整范围极宽的力矩电机传动等。

1984年7月，该仪器在天文馆进行鉴定。以学部委员王大珩为主任的鉴定委员会认为：仪器“在放映内容上具有明显的中国特色，在太阳系机构上采用与国外不同的独特设计，消除了某些原理误差，是成功的、有创造性的”，并认为仪器“体现了我国设计人员的高设计水平”。

仪器从1976年在北京天文馆正式投入使用，经历了近20年的连续运行。从其利用率、每周使用时数和接待观众的总数来看，都已属同类设施中的最前列。

二、三米焦距地面远程照相机

对三米焦距地面远程照相机最早进行研制是1958年，当时苏联专家鲁西诺夫在仪器系任系顾问，主要是指导光学设计方面的工作。在校期间，鲁西诺夫开了好几个课题，“远程摄影”就是其中之一，当时的教师袁旭沧和学生彭利铭参加了该课题的光学设计工作。鲁西诺夫是苏联超广角摄影物镜设计的权威，除了指导这个课题之外，他还指导教师完成了视场角90°的广角目镜光学系统设计，试制成非共轴望远镜样机一台。鲁西诺夫在学院系统开设了“光学系统外形尺寸计算”和“技术光学”两门课程，他的这两门课程形成了《光学系统外形尺寸计算》和《技术光学》两本专著，被王镁、陈晃明译成中文，多次印刷出版，对促进我们光学事业的发展起到了积极的作用。

► 苏联专家鲁西诺夫在讲课，翻译是陈晃明

三米焦距相机采用的不是透射式的光学系统结构，而是折反混合的光学系统结构。对透射式系统，焦距和系统总长是相近的，而折反式则可以缩短系统的总长。我们的三米地面远程相机实际结构总长只在一米左右，大大减小了仪器的体积和重量。

为什么要追求相机的长焦距呢？这是因为在底片分辨率一定的条件下，焦距越长，可分辨的像高对应的物方视角就越小，对应的物体就可以放得更远，从而达到对远距离目标清晰成像的目的。但焦距越长，要保证成像清晰，光学系统结构就越复杂，设计和制造难度就越大，因此在20世纪五六十年代能做出如此长焦距的远程相机在国内还是首次，克服的困难是可想而知的。

当时的设计最终加工出来，做出了一个照相镜头，并用遮挡方式（因无快门和暗盒）照了一些照片。后来这个镜头和相片参加了国防科工委的一个展览会，会上科工委领导（包括贺龙元帅）十分重视，指示要继续研制下去并用于远程侦察。1963年4月仪器系又重抓这一项目。由何献忠任项目负责人，分工上总体是：何献忠、秦秉坤；光学系统：袁旭沧、曹会中、王基鸿；镜筒：陆乃驹、曹会中、王基鸿；快门：樊大钧、盛鸿亮、朱正芳、汤顺青；暗盒：何献忠、王基鸿、曹会中。项目上面挂靠炮司和总参二部。设计工作基本完成后，因大部分老师要返回教学第一线，系里对研制机构作了调整，成立了四系“研究室”，将研究结构的5人调入该室。王基鸿任小组长并负责支架设计，曹会中负责镜筒设计，汤顺青负责快门设计，朱正芳负责暗盒设计，秦秉坤负责总体。在原图纸设计者的指导下，学习消化并修改了图纸，于1964年修改完毕，召开了设计方案评审会，国内知名专家龚祖同、林友苞等及部队领导参加了这次评审会。评审通过后就开始加工生产，光学设计由袁旭沧全面作了修改，苏大图、曹根瑞参加了光学装配和测试，于1965年完成了加工装配。

第一型相机各部件齐全，可用于实地拍照，像质有了较大提高，整机60千克，由4人背负。

► 三米焦距地面远程照相机

接着由总参二部和炮司派人引领，我系部分参研人员携带仪器先后前往重庆、福州、厦门等边界地区进行了大量实地拍摄，得到部队的好评。回来后对研制工作进行了全面总结，对发现的问题进行了认真讨论，并提出了解决方案。由于设计人员参加了全部加工、装配、调试、实验的过程，有了感性知识和实践经验，心中有数了。系里又增加了李全臣、李芷、车念曾、李守德等人员，对原设计展开了全面修改，历时约一年，基本达到了能定型的水平。后来又加工了4台，实际产品达到了预期的要求，研制工作基本成功，且又到福建、珍宝岛、绥芬河等地进行了实地拍摄和考验。投入批量生产前又对图纸作了第四次修改和完善。第一批生产了10台，生产完成后开办了培训班。各军区派人员参加，学习后将仪器带回了部队。第二批又是10台，同样装配了部队。接着又投产十几台，

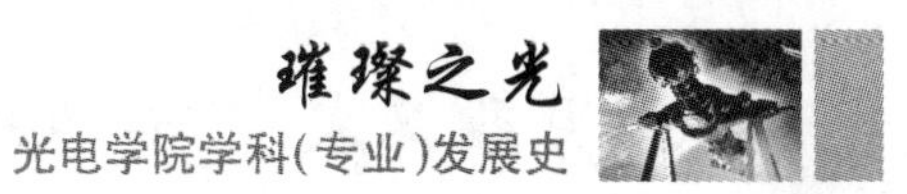

并加工完毕，交付部队。鉴定前又对图纸进行了完善，于1978年通过鉴定，取名为“78式三米焦距远程照相机”。部队参谋说：“这个项目是上级正式批准的列装项目，很不容易。”全国科技大会上“三米焦距远程照相机”获得科技大会奖。

三米远程照相机代号“401”意即四系第一个大型光学研制项目。三米远程相机先后5次修改、完善，历时十几年，经历了设计、加工、部队实验、培训，最后装备部队的全过程，获得了成功。它的意义还在于它确实是我系一次大规模真刀真枪的研制工作，动员了系里很大一部分力量，给教师提供了一个理论联系实际的机会。增长了感性知识，熟悉了科研的过程和规律，大大提高了科研能力，培养了一批骨干；对工人师傅也是一次锻炼，掌握了精密光学加工技能，为以后加工高精度光学零部件打下了基础；车间和实验室增添了一批精密装校检测设备，为科研提供了良好的物质条件。这些都为我系以后许多项目的研制铺平了道路。

第四节　教学计划进一步完善

随着课程建设、实验室建设的发展，教学计划也逐步完善。下面是1958年八专业（军用光学仪器）教学计划（草案）的说明。思想教育方面加强共产主义思想教育，加强劳动锻炼，学生在前3年中每年3个月的生产劳动，四年级3个月的军事训练，每年两周的整风鉴定，充分反映了学校对学生思想教育的重视。对结构专门化和光学系统设计专门化的专业技术知识的要求十分明确，对课程的调整也体现了加强基础和理论联系实际的特点。

1958年各专业教学计划（草案）及说明如下所述。

八专业教学计划（草案）说明

（一）贯彻教育方针，加强政治思想教育

（1）共产主义思想教育和系统政治理论学习，每周9学时，结合学生思想实际进行教育，与资产阶级观点思想作斗争，树立起正确的无产阶级的立场观点、思想作风。另外每周有4学时时事政策学习。

（2）劳动锻炼，除了平时的义务劳动外，前3年中每年有3个月劳动（考虑到劳动锻炼应是长期的，所以劳动时间分开安排更好），旨在通过劳动培养学生具有正确的劳动观点、劳动习惯、消除体力劳动与脑力劳动的差别，在劳动中培养集体主义的思想。

（二）贯彻教学方针，把生产劳动列为正式课

我们完全同意院务委员关于学时数1:3:8的比例，并认为增设劳动课，除了能够对同学进行深刻的思想教育和改造，能够更好地使同学联系实际，从而学得比过去更加深入，而且它还具有更加深远和广大的意义。我们认为，这是我国现时生产关系对教育所提出的要求，必须如此；这是过渡到伟大的共产主义消灭脑力劳动和体力劳动差别的重要手段；这对现时人们之间的关系，将会有巨大的影响。因此，在安排劳动时要求通过劳动，首先使同学成为一个真正的劳动者，具有工人阶级的优良品质，要求同学能够一面进行劳动，一面进行学习，成为能文能武，既能进行脑力劳动又能进行体力劳动的工人化知识分子。在安排劳动和生产课时，也注意了与一些课程的联系问题，达到理论密切联系实际的目的。计划中把劳动分3次进行，并把与劳动生产联系密切的课程放在各项劳动中进行，每个同学进行3次劳动生产，有一个重点工种，在这个重点工种上劳动较长的时间，最后达到五级工标准，其他的工种则是带有实习性的。

对两个专门化具体要求为：

（1）光学专门化的学生毕业时，要达到玻璃加工某工种五级工水平，装配校正2~3级水平，对其他的玻璃加工方法、金属零件加工方法进行一般了解。

（2）结构专门化的学生毕业时达到金属零件加工某工种五级水平，装配校正工3级水平，对玻璃冷加工方法、电的仪器线路、装配等有一定的了解。

（三）增加军事训练

为了达到是学生又是战士的要求，除平时每周2学时军训外，在第四年级安排了3个月军事训练。在目前形势下，在全民武装的口号下，我们对军事训练提出了更高的要求，前3年内我们没要求（也必然会这样）熟练操练，基本上掌握步枪射击。再经过3个月集中的军训后，要求学生掌握一项特种兵的技术（如瞄准手、观测手等），达到上等兵水平。

军训的主要内容是，熟悉部队生活，培养组织纪律性，学习解放军的高贵品质。进行军事演习，学习毛主席军事思想、仪器和武器的操作，了解光学机械仪器的性能等。

（四）专业技术知识的要求

军用光学机械仪器在国防工业中占有重要的地位，是国防工业的重要组成部分。随着现代技术的发展，它们在国防工业中的应用，给军用光学仪器提出了许多新的要求，如要求军用光学仪器有尽可能大的工作范围，尽可能高的工作精度，解决问题尽可能地快，在使用上则要求最大限度的可靠和方便。这就是要求军用光学仪器应具有完美的光学性能：大视场，高倍率及高鉴别能力；工作时要高度准确且达到自动化程度。因此我们认为八专业的发展方向应当是：仪器工作的自动化和电子化，寻求更加完美的光学系统。本专业分为结构设计专门化与光学系统设计专门化。两个专门化的具体要求如下所述。

1. 结构设计系统专门化要求

（1）具有提出军用光学仪器总体设计方案的能力。

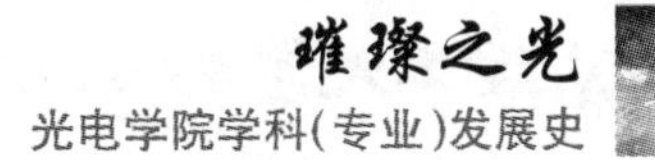

(2) 具有必要的光学设计知识，能够计算光学系统的外形尺寸，设计合理的光学系统，选择合理的物镜、目镜的形式。具体表现为具有一定的物理光学及几何光学的知识，具有一定的像差理论知识，能够进行双胶合物镜的设计。

(3) 具有系统和熟练的结构设计的知识和能力，以及与此相适应的电的知识。

(4) 具有在结构设计方面把军用光学仪器这门科学推向更高峰的基础。

(5) 具有攻取本门科学尖端的基础知识。

2. 光学系统设计专门化要求

(1) 具有提出军用光学仪器总体设计方案的能力。

(2) 具有系统的光学设计知识与较熟练的工作能力，能够进行望远系统、显微系统、照相系统、高空摄影系统、投影系统等光学系统的设计。

(3) 具有一般的结构设计的知识及电的知识。

(4) 具有在光学设计方面把军用光学仪器这门科学推向更高峰的基础。

(五) 课程的调整

(1) 化学：过去化学课重复高中的内容很多，不能解决实际问题，经过讨论后，决定删去与高中重复的内容，而着重讲解与专业相结合的内容，例如电化学、金属腐蚀理论，以及有关矽酸盐（玻璃）等内容。

(2) 物理：过去物理在很多内容上与理论力学、电工、物理光学等课程相重复。新的教学计划中决定把力学部分放在理论力学中讲授，电磁学及电磁波等内容放在物理中讲授。此外，在物理课中着重讲述专业所需要的，攻取尖端的基础知识，如原子物理学、半导体、热辐射、红外光学等，在课程先后次序衔接上也作了适当的安排。

(3) 企业组织与设计课：过去讲述方法上理论脱离实际，有教条主义倾向。我们在计划中把这门课程安排在毕业实习阶段，利用听取报告和参加车间管理生产的形式进行。

(4) 机器零件与仪器零件：过去这两门课有很多重复地方，现对这两门课程作了适当的分工，课程设计也只做一个仪器零件设计，机器零件改作大型作业。

(5) 制图与画法几何合并。

(六) 增添的课程和内容

1. 基础课方面

大大加强电工学，要求加强电路的计算、分析，磁路的计算，以及与专业有关的特种变压器、小电机；对电工实验也提出改变过去只是插插头和量量数据的实验方法，要求放手让同学自己动手，并增加电机和其他电工器材的拆装实验。

2. 在专业基础课方面

加强了“自动学基础”这门课，要求增添作业。

3. 在专业课方面

（1）设置了两个专门化的设计课：光学设计、军用光学仪器的设计，从而根除同学在作设计时无法下手的状况。

（2）设置了仪器机构精度课，系统地讲述有关精度分析和计算的理论。一方面避免过去各种功课中都讲，又重复又不深入的缺点；另一方面更加使课程系统化和更加深入，更好地联系实际。

4. 在尖端技术方面

我们认为八专业的尖端方向应当是电子化、自动化，用自动化计算的瞄准具来代替现有的瞄准具，并认为把电子计算机技术用到瞄准具上，尤其是航空仪器上有较为肯定的方向，所以开设了电子计算机概论课。

到1963年课程设置有了较大改变，表2.6～表2.8是1963年光学仪器专业（结构专门化）的课程设置。

表2.6　1963年光学仪器专业的课程设置

序号	课　程	学时	序号	课　程	学时
1	思想政治教育报告	160	15	仪器零件	95
2	马克思列宁主义基础理论	190	16	互换性与技术调整	57
3	体育	120	17	仪器制造工艺学	102
4	第一外国语	240	18	普通电工学	210
5	高等数学	440	19	电磁元件	55
6	普通物理	250	20	自动调节原理	110
7	普通化学	90	21	计算装置	78
8	画法几何与机械制图	160	22	应用光学	90
9	理论力学	110	23	光学测量	68
10	金属工学	100	24	企业组织计划与安全技术	30
11	金属材料学	68	25	炮兵光学仪器	60
12	机械原理	100	26	航空瞄准具	75
13	材料力学	90	27	军用光学仪器设计	80
14	机器零件	70	28	军用光学仪器装配与校正	52
				总学时数	3 350

表2.7　1963年光学仪器专业的选修课

选修课		学　时
1	第二外国语	120
2	陀螺仪应用原理	45

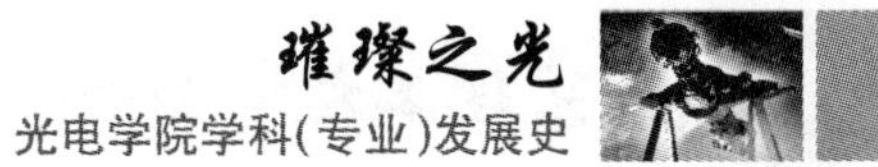

续表

选修课		学 时
3	红外线仪器	60
4	仪器部件设计计算	50
5	军用摄影仪器概论	30
6	振动理论与仪器减震	40

表 2.8 光学系统设计与检验专业课程设置及学时

序号	课程名称	学时	序号	课程名称	学时
1	思想政治教育报告	160	16	电工学	150
2	马列主义基础理论	190	17	电动力学	45
3	体育	120	18	理论光学	120
4	第一外语	240	19	光学材料与光学零件工艺	76
5	高等数学	400	20	光学量度	75
6	画法几何与制图	160	21	军用光学仪器与装配校正	80
7	普通化学	90	22	军用摄影仪器	45
8	普通物理	250	23	光学系统构造原理	45
9	理论力学	110	24	几何光学	115
10	金属工艺学	36	25	光学设计	128
11	材料力学	60	26	光学选论	58
12	机械原理与机器零件	90	27	像质鉴定	75
13	互换性与技术测量	57	28	光学测试实验	52
14	仪器设计基础	76	29	光学转换技术	62
15	仪器制造工艺基础	56	30	企业组织与计划	30
				总学时数	3 251

下面是1963年光学系统设计与检验专业的教学计划。

光学系统设计与检验专业（五年制）
教学计划说明书

本教学计划是根据《教育部直属高等学校暂行工作条例（草案）》、1962年6月《教育部关于直属高等工业学校本科（五年制）修订教育计划的规定（草案）》以及1963年2月国防科委的《关于国防工业高等院校修订教学计划和教学大纲的规定（草案）》修订的。现将本教学计划需要说明的若干问题分述如下。

（一）培养目标

本专业培养政治质量好、技术专业好、身体健康的军用光学仪器的光学系统设计和检验专业方面的工程技术干部。毕业生在学业上必须完成工程师的基本训练：具有本专业所需要的比较宽广而巩固的基础理论知识；掌握运算、实验、制图和操作等基本技能；掌握一种外文，能够比较熟练地阅读外文专业书刊；具有一定的专业技术和技术管理知识，对本专业范围内的科学技术的新发展有一般了解；具有解决工程实际问题的初步能力；接受科学研究方法的初步训练。

本专业的业务范围如下。

（1）光学理论、设计和检验方面：要求具有必需的光学理论基础；对采用光学仪器中一般光学系统，能根据战术技术要求，独立地进行设计和检验；对于特殊的光学系统（也包括红外光学系统）具有分析和研究的初步能力。

（2）总体设计和机械结构方面：能参与确定采用光学仪器的总体方案初步拟定，对总体结构能够了解，对简单的检验仪器或附件能够进行设计。

（3）制造工艺方面：对采用光学仪器的机械加工工作法和生产设备有最基本的了解；对光学零件生产工艺有较熟悉的知识并且有一定的操作技能。

（4）科学研究方面：初步具有收集阅读和综合科技史料文献并进行分析、研究、实验的能力，对本专业范围内科学发展动向和新成就有一定了解。

本专业毕业生能从事军用光学仪器的光学系统设计的检验工作；和军用光学仪器结构专业毕业生相配合，能基本解决军用光学仪器的整个设计的检验问题。

（二）课程设置与时数安排

1. 关于课程设置

本专业属于工程光学和精密仪器类，而以工程光学为主体。对光学基本理论、光学设计和检验方法与技能要求较高；对于仪器的机械结构亦有一定的基本知识，电的知识则只具有工科学生一般、最起码的要求。

根据国防科委及教育部1963年发出的有关修订各专业教育计划一些规定中指出的原则，特别是贯彻其中少而精、理论和实际相结合、因材施教、劳逸结合等四项原则，拟定了本计划。

（1）在光、机、电的比例上，突出了光学课程，适当地设置了机械课，特别是机械工艺课，如金属工艺学为36学时、材料力学为60学时、仪器设计基础为76学时、仪器制造工艺学56学时等。

电的课程采用了教育部一般工科学生所必备的基本类型，即电路磁路基础和自动控制电子学改为学一门普通电工学，总时数为150学时。

加强了光学课程：增设了光学系统构造原理（60），增加光学设计课程设计（100），增设光学测试实验（52），增加了几何光学教学时数（由95增至115）。

光、机、电课程的比例为光48%，机44%，电8%（除去了公共课与基础理论课而作的比例）。

（2）加强了实践环节和基本训练：如加强光学设计课的课程设计至200学时，还有2周毕业实习，和16周毕业设计；光学测试方面除基本测试实验外，又增设测试实验课52学时和两周毕业测试实习。光学冷加工有6周工业生产劳动可供操作实习。其他课程的课外作业、习题课的实验亦有所加强。

（3）总时数为3 251。

本专业的主干课（包括专业课与基础课在内）有8门，即物理光学、几何光学、光学系统构造原理、光学系统设计、光学量度、像质鉴定、光学测试实验、光学选论。

各类课程的时数及所占百分比如下：

公共课	5门	740学时	占22.7%
基础课	3门	740学时	占22.7%
基础技术课	10门	1 338学时	占41.3%
专业课	6门	433学时	占13.3%

2. 关于学时安排

本教学计划是按照每周课内外学习时间一般在48小时左右安排的。5年内总学时为3 286小时，平均周学时为21.6小时。每学期平均周学时数在低年级一般不超过24学时，高年级控制在23学时左右。教学计划对每门课程安排了比较合理的课程学习时数，并使每学期的主要理论课程不至于过分集中，以有利于学生学好各门课程。

5年内学生在校总时间为256周，其中理论教学151周，考试18周，工业生产劳动8周，社会公益劳动4周，生产和部队实习18周，毕业设计16周，毕业鉴定2周，机动1周，假期38周。

（三）对部分课程的说明

1. 基础课程

（1）关于高年级外语“0/2”的安排：5个学期的第一外语学习和在第三学年下学期至第五学年上学期安排每周2学时课外时间，作为学生在教师辅导下进行有计划、有组织的外语自学活动时间，以求巩固熟练。

（2）专业数学的内容：专业数学的学时数为100学时，其中包括复变函数、概率论、线性代数、数理方程、积分变换等。

（3）理论光学（120学时）：本课为本专业的主要理论基础课，包括光的波动性研究和光的量子性研究两部分。在光的波动性方面包括光在各种介质传播的性质，光的干涉，衍射和偏振现象的理论及应用，这使学生深入掌握光在传播过程中，所发生的现象及其规律，以便彻底了解光学系统成像的本质问题，以及用光学方法检验光学系统的理论问题。

在光的量子性方面，主要介绍光的量子理论及量子力学基础知识，并介绍与光量子概念有关的光学现象，其中以光致发光（磷光和荧光）的内容为主，使学生对光学仪器中光电接收，照相和荧光屏接收有足够的理论基础。

（4）几何光学（115 学时）：本课程是另一门专业理论基础课，主要内容是马克思威尔电磁理论导出几何光学的基本定律，然后从这些基本定律出发，讨论几何光学的成像性质（实际光学系统的误差理论）。此外还讨论光学系统光束限制，以及光学系统光能等问题，目的主要是为分析光学系统成像性质以及光学设计打下基础。

（5）军用光学仪器及装配校正（80 学时）：军用光学仪器的战术技术要求分析仪器的工作原理、典型仪器的结构，以及仪器装配校正的要求和方法，主要目的是使同学了解军用光学仪器的总体结构，为设计光学系统预备必要的知识。

（6）军用摄影仪器（45 学时）：本课程使同学了解军用摄影仪器的构造和原理，旨在使其设计光学系统时能够考虑到总体的要求，内容包括摄影原理、摄影机的主要部件、航空摄影机和高速摄影机。

（7）光学材料与光学零件工艺学（70 学时）：主要内容为光学玻璃的熔炼、各种基本的光学零件与某些特殊光学零件的冷加工与特种加工、常用的晶体加工，通过实验使学生具有一定的冷加工与特种加工的操作能力。

（8）光电转换技术（62 学时）：主要内容有介绍内光电效应、外光电效应和阻隔层光电效应的基本理论；利用这些效应制成的各种光电元件的结构和特性参数，如光敏电阻、光电管、倍增管、摄像管、变像管、光电池等，以及各种光电器件在不同系统（电视、探测、自动控制等系统）中的具体应用。

2. 专业课

本专业的专业课包括光学设计、光学测量、像质检验、光学系统构造原理、光学选论、光学测试实验共 6 门课，分别说明如下。

（1）光学设计（128 学时）（课程设计 40/160）：主要内容包括光学设计的一般原理和方法、各类基本形式的光学系统的设计方法，特别着重在望远系统和照相物镜的设计。本课有 200 学时的课程设计，通过课程设计使同学掌握光学设计的基本训练。

（2）光学测量（75 学时）：主要内容为实验室基本测量仪器的原理、光学材料性能、光学零件尺寸、光学系统性能以及光度、色度的测量和检验。

（3）像质检验（75 学时）：主要内容有各种光学系统的成像质量检验方法和它们的原理和理论基础，包括几何光学方法、干涉法、衍射成像的方法和反应函数方法。通过实验学生应掌握像差检验的基本方法与分析处理实验结果的能力。

（4）光学系统构造原理（45 学时）（大作业 40）：主要内容包括各种典型光学仪器的光学系统工作的原理、性能和技术要求。

（5）光学选论（58 学时）：本课主要介绍当前在应用光学和光学设计方面的新技术与新成就。

（6）光学测试实验（52 学时）：本课程主要目的是提高同学的实验技术，加

强基本训练，主要内容为同学自己做实验，在实验中，同学比在光学测量和像质检验课的实验具有更大的独立性。

3. 加选课

加选课包括第二外国语、红外技术与应用两门。

(1) 第二外国语100学时，在第八、第九学期开设。

(2) 红外技术与应用：通过本课学习，使学生初步具备红外光的基础理论知识及其在各种光学仪器中的应用，以便有助于学生研究红外光学系统设计和检验问题。

(四) 教学环节

为达到培养目标所规定的各项要求，必须贯彻理论联系实际，切实加强基本理论和基本技术的训练，培养学生的独立工作和独立思考能力，因此，除在课程设置、时间安排和教学进度上予以保证外，对各主要教学环节提出如下要求。

1. 习题课和课堂讨论

习题课和课堂讨论是帮助学生消化和巩固所学的知识，培养学生运用所学的理论解决实际问题的能力的重要环节。

习题课的时数必须予以保证，不得削减。在习题课中，应使明确基本概念与训练解题能力结合起来，以培养学生的运算能力。各门课程的课外习题应按计划及时布置，题目要有难有易、有深有浅，除必做的以外，还可以适当地多出一些题目，使学生选做，以贯彻因材施教。课外习题必须严格要求学生，必做的习题，必须及时做，按时交，不合格者重做；教师对习题必须及时批改，严格考查。

2. 实验课

实验课是使学生巩固和验证课堂讲授中所学知识，受到实验方法训练和实验技能的培养，养成严格认真和联系实际的科学作风的重要环节。因此，实验课的时数必须保证，不得削减；在实验课中必须注意培养学生的实验操作技能、量度、计算、观察、分析问题和编写实验报告的能力。教师对实验报告应及时审批，严格考查。

3. 课程作业与课程设计

课程作业与课程设计是使学生运用并巩固有关课程的理论和技术知识，培养设计能力，提高计算、制图和收集文献资料的能力。

本专业设置两个课程作业（机械原理、仪器制造工艺基础）和两个课程设计（仪器零件与机构、光学设计）。

(1) 机械原理课程作业（40学时）：主要内容包括：平面机构的运动分析和动态静力分析、齿轮设计、机械的运转和调节，以及凸轮设计等。

(2) 仪器零件与机构课程设计（100学时）：主要内容包括物镜的典型结构设计和典型零件的结构设计，要求写出说明书、计算书和图纸。

本设计于课堂讲授结束后，集中两周进行。

（3）仪器制造工艺基础课程作业（40 学时）：主要内容为典型零件的加工工艺过程设计、夹具设计等。本设计安排在第七学期讲课结束后，在学期中分散进行。

（4）光学设计课程设计（200 学时）：主要内容为根据战术技术要求，确定光学系统的工作原理和选择类型，并校正像差，确定出全部光学系统的结构参数。本设计在第八学期课堂讲授全部结束后，在第九学期开始时，集中两周进行。

（五）实习

实习的主要目的是使学生使用并巩固已学的理论知识，获得生产技术的实际知识，掌握一定的操作技能，并为后继课程或教学环节做必要的准备。

本专业对各次实习的要求和安排如下。

（1）金工实习（2 周）：在第二学期于院工厂进行。要求学生结合金属工学课堂讲授，巩固和加深金属热加工的理论知识，并掌握一定程度的操作技能（铸、锻、焊）。

（2）金属切削工作法实习（2 周）：在第三学期于院工厂进行。要求学生对金属切削加工进行单工种劳动，并全面了解各种典型金属切削加工工作法和所用设备，为学习仪器制造工艺学准备条件。

（3）认识实习（1 周）：在第五学期于本市仪器厂进行。要求学生在具有一定的工艺理论和实际知识的基础上，一般了解光学仪器厂（或精密机械厂、仪器仪表厂）的生产过程和生产组织，增加感性认识，扩大专业知识范围。

（4）工艺实习（6 周）：在第八学期于专业仪器厂进行。要求学生在学完“光学材料与光学零件工艺”以及“仪器制造基础”以后，深入了解专业仪器各种金属零件和光学零件的加工工艺问题以及生产工艺过程的设计问题，并对光学工厂的车间检验与中心试验室作一般了解，为第八期即将学习的光学量度打下基础。

（5）使用实习（2 周）：在第九学期于部队进行，主要要求学生进一步了解专业仪器的具体使用以及从使用的观点出发对光学仪器提出的要求。实习中应对学生进行战术知识教育和三八作风教育。

（6）毕业实习：在第十学期初进行，为期 10 周。主要要求学生了解军用光学仪器的设计过程、设计方法和装配检验工艺过程，并对专业仪器的光学系统设计与系统像质鉴定作深入的了解。毕业实习应尽可能地结合毕业设计，以一定的时间在某一固定的岗位完成一定的个人任务和搜集毕业设计资料。

各次实习均需有符合要求的大纲，多次实习必须按大纲及实际情况订出实习计划。各次实习应由有关教研室负责组织领导，应尽量指派业务能力和组织能力较强的并对指导实习有一定经验的教师担任指导实习的主要负责人。实习的具体时间在执行时，可以根据当时条件适当调整。

（六）毕业设计（或毕业论文）

毕业设计与毕业论文是学生总结在校期间的学习成果、完成工程师（或研究人员）基本训练的重要环节。通过它使学生获得综合运用所学知识和技能，解决本专业工程技术（或理论）问题的全面锻炼，扩大专业知识范围，深入钻研某一方面的技术（或理论）问题，培养初步的科学研究能力。毕业设计应在满足教学要求的前提下，尽可能结合生产和科学研究任务进行。主要内容和要求如下。

（1）根据战术技术要求，提出仪器工作的总体方案，并论证这些要求。

（2）拟定整个仪器的工作原理。

（3）确定仪器中各个主要部分光学结构。

（4）进行光学系统外形尺寸和像差设计。

（5）拟定光学系统像质的测试原理和检验方法，并测出结果。

（6）对所得结果进行论证和评价。

（7）完成指定部分的正规生产图纸。

（8）完成说明书。

注：毕业设计可以有两种类型题目：①光学系统设计；②像差鉴定。可按国家需要和学生具体情况分配项目。

（七）生产劳动

学生进行生产劳动的主要目的，是养成劳动习惯，向工农群众学习，同工农群众密切结合，克服轻视体力劳动和体力劳动者的观点，同时通过生产劳动，更好地贯彻理论联系实际原则。

本教学计划共安排了集中的生产劳动12周：

（1）公益劳动——安排4周，分布在第五、第六和第七学期内。日常分散性劳动不计在内。

（2）结合专业的生产劳动——安排8周。第四学期6周，主要内容是光学零件工艺的实际操作；第十学期2周。

（八）科学研究

对于学生科学研究方法的训练，主要通过有关教学环节来进行，本教学计划中未单独安排科学研究时间。在实验中，训练学生运用实验方法、实际操作、数据处理、对实验结果初步分析的能力；在实习中，训练学生运用所学知识联系生产实际，对生产技术问题进行初步了解；在课程设计、毕业设计中训练学生收集资料、查阅文献、独立钻研的能力；对少数成绩优异的学生，可以在毕业设计专题部分中提出较重的要求或专作毕业论文，也可以在教师指导下参加科学研究小组活动，使他们更多地获得科学研究方法的训练。

在1958—1966年这一阶段中，老专业军用光学仪器设计与制造走向成熟，由军用光学仪器设计与制造专业派生出来的光学系统设计与检验专业建立并走向完善。红外技术、火箭仪器仪表传感器、天文导航、红外探测等新专业上马和调整，由军用光学仪器设计与制造专业派生出来的航空摄影专门化的建立与发展，夜视技术专业正在孕育。这是老专业成熟、新专业诞生的阶段。新专业的诞生与发展和国防斗争的形势与需求紧密关联，国防需求促使新专业的产生，需求不旺或暂不适宜的专业则被淘汰出局。从中我们深切感受到学科专业的发展和国防形势对敌斗争的需求相互依赖的密切关系。

第三章
“文革”十年专业走向的变化

（1966—1976）

1966 年“文化大革命”开始，工作组进校，学校停课，正常教学秩序不复存在。1970 年 1 月 29 日国务院、中央军委发电将北京工业学院改在第五机械工业部建制内，自 1970 年 2 月 15 日执行，3 月 4 日经五机部批准，北京工业学院又名“五四九九厂”，经北京市革委会同意，学校第二厂名定为“北京五七仪器厂”。1971 年基础部被拆散，大部分教师被分散到各系，学校所有的系被改名为 6 个大队，专业改为中队，即所谓专业连队。教学科研和专业的发展面临困难的局面。

第一节　激光技术与器件专业的建立

由于体制的改变，我校由原来隶属“国防科委”改为“五机部”，有 2/3 的专业归口不适当，仪器系所有专业都存在问题，问题最大的是红外光学导引专业。按新体制，“红外光学制导”专业将划归航空部来管，我们的红外专业何去何从必须尽快做出抉择。1970 年改制后，红外专业的教师张国威、周仁忠、穆恭谦等人到华东、华北、西南各省市相关高校研究所进行为期一个多月的专业调研，当时“西南技术物理所”刚划归兵器部，其方向已明确，主要将从事“激光技术”研究。西安应用光学研究所也有从事激光研究的意向。这时兵器部要上“兵器激光”的大势已定，学校要为“兵器激光”培养人才，也就成为定局。问题是专业内容如何确定，他们回校后与教研室同仁及系领导沟通、介绍调研情况，很快就取得了将红外导引专业改成激光专业的共识，大家决定改为“激光技术与器件”，保留光学制导作为主要应用方向，并报兵器部。同时着手制订专业建设规划和争取科研项目。1971 年兵器部下达“（71）五机字 1381 号”文件，批准我校成立“激光技术与器件”专业，专业的内容和方向是“以激光器件研究为主，以激光技术的军事应用为主，近期以激光测距为主”。同年 6 月又进一步明确激光技术与器件专业：①服务于各种军用激光仪器及装置，主要为测距、观察瞄准、制导、雷达定位等，也可研究全息照相及生产上的应用等；②在学科上以激光发射技术及应用技术为主，也能从事激光接收方面的工作；③目前主要研发中小功率的固体激光器、气体激光发射器件及其应用。

由此，“以军事应用为主，以激光技术为主，以中小功率激光为主”作为43专业的方向就基本确定下来了。

同年开始承担北京军区炮兵“10公里（千米）炮兵激光测距仪”的研制，1972年9月项目研制成功，测距距离达12 940米，精度10米，达到了预期指标，这就是兵器部的第一代激光测距仪。

激光专业建设工作开始全面启动，从1972年起招收第一届“激光专业”学生20人，此后1973年和1975年分别招20人和30人（1974年由夜视专业招），专业招生走上正轨。与此同时，教材、实验室和师资队伍建设全面展开。首先制订“教学计划”，计划开设4门专业课：

激光器件与技术	400学时
军用激光仪器	150学时
激光原理	200学时
激光光学	200学时

并明确了教材编写人，要求2年完成。1973年完成教材《量子光学》（激光原理）（范少卿、魏光辉编），《激光技术》（徐荣甫、张国威等编），《激光仪器》（邓仁亮编）。制订实验基地建设规划，计划建设4个实验室：激光器件实验室、激光晶体实验室、激光接收实验室、激光光学实验室，后又增加军用激光仪器实验室。在组织建设和教师队伍建设方面，1972年7月任命张国威为教研室主任，魏光辉和徐荣甫为副主任，张自襄为实验室主任。相关实验室负责人为：

激光器件实验室：魏光辉、穆恭谦（固体）；明万林、俞信（气体）

激光晶体实验室：李乃吉

激光接收实验室：何理、周仁忠

激光光学实验室：林幼娜

激光应用实验室：邓仁亮

在20世纪70年代初期，国家计划在北京工业学院、清华大学、华中工学院、成都电讯工程学院等5所高校建立激光专业。由于我校招生早（1972年），制订教学计划早（1971年），拿出主要教材早（1973年），出科研成果早（1972年），所以在5所高校中属于起步早、行动快、成效大的学校。从1973年起，我校就参加了《全国激光科学发展重点规划纲要（1973—1980年）》《激光计量十年规划（1976—1985年）》和《常规兵器科研发展规划（1973年11月）》的论证与制订，并确定北京工业学院激光专业的研究重点是：优质YAG激光晶体研究、电光调Q技术、声光调Q技术、远程激光和激光半主动制导。1975年兵器部“576”会议进一步明确：北京工业学院负责“激光反坦克导弹制导技术”“激光半主动制导”“防中空导弹激光制导装置”“远程地炮激光测距仪”“激光器及测试技术研究”和“YAG激光晶体”的研究。兵器部209所则负责“激光

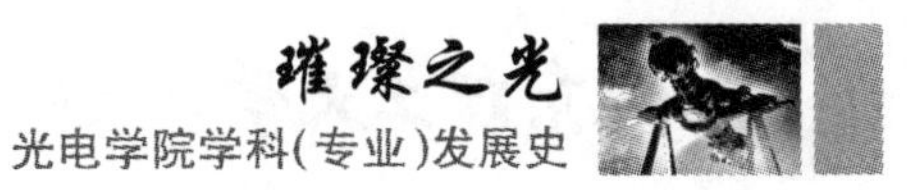

对抗—侦察，干扰，识别”“激光致盲”“低空战术激光炮”“炮弹末制导”。这样在兵器部内激光行业的北京工业学院加209所的格局基本确定，从此北京工业学院激光专业的发展逐步走向成熟与繁荣。

说到激光专业的发展，不能不说“1245”科研项目。

1974年5月兵器部召开关于开展激光制导技术研究的工作会议，会上确定由北京工业学院、西北光学仪器厂和重庆光学仪器厂3个单位参加，并安排了分工。具体分工如下。

北京工业学院负责：

（1）设计激光导引头的方案。

（2）研制激光导引头的试验样机。

（3）研制电光调Q式激光照射器。

（4）设计制导导弹的总体方案（后此工作未开展）。

西北光学仪器厂负责：

（1）提供实验用的激光导引头的位标器。

（2）提供实验设备（后此设备由北工完成）。

重庆光学仪器厂负责：

（1）研制激光接收用的四象限管。

（2）研制马达调Q式激光照射器。

此后不久，兵器部确定这一研究工作改由弹箭局领导，并将激光制导导弹明确为旋转弹，这就大大加重了研制工作的难度。我校由科研处负责组织工作，仪器系404，411和431教研室在四系崔仁海、李振沂、张经武等同志的领导下成立了激光导引头和激光指示器两个教研组，由这些教研室的党政负责人担任课题组长。以后长期的实际工作由四系副主任张经武同志领导实施，当时学校组织了一系、二系、四系、五系的人员参加这一工作，校内的项目代号也由此命名为“1245”。

各系的主要参加人员有：

一系：文仲辉、徐跃华等负责激光制导导弹的弹体方案设计；

二系：李钟武、高继坤等，参加导引头直流放大器研制，1975年高继坤退出；

四系：何理、周仁忠、卢春生负责激光导引头样机研制，邓仁亮、徐荣甫、张自襄负责激光照射器研制；

五系：金振玉、朱秀英参加激光导引头电路研制工作。

到1976年5月3个单位均完成了预定任务，并于1976年6月在陕西省华阴靶场进行了野外跟踪汽车靶标试验。实验中，两种激光照射器分别照射汽车上的靶标，激光导引头成功跟踪了激光靶标。1979年4月改进后的导引头在南口靶场进行了野外试验。两种激光照射器分别跟踪远距离的运动军用坦克，导引头在旋转状态下，成功实现了对运动坦克的跟踪。

1979 年 9 月在兵器部 × × 厂将激光导引头与霹雳 2 号导弹舵机相连接，然后按照霹雳 2 号的试验方法和程序，进行了联合试验。结果表明：激光导引头对舵机的控制能力完全符合霹雳 2 号导弹的性能需求。

至此，原定科研工作的内容大部分已实现，研制出两种既能制导非旋转导弹又能制导旋转导弹的激光导引头样机；研制出两种激光照射器：电光调 Q 式激光照射器和马达调 Q 式激光照射器；研制出四象限管；将原霹雳 2 号导引头改装成激光导引头。

根据工作进展，我们建议将研制出的激光导引头样机替代霹雳 2 号导弹的红外导引头进行飞行试验。但由于大家意见不能统一，致使研究工作中断，令人遗憾。

“1245”项目虽然未能真正装备部队，但通过这个项目锻炼了队伍，提高了我们的激光制导技术的研究水平，如能完成飞行实验，对我国自行生产激光导弹一定会有很大的帮助。

第二节　军用夜视仪器设计与制造专业的建立

这一阶段专业的变化还有军用夜视仪器设计与制造专业的建立。

这个专业自 1958 年筹建课程组，如上一章所述，是在马士修先生的领导下，由周立伟，刘茂林和邱永林筹建，并于 1960 年开设专业课，正式设置为夜视仪器专门化的。曾培养 3 届过渡性毕业生，于 1962 年以不轻易下马保留学科、摸索方向为原则，将专门化附设在光学设计专业中。1962 年、1964 年仍招此专门化学生。1965 年年初筹建夜视技术专业，1969 年根据战备急需组成科研组，进行微光夜视仪的研制，当时北京工业学院的“4701”科研组是国防科工委“二四会战”的主要承担单位之一，并在像增强器设计和光阴极制作工艺方面做出了突出的贡献，为我国微光夜视科研和自行生产起了重要的促进作用。1971 年夜视技术被正式确定为一个专业，定名为军用夜视仪器设计与制造专业。1972 年 11 月 5 日的高等院校专业基本情况调查表中，详细记载了上述夜视专业的变化过程。1971 年 11 月，五机部在《关于部属院校专业设置的通知》中曾提出：“本着科系不宜过多，分工不宜过细，相对配套、各有侧重的原则，北京工业学院暂设 19 个专业，其他未经调整合并的专业暂不撤销。”这 19 个专业是：装甲履带车辆发动机设计与制造、装甲履带车辆车体设计与制造、军用光学仪器设计与制造、雷达设计与制造、火药设计与制造、触发引信设计与制造、非触发引信设计与制造、火箭战斗部设计与制造、炸药设计与制造、精密机械加工工艺设备、随动系统设计与制造、航空陀螺设计与制造、液压传动装置设计与制造、指

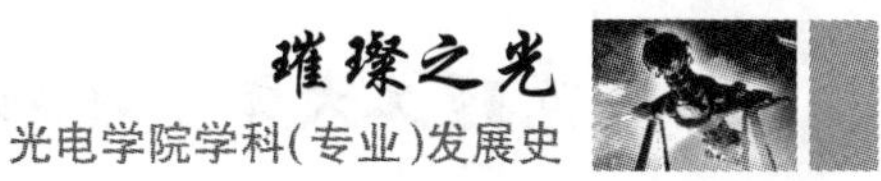

挥仪设计与制造、计算机设计与制造、军用夜视仪器设计与制造、激光技术与器件、半导体微波器件、火炸药生产设备与自动化。

从这个通知中我们可以看到，当时属于仪器系的专业有3个："军用光学仪器设计与制造""激光技术与器件"和"军用夜视仪器设计与制造"。"军用夜视仪器设计与制造"专业在经历10余年的摸索与建设，终于正式形成了专业。但是早已形成的"光学设计与检验"专业到哪里去了呢？原来，1971年年底原"光学仪器结构设计"和"光学系统设计与检验"两个专业又重新合并为一个专业，名称为军用光学仪器设计与制造，分设光学仪器结构设计和光学系统设计与检验两个专门化。但1972年11月5日的高等院校专业基本情况调查表中军用光学仪器设计与制造专业的"本专业存在的主要问题"一栏中写道：1971年将原光学仪器结构设计专业和光学系统设计与检验专业合并为一个专业，设两个专门化。实际上它们的学科基础不同，名合实难合，现行专业教育计划还是按两个专业制订的。一致建议仍按"文化大革命"前分设两个专业。可见当时对这两个专业的合并，并不完全认可。

军用夜视仪器设计与制造专业由五机部确定为夜视仪器的设计与工艺并重的专业，其中以微光仪器为主，在整机和部件中以部件为主，即专业侧重于变像管与像增强器的设计与工艺研究。

该专业开设夜视仪器、电子光学、变像管工艺、真空技术等4门专业课，当时主要研制微光夜视仪中的像增强器。1972年，该专业有教师22人，实验员2人，实验室是按教学、科研和生产三结合的原则建立的，当时只有简单的变像管生产工艺线（但缺少几项重点工艺设备，如玻璃车床、煤气站），另有电子光学的简单实验装置，并有变像管及夜视仪的部分测试设备。

第三节　老专业的发展与变化

一、军用光学仪器设计与制造专业

军用光学仪器设计与制造于1953年在苏联专家的指导下建立专业，1958年后进行了不少改革，1961年年初本专业分为军用光学仪器结构设计和光学系统设计与检验两个专业。专业课程增设军用航空摄影仪器。

1964年年底至1965年年初进行了大规模专业调查，调查结果表明，结合产品，突出学科，以学科为主设专业比较合适，确定本专业的结合产品是军用光学仪器，学科基础是精密机械。在机电光学各科课程的安排上，以机为主，电光为辅，主要培养光学仪器的精密机械结构的设计人员。

1971年年底，将原光学仪器结构设计和光学系统设计与检验两个专业重新合并为一个专业，名称为军用光学仪器设计与制造，但分设光学仪器结构设计和光学系统设计与检验两个专门化。历届毕业生约40%分配到五机部各厂、所，40%分配到各部队（国防科委和各兵种），其余分配到各机械工业部属厂、所和学校等。

1971年年底五机部下文明确了该专业“以军用光学仪器的观察、测量、摄影仪器，以对空测距仪为主的专业方向”，航瞄航摄是否还继续未明确。

专业侧重于光学仪器结构设计。开设的专业课程有：应用光学、精密机械、军用光学仪器、军用光学仪器的装配与校正。20世纪70年代初期，该专业共有专业教师30人，技工2人，实验员4人，其中炮兵仪器方面教师4人，航空瞄准仪器方面教师10人，航空摄影仪器方面教师16人。教师中有讲师2人，绝大部分教师为1961年以前大学毕业的，参加过一定教学实践和科研工作。实验室主要供教学之用，设备大部分陈旧过时，多为战场上缴获的各种军用光学仪器，测试设备较少。

二、光学系统设计与检验专业

“光学系统设计与检验”专业是从“军用光学机械仪器”专业分出来的。“军用光学机械仪器”专业始建于1953年，专业内容主要是机械与光学，以机械为主。1958年后，根据国防工业的需要，认为机械与光学有分成两个专业的必要性，于1961年年初光学部分分离出来，正式成立一个专业，名为“军用光学仪器光学系统设计与检验”。1971年该专业又与军用光学机械专业（即41专业）合并，成为其中一个专门化。该专业于1963年开始有毕业生。到1972年共有8届，学生毕业后主要分配在五机部光学工厂和国防科委研究单位。其次是二、三、六、七机部与各兵种（包括海陆空）的研究所和工厂，以及高等学校。

培养的学生要求能担负海、陆、空所用的光学仪器的“光学系统设计与检验”，其中以望远系统为主。

主要开设的专业课程有：应用光学、光学设计、物理光学、光学测量。过去还曾开设过像差测量与像质鉴定、量子光学、几何光学、波动光学、光学选论等课程，并由基础组为本专业开设光学零件工艺学、光电转换技术等课程。

该专业曾从事过大倍率炮队镜、航空相机、远程摄影、连续变倍机、传递函数测量、大型天象仪、非共轴系统等机具的光学系统的研制工作。

20世纪70年代初，该专业有专业教师18人，实验员1人，15年工龄以上的教师6人。实验室有光学测量实验室和物理光学实验室，基本上能满足教学实验的需要。

第四节　教学工作状况和主要科研工作

这一阶段教学工作的变化主要是接收工农兵学员，即不通过统一高考，而是录取推荐来自生产一线的学员。学制改为三年，教学计划有了大的改变，如开门办学，走出去请进来，到工厂去上课，请企业中有实践经验的人员来授课等。一共招收了72级、73级、74级、75级、76级5个年级。

在72级之前，仪器系教师们曾办了各种形式的短训班为各自有专业需求的人员培训专业知识，曾办过“粗磨短训班”“光学冷加工短训班”“光学测量短训班”“光学设计短训班”等，其中1973年的“光学设计短训班”为时一年，学员主要为1963年、1964年、1965年入学的大学生，他们是未能接受专业教育就毕业参加工作的在职工作人员，所以他们除在校进行课堂授课及实验教学外，还到工厂实习一个月。这些学员在原工厂承担了产品的光学设计、检验、结构设计等工作，但由于在校时未学，所以对知识极其渴望，学校以理论联系实际的方式教授了十分有用的知识，所以受到了学生的欢迎，教学效果很好。这个班上人才辈出，长春理工大学校长姜会林、教授王文生，云南光学仪器厂厂长、后担任云南省国防工办主任的王仁凯等均出自这个班。

下面摘录1972年军用光学仪器设计与制造专业的课程设置表（见表3.1）。

表3.1　1972年军用光学仪器设计与制造专业的课程设置

序号	课　程	学时	序号	课　程	学时
1	政治	1 138	9	应用光学	250
2	体育	174	10	仪器制造工艺学	410
3	数学	700	11	工程力学	400
4	物理	330	12	机构学	180
5	化学	150	13	精密机械	320
6	英语	400	14	精密测量	90
7	制图	300	15	光学仪器装配与校正	100
8	电工学	180	16	光学仪器设计	260
					总学时数：5 382

表中政治课，包括政治教育、学农、学军的时数占总学时数的21%，足见当时对政治教育的重视程度。

这一阶段科研工作也取得了较大的成绩。主要项目有：

（1）“尖兵一号”卫星全景摄影机，是我国自行研制的第一颗侦察卫星中的主要侦察设备，该卫星已多次发射并成功回收获取了大量有价值的情报资料，对我国国防建设和国民经济建设有着重大的意义。

（2）1.2米地炮测距机，主要战术技术要求为基线1.2m，倍率15x，视场5°，测距范围500～15 000m，全重25kg，体视、游标、定标、不失调。

（3）一米焦距远程照相机。由于三米焦距远程相机体积太大、重量过重，不便携带，部队提出了减小体积和重量，研制一米焦距远程相机的要求。主要战术技术要求为焦距1m，片幅60×60mm²，全重不超过10kg，目视鉴别率180～190 lp/mm。

这些项目都获得了1978年全国科技大会奖。

▶ 一米焦距远程照相机在内蒙古海拉尔做试验

在1966—1976年这一历史阶段中，由于经历了“文化大革命”，教学科研都受到了较大的影响，但在后期主要是体制建制的关系改变了某些专业的走向。1970年北京工业学院划归五机部管辖后，红外光学制导专业放在航空部，我系这个专业只能改变专业方向，经调研和分析，并经部批准原红外光学制导专业改为激光技术与器件，与此同时军用夜视光学专业在孕育了多年之后，终于正式建立了专业。老专业军用光学仪器和光学系统设计与检验不变，只是走向更加成熟，在全国的影响更加扩大。后来举办的多批短训班、培训班为急需专业技术人才的单位培养了相当数量的骨干和精英。

第四章

改革开放教学科研学科建设硕果累累

（1976—2007）

第一节　本科专业不断改革与发展

一、高考恢复，教学秩序步入正轨

1977 年高考制度恢复，众多渴望学习的年轻人一批批地迈入了高等学校的课堂，高等学校逐步恢复了往日的常态。当时的北京工业学院 1977 级、1978 级、1979 级按这些专业招生：飞行器发动机、飞行器总体设计、飞行器发射设备、控制机液压气压自动传动装置、自动控制、军用车辆、车辆发动机设计研究、光学仪器、光学系统设计与检验、激光技术、夜视技术、雷达、计算机工程、微波技术、半导体器件、无线电遥测遥控、炸药、火药、化工机械、化工自动化及仪表、金属材料工程、机械加工工艺与设备自动化、战斗部设计与研究、机电引信设计、爆炸物理与装药设计、火工品设计与制造、无线电引信、应用数学、应用物理、应用力学、工业管理系统工程。其中，光学仪器、光学系统设计与检验、激光技术、夜视技术是光学仪器系所属 4 个专业。教学计划也于 1979 年进行了大幅度调整，各专业教学计划中，公共课占总学时的 20% 左右；基础课、技术基础课的学时有所增加，专业课门数减少，一般设3～5 门，学时在 15% 以下，有些专业在 10% 以下。

表 4.1 和表 4.2 是在这种思想指导下，加强基础课、减少专业课之后的 1979 年光学仪器专业的课程设置表。

表 4.1　1979 年光学仪器专业的课程设置表

序号	课　程	学时	序号	课　程	学时
1	思想政治教育报告	160	15	仪器零件	95
2	马克思列宁主义基础理论	190	16	互换性与技术测量	57
3	体育	120	17	仪器制造工艺学	102
4	第一外语	240	18	普通电工学	102

续表

序号	课　程	学时	序号	课　程	学时
5	高等数学	440	19	电磁元件	55
6	普通物理	250	20	自动调节原理	110
7	普通化学	90	21	计算装置	78
8	画法几何与机械制图	160	22	应用光学	90
9	理论力学	110	23	光学测量	68
10	金属工艺	100	24	企业组织计划与安全技术	30
11	金属材料学	68	25	炮兵光学仪器	60
12	机械原理	100	26	航空瞄准具	75
13	材料力学	90	27	军用光学仪器设计	80
14	机器零件	70	28	军用光学仪器装配与校正	52
总学时数：3 350					

表 4.2　1979 年光学仪器专业的选修课程设置

序号	选修课程	学时
1	第二外国语	120
2	陀螺仪应用原理	45
3	红外线仪器	60
4	仪器部件设计计算	50
5	军用摄影仪器概论	30
6	振动理论与仪器减振	40

二、20 世纪 80 年代全校专业的调整与落实

1980 年 12 月至 1981 年 1 月，学校举办了“专业调整讨论班”。院系主要领导人、部分正副教授共 50 多人参加讨论。通过讨论就以下问题达成共识。

（1）学院的专业必须调整。如不调整，重点院校的水平保不住，培养不出高质量、适应四个现代化建设要求的人才，赶不上世界科学技术发展的形势。

（2）学院必须改变单一工科专业的现状，办成理、工、管相结合，以工为主的综合性大学。

（3）必须按学科办专业。按产品办专业路子越走越窄，按学科办专业路子越走越宽。按学科办专业是培养“基础好、知识面宽、适应性强”的高质量人才的需要。

（4）学院必须面向国防，保持军工的优势和特色。

（5）要改变管理体制，按学科设系，系办专业。

（6）专业调整要慎重，既要考虑需要，又要考虑可能，不能急于求成，大上大下。

（7）要稳定教师的学科方向，发挥教师的专长。

这次讨论虽然没有提出专业调整的具体方案，但在专业设置的原则、专业改造的方向等基本问题上取得了共识，为下一步具体的调整奠定了思想基础。

1983 年 2 月，学校根据教育部和兵器工业部的通知要求，提出修订军工类、机械类和电子工程类专业目录的意见。6 月教育部在成都召开了“本科专业目录”研讨会，重点讨论了高等工科学校本科专业划分和设置的原则，7 月，国防科工委召开了军工类专业目录座谈会，就军工专业划分和设置原则，结合现状进行了研讨。学校专业设置存在的主要问题是：专业基本按军工产品设置，划分过细，口径过窄；单一工科，理工分割，军民分割；有些军工专业布点过多，成为长线专业，而一些通用专业、新技术专业又十分缺少，成为短线专业；许多老专业内容陈旧；一些跨部专业的发展受到较大影响。学校确定的专业改造的基本思路是：军民结合，扩大服务领域；以工程技术学科为主来划分学院的专业，加强专业的学科基础建设；以工为主，理、工、管、文相结合；专业的调整和改造有利于保持和发挥学校的优势和特色，要着眼于提高培养学生的质量。

1985 年前后是学校较大幅度调整改造专业的一个阶段。学校对学科基础相近的 9 个专业调整合并，对一批军工产品专业，有的展宽了服务范围和服务方向，有的调整为通用专业，有的采用一个专业、两个牌子的办法调整为军民结合型专业。

经过调整、改造，学校专业结构发生了重大变化：由单一的工科专业结构转变为以工为主，理、工、管相结合的专业结构；由单一的军工专业，转变为以军民结合专业为主，军用和通用相结合的专业结构；以产品型为主的专业结构，转变为以工程技术学科专业为主体的专业结构；许多专业的内容得到更新。

1987 年学院共设各类专业 33 个，即飞行器动力装置、飞行器设计、飞行器发射技术与设备、系统工程、流体传动及控制、自动控制、车辆工程、车辆发动机、光学仪器、应用光学、光电子技术、光电成像技术、电子工程、电磁场与微波技术、半导体物理与器件、精细化工、高分子材料、生产过程自动化、金属材料与热处理、机械制造工艺与设备、机械设计及制造、爆破器材与技术（弹药与战斗部工程）、电子精密机械、爆炸技术、安全工程、计算机软件、计算机及应用、工业管理工程、管理信息系统、应用数学、应用物理、工程力学、工业造型设计。其中，光学仪器、应用光学、光电子技术、光电成像技术为当时的 4 个专业，对应 41，42，43，44 专业教研室，是原来的 4 个专业军用光学仪器、光学系统设计与检验、激光技术与器件和夜视技术的延续，虽然专业方向总体不变，但专业的内容和结构都有了不少的更新。

从 88 级新生开始，学校实行按系招生录取，一、二年级不分专业，以系为基础按学科大类组织教学，二、三年级后根据社会需要确定专业方向和培养方案。新方案的试行，冲破了传统专业的概念和模式，淡化了专业的界限，活化了专业的方向，为按需培养创造了条件，也为打通“军”和“民”之间的界限，在更大范围内实现了军民结合，为创办大口径专业创造了条件。对工程光学系而言，我们正在由单纯的光学加精密机械转入光学机械加电子和计算机的新的时代，电子学和计算机的技术基础较之过去有大幅度的加强，我们把1987年光学仪器专业的课程设置和1979年仅做简单的比较就可以看出增加了电子技术基础，微型机原理与应用，算法语言，线性代数，概率与数理统计等与电子学和计算机较为相关的基础和技术基础课，同时军用的色彩相应地淡了一些。

1987年本科专业名称改为光学仪器、应用光学、光电子技术、光电成像技术。1987年的课程设置见表4.3。

表4.3 1987年北京工业学院光学仪器专业教学计划表

类别	课程编号	课程名称	学分	学时
院定必修	1600.01	马列主义理论	18	162
	0001.01	体育	12	96
	1501.01	基础外语	33	234
	1100.01	高等数学	30	180
	1100.02	线性代数	6	40
	1100.04	概率与数理统计	9	54
	1201.01	普通物理	20	144
	1202.11	普通物理实验	6	56
	0404.01	算法语言	5	40
	1001.13	企业管理与技术经济	4	36
系定必修课	0703.01	画法几何与工程制图	20	144
	1301.01	理论力学	13	90
	1302.02	材料力学	7	54
	0704.02	机械原理	7	54
	0711.19	工程材料	5	45
	0702.05	冷加工与制造工艺学	8	72
	0401.01	仪器零件与部件设计	10	72
	0421.03	应用光学与光学设计	15	108
	0403.02	物理光学	12	90
	0705.03	电工技术基础	15	108
	0204.04	电子技术基础	15	108
	0404.02	微型机原理与应用	7	54

1992 年对教学计划又进行了重新修订。

光学仪器专业与应用光学专业实施按大类教学，系定必修课基本相同，只在限定选修课上分组，对应不同专业培养目标设置不同的课程，但总体上，电子技术和计算机基础与应用都得到了进一步加强（见表 4.4）。

表 4.4　1992 年光学仪器专业课程设置表

类别	课程名称	学时	学分
系定必修课	计算机应用基础	90	10
	画法几何与机械制图	136	19
	电工技术基础	108	15
	电子技术基础	130	18
	仪器仪表电子学实验技术	54	7
	微机原理及应用	72	10
	光电技术与实验	90	12
	理论力学	72	10
	材料力学	54	7
	机械原理	54	7
	互换性与技术测量	36	4
	工程材料	45	4
	精密机械零件与部件设计	72 + （60）	10 + （6）
	冷加工及制造工艺学	72	8
限定选修课Ⅰ类	光学工艺	54	7
	光学仪器原理设计	54	7
	光学仪器信号转换技术	54	7
	摄影仪器	54	7
	光学设计	54	7
	光学测量及实验技术	72	9
限定选修课Ⅱ类	薄膜光学	54	6
	光纤通讯基础	45	5
	数字图像处理	45	6
	辐射度学	45	6
	光学仪器装配与调整	45	6
	光学仪器计算机辅助设计	45	5
	仪器仪表结构设计	45	5
	工程检测技术	45	5
	激光原理及实验方法基础	45	5
	光电成像技术基础	54	6

续表

类别	课程名称	学时	学分
	任意选修课	36	4
专业任选课程	光谱仪器原理	36	4
	色度学	45	5
	激光与生命科学	36	4
	微机数值计算方法	36	4
	微机数据处理系统与应用	36	4
	现代光学技术专题	36	3
	计量学基础	24	2.5
	电动化仪表系统设计	45	5

三、三次修订本科专业教学计划，培养高素质创新人才

学校以育人为本，培养为社会服务的有用人才是高等学校的天职。不同时期，由于总体环境和历史状况不同，培养目标也不尽相同。延安时期，延安自然科学院的宗旨是："以培养抗战建国的技术干部和专门人才为目的。"李富春院长指出"自然科学院的任务是培养既通晓革命理论，又懂得自然科学的专门人才、理论与实践统一的人才。"

新中国建立初期我们校园里悬挂的横幅是"培养为国防服务的红色工程师"。

1978 年学校的培养目标是"德、智、体全面发展的又红又专的国防工业高级工程技术人才"。

2007 年本科教学评估时，学校明确的培养目标是：培养厚基础、宽口径、强能力、高素质的创新型人才。为了实现这一目标，学校于 1999 年、2003 年和 2006 年根据高等教育发展的新形势和学校自身的办学定位及发展规划，3 次对本科专业教学计划进行了修订，在制订培养方案和教学计划时，努力做到：夯实理论基础、拓宽专业口径、精简课内学时、优化课程体系、促进自主学习，加强实践教学、突出创新教育、注重综合素质培养。对本科专业培养方案进行了比较全面和深入的优化调整。

表 4.5 ~ 表 4.7 列出了 2006 年光电工程系测控技术与仪器专业指导性的教学计划，从中可以看出基础教育大幅度拓宽了，高等代数、数学分析、概率与数理统计、复变函数与积分变换、数理方程与特殊函数都是必修的数学基础课，计算机科学导论、C 语言程序设计、面向对象的程序设计、数据结构、微机原理与应用，都是计算机领域的基础和专业基础课，模拟电子技术基础和实验、数字电子技术基础和实验、电路分析基础、信号与系统、自动控制理论、光电技术与实验等都是电子技术类的基础和专业基础课。从中可见基础打得更

宽阔和结实，大量的实验和实践课更会增强学生的动手能力和对理论的理解。在新的教学计划下，相信大学生一定能够成为强能力和高素质的人才。

表 4.5　测控技术与仪器专业指导性教学计划

课程类别	课程性质	课程名称	学分	总学时	理论学时	实验学时	上机学时
基础教育	必修课	大学英语（Ⅰ、Ⅱ） 大学英语口语（Ⅰ、Ⅱ）	12	192	192		
基础教育	必修课	计算机科学导论	2	32	24		8
基础教育	必修课	数学分析 B（Ⅰ、Ⅱ）	12	192	192		
基础教育	必修课	C 语言程序设计	3	48	32		16
基础教育	必修课	高等代数 C	3.5	56	56		
基础教育	必修课	概率与数理统计	3	18	18		
基础教育	必修课	大学物理（Ⅰ、Ⅱ）	8	128	128		
基础教育	必修课	物理实验 B（Ⅰ、Ⅱ）	3	48	4		
基础教育	必修课	思想道德修养与法律基础	2	32	32		
基础教育	必修课	知识产权法基础	1	16	16		
基础教育	必修课	中国近现代史纲要	3	48	32	16	
基础教育	必修课	毛泽东思想、邓小平理论及 “三个代表”重要思想	4	64	48	16	
基础教育	必修课	大学生心理素质发展	1	16	16		
基础教育	必修课	马克思主义基本原理	3	48	48		
基础教育	必修课	体育（Ⅰ－Ⅳ）	4	28	128		
基础教育	必修课	复变函数与积分变换（专项数学）	2	32	32		
		数理方程与特殊函数（专项数学）	2	32	32		
基础教育	选修课	专项英语	4	64	4		
基础教育	选修课	通识教育选修课	6	96	96		
学科基础教育	必修课	面向对象程序设计	学院公共平台选修学分不少于12学分	2	32	24	8
学科基础教育	必修课	数据结构 A		2	32	24	8
学科基础教育	必修课	数据结构 B		2	32	24	8
学科基础教育	必修课	信号与系统 A		4	64	56	8
学科基础教育	必修课	信号与系统 B		3	48	48	
学科基础教育	必修课	自动控制理论 A		4	64	64	
学科基础教育	必修课	自动控制理论 B		3	48	48	
学科基础教育	必修课	光电技术与实验		4	64	40	24
学科基础教育	必修课	工程制图基础 B	2	32	32		
学科基础教育	必修课	电路分析基础	4.5	72	52	20	
学科基础教育	必修课	模拟电子技术基础 B	3	48	48		

续表

课程类别	课程性质	课程名称	学分	总学时	理论学时	实验学时	上机学时
学科基础教育	必修课	模拟电子技术实验 B	1	16		16	
学科基础教育	必修课	应用光学	3.5	56	56		
学科基础教育	必修课	物理光学	4	64	64		
学科基础教育	必修课	数字电子技术基础 B	3	48	48		
学科基础教育	必修课	数字电子技术实验 B	1	16		16	
学科基础教育	必修课	工程力学 C	4	64	64		
学科基础教育	必修课	精密机械设计基础	6	96	96		
学科基础教育	选修课	实验选修课	8	128		128	
专业教育	必修课	制造技术基础训练	3	48		48	
专业教育	必修课	微机原理与应用	4	64	40	24	
专业教育	必修课	光电测控系统专项实验	3	48	16	32	
专业教育	必修课	光学设计及实验	3	48	24	24	
专业教育	必修课	激光原理与技术实验	2	32	16	16	
专业教育	必修课	光通信技术 C	2	32	16	16	
专业教育	必修课	光学测量、工艺与实验	2	32	16	16	
专业教育	必修课	光电仪器原理 B	3	48	48		
专业教育	必修课	毕业实习	3	48		48	
专业教育	必修课	毕业设计（论文）	13	208		208	
专业教育	选修课	专业教育选修课	6	96	96		
总计			174.5	2 856	2 112	720	24

表 4.6 实践周教学计划

编号	项目	内容	学分	学期	周数	周次	场所
09000211	人文社会实践	社会调查、研讨	1	2	1	19	校内外
98000001	军事理论	军事理论教学	1	2	2	20，21	校内外
98000002	军事训练	军事实践训练	1.5	3	3	1～3	校内外
01500312	电子实习 I	黑白电视机组装	1	4	1	19～21	本系
01400256	应用光学课程实践	光学系统设计与计算	2	4	2		本系
01400257	现代光学综合实践	物理光学综合实验	2	5	2	1～3	校内
01400118	光学工艺实习	光学加工工艺	1	5	1		本系
01400089	电子线路设计实践	电路制版软件使用	1	6	1	1～21	校内外
01400127	精密机械课程设计	光电仪器通用部件设计	5	6～7	5	1～3	校内外
合计			15.5				

表 4.7　专业教育选修课

课程名称	学分	学时	学期	课程名称	学分	学时	学期
光电显示技术	2	32	6	光电电子技术	2	32	7
现代光电仪器电子学实验	3	48	6	生物医学光电子技术	2	32	7
公差与误差理论	3	48	6	遥感技术概论	2	32	7
数字图像处理	3	48	6	薄膜光学	2	32	7
视频技术	2	32	6	光电制导与跟踪技术	2	32	7
军用光电系统	2	32	6	光纤传感技术	2	32	7

四、本科专业的变动与沿革和光信息科学与技术本科专业的建立

(一) 本科专业的变动与沿革

1976—2007 年，我系的本科专业名称有过多次变更。前面说过 1977 年高考恢复后，光学仪器系按

光学仪器
光学系统设计与检验
激光技术
夜视技术

4 个本科专业进行招生。

1982 年系更名为工程光学系，1987 年专业调整，工程光学系下设 4 个本科专业：

光学仪器
应用光学
光电成像技术
光电子技术

1994 年我系与电子工程系合为信息工程学院，这时系名改为光电工程系，系下设 4 个本科专业：

光学技术与光电仪器
检测技术与仪器仪表
光电子技术
物理电子技术

1998 年按当时国家教委规定的本科专业目录改为两个本科专业：

测控技术与仪器
电子科学与技术

2002 年光电工程系与自动控制系、电子工程系、计算机系 4 个大系联合成立了信息科学技术学院，成为北京理工大学第一大院，光电工程系下设本科专业

不变。

2006年起，由于光纤通信技术专业的兴起和光电工程系原有的基础，又新增设光信息科学与技术专业。

至目前，本科专业一共3个：

测控技术与仪器
光信息科学与技术
电子科学与技术（光电子方向）

（附录中有专门的表格可参照）。

（二）光信息科学与技术本科专业的建立

从上面的介绍可以看出，从2006年起光电工程系增加了一个新的本科专业光信息科学与技术。

在20世纪80年代，光纤通信技术在国际与国内都已起步，并且来势迅猛。当时的系主任李振沂教授敏锐地洞悉这一光学领域的新趋势，决心在北京理工大学工程光学系创建与光纤相关的新方向。1983年秋，经多方努力，从我校电子工程系调来姬文越副教授、光学工艺杂志编辑部的秦秉坤和从北京邮电学院毕业的研究生孙雨南组成了光纤方向研究小组。暂时隶属403教研室，后经分离与合并建立了导波光学教研室，并开始进行光纤通信领域的研究。

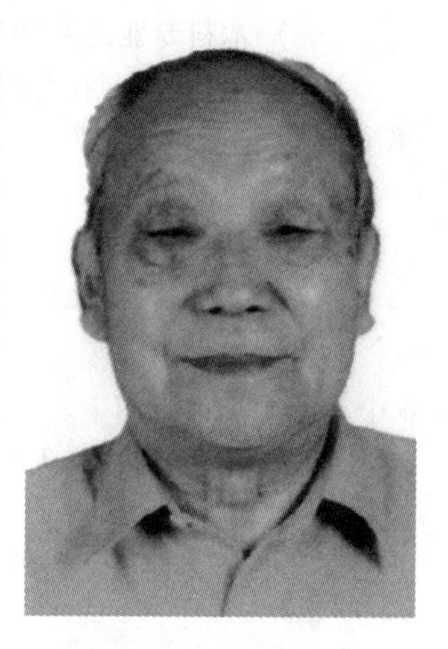
▶ 李振沂主任

随着科学技术的发展，光纤通信与个人计算机结合，进入了一个以互联网发展为中心的创新高峰期，人类进入信息时代，社会对信息技术人才的需求日益加大，光电工程系于2000年向教育部申报“信息工程（光电方向）”本科专业，获得批准，2001年开始正式招生，至2005年共招收10个班学生。由于教育部2003年编制的《普通高等院校本科专业设置招生目录》专业名称调整，不再列出“信息工程（光电方向）”专业，而理学光电信息类下设的“光信息科学与技术”专业是亦理亦工的新型特殊专业，和我们很对口，因此，为了规范办学，也为了适应我校由单一工科院校向理工结合型大学转变的战略目标，2006年我们申请将“信息工程（光电方向）”专业改名为“光信息科学与技术”，仍授工学学士学位，并获批准。2006年至今，每年招生2个班。

该专业的目标是培养适应社会主义现代化建设和国防信息化建设的需要，德智体美全面发展、基础扎实、理工结合、素质全面、工程实践能力和创造力强的研究发展型人才，能够在光信息科学技术相关领域的高新技术产业和国防科研部门一线从事光信息处理及计算机应用等领域的科学研究、教学、技术开发、生产

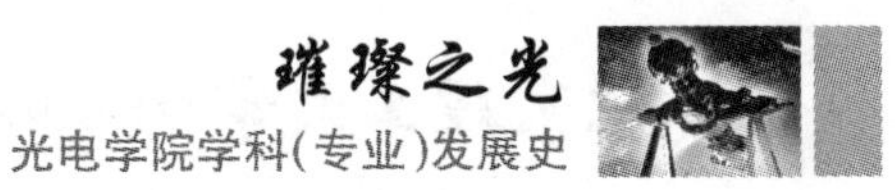

制造和管理等工作。

光信息科学与技术专业是一个“亦工亦理”的新型特殊专业，它既强调理学基础，又强调光信息的应用技术基础。在课程设置上，以近代物理学、电子学、光学和光电子学为基础，将现代光学、光子学技术与电子学、计算机技术相结合，突出光电信息技术基础，强调坚实而宽厚的数学物理基础和光学、光电子学、电子学、计算机的技术基础。

自2005年到2007年，该专业以新专业的身份参加了教育部本科教学评估，获得好评。

第二节　教学科研硕果累累

一、突出教学中心位置，培养优秀人才

光电工程系在忠诚党的教育事业、教书育人方面有着优良的传统。建系50多年来，光电工程系的教师们热爱学生、热爱教学工作，他们兢兢业业、呕心沥血，在平凡的教学岗位上，做着教书育人的神圣工作，取得了大量的教学成果，培养了大量的国家栋梁之才。

光电工程系教师们在认真备课，做好教学工作的同时编写了大量教材，大约280余部，许多书籍成为光学领域的经典之作，为许多学校所用，并具有长期的使用价值。这些教材中凝聚了教师们大量的具有创新性的科研成果和教学经验，为我国光学和光电学科的建设作出了卓越的贡献。

本书的附录中列出了历年来编译的各种教材和著作的名录。

我系倪国强教授指导的博士生刘新平的毕业论文《光学遥感器小型化先进技术——“亚象元”成像技术研究》和王涌天教授指导的博士生程雪岷的毕业论文《光学系统的智能化设计优化方法的研究》被评选为全国优秀博士学位论文。我系“光电成像原理与技术”荣获2008年国家精品课程，“应用光学”课程荣获2008年北京市精品课程，“技术光学”教学团队荣获2009年北京市优秀教学团队，《物理光学教程》被评为2007年北京市精品教材，《光学成像原理与技术》《辐射度光度与色度及其测量》《现代颜色技术原理及应用》《光纤技术：理论基础与应用》《激光原理技术及应用》《误差分析与测量不确定度评定》《Applied of Optics》等教材荣获2008年北京市精品教材。李林被评为北京市教学名师。这是近几年在教学领域取得的主要成绩。

通过教书育人，学院培养了万余名本科生，近两千名硕士生、六百余名博士生，为国家输送了大批的人才。他们之中不少人在各自的岗位上作出了突出的贡献，如长期在部队工作，为部队建设和国防事业做出卓越贡献的王永仲少将、张

德强少将、任思华少将、宋振铎少将、田克少将、张桓少将等；在航天领域作出重大贡献的航天部郑全宝、王金堂、焦世举；担任省部级领导工作的国家审计署副署长、原云南省委书记令狐安、北京理工大学党委书记焦文俊、北京航空航天大学党委书记杜玉波、深圳市市长许勤、中科院党组副书记方新等，还有中国第一家纯软公司在美国纳斯达克成功上市的“九城数码关贸股份有限公司”的CEO王双，都是我系毕业生的优秀代表。他们是我们的骄傲，更是我们学习的榜样。

二、科学研究硕果累累，有力推动学科建设

1. 全国科学大会上，光学仪器系获奖成果荣登学校榜首

1978年，科学的春天，全国科学大会召开。会议评选出科学大会奖，我校有34个项目获奖，其中光学仪器系有13项，占总量的1/3还多一点。这些项目体现了光学仪器系在光学众多领域的辉煌成就，也表现了国内高校光学大系的前列水平。这些项目是：变像管电子光学系统设计程序，国产电影摄影物镜中焦系列，激光扫平仪，739型抛光粉，一米、三米焦距远程照相机，航甲15—60相机，大型天象仪，检验抛物面的新型透镜补偿器的研究，GeⅡ—1型光学传递函数测定仪，74式1.2米地炮测距仪，“尖兵一号”卫星相机，PJ—1型光电光楔测角仪，光学系统自动设计。在以上的13项中，由应用光学教研室独立完成的共4项，参加完成的有5项，占69%。这个教研室的科研成果的确成绩突出。之所以获得如此丰硕的成果，首先是教研室教师个人的辛勤努力，同时也有赖于这个教研室是一个团结的、埋头苦干的集体。《光明日报》记者发现了这一成绩后，采访了这个教研室，并于1979年4月4日报道了这个教研室的事迹，题目是《一个埋头苦干的教研室集体》。

报道说，在去年全国科学大会上，一个不引人注目的小单位，居然有9个他们参加的科研项目受了奖，这就是只有20几人的北京工业学院光学教研室。

这个小小的集体，从1969年以来，在院系的领导下，同校内外兄弟单位合作，先后完成了21个科研项目，有的达到了国际先进水平，有的填补了国内空白。大型多功能光学传递函数测定仪和光电光楔测角仪，是这些科研成果中的杰作，受到了国内外专家的好评……

光学教研室在教学上也开出了绚丽的花朵。自1970年恢复招生以来，他们除担任本科的教学任务外，还举办了两期光学测量进修班，三期光学设计进修班，一期光学自动设计进修班，为国家输送和培训了340多名技术人才。

报道说，这个教研室有一支很好的教师队伍，他们有很强的事业心，想为国家多作些贡献，不甘心虚度年华。他们说：“人民给了我们知识，我们要用知识为人民服务。”在这种思想指导下，他们对工作总是争着干，勇挑重担，被人们称为“实干家”。

光学教研室之所以能取得这些成绩，还有一个重要的原因，就是他们有一个注意政策、关心群众、熟悉业务的领导班子，一直重视为集体创造安定团结的环境，能较好地组织和发挥教师的力量。

报道最后说，建设祖国，需要安定团结的环境，需要埋头苦干的精神。光学教研室在这些方面作了巨大努力。他们不声不响地工作着，为实现四个现代化做出了自己的贡献。在向四个现代化进军的新长征中，需要在科学和教育园地开放更多更美的鲜花，也需要更多的育花人。让我们向辛勤劳动的园丁们致以崇高的敬意！

下面是这个报道的影印件：

光明日报 1979，4，4

一个埋头苦干的教研室集体

一

在去年全国科学大会上，一个不引人注目的小单位，居然有九个他们参加的科研项目受了奖，这就是只有二十几人的北京工业学院光学教研室。

这个小小的集体，从一九六九年以来，在院系的领导下，同校内外兄弟单位合作，先后完成了二十一个科研项目，有的达到了国外先进水平，有的填补了国家空白。大型多功能光学传递函数测定仪和光电光楔测角仪，是这些科研成果中的杰作，受到了国内外专家的好评。光学传递函数测定仪用于评定各种光学系统和电子光学成象器件的成象质量，具有客观、定量、灵敏、快速、全面等优点。我国著名光学专家、中国科学院长春光学精密机械研究所所长王大珩，在鉴定会上看到这个仪器测量所达到的精密度和准确度，十分高兴，认为达到了国际先进水平。光电光楔测角仪是用于精密测量标准光楔偏向角的小角度测量仪器，是光学仪器生产和角度计量工作中的重要测试设备。这个仪器应用光波干涉、光电动态对准、激光测长、电子数显等新技术，其最大测量误差不大于0.1弧秒。参加鉴定会的计量[illegible]老工程师[illegible]在鉴定会上说：咱们自己研制的这么高精度的测角仪器，我还没有鉴定过。英国光学设计专家、帝国理工学院温（C·G·Wynne）教授一九七七年秋天来该校参观时，对这两台仪器很感兴趣。他提问了许多关键性问题，都从理论和实践上得到了回答。当他了解到仪器的性能后，连声称赞。他希望光学传递函数测定仪能参加国际上同类仪器的比对测量。

二

光学教研室在教学上也开出了绚丽的花朵。自一九七〇年恢复招生以来，他们除担任本科的教学任务外，还举办了两期光学测量进修班，三期光学设计进修班，一期光学自动设计进修班，为国家输送和培训了三百四十多名技术人才。前几年，为了补救多年没有招生造成的后继乏人的状况，光学教研室顶住“四人帮”的压力，花了很大的力气办进修班。一九七三年举办的第二期光学设计进修班就办得很有成效。

这个教研室的教师十分重视教材建设，编写了不少教学用书。他们为本专业编了《应用光学》、《光学系统设计》等八种教材和《全息照相》等三种补充讲义，并结合本专业的需要翻译了两本书。此外，为外专业编写了《激光原理》等三种教材，还参加了国家有关部门组织的四种书的编写工作。

他们编的教材，注意保持理论的系统性，并不断用国内外先进技术充实教材内容，有自己的独到见解。例如《应用光学》教材中提出的“棱镜转动定理”，用于研究棱镜转动所引起的光轴偏和象倾斜比较简便，是一项具有独创性的工作。又如《光学系统设计》教材，在理论联系实际上下了工夫，使外行看了能入门，内行看了有收获。

三

在林彪、“四人帮”疯狂摧残科学、教育的日子里，光学教研室曾被扣过“资产阶级的顽固堡垒”、“复辟回潮的典型”等等许多吓人的帽子。教研室的同志团结一致，顶住了这股歪风。

一九七四年，迟群等人煽起的所谓“基本路线教育运动”的黑风，从清华、北大刮到了北京工业学院，刚毕业的第二期光学设计进修班竟成了“复辟回潮的典型”。光学教研室受到了批判，先是在大字报上批，接着又在全院性的批判会上批。批判他们破坏了党的教育方针，招生对象不是工农兵，而是十七年培养的知识分子；教学方法是从理论到理论，满堂灌，学生围着教师转，不是政治挂帅，而是智育第一，等等。在这样的压力下，他们坚不动摇，教研室领导多次向当时的院领导提意见，指出这种不分是非的批判是错误的，并继续坚持他们原来的做法。

为什么他们能顶住这种干扰，在教学和科研上取得显著成绩？

原来这个教研室有一支很好的教师队伍，他们有很强的事业心，想为国家多做些贡献，不甘心虚度年华。他们说：“人民给了我们知识，我们要用知识为人民服务。”在这种思想指导下，他们对工作总是争着干，勇挑重担，被人们称为“实干家”。例如，中年教师范少卿，在忙于讲授《物理光学》的情况下，还为外专业编写了一本三十万字的《激光原理》讲义，一人干两人的工作。当他患癌症后，手术治疗了一段时间，就一再要求工作，在半休期间还翻译了一本书。现在他正主编一门新课的讲义，并带了研究生，常常早来晚走。

这个教研室有一种良好的学习风气。在“读书无用论”泛滥的日子里，他们坚持学习业务，学习外语，体现了我国知识分子对革命工作高度负责的精神。目前，原有教师基本上都能胜任一定的教学和科研工作，能阅读外文资料，有三位教师能阅读四种外文资料。新留校的毕业生到了这个教研室，受到这种学习风气的熏陶，也都努力钻研业务。

四

光学教研室之所以能取得这些成绩，还有一个重要的原因，就是他们有一个注意政策、关心群众、熟悉业务的领导班子，一直重视为集体创造安定团结的环境，能较好地组织和发挥教师的力量。

这个领导班子现有三个成员：一位抓全面工作，一位主管教学、科研，另一位负责支部工作。他们大事集体研究，工作抢着干，遇事共同承担责任，荣誉面前互相谦让，同心协力，深得群众信任。他们除了组织教学和科研，还着重抓了以下两项工作。

一、关心群众生活。他们把关心群众生活，当成一件大事来抓，努力使大家感到党的关怀和集体的温暖。前几年，这个教研室有五位同志的爱人工作地点离学校较远，每天上班，路上要花两三个钟头。教研室领导非常体谅这些同志的困难，千方百计想办法把这些同志的爱人调到学校附近工作，经过几年的努力，这一问题基本上解决了。

他们对病号和出差同志的家属更加关心。有一次，为了让病号到肿瘤医院看上病，教研室负责人早上三四点钟冒着寒冷，从西郊骑车到东郊去医院挂号。一位同志出差在外，孩子病了，教研室就去人帮助照料。参加光学传递函数测定仪研制工作的一位同志说：“这一科研项目搞了三年多，我长期出差在外，无后顾之忧，相信家里如有什么事，同志们会关心的。”

二、执行党的知识分子政策。文化大革命初期到一九六九年底，这个教研室原有的二十名教师中有八人受到冲击，其中二人被打成“反革命分子”。在“四人帮”还在台上的时候，这些挨整的教师不可能得到彻底平反。就在这样的景况下，教研室领导坚持贯彻执行党的知识分子政策，顶住压力，给挨整的教师安排任务，鼓励他们大胆工作，遇事同他们商量，并在工作中支持他们。粉碎“四人帮”后，这些教师得到彻底平反，干劲更大了。

建设祖国，需要安定团结的环境，需要埋头苦干的精神。光学教研室在这些方面作了巨大努力。他们不声不响地工作着，为实现四个现代化做出了自己的贡献。在向四个现代化进军的新长征中，需要在科学和教育园地开放更多更美的鲜花，也需要更多的育花人。让我们向辛勤劳动的园丁们致以崇高的敬意！

本报记者 冷铨清

2. 高水平的科学研究成果，产生了巨大的经济效益和社会效益

改革开放以来，学校进一步走入社会、走向市场，进一步加强了和部队及地方的联系，从中发掘社会对科研产品的需求，本着既为社会服务又能锻炼队伍的精神，光电学院先后完成了几百项科研项目与工程，137 个项目获得了国家级、省部级的科技进步奖和发明奖，显示了光电学院的科研水平，反映了广大教师扎实的理论基础和创新的能力。由于很多项目是产、学、研相结合，是企业生产中需求的项目，不仅给企业解决了难题，也为企业创造了经济效益。

如我系研制完成的交叉棱镜望远镜激光谐振腔项目，它是用来改善激光器的光束质量和机械稳定性，特别是在固体激光器中可以用较差质量的工作物质达到提高光束质量的目的。交叉棱镜望远镜激光谐振腔由带凹球面的直角棱镜、带凸球面的直角棱镜和介质偏振片组成，是把交叉波罗棱镜腔和球面虚共焦腔融合在一起形成的新腔型。该发明已用于野外使用的激光设备和大量实际研究中，获得了较大的经济效益和社会效益。

PJ－1型光电阴极制作检控仪，能自动记录光电阴极制作过程中的主要参数，光电流的时间函数，全过程的真空度和激活温度，配以规范工艺曲线，可获得高质量的同一标准的光电阴极，为我国光电器件的生产及科研试制提供了一部性能较全、适应性强的工艺检控装备，也获得了较大的经济效益和社会效益。

我们研制的SOD88光学设计软件包也是一个被广泛应用的软件系统，它是用来进行光学系统设计，计算几何像差、光学传递函数、像差自动校正、变焦系统计算、公差分析的一个软件包，是国内用户最广的光学设计软件，为广大光学设计者喜爱。国内300多个用户用这个软件设计了众多的军用和民用光学仪器产品，并产生了巨大的效益。其更重要的意义在于它代表了我国的光学设计工作由手工计算或只进行像差计算，进入到光学系统自动设计阶段的重大转变。

我系光学测试团队，紧贴现代国防高新技术发展的需求，发扬“团结、创新、务实、求精”的精神，开拓进取，率先实现全光电的数字化高集成高精度的军用光学参数测量平台，2005年7月交付兵器靶场试验中心用于多种武器装备性能参数的定型试验任务，对提升我国光电火控武器装备的试验能力发挥了至关重要的作用。

该测试平台摆脱人工目视操作和单参数光学检具的模式，实现了对目视、电视、激光和红外仪器光学性能参数的综合测试，并为开发多种型号的先进工业检测样机奠定技术基础。5年来，已有11种相关测试装备交付航天、航空、兵器以及高校和民用科研部门使用，为我国装备研制、生产和试验定型发挥了重要的测试保障和推动作用，标志我国军用光学测试和检校能力进入了国际先进行列。

▶ 大规模集成的数字化光学测试平台样机

科学研究一方面服务军队，服务社会，获得经济效益和社会效益；另一方面它也丰富了我们学科的内容。科研成果进入教材，使教材又有了鲜活生动的实例和新的思路，例如通过棱镜转动规律的研究，获得了棱镜转动定理，这是一个发明，反映到应用光学教材中，使我们教材成为第一个具有棱镜转动规律内容的应用光学教材，扩大了我们在行业内的影响。科学研究也使我们看到了学科发展的新的方向和增长点，使我们对学科建设的方向和途径有了更清醒的认识。

关于我们的主要科研成果，附录中将另有介绍，这里不再赘述。

三、实验室建设是教学科研的有力保证，也是开拓创新的育人基地

教学和科研都离不开实验室，某种意义上说，一个单位实验室的水平，就反映了一个单位教学科研的水平。光电工程系从建系初期就十分重视实验室的建设，早期主要是教学需要，后来逐步发展到科研的需要。学校设有实验设备处，系设有专职设备干事，专门负责实验室和实验设备的建设。光电工程系每个教研室都配有相应的各类实验室，以进行教学实验和科学研究。

1980 年我校进行了全院性的清产核资，并在全校 58 个实验室中确定了接近全国先进水平的 10 个实验室，其中光学仪器系就有两个：光学测量实验室和夜视技术实验室。

在 1983 年，我校共 55 个实验室，工程光学系共 8 个，它们是精密机械、光学工艺、信息光学、光学仪器、遥感与摄影、光学测量、光电子技术和光电成像技术实验室。1983 年后又增设了光电技术实验室，光纤与导波光学实验室。1986 年该实验室被评为北京市高等学校实验室先进单位。1989 年 6 月国家计委批准我们设立国家重点学科点专业实验室——颜色科学与工程实验室。

1990 年工程光学系信息光学基础实验室被国家教委列为对国内外开放的重点实验室。2009 年成功申请到“光电成像技术及系统”教育部重点实验室。除了上述三个部级实验室外，学院现设有光电教学实验中心、现代光学仪器实验室、光电信息技术实验室、光电子信息技术实验室，仪器资产达到7 378万元，40 万以上的仪器设备 31 套，各类教学、科研实验室配备日趋完善。

为了培养大学本科生的科研和动手能力，除了进行课堂教学和实验外，老师们还在探索如何在业余时间，对学生进行科研能力方面的引导。2000 年，张忠廉教授带领他的团队创建了“光电创新工程实验基地”，这个基地除了少量时间用于学生作毕业设计外，每年约有 11 个月时间对全校本科生全天开放（包括晚上）。基地实验室与常规实验室不同，这里准备了若干电子元器件和一定的器材和工具，同学们报名选定课题后独立进行设计和自己动手制造。当然他们会得到老师的指导，但独立完成是主要的。这种方式使学生产生了极大的兴趣，许多学生放弃假期，放弃休息时间到基地来工作和学习。他们的想象力、创新力在这里都充分地发挥出来，也取得了一般学生难以完成的科研成果。

从表 4. 8 近年来创新基地所取得的成绩，可以见到大学生在创新基地中受益匪浅。他们开拓创新的精神和自己动手、独立研究的能力都得到了很好的培养。

表4.8　近年来创新基地获奖统计

竞赛名称	奖项等级	项目名称
2005年“挑战杯”全国大学生课外学术科技作品竞赛	全国一等奖	新体制干涉成像光谱仪
	全国二等奖	病险水库堤坝隐患监测及险情预报系统
	北京市特等奖	新体制干涉成像光谱仪
2007年“挑战杯”全国大学生课外学术科技作品竞赛	全国三等奖	充气式可展开空间反射聚光镜
2009年“挑战杯”全国大学生课外学术科技作品竞赛	全国二等奖	月基太阳多波段相机
2006年首都高校第三届机械创新设计大赛	北京市一等奖	智能型机械按摩组合床垫的研究与设计制作
2006年全国第二届机械创新设计大赛	全国一等奖	瘫痪康复治疗仪
	全国三等奖	智能型机械按摩组合床垫的研究与设计制作
2008年首都高校第四届机械创新设计大赛	北京市一等奖	废旧电池回收机
		城市高大树木园林修剪机
		折返式刀阵切菜机
	北京市二等奖	城市水面垃圾清理船
		空调通风管道清扫机
		新概念洗鞋机
	北京市三等奖	城市地下管道“水滞”疏通钻

第三节　研究生教育学科（专业）设置的沿革

一、硕士学位授权学科（专业）设置与沿革

1953年，北京工业学院研究生招生专业为：军用光学仪器、重武器设计、轻武器设计、内外弹道学、坦克设计、坦克发动机设计、发射药制造、引信制造、爆炸药制造、无线电定位。1955年有炮弹设计、自动武器设计、武器制造工艺学、军用光学仪器仪表制造、雷达设计、电视、光学玻璃工艺学、射击指挥仪及电气设备、坦克设计、发动机设计、无烟药制造、炸药制造及装药加工、光学仪器设计、坦克制造工艺学等。

这些招收研究生的专业中，属于仪器系的有：军用光学仪器、军用光学仪器仪表制造、光学玻璃工艺学、光学仪器设计，我系周仁忠、邹异松、查立豫等同志就是我校首批研究生，导师均为来华的苏联专家。

1962年我系培养研究生的专业有军用光学仪器、光学系统设计、光学导引。

1978 年有光学仪器结构、光学系统设计与检验、激光技术、夜视技术。

1981 年 11 月 3 日国务院批准北京工业学院有权授予硕士学位，成为我国首批硕士学位授予单位之一。当年，有 23 个学科、专业被批准有权授予硕士学位，属于我学院的有光学仪器、激光技术、光电技术等 3 个点。

1983 年 3 月，国务院学位委员会颁布《高等学校和科研机构授予博士和硕士学位的学科、专业目录》（试行草案）。试行草案与首批的专业目录相比有较大调整。首批 23 个硕士学位授权学科、专业中有 9 个专业作了调整，其中，“激光技术”改为“军用光学（激光技术、微光、红外、夜视仪器）”，“光电技术”改为“光电技术（红外线制导、热成像）”。

1986 年 4 月 28 日，国务院学位委员会第六次会议决定，逐步试行在一定的学科范围内下放硕士学位授权学科、专业审批权。北京工业学院为首批试点单位之一，在“数学”“力学”“仪器仪表”“电子学与通信”“自动控制”“航空与宇航技术”“兵器科学与技术”7 个一级学科有权自行审批硕士学位授权学科、专业。

1988 年国务院学位委员会在审定第三批学位授予学科、专业的同时，开始调整并修订专业目录。1990 年 10 月公布《授予博士、硕士学位和培养研究生的学科、专业目录》，其中，“光电技术”并入“电子物理与器件”并改为“物理电子学和光电子学”，“军用光学（激光技术、微光、红外、夜视仪器）”改为“军用光学”。

二、博士学位授权学科（专业）设置与沿革

1984 年 1 月 13 日，国务院批准第二批博士学位授权学科、专业，学校有 7 个学科专业获准有权授予博士学位，其中有“光学仪器”和“军用光学”，并同时公布了国务院批准的博士生指导教师名单。

光学仪器的博士生导师是于美文，军用光学的是周立伟。

1986 年 7 月 28 日，国务院学位委员会批准第三批博士生导师。光学仪器是连铜淑，军用光学是李德熊。

1990 年 10 月 5 日，国务院学位办公室批准第四批博士学位授权学科、专业，并批准第四批博士生导师。光学仪器的博士生导师是赵达尊，军用光学是魏光辉、向世明（兼）。

1991 年 3 月 29 日，国务院学位办公室批准北京理工大学有权在部分学科、专业授予在职人员博士学位。我学院有光学仪器和军用光学学科。

1993 年 12 月 17 日，国务院学位委员会批准第五批博士生导师，我学院物理电子学和光电子学为魏光辉，军用光学为俞信、辛建国、沈柯（兼）。自此以后，由国务院学位委员会授权改为北京理工大学自主审批博士生导师资格。

1997 年根据国家学科专业目录将“军用光学”和“光学仪器”整合为“光

学工程”一级学科。

三、学科建设的深入发展

（一）发展的进程

北京理工大学的学科建设基本经历了三个阶段，即20世纪50年代建设国防专业；1977年以后，实行军民结合为特色的学科、专业的调整和改造；80年代中期开始加强重点学科的建设与提高。

1986年上半年，学校党政领导决定由院学术委员会负责成立了学科建设规划小组，经过半年多的工作，制订了学校《1986—1990年学科建设规划》。规划提出：北京工业学院学科建设必须从国家需要和国防工科院校转为军民结合型这个战略出发，着重发展对国民经济建设有重要意义、对国防现代化有关键作用的应用科学和有应用前景的基础科学，以及重大关键技术领域。要发挥学校军工专业的特点和多学科的优势，加强学科间相互协作、相互渗透，促进新型学科和交叉学科的发展。要突出重点，抓一批基础好，又有发展前景的学科作为重点来建设，使之达到国内乃至国际水平。

规划确定10个重点发展方向：①反坦克导弹技术；②车辆工程；③光电信息技术；④材料科学；⑤爆炸与安全技术；⑥工程力学；⑦现代管理科学；⑧新一代计算机和人工智能；⑨应用理科；⑩自动控制。其中，光电信息技术属于我系。

经院学术委员会组织专家评议，选择31个学科作为重点建设的学科，从中又评选出14个基础好、又有发展前途或需重点改造的学科作为第一批重点建设学科：①导弹制导技术；②导弹推进与发射技术；③车辆发动机；④近代光学与光学仪器；⑤光电技术；⑥信号与信息处理；⑦功能材料及含能材料；⑧爆炸技术与终点效应；⑨引信与遥感技术；⑩流体传动与控制；⑪自动控制与系统工程；⑫生产经营管理工程；⑬机器人技术；⑭机械设计与制造。其中，属于我系的为近代光学与光学仪器和光电技术。

实现学科建设规划的措施包括：重点投资建设一批实验室和研究中心；集中力量，精心组织，推出有重大意义和价值的成果；加强学术指导和学术队伍建设，对重点学科定期检查、评估等。

1987年，学校成立学科建设领导小组，校长任组长，主管副校长任副组长，研究生院、教务处、实验室设备处、科技处、财务处、人事处等有关职能部门的主要负责人为成员。

1988年7月，国家批准学校“通讯与电子系统”“装甲车辆工程”“爆炸力学”“军用光学”4个学科为国家重点学科，同时还要求学校应争取用5年左右时间，把这些学科点建成国内一流水平，在国际上有一定影响的学科点；并定期检查和评估。

1990 年下半年，学校根据机械电子工业部教育司有关文件精神，组织校内专家对学校 10 个部级重点学科进行自检评估。10 个评检学科是：军用光学、通信与电子系统、光电技术、军用车辆工程、液压传动与控制、兵器结构与制造、爆炸力学、光学仪器、自动控制、固体力学。重点检查学科的教学、科研成果、学术梯队建设、人才培养、科研条件、学术交流，整体水平及发展规划等。

1993 年下半年，中国兵器工业总公司教育局对有关兵工高校的重点学科进行了检查、评估，学校 4 个部级重点学科被检查、评估，即：含能材料、弹药战斗部工程、光学仪器、电磁场与微波技术。经实地考查、评估，对受检学科点的总体评价是：各学科点均有一批高水平的学术带头人；后备学科带头人及青年骨干正在迅速成长；学科研究方向符合国家需要，紧密跟踪世界前沿课题，并有大批科研成果；实验室建设正加快步伐，人才培养上也成绩显著，各学科都处在上升发展阶段，形势很好。发展中遇到了一些困难，如人才断层、经费短缺、师生待遇偏低，根据目前发展的势头来看，在自我发展、领导支持、上下共同努力的进程中，相信能得到克服。

（二）重点学科

1. 国家级重点学科

1988 年 7 月 22 日，北京理工大学有 4 个学科被批准为国家重点学科，即：装甲车辆工程、军用光学、通信与电子系统、爆炸力学。其中，军用光学为我系所属。

1997 年根据国家学科专业目录，将“军用光学”和“光学仪器”整合为“光学工程”一级学科。

2002 年 1 月 18 日下发教研函［2002］2 号《教育部关于公布高等学校重点学科点名单的通知》明确我校工程力学、机械电子工程、火炮自动武器与弹药工程、武器系统与运用工程、控制理论与控制工程、车辆工程、动力机械及工程、光学工程、物理电子学、通讯与信息系统、应用化学等 11 个学科入选全国重点学科。其中，光学工程和物理电子学为我学院所属。教育部在评选结果公布通知中指出：重点学科应在高层次人才培养、科学研究方面赶超世界先进水平和提高我国国际竞争力方面做出重要贡献，在高等学校学科建设中起示范带头作用。

2. 部级重点学科

1987 年 10 月，国家机械委教育司在 4 个一级学科下的 11 个二级学科中开展评审委级重点学科试点工作，共评审出委级重点学科 16 个。北京理工大学有 3 个学科被评为委级重点学科，即液压传动与气动、光电技术、兵器结构与制造工程。其中，光电技术属我系。

1988 年根据机械电子部规定，国家级重点学科和博士学位授予学科为当然的部级重点学科。因此，当时北京理工大学 4 个国家重点学科和 11 个博士学位授予学科也被列为部级重点学科，即：通信与电子系统，装甲车辆工程，爆炸力学，军用光学，应用数学，含能材料，光学仪器，自动控制理论及应用，应用化学，火工、烟火技术，引信技术。

1990 年 10 月，根据国家教委和国务院学位委员会颁布的《授予博士、硕士学位和培养研究生的学科、专业目录》，“光电技术”与“电子物理与器件”合并为“物理电子学和光电子学”。

2002 年 8 月，光学工程、物理电子学、测试计算技术及仪器被批准为国防科工委重点学科。

3. 博士后流动站

1985 年 11 月，国家科委确定在全国 73 个单位建立博士后流动站。北京工业学院为首批建站单位之一，建站学科是以“光学仪器”学科为基础申报的“仪器仪表”流动站。光学仪器是我系的学科，因此我系是国内第一批建立博士后流动站的单位之一。

根据［1985］博管发字 1 号文件，对扩大建站专业的规定为：“今后在各流动站招收博士后总名额不变的情况下，除已被批准的设站专业外，允许本流动站内其他有博士授予权的二级学科（专业）招收博士后。”至 1993 年年底北京理工大学在仪器仪表、兵器科学与技术、电子学与通信 3 个博士后流动站下 13 个学科（专业）招收博士后研究人员。这 13 个学科（专业）是：光学仪器、军用车辆工程、军用光学、含能材料、引信技术、爆炸理论及应用、火工与烟火技术、弹药战斗部工程、火箭导弹发射技术、通信与电子系统、信号与信息处理、电磁场与微波技术、物理电子学与光电子学。其中光学仪器、军用光学、物理电子学与光电子学属我系的学科（专业）。

仪器仪表博士后流动站，不但接纳了国内博士后人员，还接纳过英国帝国理工大学一名女博士，该站在 2005 年全国评比中名列同类学科第一。

（三）近年来博士学位授权学科和硕士学位授权学科的变化

2000—2004 年硕士学位授权点学科专业：

一级学科	二级学科
1. 光学工程	
2. 仪器科学与技术	精密仪器与机械
	测试计量技术及仪器
3. 电子科学与技术	物理电子学

2000—2004 年博士学位授权点学科专业：

一级学科	二级学科
1. 光学工程	
2. 仪器科学与技术	精密仪器与机械
	测试计量技术及仪器
	信息传感技术及仪器

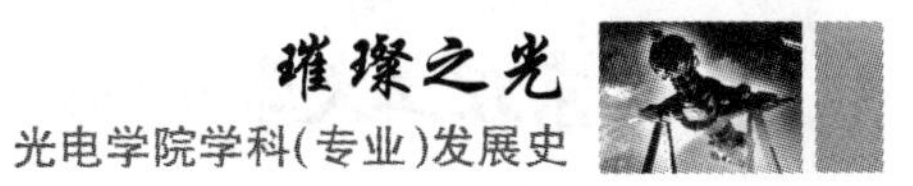

3. 电子科学与技术　　　　　物理电子学

2004 年，仪器科学与技术的二级学科增加信息传感技术及仪器。

2005 年起，光学工程下设二级学科。

2005 年博士学位授权学科专业：

一级学科	二级学科
1. 光学工程	光电成像信息工程
	颜色科学与图像技术
	技术光学与系统
2. 仪器科学与技术	精密仪器及机械
	测试计量技术及仪器
3. 电子科学与技术	物理电子学

2005 年硕士学位授权学科专业：

一级学科	二级学科
1. 光学工程	光电成像信息工程
	颜色科学与图像技术
	技术光学与系统
	光电器件与探测技术
2. 仪器科学与技术	精密仪器及机械
	测试计量技术及仪器
3. 电子科学与技术	物理电子学

对比 2004 年，2005 年中仪器科学与技术的二级学科把信息传感技术及仪器取消了，硕士学位授权学科专业光学工程的二级学科中增加了光电器件与探测技术。

第四节　光电工程系学科（专业）和研究方向

光电工程系各学科具体发展及主要科学研究方向如下。

1. 光学工程

国家重点学科——光学工程学科点始于 1953 年北京工业学院军用光学仪器专业，是国内最早建立的光学仪器专业之一。1954 年即开始招收研究生，1978 年恢复招收研究生，1981 年获得国家首批硕士学位授予权，1983 年获军用光学、光学仪器博士学位授予权，1985 年设立我校第一个博士后流动站，为我国首批博士后流动站之一，1987 年分别被评为国家级重点学科、部级重点学科。1997 年根据国家学科专业目录调整合并为光学工程一级学科，仍确认为国家级重点学科。1998 年教育部批准为全国首批设立“长江特聘教授”岗位，2001 年“光学工程”学科点在教育部全国重点学科评估中，通过通信评议评为并列第一，继续保持“国家重点学科”称号。为了适应学科前沿发展以及国防科技和国民经济发展的急需，根据教育部的部署，2005年光学工程一级学科成功申报4个自主设置的二级学科点：①光电成像信息工程，博士/硕士学科点；②技术光学及系统，博士/硕士学科点；③颜色科学与图像技术，博士/硕士学科点；④光电器件与技术，硕士学科点。

2007年，在教育部组织的国家重点学科的评估中，“光学工程”学科在全国排名第五，2008年“光学工程”被国家国防科技工业局批准为国防特色学科的骨干学科。

历经50多年的发展，本学科点已成为我国在光学光电工程学科领域承担国家和国防重大重点课题研究、高新技术研发以及高层次人才培养的重要基地之一。

主要科学研究方向如下。

（1）微光、红外与紫外成像技术：主要从事微光、红外与紫外成像理论、器件、技术与系统的设计、测试、模拟仿真、总体及应用技术；成像器件的宽束电子光学系统理论及设计；目标与环境光学特性，图像目标探测、识别与跟踪技术等方面的研究工作。

（2）虚拟现实与增强现实技术：主要从事虚拟现实与增强现实算法、技术、系统，及其在各领域的应用等方面的研究工作。

（3）光电雷达、探测、成像与对抗技术：主要从事光电雷达与光电成像雷达的单元技术及系统技术、光电对抗条件下的微弱/低信噪比信号获取与处理、目标探测与特性反演等方面的研究工作。

（4）图像工程与颜色科学：主要从事图像与视频信号采集、提取、处理、压缩、融合、传输及其实时实现技术；颜色科学理论、测量、处理与再现技术，颜色视觉；图像与颜色质量评价等方面的研究工作。

（5）现代光学设计与工艺、光刻技术及光电精密仪器工程：主要从事光学元件与系统的设计和先进制造技术；高分辨空间光学及自适应光学理论、技术与系统及其应用；高分辨成像及先进光刻技术，精密光学及检测技术，微纳光学；薄膜光学与工艺，光学全息与数字全息；光电精密仪器及其应用工程等方面的研究工作。

（6）光电信息获取、显示与处理技术：主要从事辐射度学与光度学；新型光电材料与器件，新型光电功能薄膜，新型光源与光电池，光子晶体；光电检测技术；人体生物特征光电信息探测与识别技术；光信息获取、存储、显示及处理的理论、技术与系统等方面的研究工作。

2. 仪器科学与技术

下设测试计量技术及仪器和精密仪器及机械两个二级学科，本学科是1983

年获博士学位授予权的光学仪器学科的主要组成部分，1986 年获得硕士学位授予权，1998 年建立博士点；2000 年“测试计量技术及仪器”与“精密仪器及机械”硕士点（1993 年建点）一起建立“仪器科学与技术”一级学科博士点；2003 年设有博士后流动站，是我校“211 工程”和“985 工程”的重点建设学科点之一，1998 年和 2002 年被兵器工业总公司和国防科工委确定为重点建设学科点。

主要科学研究方向如下。

（1）光机电一体化技术研究：主要从事仪器工程设计方法，仪器精度、优化及可靠性设计，人机工程和计算机辅助设计技术，智能仪器与虚拟仪器，微机电系统的设计、制造与检测，微小型机器人及其有效载荷技术，微小型运动及传感仿生技术等方面的研究工作。

（2）近代光学与光电检测技术及仪器研究：主要从事近代干涉与偏振测量技术，光散射测量技术，光学非球面检测技术，激光多普勒及光散射测量，紫外测量，三维检测与显示等方面的研究工作。

（3）精密测试与计量：主要从事几何量测试与仪器，远程、在线及智能化测试，计量专家系统与计算机精度仿真，误差理论与数据处理等方面的研究工作。

（4）光电信息传感与处理技术：主要从事图像采集与处理技术，虚拟设计与虚拟现实，光学信息处理新方法与新技术等方面的研究工作。

（5）瞬态、动态测试技术：主要从事动态与瞬态参数测试与标定技术，动态信号采集与数据分析、处理技术等方面的研究工作。

（6）传感器技术及实验仿真：主要从事传感器技术及其应用，传感器特性测试，多传感器监控系统，近感探测技术等方面的研究工作。

3. 物理电子学

国家重点学科——物理电子学是“电子科学与技术”一级学科下的二级学科，它以“激光技术”专业名称成立于 1971 年，1982 年以“光电子技术”硕士点名称招生。1992 年与原光学仪器学科共同建立了教育部开放实验室“信息光学基础实验室”。1993 年经国务院学位委员会审批建立“物理电子学与光电子学”（现统称为“物理电子学”）博士点，拥有 5 个特色研究方向，即新型激光器件、微光机电器件及系统、光电生物医学工程、军用光电子技术、多电子高激发态结构和光谱研究，并建立军用光学博士后流动站。1996 年在“211 工程”一期建设中，本学科点成为我校“211 工程”建设的重点学科之一，投资 800 万元，重点建设了两大专业实验室：教育部开放实验室“信息光学基础实验室”（部分）和“光电子技术实验室”以及两个教学实验室“光电子技术教学实验室”和“微光学与微光电子器件与技术教学实验室”。2000 年设立长江特聘教授岗位。2002 年 1 月通过教育部评审，被批准为国家重点学科。2007 年再次通过了教育部组织的国家重点学科的评估，是目前国家6个“物理电子学”重点学科之一。

主要科学研究方向如下。

（1）新型激光器技术与应用：该研究方向以光电子技术在信息科学和材料科学、国防和科研中的应用为背景，开展新型激光器技术及相关技术的研究。主要包括新型气体激光器技术、固体激光器技术、光纤激光器技术、高次谐波激光器技术和极端紫外激光器技术等方面的研究，以及相关激光技术和参数测试技术研究等。

（2）自适应光学与空间光学仪器：该研究方向主要研究自适应光学理论、波前检测和波面校正等自适应光学技术，自适应光学在空间光学遥感器上的应用研究，微小型自适应光学系统理论、方法与技术研究，甚高分辨率空间遥感器的光学理论与方法，精密光电测试技术与仪器等。

（3）军用光电子信息技术与系统：该研究方向以信息获取、传输、处理与对抗等光电子信息技术与系统在国防、工业、通信、交通、能源、农业和环保等领域的应用为背景，主要开展光学精确制导、光学雷达、新型惯性光电器件技术，新型光纤及光电传感器件技术，高速光信号处理及其器件技术，空间高分辨率红外场景生成技术和微波（毫米波），红外复合目标源技术等方面的研究。

（4）多电子高激发态结构和光谱研究：该研究方向主要研究原子的电子结构和光谱、激光光谱，Auger电子谱和多电子高激发态等问题，探求原子与分子态的能级结构和多电子高激发光谱规律，为光学材料的研制提供依据。

我学院现有测控技术与仪器、光信息科学与技术、电子科学与技术（光电子方向）3个本科专业，其中测控技术与仪器、光信息科学与技术是国防特色专业，电子科学与技术是北京理工大学名牌专业。具体介绍如下。

1. 测控技术与仪器专业

培养目标：从事测量与控制领域内有关技术、仪器与系统的设计制造、科技开发、应用研究、运行管理等方面的高级工程技术人才。

专业内容：测控仪器的光学、精密机械与电子学基础理论、测量与控制理论、有关测控仪器的设计方法及其在国民经济各领域中的应用。

主要课程：电子技术基础、微机原理及应用、精密机械设计、应用光学、物理光学、精密测控原理与系统、自控原理基础、光电技术与实验、光电检测技术、光电仪器原理、光纤技术基础。

2. 光信息科学与技术专业

培养目标：从事光纤通信与光纤传感技术等方向的研究、教学、技术开发和应用，电子技术、网络技术、计算机技术应用和开发工作的高等技术人才。

专业内容：光电通信领域需要的光学、光电子学、激光技术、光纤通信与光纤传感系统技术、通信原理、网络技术、遥感科学与技术等方面的知识和技能。

主要课程：电路分析基础、电子技术基础、微机原理与应用、应用光学、波动光学、网络技术、光存储技术、数字信号/图像处理、光电技术与实验、激光原理、光纤技术基础、通信原理、信号与系统、光电检测技术、光电成像原理。

3. 电子科学与技术（光电子方向）专业

培养目标：从事光电子技术与光电成像技术等方向的研究、教学、技术开发和应用，电子技术、计算机技术应用和开发工作的高等技术人才。

专业内容：信息与光电子学、光电子器件、激光技术、光纤通信与光纤传感系统技术、光电成像技术、显示技术、光电检测技术、图像信息处理技术等方面的知识和技能。

主要课程：电子技术基础、微机原理及应用、应用光学、物理光学、电动力学、量子力学、热力学与统计物理、光电技术与实验、激光原理、光电成像原理、光电子学基础、光电检测技术、计算机辅助设计、数字图像处理、显示技术、光纤技术基础、视频技术。

第五节 “211 工程”和“985 工程”的建设

一、“211 工程”建设

1993 年，国家教委发布了《关于重点建设一批高等学校和重点学科的若干意见》，即“211 工程”。它的建设总目标是，到 2000 年，使 100 所大学的办学条件得到明显改善，教学质量有较大的提高，部分学科达到或接近国际同类学科的先进水平；在教育质量、科学研究和管理等方面处于国内先进水平，成为培养高层次人才和解决现代化建设与国民经济建设重大问题的基地之一。简而言之，“211 工程”就是到 21 世纪全国建设 100 所高水平大学。

北京理工大学建校 50 余年来，在不同历史时期都是国家重点建设和发展的高等学校：是 1959 年经中央确定的 16 所全国重点大学之一，是 1984 年经国务院批准首批成立研究生院的 22 所高校之一。有这样良好的基础，北京理工大学自 1993 年起就开始进入申报“211 工程”的各项准备工作，成立“211 工程”领导小组，专家组和办公室，启动各项实际准备工作。

光电工程系认真总结了 40 年的办系和专业的经验，把系里的若干成果写进了学校的“211 工程”整体建设子项目论证报告。

报告写道，光电工程系在光电精密仪器设计理论、光学调整与光学稳像技术方面成绩显著，建立了完整和系统的反射棱镜共轭理论体系，并居于世界领先地位。该学科还在国内最早研制成功光学自动设计程序，达到国际先进水平，并已被 150 多个单位使用。在“非常规复杂光学系统计算机优化设计”方面研制成了功能齐全的 GOSA 软件包，达到国际先进水平，并处于国际前列地位。光电子学领域在激光测距机、调 Q 染料片、可调谐激光器、射频激励波导阵列 CO_2 激光器等方面，均取得了高水平的研究成果。在光电子成像领域成功地研制出“光电阴极工艺制作检验仪”“变像管和像增强器计算与设计软件”“像增强器图像信噪比测试仪”以及“静电像管优化设计及 ODES1 软件包”等，解决了夜视器件的工艺、设计与测试等问题，填补了国内空白并达到了国际先进水平。

报告中还写道，一批优秀的学术专著达到了很高的理论水平。连铜淑教授所著的《反射棱镜共轭理论》一书，被认为“今后将永久作为研究这一复杂课题的详尽的权威性论著”。连教授因此也被誉为“反射棱镜共轭理论方面的世界一流权威”“棱镜设计与综合的最优者”。周立伟教授所著《宽束电子光学》“创造性地发展了以主轨迹为曲光轴的宽电子束聚焦普遍理论、同心球系统理论、移像系统理论和像差理论；研究了电子光学传递函数、正逆设计方法等。……有它自己的、完整的、独特的理论体系”，“是电子领域近年来最伟大的著作”。

在各学科专业与国外同类学科专业的比较中，我系的“军用光学”学科与美国亚利桑纳大学光学科学中心等相近学科比较，本学科具有研究方向全面、与军事应用结合、紧密跟踪科学技术发展动向等特点，并在微光夜视成像器件的电子光学设计、热成像的机理与探测特性、多光谱侦察技术、射频激励波导阵列激光器和微型梯度光学元件折射率测量技术的研究等方面，已跻身于当代世界先进行列。

在实验室建设方面，我系颜色科学与工程实验室被国外著名专家、俄罗斯圣彼得堡工程院院士柏柯夫教授评价为“在色度学研究方向的先进水平，以及对未来科学和工业发展有竞争力的特色，是值得赞赏的”。“在颜色视觉、色度学理论、色度测量和色度学的应用等方面开展了深入的研究，该实验室研制的测色仪器和制订的研究计划，符合现代颜色科学的发展方向。”这些都是我们良好的基础和进行“211 工程”建设的基本条件。

在各系和学校上下一致的努力下，我们论证了我校实施“211 工程”建设的重大意义和必要性，形成了《北京理工大学“211 工程”建设规划》。1996 年 7 月 29 ~ 30 日，兵总对我校“211 工程”可行性研究报告进行了立项审核；1997 年 1 月 24 日，国家计委对我校“211 工程”可行性研究报告进行了批复，同意我校列入“211 工程”建设院校，在“九五”期间开始进行建设。

从整个学校的角度来看，我校“211 工程”建设的内容包括重点学科建设、教学与公共服务体系建设、配套的基础设施建设和其他建设。

重点学科建设包括军用信息采集、传输与信号处理技术，军用光电技术与系统，军用车辆与动力技术，爆炸与安全技术，兵器制导系统技术，中近程探测与毁伤控制技术和军用特种材料及应用 7 个学科建设项目。

教学与公共服务体系建设包括教学实验基地建设、校园网、兵器科学与技术

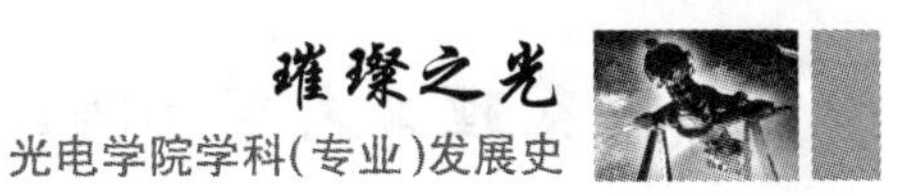

学科文献信息中心、跨世纪人才工程 4 个分项。

配套的基础设施建设和其他建设包括中心教学楼、逸夫科技交流中心、火工区搬迁购地及实验室建设、生活区锅炉房、学生宿舍等项目，总建筑面积达 56 851.6平方米。

和光电学院联系密切的主要是重点学科建设。重点学科建设是“211 工程”的核心，是体现教学科研水平的重要标志，是带动学校整体水平提高的有效途径。根据“211 工程”重点学科建设的论证，主要建设兵器、信息、机械工程和航空航天 4 个领域中的“军用信息采集、传输与信号处理技术”“军用光电技术与系统”“军用车辆与动力技术”“爆炸与安全技术”“兵器制导系统技术”“中近程探测与毁伤控制技术”“军用特种材料及应用”等 7 个学科群的建设。我校 32 个博士点中有 20 个直接受益，3 个国家重点实验室、4 个国家重点学科点专业实验室以及 1 个教育部开放实验室均得到“211 工程”的支持，仪器设备条件得到了不同程度的改善，建设了一批具有国内领先或国际先进水平的实验室和技术平台。这些建设对改善教学科研条件及学术环境、提高学术水平发挥了重大作用。

上述 7 个学科群中，“军用光电技术与系统”是我们光电工程系在“九五”“211 工程”中的重点建设项目。

经过各级领导和光电学院广大教职工的不懈努力和艰苦奋斗，光电学院的重点学科建设取得了良好的成绩。

“九五”期间，该学科建成了军用光电成像系统和装备研究室和军用光电子技术研究室，主要包括：“微光夜视与红外热成像器件、系统与技术研究平台”“军用光电仪器与装备的 CAE 设计平台”“军用光电仪器的光学测试平台”“光电子微细工艺平台”“气体激光器硬封离工艺技术平台”及“固体激光技术及光电子器件性能测试平台”。这些平台的建设，极大地改善了教学、科研和学术交流的条件，为承担国家重大科研项目创造了良好的条件。学科在学术梯队上也取得了显著成绩：周立伟教授当选中国工程院院士，当选俄罗斯工程院外籍院士，并荣获俄罗斯萨玛拉航空航天大学“名誉博士”称号；辛建国教授被聘为“物理电子学”博士点的“长江学者”特聘教授；王涌天教授入选教育部“跨世纪优秀人才培养计划”并获得国家自然科学杰出青年基金资助；金伟其教授入选教育部“跨世纪优秀人才培养计划”和人事部“百千万工程”。“九五”期间该学科承担了大量国防科研、国家自然科学基金、国家“863 计划”、国家“973 计划”以及教育部有关基金等项目，2000 年科研经费超过1 000万元；产生了一批科研成果，获得国家级奖励 3 项，部委级科技进步一等奖 2 项、二等奖 10 项和三等奖 18 项。5 年来，发表 800 余篇学术论文，其中 300 多篇被三大检索系统收录。

在后来的“十五”和“十一五”期间，“211 工程”建设稳步前行。在“九五”“211 工程”项目的基础上，我们又获得了“十五”“211 工程”重点建设项目“军用光学与光电子技术与系统”，又陆续建立了“高性能微光与红外成像技术及系统”“颜色科学与图像信息工程”“军用光电仪器设计及虚拟/增强技术”“光电子器件及技术（电致发光显示、紫外通信与告警技术等）”“空间光学系统与技术”等共用实验平台，并利用“211 工程”国家提供的经费先后购置了热成像系统性能测试系统、中波热成像仪及采集系统、可见光/近红外光辐射测量仪、LED 色度综合测试系统、小型彩色复制系统、科学级光谱 CCD、高精度光学波长计、高精度面阵 CCD 探测器、高功率半导体激光器、红外单色仪、射频假负载、频谱分析仪、数字示波器、光学透视式头盔显示器、运动跟踪系统、力反馈装置、快速倾斜镜、三维图像显示仪及三维图像处理软件、薄膜变形镜等多款先进仪器设备，有效地改善了实验条件，为学科的教学科研提供了更高水平的试验、设计、研制平台，为教学、科研以及研究生、博士后人员从事科学研究和技术应用奠定了良好的基础。

二、“985 工程”建设

在推进“211 工程”建设的过程中，中央领导同志在 1998 年 5 月又提出在“211 工程”建设 100 所高水平大学的基础上，再选取若干所大学进一步加强支持力度，创建世界一流的研究型高水平大学。根据这样的一个指导思想逐步形成了“985 工程”。北京理工大学在其 60 年校庆的 2000 年，由教育部部长陈至立、国防科工委主任刘积斌、北京市委书记刘淇和北京理工大学校长签订了共建协议，三家领导全力支持北京理工大学进行研究型高水平大学的建设，自此拉开了北京理工大学建设“985 工程”的序幕。

为了实现 2020 年进入创新型国家行列的目标，国家提出要建成若干所世界一流的科研院所和大学，以及科学研究与高等教育相结合的知识创新体系。教育部、财政部在《国家中长期教育改革和发展规划纲要（2010—2020）》（以下简称《纲要》）之前，先行开展继续实施“985 工程”和改革创新试点工作，为《纲要》颁布后顺利启动做好前期准备。“985 工程”作为国家的重要部署，对于进一步推进学校高水平研究型大学建设，切实提高我校的学科建设水平、自主创新能力、国际竞争力及推进制度和学术环境建设具有重大的意义。

光电学院根据国家“985 工程”建设目标，面向国际战略发展需求，结合国际前沿科学技术的发展势态，按照学校“强地、扬信、拓天”的战略布局，结合光电学院的特色和优势技术，先后在“复杂信息系统”平台中建设了“超常规光电信息获取理论与技术”和“超常规光电信息处理理论与技术”两个子平台，建设了“微光机电器件与系统支撑”平台、“高精密光学加工”平台、“空间探测与对抗”平台，并取得了精品课程与教材和科学研究多项课题的重要成果。在此基础上，光电学院明确了将“光电成像技术与系统”教育部重点实验

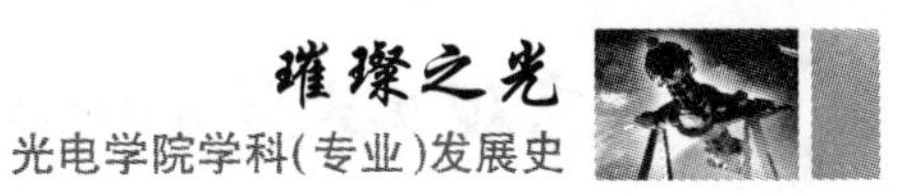

室作为全院的平台来建设，凝聚“光学工程”“物理电子学”和“仪器科学与技术”3个学科的力量建设“先进光电探测与成像及系统”的项目，逐步建成国内先进、部分国际领先的“光电探测与成像理论与技术”研究中心，使之具备承担相关技术领域国防武器装备发展和国民经济建设急需的关键技术攻关能力。

在“先进光电探测与成像技术及系统”项目下，建设“先进成像光学系统设计、加工与测试技术”“先进光电探测、成型方法与技术”“光电信息处理与显示技术”“微光机电器件及其应用技术”4个研究子平台，使光电学院在空间光学设计、制造、检测、先进光电成像探测、超快速超高分辨率光电信息处理与现实、微光学与光刻技术、精密测量等领域进入领先行列，为我国光学和光电事业的发展作出应有的贡献。

第六节　从我系名称的变化
反思我们学科发展的指导思想

我们的系名曾经历过从“仪器制造系”“光学仪器系”“工程光学系”到“光电工程系”的变化。名称的变化在一定程度上反映了我们对系的建设、学科的发展方向定位的指导思想。

首先，我们系从来没有叫过精密仪器系。这是与国内诸多大学不一致的地方。清华大学叫精密仪器系，天津大学也叫精密仪器系，哈工大也叫精密仪器系，但我们早期一直叫仪器系和光学仪器系。当然，我们一直认为我们的光学仪器类专业是属于精密机械的学科，我们也十分重视理论力学、材料力学、画法几何、工程制图、机械零件、机械原理等精密机械的基础课程，但我们始终认为我们所研究的仪器有别于一般的精密仪器，是光学仪器或精密光学仪器，是把光学和精密机械结合起来的，以光学原理为基础的仪器。从我们多年的科研，如天象仪、大型传递函数测试仪等诸多项目来看，我们几乎没有纯精密机械的仪器，而都是以光学原理为核心的仪器与设备。

我们1982年曾更名为工程光学系，那时是在讨论理工偏理，还是理工偏工，工程光学系的名称反映了理工偏理以发展光学为重的思想。工程是工，光学是理，把光学放在后面做主词，工程是修饰词，强调的是我们系是光学系，是研究为工程所使用的各类光学原理的系。后来又想改为光学工程系，是认识到我们的过度偏理是不合适的，我们是做工程的，是做光学工程的，我们研究的本质上还是工程，是工科不是理科，所以我们不是纯粹去研究光学学科的各种新的发展，而是在研究光学的基础上，做各种光学工程项目，为国防和社会主义建设服务。我们研究全息光学、研究激光，更多的是在研究的基础上做各种建立在全息光学和激光原理基础上的光学仪器和光学工程。所以我们建立的一级学科就是光学工程，但是系的名称并未使用过光学工程。这是由于随着光电结合仪器的发展，特别是电子线路由模电到数电，由散件到集成的迅速发展，仪器中电子技术的作用越来越大，纯光学仪器正在被光电仪器所取代，譬如照相机过去是镜头加上机械、快门、底片和机壳，现在电子线路板操控着的照相机的各种功能，光学镜头只是它其中的一个部件，照相机已不是简单的光学仪器而是一种光电产品。我们应该从纯粹研究光学和机械走向研究光电的结合，光学与计算机的结合，光与电的转换技术等，才能符合科技发展的需求，与其叫光学工程不如直接改成光电工程更合理一些，所以，1994 年工程光学系更名为光电工程系，之后随着信息技术的发展，光电工程学院又并入信息工程学院和信息科学技术学院，也增加了光信息科学与技术本科专业，但系的名称并未改变，一直延续到 2008 年成立独立的光电学院。

第五章

学科（专业）的部分创业者和建设者

从1953年新中国第一个军用光学仪器专业的诞生到今天拥有光学工程一级重点学科、仪器科学与技术一级学科、物理电子学二级重点学科，测控技术与仪器、电子科学与技术、光信息科学与技术本科专业的光电学院，我们经历了诞生、建设、发展、壮大、拓展的光辉历程。57年来，一代又一代的光仪人，为光电学院的学科建设、人才培养、科学研究、文化建设等学院发展的诸多方面作出了重要的贡献，他们用自己的青春和汗水，谱写了光电学院一篇又一篇的瑰丽篇章，使北京理工大学光电学院的光学和光电事业在国内外产生了巨大的影响，并在业内享有令人尊重的学术地位。我们要记住这些在各个历史阶段中涌现出的学科和专业的奠基者和建设者，学识渊博、造诣颇深的学科带头人、并承前启后，继往开来，把光电学院的发展推向更新、更大的辉煌。

第一节　军用光学仪器
学科（专业）的创建者、奠基人

马士修（1903.10.9—1984.9.19）

男，1903年10月出生，河北省蠡县人。教授，物理学家，教育家，我国光学工程专业主要创始人之一。

1923年赴法勤工俭学，1927—1934年就读于法国刚（Gan）城大学和凯恩（CAEN）大学理学院，获得预备电机工程师及数学教学硕士学位、物理学教学硕士学位和物理学博士学位，后为法国国家物理学会终生会员。1935年年初回国，先后任中法大学物理系教授、系主任，兼任北京大学、北京师范大学教授。1950年中法大学与华北大学工学院合并，翌年易名为北京工业学院，马士修任北京工业学院教授、仪器系主任。他在创建新中国第一个军用光学仪器专业的过程中作出了重大贡献，是我国军用工程光学和电子光学专业的奠基人和创始人之一。他开设过光学仪器理论、电子光学、波动光学、量子光学、薄膜光学等多门课程。这些课程几乎都是新课，为此，他跑图书馆，收集国内外资料，系统整理，编写讲义，边写稿、边上课，逐步完成了一系列自编的教材。他在专业的建

设过程中起到了很大的作用。马士修非常重视后继人才的培养。他给青年教师辅导数理基础，开设学科专题讲座，热情细心地指导教学的全过程。他以身作则，身教重于言教，在他的直接指导和影响下，一批青年教师迅速茁壮成长，不仅满足了教学、科研和专业建设的迫切需要，而且这些青年教师都成了四系的中流砥柱。他的主要研究成果有《圆形巴克毫琛效应研究》《居里对称定理之试验与研究》《镍丝磁化机构之研究》等。

马士修 1957 年加入中国共产党。入党后他以更高标准要求自己，积极参加政治运动，学习领会党的方针政策，在学科建设和发展等方面发挥了党员的重要带头作用。

马士修在生命弥留之际，一再表示："将一生工资剩余全部交党费。"足见其对党和党的事业的忠心。马士修夫人李孟娟女士，落实遗愿，征询马士修弟子、领导及同事的意见后，决定设立马士修工程光学奖学金基金，让马士修献身教育事业的光辉形象永存，精神光芒永放。

于美文

女，1922 年 5 月出生，山东省安丘市人。1948 年毕业于西北大学物理系，获学士学位。1950—1991 年在北京理工大学任教，曾任工程光学系教授，光学仪器专业博士生导师和博士后流动站主持人。长期从事物理光学和光学全息学科的教学及科研工作，对光全息领域的发展有很大的贡献，是我国从事全息、光信息处理的先驱者之一。她所创建和领导的光学全息实验室在国内全息学研究方面处于领先地位，在国际上有很好的声誉，该实验室已成为国家教委指定的开放实验室。她主持研制的 JJY 型全息摄影光学玻璃均匀性检查仪，为一级光学玻璃提供了精确测试仪器，是我国首次将全息干涉法用于测试仪器，1983 年获兵器部科技成果四等奖；所研制的索列尔补偿器填补了国家空白，1979 年获北京市科技成果三等奖；利用维格特效应研制的偏光图像处理仪，领先于国外两年，创造性地将维格特效应用于黑白图像的假彩色编码，1983 年获北京市科技成果二等奖；完成机电部兵科院基金资助项目大面积全息图像处理系统，鉴定专家认为该系统巧妙地利用了全息技术、体视原理和假彩色编码技术，在将彩虹全息术应用于图像显示方面开创了新的途径，获 1990 年机电部科技进步三等奖；领导完成高等学校博士学科点专项科研基金资助项目两项：其一是全息图的模压技术，在理论和技术上为全息图的大批量的复制建立了基础；其二是全息光学元件的应用研究，取得了若干或在国内领先或属国际首创的成果。此外，还获得了两项国家自然科学基金资助：一项是研究光致各向异性材料及其在偏振全息方面的应用，属国内领先水平；另一项是研究真彩色全息术，达到国际先进水平。

通过教学和科学研究，师生在国际国内刊物共发表学术论文 70 余篇，其中代表作如在《光学学报》发表的《条形散斑屏应用于彩虹全息记录系统》，《合

成多狭缝彩虹消色像全息术的研究》；在《物理学报》发表的《光致各向异性材料记录偏振全息光栅的分析》；在《SPIE》发表的《全息元件用于图像胶片的存贮》。教材方面1955年开始编写《物理光学》教材，多次修改均为校内油印，第一次铅印是在1963年，范少卿参与修改和补充。1964年全国光学仪器专业仪器教材会议被评为通用教材蓝本。到80年代编写研究生教材两部：《光学全息及信息处理》和《全息显示技术》，前一部由王民草、谢敬辉、哈流柱写实验和习题，1984年由兵器科学出版社出版，获1988年国家教委优秀教材奖；后一部与张静方合著，1989年由科学出版社出版。

1983年获“国家机械委教书育人优秀教师”光荣称号，1991年荣获“国家教委从事高校科技工作四十年成绩显著”的表彰证书，1992年开始享受国家特殊津贴。曾担任过国家科委发明评选委员会评选委员、国家自然科学基金委员会光学学科评审委员、中国光学学会全息与光信息处理专业委员会委员。

科研成果：

（1）JJY型全息摄影光学玻璃均匀性检查仪，于美文、王民草（光学部分），云南光学厂（设计加工）。

（2）索列尔补偿器，于美文、王民草、曹玉凤、潘少川完成。

（3）偏光图像的假彩色编码，为张静方硕士论文课题，王民草协助试验，哈流柱完成机械结构设计。

（4）大面积全息图像处理仪，为尚庆虎硕士论文课题、唐良桂、闫达远结构设计。

“八五”教材规划出版的著作：

（1）《光全息术》，于美文、张静方著，1994年北京教育出版社出版。

（2）《全息光学及其应用》，于美文著，1996北京理工大学出版社出版。

（3）《全息记录材料及应用》，于美文、张存林、杨永源著，1997年高教出版社出版。

樊大钧

男，1929年7月出生，北京市人。1950年毕业于前国立北洋大学机械系，1950—1989年在北京工业学院光学系工作，任教授。1989年退休。长期从事精密机械和应用固体力学的教学与科研工作，尤其是对弹性敏感元件的理论和设计进行了系统研究和推广，于1981年在浙江大学举办全国力学讲座，获得好评，讲稿于1985年出版为力学专著，后被广西大学用为数学系研究生必修课本。另外，其在德国法兰克福国际书展中得奖的力学专著《数学弹性力学》和由浙大讲座讲稿出版的专著《空间弹性力学——复变函数论方法的应用》成为我国KONOCOB学派弹性理论的仅有的两本专著，为我国固体力学在这方面的研究作出了奠基与开拓性的工作。

在弹性敏感元件的理论和设计研究工作中，20 世纪 70 年代首次完成了“高压扭管压力传感器设计”，因此于 1981 年个人荣获原五机部科技进步二等奖；在国家“七五”科技攻关项目中，负责“波纹管理论和设计软件”课题的研究，为我国在这方面的设计填补了空白，后获得了集体国家科技攻关奖和个人国家科技攻关荣誉奖；在弹性敏感元件的领域中，其专著《金属膜片的设计》和《波纹管设计学》是我国在这方面的仅有的两本专著。我国著名科学家钱伟长教授为其专著写了评论，认为是高水平的专著。另外，在多年的教学和科研工作中，前后撰写、主评审、主编和合著的教材、教学参考书、手册和专著，共 27 本，在国际和国内学报上发表论文 40 余篇。

曾任中国力学学会第三届波纹管及管道力学专业委员会委员，仪器仪表学会学报编委。

连铜淑

男，1930 年 6 月生，广东潮阳人。教授、博士生导师。1952 年毕业于清华大学机械系。1952—1996 年在北京理工大学光电工程系任教，曾任光电工程系副主任。长期致力于光学仪器和应用光学的教学与研究。在“反射棱镜共轭理论”的研究中，他创建了崭新的“刚体运动学”的学派体系，提出了一系列新的概念、定理、推荐、计算公式、作用矩阵、特性参量、新型棱镜和棱镜组以及棱镜的新的分类法与工程图表，使我国的反射棱镜共轭理论成为一个相当系统和完整的体系。这一成果在国际光学工程界享有盛誉。1980—1981 年在美国光学科学中心访问研究。多次应邀在欧美等地举行的国际学术会议上宣读论文，讲授短课，并担任会议主席。近年来多次应邀赴我国台湾与中央大学光电科学中心主任张明文教授进行合作研究，指导研究生与撰书。

先后讲授过“炮兵光学仪器”“航空军用光学仪器”“几何光学”“光学系统三级像差理论与查表法望远物镜设计”“反射棱镜共轭原理”“光学仪器调整与稳像”“自动车床凸轮设计”“机构精确度分析与计算”以及“傅里叶光学”等课程。

先后主持并参与了“雄鹰强击机瞄准具”“大型天象仪主要配套设备太阳系”“棱镜调整与实践”等课题的研究工作，并作为主要完成人参与了“远程反坦克导弹控制技术和稳像技术”研究。

培养了硕士 4 名，博士 4 名。

著有：《三级像差理论与查表法望远物镜设计》《光学设计图表》《棱镜调整（光轴和像倾斜计算）》《棱镜调整》（国防工业出版社 1978）、《棱镜调整（原理和图表）》（国防工业出版社 1979）、《反射棱镜共轭理论》（北京理工大学出版社 1988）以及《Theory of Conjugation for Reflecting Prisms》（由英国 Pergamon Press 资助，中英合资企业 International Academic Publishers 1991 出版，并在 Oxford，New York，Frankfurt，Sao Paulo，Sydney，Tokyo，Toronto 发行）。

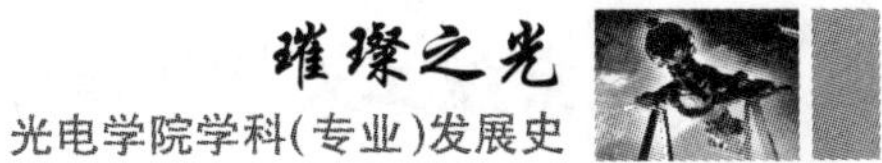

译有:《轰炸瞄准具讲义(俄)》《轰炸瞄准具与空中射击瞄准具光学原理(俄)》以及《工程力学(下册)(俄)》。发表论文40余篇。

获奖成果有:《棱镜调整》被评为“1977—1981年度全国优秀科技图书”一等奖;《反射棱镜共轭理论》获1992年度部级优秀教材一等奖;《反射棱镜共轭原理(英文版)》获1995年度部级优秀教材一等奖;“棱镜调整与实践”获国防工办1980年重大技术改进成果二等奖;“远程反坦克导弹控制技术和稳像技术研究”获兵器工业总公司1995年度部级科技进步奖三等奖。拥有“分离式圆束偏器”及“方截面等腰屋脊棱镜”两项实用新型专利。

1992年起享受国家政府特殊津贴。

曾兼任:兵器工业部科学技术委员会委员、兵器工业部学位委员会委员、兵器工业部高等工业学校工程光学专业教材编审委员会委员、中国光学学会理事、中国光学学会基础光学专业委员会委员、《光学学报》编委会编委、《仪器仪表与分析监测》编委会副主任、北京市光学学会理事、北京市人民政府第三届专业顾问团顾问。

现任英国剑桥世界传记协会终身高级会员、美国传记学院研究协会副理事及美国传记学院研究顾问委员会名誉顾问。

李德熊

男,1930年6月生于上海,浙江上虞人。教授,博士生导师。1952年毕业于清华大学机械系。1952—1995年在我系工作,长期从事军用光学学科的教学和研究工作。对高速摄影、航空摄影和遥感技术等领域有较系统深入的研究。在高速摄影方面,他在转镜扫描高速摄影系统、间隙式高速摄影系统以及高速摄影系统的信息量等问题中,纠正了国内外文献中的错误,提出了正确的理论分析和设计计算方法。在航空摄影方面,参加了多种美制侦察航空相机残骸的分析和恢复工作以及我国航空侦察相机的研制工作,其中“航甲1560全景航空相机”获全国科学大会奖。80年代起从事遥感图像处理、遥感器的杂光分析计算等方面的研究,都取得了一些有用的成果。所编著译著的书籍中,公开出版的有12种,内部出版的有4种。发表论文20余篇。

1992年享受政府特殊津贴。

第二节 承前启后的中流砥柱

李振沂

男,1927年4月出生,山东荣成市人。1954年毕业于北京工业学院机械系并留校任教。教授。1989 年离休。一直从事系的管理工作。曾任工程光学系正副主任，负责系的开创建立工作，在国内最早设立火箭仪表传感器、红外导引、夜视技术、激光技术、光电子技术、光学系统设计与检验等军用光学仪器类专业与学科。

在科学研究上，曾先后组织和主持完成了第一台大型天象仪、光学传递函数仪、远距离摄影装置、高空侦察与遥感装置等重大课题的分析、研究、试制工作，为国防建设、军事需求、精密检测等方面作出了贡献；曾先后为国家科协组织研究编纂了《2000 年的中国科学技术》大型丛书的《中国光学 2000 年的展望与建议》分卷；参加了我国国防科技高层次的“2000 年的中国国防科技发展战略”总体战略的预测研究工作；全面负责组织、研究和编审“2000 年的军用光学与光电子技术”的发展战略专题研究。以上各项均先后获得国家及主管部门的应用和奖励，并在有关会议和刊物上发表了多篇论文。

先后担任过中国光学学会常务理事、中国农林能源协会及中国可再生能源研究会的常务理事、核心领导小组成员、科技委主任；国防科工委“2000 年的中国国防科学技术战略预测研究组的特邀研究员”；电子工业部与兵器工业部“2000 年的中国光学与光电子技术”战略预测研究组的组长。曾荣获“北京市劳动模范”荣誉称号。

盛鸿亮

1932 年出生，山东莱州人，教授。1953 年太原理工大学毕业后，分配到我校任教。曾任仪器系 8 专业专职实验室主任，兼新设 12 专业实验室主任。

长期从事精密机械设计学科的教学、教材建设、学科研究及科研工作。曾主讲机械制图，涵盖工程力学、机构学、互换性原理、精密机械零部件、机构精确度等内容的仪器零件、仪器设计基础、精密机械基础、精密机械设计基础等课程。参与合编教材及工具书《仪器零件与结构》《仪器仪表结构设计手册》等 6 部，个人编写与主编教材《精密机械零件》等 6 部，其中公开出版教材《精密机械设计基础》《精密机构与结构设计》（获优秀教材部级二等奖）等 3 部，与王惠敏合编音像展示教学录像带《精密机械概览》（获优秀音像作品部级三等奖），合编大型科技文献《现代仪器仪表技术与设计》。

参与 45 号航空相机片板式快门设计、三米远程地面侦察相机快门与计数器设计、大型玻璃应力检查仪起偏装置设计等 9 项，多数项目获国家或部级科技进步奖。自主与特约组合进行的研发项目有滚珠螺旋副内螺纹滚道参数自动检测仪原理、总体结构与精密传动系统设计、导弹导引头光电扫描装置中光学组合结构及其精密传动系统设计等 5 项。承担国家自然科学基金项目“机械系统与结构的精度设计”。撰写发表学术论文 13 篇，获优秀学术论文一等奖 2 篇，特等奖 1 篇。

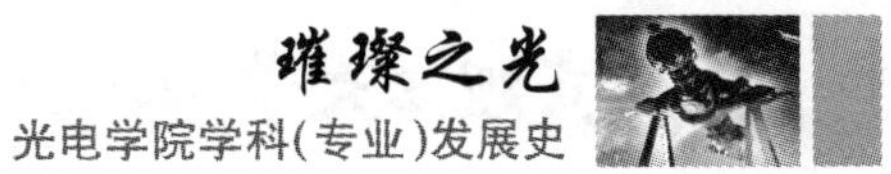

曾兼任全国高校仪器零件研究会副理事长。

查立豫

女，1934 年 3 月出生，上海市人。1955 年毕业于华东化工学院无机工程系。1955—1957 年在北京工业学院仪器系攻读光学工艺研究生，1957 年毕业留校，教授。1992 年退休。长期致力于光学工艺技术领域的教学和科研工作，尤其在光学零件高速磨削理论方面进行了系统研究。其主要成就是为光学零件金刚石高速精磨奠定了理论分析基础，确立了影响金刚石磨削的各种规律，深入探索了金刚石磨削的机理。多年来主持了多项重点科研项目。完成的科研任务有："工艺因素对光学零件高速精磨的影响" "光学玻璃金刚石平面高速精磨工艺" "QJM220 大球面高速精磨机" "QJMl00 中球面高速精磨机" "QJM40 小球面高速精磨机" 等。后又从事变折射率材料及工艺的研究。开展了 "梯度光学成像器件" 的研究和 "自聚焦透镜工艺" 的研究。其中获兵器工业部重大科技成果二等奖 2 项，三等奖 1 项，兵器工业部科技进步二等奖 2 项，北京市科技奖 1 项。在多年科研实践和潜心研究的基础上，编著了《光学零件工艺学》《光学零件高速精磨工艺学》《近代光学制造技术》《光学材料与辅料》等专著。其中的《光学零件工艺学》获全国高等学校部级优秀教材二等奖。在学报和学术会议上先后发表了 20 余篇学术论文，主要有《光学零件金刚石磨削机理》《平面光学零件加工中相对线速度分布》《平面高速精磨》《大球面高速精磨》等。由于在科研和教学上作出的突出贡献，1982 年获北京市 "三八红旗手" 光荣称号，并于 1983 年又荣获全国 "三八红旗手" 光荣称号。

曾兼任中国仪器仪表学会理事、中国仪表工艺学会理事长、全国高等学校光学技术专业教学指导委员会主任委员。

何献忠

男，1933 年 7 月出生，广西桂林人。教授。1955 年 8 月毕业于华中工学院机械系。1955 年分配到北京工业学院任教。曾任教研室主任、专业代主任。

长期从事教学和科研工作，先后为本科生、硕士生、博士生开设了 "仪器零件与部件" "精密机械" "优化设计" "设计学" 等 7 门课程。公开出版教材、专署大型工具书共 10 部。其中有《精密机械零件与部件设计》《优化技术及其应用》《设计学（理论、方法、软件）》、带有设计程序软盘的《精密机械零件综合设计》新著等。另有应朵英贤等同志先后邀请参加编著的著作 3 部。获部级优秀教材二等奖 3 部，三等奖 1 部，北京市精品教材奖 1 部。部优秀教学论文奖 1 次。主持和参加主要来自炮司、空司、海司和 6 个部委的项目共 4 类 26 个科研项目。获国务院电子组三等奖 1 项，部级科技二等奖 5 项。全国科学大会奖 1 项，海军科技二等奖 1 项。公开发表的科技论文近 90 篇。近 7 年来因涉密未公开发表的论文20余篇。共培养了硕士生29人，博士生4人。

1992年起享受国家政府特殊津贴。

曾当选中国兵工学会理事、北京市知识产权研究会副理事长。校党委政策研究室特约研究员，校教学指导委员会委员，校技术职称管理学科和实验学科两评聘组评委，校教学评估领导小组成员，兵器部重大民品开发专家组组长。

周仁忠

男，1932年8月出生，江西临州人，1957年北京工业学院仪器系研究生毕业，后留校工作。教授。1994年退休。长期致力于光电技术的教学与研究工作，1983年起开展自适应光学的教学与研究工作，是国内最早从事这一高技术学科研究的专家之一，1987年承担“863计划”中“高分辨力自适应光学望远镜技术”中部分关键技术任务，为项目学术负责人。1983年所著《自适应光学》专著被现科学院和工程院双院士王大珩评为“……是国内从基本概念到现代实践介绍这一领域的唯一资料……”，德国专家F·MERKER说：“想不到世界上第一本自适应光学专著出自中国。”另一公开出版的《光电统计理论与技术》专著，1990年获部级优秀教材二等奖。其他著作还有《红外技术》等。在国际会议上单独发表论文1篇，合作发表论文5篇，国内发表论文29篇，出版内部教材5本。

在科学技术研究方面，主要负责研制的“GDT04光电短距离测距仪”参加了全国第三届发明展览会，1982年完成的“激光制导旋转弹的导引头原理方案和照射器”获原兵器部重大技改四等奖，1992年合作研制成的“宽视场激光定位，告警技术”获兵器工业总公司科技进步三等奖，主持建成的“光电技术与实验”课程获北京市1989年市级优秀教学成果奖，主持建成的“光电技术实验室”获北京市1986年高等学校实验室工作先进集体奖。1995年完成的“弱光H—5波前传感器实验系统”获兵器工业部级科技进步二等奖。1997年完成的“自适应光学宽视场和部分校正问题的理论研究”获兵器工业部级科技进步二等奖。主要负责研制成功的“大张产品质量凹印机在线检测系统”获2005年中国人民银行科技发展二等奖。获国家发明及实用新型专利8项。

1993年起享受国家政府特殊津贴。

曾兼任高等工业学校光电技术专业教学指导委员会副主任、中国光学学会光电技术专业委员会副主任、《光电技术》副主编、《激光·光电子》副主编。

邹异松

男，1933年2月出生，河北省吴桥人。1955年毕业于大连工学院机械工程系。1955—1957年在北京工业学院仪器系攻读研究生，1957年毕业留校工作。教授，1997年离休。长期致力于军用光电成像技术的教学和科研工作。在光电

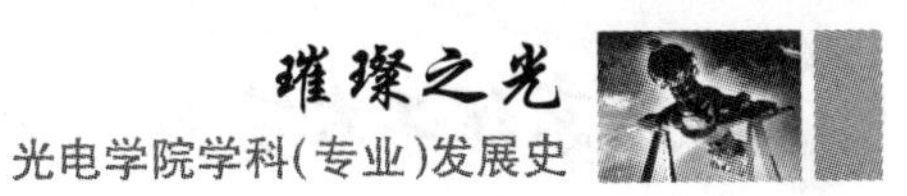

成像理论与特性分析方面的研究工作取得了重要科研成果。其理论成就是为微光及低辐射条件下的图像探测过程建立了系统的分析理论。该理论首次发表于1985年的国际光电成像学术年会上。主要著书是《电真空成像器件及理论分析》。该专著获全国高等院校部级优秀教材一等奖。在国内外学报及学术会议上先后发表了30余篇学术论文。学术著书共3部。多年来主持多项重点科研项目，取得了多项重大科研成果。1983年完成了国防科工委的重点国防科研课题，研制成功了“军用夜视器件信噪比测试系统”，1987年主持完成了国家机械委员会下达的科研任务，研制成功了“军用夜视像增强器瞬时调制传递函数测试系统”，1990年主持研制成功了“光电成像器件检测技术的智能控制系统”，1991年主持完成了“微光电视实时图像处理技术”的国防重点研究课题，研制了“微光电视实时图像处理系统”，该系统具有图像增强的功能和实时对动目标进行定位跟踪的功能，已被我国战略导弹发射的地面检测系统采用。其中获中国兵器工业总公司科技进步一等奖1项，兵器工业部科技成果二等奖3项，国防科工委重大科技成果三等奖1项。获中国专利局批准的国防类发明专利1项。

1992年起享受政府特殊津贴。

兼任中国电子学会光电器件专业委员会副主任委员及中国兵工学会夜视技术专业委员名誉委员，中国兵器科学研究院“光电技术”专业组副组长。

丁汉章

男，1931年1月出生，湖南武冈人。教授。1954年毕业于北京工业学院仪器系，并留校任教。1962年11月至1965年在原民主德国法雷斯登工业大学进修。曾任北京工业学院工程光学系副主任，党总支书记。

长期从事工程光学方面的教学与科研工作。对光学系统设计、梯度折射率光学器件的设计与研制有较深入的研究。参加多项课题研究，设计的高次非球面准直物镜（300mm）用于全息摄影光学玻璃均匀性检查仪，1983年获国防科工委重大科技成果四等奖，在国内首次编制了梯度折射率光学设计程序，且用该程序在国内设计和研制了第一具微型摄影物镜，1991年获兵器部科技进步二等奖。除此，还参加了多光谱照相机镜头的设计、多光谱合成仪镜头的设计及有关远程反坦克导弹可见光电视导引头的研究工作。获批国家发明专利1项。

曾兼任《兵器工业科技词典》（光学分册）副主编，《光的世界》杂志副主编，中国光学学会科普委员会教育组组长和全国高等学校教材编审委员会委员等职。

唐良桂

男，1932年2月出生，四川重庆人。1955年毕业于北京工业学院仪器系军用光学仪器专业，教授。长期致力于光学仪器方面的教学与科研工作，特别是在军事侦察摄影方面做了大量的研究工作。分析研究了我军历次击落的各种美制台湾侦察机的照相系统，如 RF－101A 低空侦察机，BMQ－34A 无人驾驭侦察机及 U－2 高空侦察机，以及高空侦察气球等的照相设备，所编写的技术说明书为我军作战及研制我国的空中军事侦察设备提供了宝贵的资料。负责我国第一颗侦察卫星“尖兵一号”相机方案的论证及研制过程中的试验检测工作。1980 年后，主要从事多光谱摄影技术识别军事目标的研究，先后设计研制成地面多光谱相机，多光谱航空相机，图像合成仪等配套设备；进行的探测地面雷场、识别迷彩伪装、南沙群岛岛屿礁磐与水深探测等重要研究试验，提高了军事上揭露伪装、识别目标的能力，经各军兵种部门的专家鉴定，系国内首创的先进技术。尤其是对南沙群岛侦察岛礁与水深的多光谱摄影，与一般的卫星照相和其他航空摄影相比，不仅摄影探测的深度更深，所得图像的礁磐更大，而且在不同图幅中能清晰地区分水上与水下部分，水下部分还可显示出不同深度层次，使我国首次得到这些礁磐的图像，对军事和海洋开发的渔业与水产养殖、石油探查等方面提供了有用手段。与此其同时主持设计、研制的全景相机，完成多次飞行摄影试验后，已设计定型并装备部队使用。

曾获国家级科技进步三等奖 1 项，兵器工业总公司科技进步二等奖 1 项，机电部科技进步三等奖 1 项及光华基金三等奖 1 项。

1993 年起享受政府特殊津贴。

曾兼任《航空知识》杂志编委会第三、第四、第五、第六届编委会委员。

魏光辉

男，1933 年 2 月出生，陕西省华县人。教授，博士生导师，曾任我校物理电子学学科点首席教授。

1956 年 7 月于北京工业学院光学仪器系军用光学仪器专业毕业后留校任教。1956 年 10 月—1957 年 11 月在北京俄语学院留苏预备部学俄语，1958 年 11 月—1962 年 12 月在苏联列宁格勒精密机械与光学学院光学系军用光学专业读研究生，1962 年 12 月毕业，获博士学位，后回校任教。曾任教研室主任。

长期从事激光与光电信息领域的教学与科研工作，先后培养硕士生、博士生 40 多名，出版《激光束光学》《晶体光学》《矩阵光学》《光子学技术》《航空摄影光学镜头 Russar 图集》等著作。主持并参加“射频激励波导阵列 CO_2 激光器”，“可调焦望远镜交叉棱镜非稳定激光谐振腔”，“半导体激光泵浦固体激光器”等多项科研项目，获部级科技进步二等奖 1 项，三等奖 2 项。发表学术论文 30 余篇。

1992 年起享受国家政府特殊津贴。

曾兼任中国光学学会激光专业委员会（亦属中国电子学会）委员，《中国激光》杂志编委会委员。中国光学学会和中国电子学会会员（会士），中国仪器仪表学会会员。

陈晃明

男，汉族，1931年3月出生，湖南省湘阴县人。教授。1955年从北京理工大学光电工程系毕业，1958年从北京俄语学院留苏预备部毕业，1959—1960年跟随苏联列宁格勒光学精密机械学院米·米·鲁西诺夫教授从事技术光学的研究工作，并担任来华讲学翻译。

长期从事光学系统设计的教学与研究工作。在广角航空照相和摄影测量物镜、大孔径微光夜视物镜、球幕鱼眼物镜、高倍显微物镜、全息光学系统等方面有精深研究，其中："光学自动设计应用程序"，获1981年国务院国防工业办公室技术改进一等奖；"YW-1型氩离子激光微束仪"，获1981年北京市科技成果二等奖；"偏光图像处理仪"，获1983年北京市科技成果二等奖；"大型天象仪太阳系和流星雨光学设计"，获1985年国家科技进步二等奖；完成国家"七五"重点科研项目"全息光学的基础理论与系统设计及应用的研究"，获1991年兵器工业总公司科技进步三等奖。

代表性著作有《机械工程手册》第一卷第10篇《光学》，获中国出版工作者协会1982年全国优秀科技图书一等奖；《英汉兵工字典》（光学部分），国防工业出版社出版，获1991年兵器工业总公司科技进步二等奖；《全息光学设计》等。译著有《光学系统外形尺寸计算》《技术光学》《对称光学系统的像差》，《光学仪器设计手册》（主编），1971年国防工业出版社出版，并在1980年全军科技成果展览会上展出。发表论文40余篇，其中在美国发表3篇。

兼任《北京理工大学学报》编委，中国北方工业公司高级工程师，中国光学学术委员会委员，美国光电工程学会（SPIE）会员。

苏大图

男，1935年7月出生，广东省顺德人。教授。1957年毕业于北京工业学院光学仪器专业，后留校从事光学计量测试学科的教学与研究工作。在光学材料参数测试、光学面形及光学像质的测试与评价方面取得了研究成果。提出的光学玻璃折射率与色散测量的新方法，至今（2009年）仍是国内外最先进的方法之一。主持研制的大型偏光应力仪，获得1980年国防工办重大科技成果一等奖。曾编写并正式出版国内第一本光学测量教材（1961年7月出版），培养了国内第一位以光学测量为研究方向的博士（1988年7月毕业）。在光学球面曲率半径测量方面，提出了一种新的定焦原理，使相对测量精度提高5倍，达到1/100 000，处于国内领先地位，达到90年代初期国际先进水平。在此基础上研制成功的"高精度球面曲率半径测定仪"获1993年兵器工业总公司科技进步二等奖。作为主要编写人之一编写的《光学仪器设计手册》和《光学测量与仪器》曾成为国内各光学厂和光学研究所的科技人员的主要参考书，其中《光学仪器设计手册》获 1978 年全国科学大会奖。

全国优秀教师。

1992 年起享受政府特殊津贴。

曾任《光学学报》编委（1990—1995），国防计量测试技术委员会委员（1985—1996），中国光学学会光学测试专业委员会副主任（1987—1999）。

袁旭沧

男，1933 年 9 月生，江苏省宜兴市人 。教授。1952 年考入北京工业学院本科学习光学仪器专业，1957 年毕业留校承担应用光学、光学设计的教学和科学研究工作。曾任技术光学教研室主任。

长期从事应用光学、光学系统设计方面的教学与科研工作。负责、参加了多项科研任务，主要成果有："大型天象仪"，负责光学系统设计、装配与调试工作，1985 年获国家科技进步二等奖；"地面远程侦察照相机"，负责光学系统设计，并参与光学系统加工、装配、调试工作，1978 年获全国科学大会奖；"大型传递函数测试仪""离轴抛物面加工检测用光学补偿器的设计、制造"，1978 年获全国科学大会奖；"电影摄影物镜中焦系列"，该项目由国防科工委直接领导，其负责光学设计和检测工作，1978 年获全国科学大会奖；"中巴合作资源卫星多用光谱扫描仪中继光学系统"，负责光学设计和装配、检验，获航天部科技进步一等奖；"飞行仿真头位跟踪视景显示系统"，负责总体设计并参与光学设计与加工装配工作，1999 年获国防科工委科技进步一等奖。

除此之外，还参加了"棱镜调整理论与实践"研究，提出了"棱镜转动原理"，为该项目重要理论基础之一。获国防科工委科技成果二等奖。

领导教研室的光学设计用计算机软件的开发研制工作。1978 年研制了国内最早的光学自动设计程序，获全国科学大会奖。1986 年领导研制的"微机用光学设计软件 SOD88"，成为国内唯一得到广泛应用的光学设计软件包，取得了重大的经济效益。

主要著作有《应用光学》《光学设计》（获全国机电类教材优秀教材二等奖）《现代光学设计方法》等。

1997 年获"北京市科技先进工作者"称号。1991 年开始享受国家级政府特殊津贴。

曾兼任全国光学仪器专业教学指导委员会副主任委员，1977 年当选为北京市第七届人民代表大会代表。

周立伟

1932 年 9 月出生。中国工程院院士，电子光学和光电子成像专家。1958 年

从北京工业学院仪器系毕业，1962年到苏联列宁格勒乌里扬诺夫（列宁）电工学院学习，1966年获苏联数学物理副博士学位。曾任教研室主任，系、院和校学术委员会主任、校科协主席、国务院学位委员会学科评议组成员等职；现任北京理工大学教授、博士生导师、首席专家、校基础教育学院名誉院长；兼任北京光学学会理事长等。

长期在宽束电子光学、光电子成像领域从事教学与科研工作。研究方向为宽束电子光学理论和计算机辅助设计。发表学术论文、科技报告230余篇，学术专著5部。专著《宽束电子光学》与多项科研成果曾获国家级与部级奖励。

1984年被授予国家级有突出贡献的中青年专家称号，1996年被授予全国兵器工业系统先进工作者荣誉称号。1997年被俄罗斯萨玛拉国立航天大学授予名誉博士称号，1999年当选中国工程院院士，2000年当选为俄罗斯联邦工程科学院外籍院士。

邓仁亮

男，1935年6月出生，湖南省桂东县人。1958年毕业于北京工业学院仪器系军用光学仪器专业，并留校任教。教授。

主要从事红外、激光技术领域的教学和科研工作。主讲“红外线定位与导引仪器”“激光应用”“光学制导技术”等课程，主持研制的“交叉棱镜望远镜激光谐振腔”1984年获国家发明三等奖，“聚四氟乙烯漫反射泵浦腔及其制作方法”1992年获国家发明三等奖，“光电调Q交叉棱镜谐振腔技术”、“轻弹激光导引头”等8项成果分别获部、委级科技成果奖或科技进步奖。申请“单泵浦交叉棱镜腔激光振荡放大器”等中国专利7项，均获得授权。主编《51002讲义》《光电子技术实验》，编写《激光和它的应用》《光学制导技术》，其中后者1993年获国防工业出版社优秀图书二等奖，1994年获兵器工业总公司优秀教材一等奖。在国内外学术会议或刊物上发表论文30余篇。1992年获“光华科技基金奖”三等奖。

1993年享受政府特殊津贴。

曾任《光学技术》杂志编委。

范少卿

男，1933年3月出生，江苏省靖江人。1960年毕业于北京大学物理系，被分配来北京工业学院工程光学系任教。教授。曾任近代光学教研室主任。1994年退休。主要从事物理光学、量子光学、激光原理、高等光学的教学和实验指导工作。编写《物理光学》《量子光学》《激光原理》等教材，编译出版《物理光学札记》《物理光学习题集》《光学》等书籍。《物理光学》教材曾获兵器工业部优秀教材一等奖。曾获“北京理工大学优秀教师”称号。

刘培森

男，1935年5月出生，天津市人。教授。1959年毕业于北京工业学院仪器系，1964年从北京工业学院仪器系研究生毕业，并留校任教。1995年退休。1981—1982年在美国斯坦福大学信息系统实验室做访问学者。

长期从事物理光学、傅里叶光学和统计光学的教学和科研工作，出版的专著和教材有：《散斑统计光学基础》《应用傅里叶变换》，译著《光学——像的形成和处理》《统计光学》，其中《散斑统计光学基础》获兵器工业部优秀教材一等奖，《应用傅里叶变换》获兵器工业部优秀教材二等奖。参加研制的“74式1.2米地炮测距机”1978年获全国科学大会奖。在国内外学术会议和刊物上发表多篇论文。

曾获学校教学成果二等奖。1993年起享受政府特殊津贴。

张国威

男，1933年7月出生于浙江省定海市。教授。1950年在武汉参加工作，曾任共青团中南行政委员会直属机关工委中南贸易部团委、中南财政经济委员会团委宣传部副部长、部长等职。1954年到北京工业学院仪器系光学仪器专业学习，1957年半脱产担任政治辅导员，1958年提前一年毕业留校任教。1979年公派留学西德，在柏林工业大学光学研究所从事可调谐激光技术研究，1981年回国。曾任教研室副主任，主任。

主要从事天文导航、红外技术和固体激光器领域的教学与科研工作，曾编写“天文导航原理”和“天文导航仪器”的讲义并进行讲授，讲授“红外线技术基础”并编写其补充教材。曾主持我国第一台“炮兵激光测距仪”和“对空激光制导系统”项目的研究。1981年回国后将可调谐激光技术引入我国。先后承担国家“863”、国家自然科学基金、国防重点预研等多项研究项目，重点研究可调谐激光技术和应用激光光谱技术，并涉及棱镜分光技术、有机非线性光学晶体和10.6微米红外光波导等领域。先后在国内外刊物或会议发表学术论文70余篇；在可调谐激光的同步调谐、高分辨率线宽压窄、多频可调谐激光运转和激光增益开关，以及扩束棱镜（一种新型棱镜）色散理论和应用等方面，有多项发明、创新，获得我国发明专利3项、实用新型专利1项；获部级科技进步三等奖1项。在著作方面，主编出版研究生教材《激光光谱学：原理与技术》，参加编写全国本科统编和兵器部本科统编的激光专业教材《可调谐激光技术》章节，出版我国第一部有关可调谐激光专著《可调谐激光技术》。

现任中国光学学会和中国兵工学会会员，国际光学工程学会（SPIE）和德国量子光学学会会员。曾兼任中国兵工学会激光专业委员会副主任委员和北京光学学会基础光学委员会委员，并受聘于西南技术物理所任高级技术顾问。

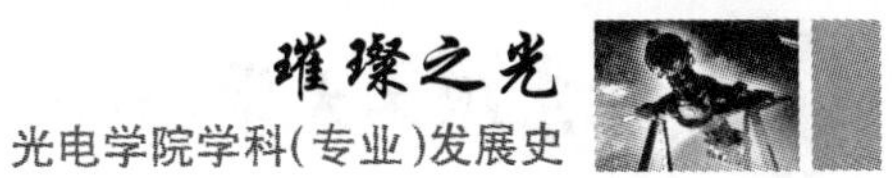

李乃吉

男，1936 年 11 月出生，天津市人。教授。1960 年毕业于北京工业学院光学仪器系，并留校任教。曾任光学仪器系主任。

长期从事红外技术、光电子学技术的教学和研究工作，主编《光电探测器》教材，校译出版《光学·数据处理及应用》一书。参加多项科研，其中："1.06 微米 BDN 调 Q 染料片" 1985 年获国家科技进步二等奖，"1.06 微米调 Q 激光组件" 1985 年获国防科工委重大科技成果四等奖，"横向塞曼稳频He－Ne激光器及其应用技术研究" 1986 年获兵器工业部科技进步二等奖，"绞合光纤传感器嵌入复合材料中的智能化研究" 1996 年获兵器工业总公司科技进步三等奖。在国内外学术会议和刊物上发表论文 50 余篇。

1986 年获国家科技进步奖章。1992 年起享受政府特殊津贴。

秦秉坤

男，1936 年 11 月出生，上海人，祖籍江苏扬州。教授、博士生导师。1960 年毕业于北京工业学院指挥仪专业，并留校任教。曾任教研室主任、教育部开放实验室信息光学基础实验室主任、系学术委员会委员、信息科学技术学院学位委员会委员、光学学科职称评审组成员。

工作的 42 年可分两段，前 20 年主要从事远程照相机的研究工作。参加 RF－101A、U－2 美残机照相机电路的分析，且撰写了分析报告。1963 年调入研究室，开始参加"3 米焦距远程照相机"的研制工作，负责总体指导。1965 年曾带着相机去福建进行实拍，返校后对相机进行了改进。1966 年因"文化大革命"而中断，至 1969 年因珍宝岛自卫反击战急需而重新恢复该机的研制，且接总参命令，代表课题组随沈阳军区侦察小分队带该机赴珍宝岛前线执行任务。后根据部队的要求，进行了较轻便的"1 米焦距远程照相机"的研制，在参考 3 米焦距照相机的基础上，汲取了民用相机的机构，编制了程序，实现了快门自动设计，研制成了该相机。另外，1967 年年底至 1969 年参加了"尖兵一号"人造卫星中相机随动系统的研制。获全国科技大会奖 1 项，国防科委重大科技成果一等奖 1 项，部级三等奖 2 项。

后 20 余年主要心血花在建立导波光学学科方向上。1981 年开设了选修课"导波光学"，又为研究生讲授"导波光学"课，编写了《导波光学及其应用》(由北京理工大学出版社出版)，和孙雨南等老师一起建成有一定规模的实验室，成为信息光学实验室重要部分。承接科研项目 10 余项，主要研究方向是微小光学和光纤技术及其应用。其中"渐变折射率透镜 3D 折射率分布测量"和"光纤传像束光学传递函数测试"获国家发明三等奖 2 项，另获部级二等奖 3 项，部级三等奖 1 项。还与孙雨南、朱伟莉合编著《光计算机》一书。1994 年导波光学成为物理电子学博士点的一个学科方向。共指导研究生 20 余名，其中博士生 10 名。

1993 年起享受政府特殊津贴。

赵达尊

男，1939 年 1 月出生于上海，江西九江人。1962 年毕业于北京大学物理系，分配至北京工业学院光学仪器系任教。教授、博士生导师。2009 年退休。曾任我校颜色科学与工程国家重点学科专业实验室主任、光学工程学科点首席教授、中国照明学会常务理事、图像技术专委会主任、国家颜色标准化技术委员会副主任。

主讲物理光学、几何光学、量子光学、高等光学等课程，主编《波动光学》《空间光调制器》《高等光学教程》等著作，获全国高等学校优秀教材奖、部级优秀教材二等奖、北京市教育教学成果二等奖等奖项。

主要研究领域为全息和光电信息处理、光学传递函数、自适应光学、颜色光学等，获全国科学大会奖和多项部级科技进步奖。发表学术论文 200 余篇，培养博士研究生 20 余名。

1992 年获政府特殊津贴。

张忠廉

男，1945 年 8 月出生，辽宁省盖县人。1960 年毕业于北京工业学院无线电系，并留校任教，曾任教研室副主任、实验室主任。教授。1995 年退休。长期从事光电成像技术、微光夜视技术的教学、科研和实验室建设工作，创建仪器仪表电子技术实验课，参加多项科研，“PJ－1 光电阴极检控仪”1985 年获国家科技进步三等奖，“PJ－1 光电阴极多功能信息检控仪”1983 年获国防科工委重大科技成果三等奖，“荧光屏亮度与像质测试仪”1984 年获国防科工委重大科技成果三等奖。

1993 年起享受政府特殊津贴。

徐荣甫

男，1936 年 12 月出生，江苏省无锡人。教授。1960 年毕业于北京工业学院光学仪器系。曾任物理电子学教研室主任。长期致力于激光技术的教学与科研工作，尤其是对激光精密检测技术的应用、开发做了长期的广泛研究。主要科研成果有“交叉棱镜望远镜激光谐振腔”获 1985 年国家发明三等奖，已广泛应用于军用激光器件中；“电光调 Q 交叉棱镜谐振腔技术”获兵器部重大技改四等奖。主编的《激光器件与技术教程》一书 1992 年获机电部优秀教材二等奖。在激光检测技术方面也有多项科技成果，“八三式地炮激光测距仪的测程室内检测设

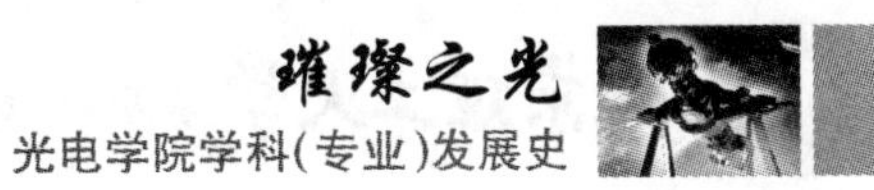

备”获国防科工委1985年重大科技成果三等奖，“微激光峰值功率计”获国防科工委重大成果三等奖。该项成果解决了微弱的激光散射回波信号的检测问题，“激光轰炸模拟训练器”1988年获海军8709任务模拟器材研制二等奖，“激光主动式汽车定距自动刹车防撞系统”1991年获第六届全国发明展览会铜牌，“引信零件尺寸光电投影仪”获兵器部科技成果四等奖。此外，完成了“云能见度信号采集处理系统”“中长红外双波段辐射计”“光电对抗综合测试系统”等多项重大科研项目。

1992年起享受政府特殊津贴。

朱正芳

男，1935年9月生，山西省五台县人。研究员。1960年毕业于北京工业学院光学仪器系，并留系任教。曾任工程光学系光学仪器研究室主任；颜色科学与工程国家重点学科专业实验室主任。

长期从事光学仪器方面科学研究工作，先后参加项目30多项。主要项目有：

“三米焦距远程照相机”1978年获得全国科学大会奖、“大型天象仪”1985年获国家科技进步二等奖、“YW—1氩离子激光微束仪”1982年获北京市科技成果二等奖、“色差计系列”1991年获部级科技进步二等奖、“闪光光谱测试仪”1989年获机电部科技进步一等奖、“照相镜头光谱透过率测试仪”1988年获兵器工业部科技进步三等奖。

此外，还参加了“电脑配色系统”“大型光谱辐射计”的研制，参加“飞行仿真头位跟踪视景显示系统”和“资源卫星红外多光谱扫描仪”等项目的结构设计研制工作，其中“飞行仿真头位跟踪视景显示系统”1999年获国防科工委科技进步一等奖。

从1980年开始对颜色科学学科进行了系统的研究和建设，为我系填补了空白，使颜色科学名列全国同行中的前茅。通过世行贷款，申请立项、组建了“颜色科学与工程国家重点学科专业实验室”，并使之成为该学科领域全国最好的实验室。接待了国内外专家的访问并为全国同行们提供测试服务。

培养硕士、博士研究生多名。与胡威捷、汤顺青合作编著了《现代颜色技术原理及应用》（系“211工程”研究生规划教材）。先后在国内学术会议和刊物发表论文30余篇。

1993年起享受政府特殊津贴。

为“中国光学学会”“中国照明学会”“SPIE（国际光学工程学会）”会员。

高稚允

男，1938年10月出生，江苏省武进县人。1960年毕业于北京工业学院光学仪器专业，后留校工作。教授、博士生导师。曾任教研室主任。

长期从事光电成像技术与光电检测技术方面的教学和科研工作，并获多项科技成果奖。其中“宽量程微照度计”1980年获兵器工业部科技成果二等奖，“光纤面板透过率、数值孔径测试仪”1983年获部级科技成果二等奖，“GZC－1型光电器件综合特性测试仪”1990年获兵器工业部科技成果二等奖，“Ⅱ类通用组件热像仪”1994年获兵器工业总公司科技进步特等奖，“红外CCD特性测试技术”1995年获兵器工业总公司科技进步三等奖，“光纤面板数值孔径、透射比测试仪”1997年获兵器工业总公司科技进步二等奖。编写教材与专著有：《光电转换技术》《夜视技术》《光电检测技术》《特种光电系统》等。

目前主要从事光电成像技术及光电检测技术方面的研究工作。

1994年起享受政府特殊津贴。

李家泽

男，1938年5月出生，江苏省南京市人。教授、博士生导师。1961年从北京工业学院光学导引专业毕业，并留校工作。曾任教研室主任。主要研究领域：光电子技术在生物医学中的应用、激光技术及其应用。曾获国家科技进步二等奖1项，部级科技进步奖多项。公开出版《晶体光学》《光电子学基础》等教材。主要从事激光原理及技术方面的教学和LD泵浦固体激光技术、激光技术在生物医学中的应用研究。

林永昌

男，汉族，1938年8月出生，江苏无锡人。1960年从北京工业学院军用光学仪器专业本科毕业，1963年从光信息处理专业研究生毕业，并留校工作。教授，博士生导师，曾任教研室主任。

多年从事傅立叶光学、光信息处理的研究工作和物理光学、傅立叶光学、特种光学工艺、薄膜光学、薄膜技术的教学和研究工作。著作有《薄膜光学》《光学薄膜原理》和《矩阵光学》。曾获国家科技进步三等奖1项，省部级科技进步奖一、二、三等奖多项，光华二等奖1项。

1992年起享受政府特殊津贴。

中国光学学会光学薄膜专业委员会第一、二、三、四届副主任委员，中国光学学会第三届理事会副秘书长，第四届理事会常务副秘书长、第五届理事会办公室主任。美国光学学会会员、The International Society for Optical Engineering（SPIE）会员。

曹根瑞

男，1937年9月出生，江苏武进人。1963年毕业于北京工业学院光学工程系光学设计与检测专业，并留校工作。教授、博士生导师。1985年5月至1987

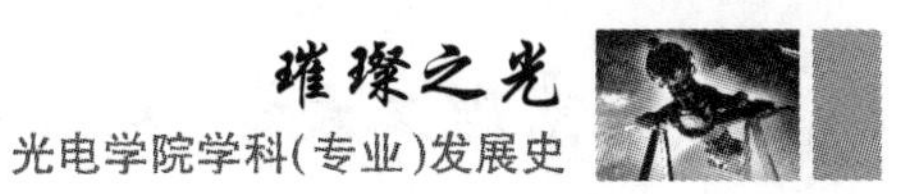

年6月赴美国亚利桑那大学光学中心进修近代光学测试和大型光学非球面加工与检测技术。历任光电技术教研室主任、中国光学学会光电技术专业委员会副主任等职。现为我校测试计量技术与仪器学科点首席教授。

主要研究领域：光学和光电检测技术、自适应光学、近代干涉技术等。其“863计划”项目“弱光H—S波前传感器实验系统”等多项科研成果获部级科技进步奖。

1993年起享受政府特殊津贴。

俞信

男，1941年4月出生，浙江平湖人。教授、博士生导师。1963年毕业于北京工业学院工程光学系红外专业，并留校任教。1984—1986年为教育部公派访问学者，在美国纽约州立大学石溪分校进修两年。历任北京理工大学光电工程系副主任、主任，1993—2003年任北京理工大学副校长，1996—2003年任北京理工大学党委常委，2003—2008年任北京理工大学校学术委员会副主任。

长期从事军用光学、光学工程、物理电子学等学科领域的教学、科研工作。主讲激光原理等课程；编著出版《自适应光学》《近代莫尔条纹技术》；培养博士生、硕士生多名；获国家教学成果特等奖1项，部级教学成果等奖3项。作为课题组长完成国家“863计划”、国家自然科学基金项目、国家安全重大基础研究项目、总装备部重点预研项目多项。在极弱光H-S波前传感器、宽视场自适应光学理论、微小型自适应光学系统研究方面取得优异成绩。获部级科技进步二等奖2项，国防科技进步二等奖1项，获国家发明专利4项。发表学术论文百余篇，其中半数为SCI，EI收录。在学科建设方面，先后担任北京理工大学国家重点学科物理电子学博士点首席教授、电子科学与技术一级学科首席教授。

1993年获国务院政府特殊津贴，被评为“北京市优秀教师”，“国防科工委高教先进工作者”。

曾兼任中国兵工学会理事、中国兵工学会光学专业委员会主任委员、《中国光学学报》常务编委、《光学技术》杂志编委会主任委员、华南师范大学兼职教授。

朱宝亮

男，1939年3月出生，河北省白洋淀人。1965年毕业于北京大学物理系，同年被分配到北京工业学院仪器系工作。教授。1999年退休。长期从事激光物理、激光技术应用方面的教学和科研工作，“交叉棱镜望远镜激光谐振腔”1984年获国家发明三等奖，“聚四氟乙烯漫反射泵浦腔及其制作方法”1992年获国家发明三等奖，“可调焦望远镜交叉棱镜非稳定激光谐振腔”1989年获机电部科技进步三等奖，“调QYAG激光眼科治疗机”1993年获兵器工业总公司科技进步三等奖。编著出版《激光束光学》《晶体光学》等教材，讲授量子力学、激光原理、物理光学等课程。发表论文 10 多篇。

1995 年起享受政府特殊津贴。

安连生

男，1941 年 10 月出生，河北省唐山人。教授。1964 年毕业于北京工业学院光学仪器系，并留校任教，曾任教研室主任。2000 年被聘为主讲教授。

长期从事应用光学、光学设计的教学和科研工作。主讲应用光学、光学设计等课程，积极进行教学研究和教育教学改革，应用光学被评为一类课程，两次获校教学成果集体一等奖和优秀个人奖。主编和参加编写的教材有《应用光学》《光学设计》《光学塑料及其应用》《计算机辅助光学设计的理论与应用》《应用光学——理论概要例题详解习题汇编考研试题》《中国兵工大词典》《仪器仪表电子元器件术语大全》《应用光学》（与中科大胡玉禧合写）《现代仪器仪表技术与设计》等 9 本著作、教材与词典。其中《光学设计》获兵器工业总公司优秀教材二等奖；在大型科技文献《现代仪器仪表技术与设计》中任编辑部副主任和《光学篇》主编、作者、责任编委，该书获国家新闻出版总署颁发的第十一届全国优秀科技图书二等奖。

主持和参与红外热像、飞行仿真、航天遥感、显微照相等多项国家和横向课题。包括大型天象仪星云星团放映系统和太阳放映系统、PDF—802 型电子分色机、低视力助视器、光学设计软件包 SOD88、强光摄影物镜、800 米激光准直仪、医疗及金属探伤 X 光射线机中继光学系统、系列连续变倍体视显微镜、计算机直接制版成像系统、风云三号气象卫星中分辨率成像光谱仪近红外成像分系统、巡航导弹末制导微光摄像系统论证设计、超大规模印刷电路光刻机系统设计、非接触光学舞动轨迹测量仪光学系统、复杂光学系统优化设计及在光电工程中的应用、飞行仿真头位跟踪视景显示系统等。其中“PDF—802 型电子分色机”获文化部科技成果一等奖；“军用光电光学系统的像质评价和结构优化”获兵器工业部科技进步二等奖；“飞行仿真头位跟踪视景显示系统”获国防科学技术奖一等奖；“复杂光学系统优化设计及在光电工程中的应用”获国家科技进步三等奖。发表论文 20 余篇。

2001 年享受政府特殊津贴。

曾任中国照明学会理事及舞台电影电视照明委员会委员、交通运输照明和光信号专业委员会副主任、中国光学学会高级会员、中国兵工学会光学专委会副主任、总干事、《光学——精密工程》编委、《光学技术》杂志编委会副主任、北京青少年科技俱乐部活动学术导师等。

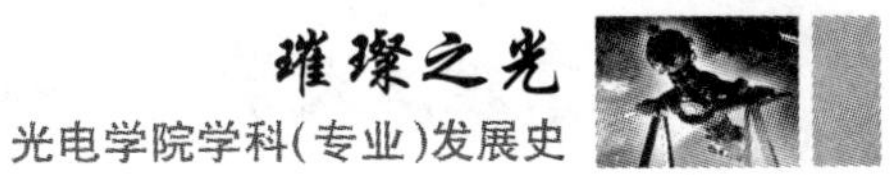

沙定国

男，1943 年 10 月生，江苏常州人。教授、博士生导师。1965 年从复旦大学数学系本科毕业后被分配到北京工业学院任教至今。曾从事多年“高等数学”等教学工作，1978 年改读工程光学系硕士研究生，1981 年获光学工程硕士学位。主讲光学测量与像质鉴定、计量学基础、误差理论与数据处理、优化技术及应用等课程。近 20 年来，主要在精密测试与计量领域，特别是国防计量和靶场测试装备研制方面，从事光学测量与像质评定、光学计量与标准、现代误差理论与数据处理、可靠性工程研究、计算机辅助测试等研究方向的科研与教学工作。著书 6 本，获部级优秀教材二等奖 1 项。发表学术论文近 50 篇，制定技术标准 9 项，完成科研项目 14 项，获省部级科技进步二等奖 5 项、三等奖 3 项，其中“弱光 H—S 波前传感器实验系统”1994 年获兵器工业总公司科技进步二等奖，“高精度球面曲率半径测定仪”1993 年获兵器工业总公司科技进步二等奖，“红外应力双折射计量检定装置”1999 年获兵器工业总公司科技进步一等奖，1997 年获国防计量先进工作者嘉奖 1 次。其中，主持完成的“军用光学参数综合测试技术及装置”项目解决了靶场试验、军工光学测试计量等方面的一系列重大测试难题，授权发明专利 9 项，研制大型靶场试验装备和工业检测样机 10 余台套，2008 年被评为国防技术发明二等奖。另外，在光学传递函数分析仪及多种高精度光学计量标准器具研制、测量误差理论与应用方面，获国家科技进步奖（科技著作）二等奖。

曾任教研室副主任，光学学会光学测试专委会副主任，全国误差理论及应用研究会副理事长，国家科技部、教育部和国家质检总局的科技支撑计划咨询专家。

第三节　开拓未来的新一代

辛建国

1957 年 5 月出生。博士生导师，教授，博士。1986 年研究的三维折叠腔环形增益激光器技术，被世界著名评论先导性杂志“Laser Focus World”作了两次介绍。1991 年提出一种新的波导阵列激光器结构，获得了相当于 1 × 13 阵列波导激光器同相锁定高比率空间压缩模场输出。1991 年提出一种射频激励扩散型冷却全金属波导 CO_2 激光器技术。1994 年研制出我国首台射频激励扩散性冷却千瓦级 CO_2 激光器。1998 首次实现了射频激励扩散性冷却千瓦级一氧化碳激光器。2000 年提出一种射向激励扩散型冷却全金属板条波导 CO_2 激光器技术。

1993 年首批进入国家教委“跨世纪优秀人才培养计划”，1995 年获得国家杰出青年科学基金。为2001年度教育部“长江学者奖励计划”特聘教授。

兼任中国电子学会理事，中国兵工学会理事，《兵工学报》副主编。

王涌天

1957年8月出生。1986年获英国Reading大学物理系工学博士学位并继续做博士后研究工作。1988年回国后来到北京理工大学工作至今，其间先后应邀赴英国、西班牙、日本、美国有关大学进行合作研究。2000年获得国家杰出青年科学基金的资助，2001年为教育部“长江学者奖励计划”特聘教授，2006年成为教育部创新团队带头人。现任北京理工大学光电学院教授、博士生导师、光电信息技术与颜色工程研究所所长、计算机学院兼职博导、校信息与电子学部主任、校学位评定委员会副主席。

长期在技术光学和虚拟现实领域从事教学和科研工作。目前承担的科研项目包括国家高技术研究发展计划（“863计划”）课题、国家自然科学基金仪器专项、国防预研课题和国际合作课题。主要研究方向包括成像和照明光学系统设计和CAD，新型光学元件，虚拟现实和增强现实技术、系统和应用，医学图像处理与手术导航等方面。获国家科技进步三等奖1项、省部级科技进步二等奖4项。出版译著2部、教材1部（《应用光学》英文版），发表论文280余篇，编辑SPIE或Springer出版的国际会议论文集6部。申报国家专利10余项。近年来指导博士后8人，博士生46人（27人已毕业并获学位，其中程雪岷的论文被评为2006年全国优秀博士学位论文）、硕士生34人。

多次应邀担任由国际光学委员会（ICO）、国际工程光学学会（SPIE）、中国光学学会（COS）、美国光学学会（OSA）、日本光学学会（OSJ）组织的国际学术会议的大会组委会成员、分会主席、特邀报告人，以及国际标准组织有关标准的制定专家组成员。

现兼任全国政协委员、国务院学位委员会学科评议组成员、教育部科学技术委员会委员、中国光学学会理事、国际工程光学学会（SPIE）资深会员（Fellow）等。

李艳秋

1962年9月出生。现任北京理工大学光电学院教授、博士生导师、长江学者特聘教授。曾任哈尔滨工业大学助教、讲师、副教授、日本理化研究所研究员、日本姬路工业大学副教授、日本Nikon公司高级工程师。中国科学院电工研究所2001年引进国外杰出人才（百人计划）入选者，研究员、博士生导师、学科带头人、研究部主任、所学术委员会委员。曾获哈尔滨工业大学教学奖、中国科学院电工研究所2003年突出贡献提名奖等荣誉多次。

主要研究方向为光学工程。负责和参与完成国内外项目15项。近10年发表

学术论文130余篇，其中被SCI和EI收录90余篇，发明专利25项，光刻仿真软件版权5项，参编（篇主编）《中国电气工程大典》MEMS技术一章，论文参编《中国科技经典文库》。在高分辨光刻成像技术、高精度像差检测技术与仪器研制中取得一定成绩，部分研究结果获得国际刊物公开肯定的评价。作为专家组重要成员，为国家“十五”“863计划”IC装备重大专项的立项实施、国家中长期科技发展规划重大专项《IC制造及成套工艺》的规划、立项和实施方案编写做出重要贡献。

兼任校学术委员会委员，校学科建设专委会委员，国家自然基金委信息学部十一、十二届评审专家组成员，国家微机电标准化委员会委员，中国博士后科学基金评审组专家，IEEE Sensor Journal Associate editor，微米纳米技术学会高级会员，中国光学学会高级会员，《微细加工技术》期刊编委，《光学技术》杂志编委会副主任，中国兵工学会光学专委会副主任委员，《传感技术学报》副主编，“激光与光电子学进展”编委，国家集成电路装备及成套工艺重大专项咨询专家、顾问，上海微电子装备有限公司暨国家光刻技术研究中心咨询专家。

倪国强

1946年1月出生。1967年毕业于复旦大学核物理专业，1980年在北京理工大学光电工程系攻读硕士学位，1983年毕业留校工作至今。博士，教授，博士生导师，光学工程国家重点一级学科首席教授。从事科研、教学、学科建设、管理等工作，其间于1989年6月在军用光学博士点攻读博士学位。1989—1993年、1993—2000年曾分别担任北京理工大学光电工程系副主任、主任。

主要研究方向为光电成像技术与系统，图像高速处理，探测与识别，自由空间光通信。

30年来承担与主持众多国家与部委的科学研究任务，包括国家“863计划”“973计划”、国防重点预研、国防重点基础、国家自然科学基金、部委与地方、横向等课题研究，在有关学科方向上取得一定成果。在国内外发表学术论文250余篇，合作出版著作2部，译著1部。在教学上主讲本科、硕士、博士生课程，直接指导/培养硕士生、博士生、博士后数名。获国家科技进步二等奖、三等奖各1项，部级科技进步一等奖2项、二等奖1项，北京市优秀教学成果一等奖、二等奖各1项。先后获国家教委、国务院学位委员会授予的“做出突出贡献的中国博士学位获得者”称号（1991年），“政府特殊津贴获得者”称号（1993年），国家人事部授予的“国家级有突出贡献的中青年专家”称号（1994年），“北京市优秀教师”称号（1997年，2004年），国家“863计划”先进个人重要贡献奖（2001年）。

现兼任中国光学学会常务理事/秘书长/光电技术专委会主任，中国仪器仪表学会常务理事/光机电技术与系统集成分会常务副理事长等。

金伟其

1961年2月出生。1982年北京工业学院本科毕业，被分配到兵器工业211研究所工作，1985年考入北京理工大学“军用光学”学科攻读研究生，1990年9月毕业获工学博士学位并留校任教至今。教授、博士生导师。曾任光电工程系系主任，信息科学技术学院副院长。1995年赴日任客座研究员1年。

主要从事教学与科研工作。在教学方面，多次负责或参与培养方案和教学大纲的修订。曾主讲“复变函数与积分变换”“数字图像处理”“光电成像原理”“微光与红外成像技术”和“光电成像原理与技术”等本科课程，目前主讲“辐射度、光度与色度学（三度学）”“视频技术”和“军用光电系统”以及研究生学位课“现代光电图像处理”。“光电成像原理与技术”2008年被评为国家精品课程。编著《微光与红外成像技术》《光电成像原理与技术》《辐射度、光度与色度及其测量》，后面两本2008年被评为北京市精品教材，《光电检测技术和系统》2009年被评为北京市精品教材。

主要研究方向为夜视与红外技术、光电图像处理、光电检测与仪器。多年承担国家自然科学基金、“863计划”、总装国防预研、教育部各类基金项目、北京市科技计划项目，取得重要的研究成果，曾荣获国家科技进步二、三等奖、国防科技进步三等奖、部级科技进步一、二、三等奖以及军队科技进步三等奖。1994年获第三届兵工学会青年科技奖、1996年获政府特殊津贴和第六届北京青年科技奖提名奖、1997年入选教育部“优秀青年教师资助计划”、1998年获北京市“首都劳动奖章”、1999年入选教育部“跨世纪人才计划”、2000年入选国家人事部“百千万人才工程”、2005年入选“国防科技工业511人才工程”，2006年被评为国防科工委委属高等学校优秀教师。已发表学术论文近300篇，其中EI收录185篇、SCI收录16篇；培养毕业博士生23人、硕士生26人、出站博士后3人。

兼任教育部“电子信息与电气学科”教指委委员和“光电信息科学与工程”教指分委副主任委员，国防科工委“光电、火控、指控系统标技委”副主任委员，中国光学学会理事、“光电技术专委会”常委、“红外光电器件专委会”以及“高速摄影专委会”委员，中国兵工学会高级会员、“夜视技术专委会”和“光学技术专委会”副主任委员，中国仪器仪表学会高级会员，光机电与系统集成分会常务理事，中国电子学会高级会员，北京市光学学会理事，“红外技术专委会”副主任委员，“微光夜视技术”国防科技重点实验室学术委员会副主任。《红外技术》副主编、《应用光学》《红外与激光工程》《测试技术学报》和《光学与光电技术》编委。

赵维谦

1966 年 9 月出生。教授。主要从事超精密光电测试技术与装备、超分辨光学成像理论与技术、纳米测控技术等方面的研究工作。于哈尔滨工业大学获硕士和博士学位。1997 年被破格聘用为哈工大副教授，2002 年被聘为哈工大教授，2004 年被聘为哈工大博士生导师，2007 年被认定为北京理工大学博士生导师。入选教育部“新世纪优秀人才支持计划”，获黑龙江青年科技奖和北京青年科技奖。博士论文曾获哈工大优秀博士论文奖、黑龙江省优秀博士论文奖和全国优秀博士论文提名奖。

围绕精密光电测试技术领域承担和参加完成包括国家自然基金重点类项目、国防基础项目、总装预研项目、教育部人才资助等项目 40 余项，其中，完成项目获国家技术发明一等奖 1 项（其排名 2），国家科技进步三等奖 1 项（排名 6），国防科学技术一等奖 3 项（排名 2，2，3），部级一、二等奖各 1 项（排名分别为 6，2），部三等奖 3 项（排名 3，3，6）。发表论文 80 余篇，SCI 检索 20 余篇、EI 检索 30 余篇。近 5 年，以第一作者的身份在国际光学领域、仪器领域的权威期刊发表论文 10 余篇，SCI 检索 15 篇。

申请中国发明专利 40 项（32 项为第一发明人），已授权 12 项。

中国光学学会高级会员、中国计量学会高级会员、中国仪器仪表学会高级会员和美国光学学会会员。

郝群

1968 年 1 月出生。教授，博士生导师。北京理工大学光电学院副院长。

1998 年 3 月毕业于清华大学，获工学博士学位；1999—2001 年赴日本进行合作研究，被聘为东京大学客座研究员；2003 年被破格聘为北京理工大学教授；2004 年被聘为博士生导师。研究领域包括光电信息获取与处理、光学与精密测量等。

主持完成科研 20 余项，其中包括多项国家自然科学基金、国家高技术研究发展计划（“863 计划”）、国防基础科研、总装预研等项目。主要研究方向包括微小型光电成像/探测技术，新型干涉测量技术，非球面检测技术，仿生传感技术等方面。

在国内外重要刊物上发表论文 100 余篇，其中被 SCI，EI 收录 70 余篇；多次应邀在国际会议上做特邀报告，担任大会、分会主持人；申请授权中国发明专利 10 余项，获部级科技进步奖 2 项。2003 年入选教育部“跨世纪优秀人才培养计划”，2004 年编著教材被评为北京市精品教材，2005 年获第八届“中国兵工青年科技奖”；2006 年被评为北京教育创新标兵，同年作为副导师指导博士生获得“全国百篇优秀博士学位论文”奖；2007 年被授予全国“巾帼建功”标兵称号，

2009年所在团队被评为北京市优秀教学团队。已指导博士生16人（4人已毕业并获学位），硕士生28人（23人已毕业并获学位）。

兼任中国仪器仪表学会理事；中国兵工学会光学专委会副主任；国际光学工程学会SPIE会员；《北京理工大学学报》《光学技术》编辑委员会委员。

高春清

1967年6月出生。博士，教授，博士生导师。分别于1989年和1992年于北京理工大学光电工程系获得学士和硕士学位，硕士毕业后留校任教。1996—1999年留学德国，1999年在德国柏林工业大学物理系光学所获得博士学位。2005年入选教育部“新世纪优秀人才”资助计划。现任光电子所所长。

主要从事新型激光器件与技术、光电信息探测和获取技术的研究，作为负责人承担并完成了多项有关新型激光器件与技术、激光信息系统的项目，主要包括国家自然科学基金项目、总装备部“十五”“十一五”预研项目，教育部博士点基金、教育部优秀青年教师基金、横向项目等近20项，获得专利授权5项，在国内外刊物和学术会议上发表论文百余篇，其中SCI检索的论文30余篇，EI收录60余篇；获得部级科技进步二等奖2项。

兼任中国光学学会理事，中国电子学会量子电子学与光电子学分会副主任委员，中国兵工学会光学专业委员会副主任委员，中国光学学会光电专业委员会常委，军用固体激光技术国防科技重点实验室学术委员会委员，3种学术期刊编委。

江毅

1967年9月出生。博士，教授。1987年本科毕业于重庆大学无线电系，1996年博士毕业于重庆大学光机系，后到北京理工大学光电工程系431教研室工作，2001—2002年在香港科技大学做访问学者。

主要从事光纤传感器方面的教学和科研工作，先后承担了自然科学基金2项，国家“863计划”项目2项，国防“973计划”项目1项以及其他基金与横向课题的研究。在国际10余家著名期刊发表论文20篇，国内外10余家期刊的通讯审稿人。

现兼任OSA会员，IEEE LEO会员，COS高级会员，兵工学会光学专委会委员。

程灏波

1975年2月出生。2005年于清华大学精仪系博士后出站来北京理工大学光电工程系工作，2008年受聘为博士生导师，2009年破格晋升为研究员。现任光电信息技术与颜色工程研究所书记、校青年科协副主席，兼任香港中文大学客座

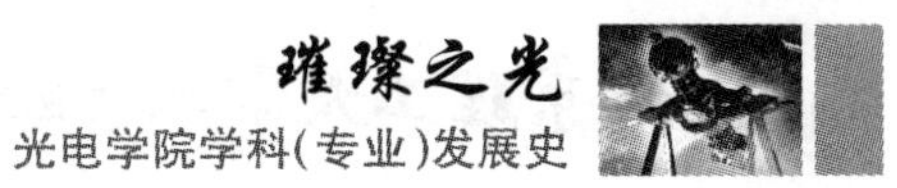

研究员、智能控制中心副主任。2006年入选北京市“科技新星计划”，2008年入选教育部“新世纪优秀人才培养计划”“霍英东优秀青年教师资助计划”，被评为“北京市青年岗位能手”，2009年获得“中国兵工青年科技奖”。

围绕先进光学制造技术与装备，新型光学元件及系统，精密超精密制造与检测等领域从事教学和科研工作，多次应邀赴香港理工大学、香港城市大学、香港中文大学进行合作研究。主持的科研项目包括国家高技术研究发展计划“863计划”课题、国家自然科学基金课题、国防预研课题、北京市科技计划课题和国际合作课题。科研成果获得省部级科技进步二等奖1项、香港特区工商业奖科技成就优异奖1项，获得中国发明专利1项，发表论文90余篇。近4年指导博士生2人、硕士生17人。

现兼任中国光学学会光学制造专委会常委、光学测试专委会委员，中国仪器仪表学会光机电与系统集成分会理事。

李林

1957年11月出生。教授、博士生导师。分别于1981年、1984年从北京工业学院工程光学系本科毕业和硕士研究生毕业。

长期从事光学系统设计与检测、现代光学设计方法方面教学与科研工作。先后讲授过应用光学、光学设计、工程光学、现代光学设计方法等课程，编写出版的教材和著作有《现代光学设计方法》《应用光学》《计算机辅助光学设计的理论与应用》《工程光学》《应用光学（英文版)》《现代仪器仪表设计（光学设计篇)》等10余种，其中《工程光学》获2006年北京市精品教材奖，《应用光学(英文版)》获2007年北京市精品教材奖。《现代仪器仪表技术与设计》获第十一届全国优秀图书二等奖。近年来参与完成了数十个国家和部委的科研项目，涉及光学设计、光学测量、照明光学、空间光学、红外仿真等领域。近年来，共获得了6次部委级科研奖励：光电仪器总体设计评估与模拟试验技术研究，部级科技三等奖；视场仪计量标准，部委级科技三等奖；OTF标准望远镜研制，部委级科技二等奖；飞行仿真头位跟踪视景显示系统，部委级科技一等奖；准直式地球模拟器，部委级科技三等奖；射频/红外成像共口径模拟器，部委级科技三等奖。生物芯片扫描检测系统的镜头，获中国专利优秀奖；专利有“点源光学/射频波束合成装置”“红外/射频波束合成装置”。

2008年获“北京市高等学校教学名师”“北京市教育创新标兵”称号，2009年获“北京市优秀教学团队带头人”称号。

现兼任中国照明学会理事，交通运输照明和光信号专业委员会副主任，中国宇航学会委员，全国光学和光学仪器标准化技术委员会委员，中国兵工学会光学专委会委员，中国光学学会会员，SPIE会员，长春光机所《光学精密工程》编委。

李卓

1958 年 4 月出生。博士、教授、博士生导师。1982 毕业于大连理工大学应用物理专业，获学士学位，1984 年毕业于长春光机学院光学专业，获硕士学位，1999 年毕业于北京理工大学光学工程专业，获博士学位。

一直从事光电子学方面的教学工作与光学目标仿真领域的科研工作。主要研究领域为光学目标仿真技术，包括红外动态图像生成技术与装置、射频（毫米波）/红外目标模拟器技术、点源目标生成和激光目标生成技术，此外，还研究光学目标探测技术和轻武器光电火控技术。主持过多项国防项目和基金项目。并与航天研究部门合作培养研究生和联合申请科研课题等。申报多项有关光学目标模拟器方面的国防发明专利。

在光学目标仿真领域取得了多项研究成果：获得国家发明四等奖 1 项、国防科技进步三等奖 2 项、兵器科技进步二等奖 1 项、兵器科技进步三等奖 1 项、中国国防发明专利 1 项、著作 2 部，发表论文数篇。曾获“中国兵器工业总公司优秀青年教师”“吉林省首批省管优秀专家”和“吉林省有突出贡献的中青年科技工作者”等殊荣。

兼任中国兵工学会光电专业委员会委员，中国兵工学会光电子专业委员会委员，中国光学学会光电专业委员会委员，中国宇航学会光电专业委员会委员。

孙雨南

1946 年 1 月出生。教授、博士生导师。1969 年毕业于北京大学物理系，1978—1980 年，北京大学物理系“回炉班”进修生，1983 年于北京邮电大学应用物理专业获硕士学位。同年到北京理工大学光电工程系信息光学教研室工作，曾任实验室主任、教研室主任，现任光信息基础教育部开放实验室主任。

主要从事光纤光波导、集成光学、光通信与光信号处理、微机械与微光机电等方面的教学与科研工作。主持或参加编写的教材和专著 7 部：《光计算机》《介质光波导及其应用》《近代光学制造技术》《光纤技术基础》《光电惯性技术》《信息光学原理》《光纤技术——理论基础与应用》（获北京市精品教材奖）等。主持完成自然科学基金 3 项，在研 1 项；主持完成国家“863 计划”项目 1 项，国防基础研究项目 1 项；主持或参加国防预研项目 4 项；主持完成国防基金项目 2 项等。其中获国家发明三等奖 1 项，获部科技进步二等奖 2 项，获部科技进步三等奖 1 项、获光华科技进步三等奖 1 次。另外，获授权国家/国防发明专利 3 项，受理 4 项，发表论文百余篇。

1994 年起享受国务院颁发政府特殊津贴。

现兼任光学学会光学与集成光学专业委员会委员，《北京理工大学学报》第六届编委会委员。

陈淑芬

1955 年 8 月出生。教授、博士生导师。本科毕业于天津大学激光专业，1989 年在法国 Becanson 大学 P. M. Duffer 实验室获得硕士学位，1992 年在法国 Nice-Sophia Antipolis 大学凝聚态物理实验室获得博士学位，1994 年 11 月在法国巴黎第十一大学基础电子所完成博士后工作，后到北京理工大学光电工程系工作至今。

一直从事光电子与导波光学领域的教学与科研工作。主要研究方向为光纤与微光机电传感系统与器件，如新原理光学陀螺，带光读出的声表面波陀螺，光纤传感器系统，光子探针生物检测系统，器件包括应用于光通信、光传感领域的 ASE 光线光源，窄线宽光纤激光器、锁模脉冲光纤激光器、光纤放大器、有源光纤滤波器、电光调制器等。主持过多项国防装备预研、重点基金和一般基金项目，承担过对外引进光纤陀螺生产线项目的技术谈判、基础建设、技术培训和国产化研究工作。指导过多名硕士与博士生的学位论文，并与国外几个实验室有联合培养博士生的合作关系，在国内外有影响的学术刊物与会议上发表过 80 余篇学术论文，申报数项国家或国防发明专利。带领的创新学术团队专业面与层次配置合理、合作默契，形成了课题研制与培养研究生的平台。

兼任中国兵工学会光学专业委员会委员。

赵跃进

1958 年 4 月出生。教授，博士生导师。1982 年在北京理工大学光电工程系光学仪器专业获工学学士后到国营 358 厂工作，任助理工程师；分别于 1986 年和 1990 年在北京理工大学光电工程系光学仪器专业获工学硕士和工学博士学位。后留校任教。2005 年赴荷兰代尔伏特技术大学高访半年。现为“仪器科学与技术”一级学科和“精密仪器及机械”二级学科负责人。

一直在光电仪器领域从事教学和科研工作。主要研究方向为光机电一体化技术、图像处理、光电成像技术。目前主要在数字电子稳像、THz 成像技术、基于 MEMS 的红外成像技术、空间光学技术和智能光电仪器研制等方面。承担了多项国防“973 计划”、国家“863 计划”、国防“863 计划”、国防预研、国防重点基金以及横向科研项目。在国内外学术刊物或会议发表学术论文 130 余篇（80 余篇被三大检索收录），获部级科技进步三等奖 1 项，校级优秀教学奖多项。先后主讲了“光电仪器 CAD”“精密机械零部件设计”“精密机械设计基础”“光电仪器现代设计”等课程，主编北京市精品教材《精密机械设计基础》。

兼任中国光学学会理事，中国兵工学会光学专业委员会副主任，中国仪器仪表学会光机电及系统集成技术分会副理事长，全国光学教学研究会副主任，中国光学学会光电技术专业委员会副秘书长，国防科工委军工专用机械标准委员会委员。中国仪器仪表学会和中国光学学会高级会员，国际工程光学学会（SPIE）会员。

阎吉祥

1946年12月出生。教授，博士生导师。1970年从北大物理系本科毕业，1981年从北京理工大学工程光学系研究生毕业并留校工作至今。其间，1987—1988年被教委公派赴加拿大York大学做访问学者。为1993—1995—1997北京理工大学两届中青年学术带头人。1999年被聘为本科主讲教授，2004年被聘为研究生课主讲教授。当前主要研究方向为激光技术、自适应光学和空间光学。

先后主讲课程8门，其中本科4门：激光原理、激光器件与技术、激光实验原理与方法、激光武器。研究生课4门：光电统计学、激光物理、现代激光工程、自适应光学和空间光学。培养博士后、博士生、硕士生多名。

作为负责人曾多次承担国家自然科学基金、“863计划”项目，并全部出色完成，获部级科技进步二等奖2项；作为分课题负责人或主要参加者承担了“973计划”“863计划”及部级重点课题多项；公开发表论文100余篇，其中30余篇为英文，30余篇被三大检索收录。

独立/主编/参编专著、研/本教材、科普共16部，执笔约2 600千字。由科学/高教/机工/国防等著名出版社出版。还参加了百科类（含中国大百科）的词条撰写。1本获部级优秀教材二等奖；2本获北京市精品教材奖。

魏平

1955年8月出生。教授。现任北京理工大学光电学院院长。

1982年从北京工业学院光学工程系夜视专业本科毕业，1984年获得北京工业学院光学工程系工学硕士学位并留校任教，1987年3月—1989年3月于日本东京先进医疗电子公司研修，1989年4月—1993年3月于日本东京大学攻读电气电子工学科博士，取得2项日本专利，担任日本国产官学委员会副干事长，主持开发了长野奥运会的三维测量装置和山形新干线上的激光障碍物检测设备，随后创立东京光电株式会社任代表取缔役。1995年出资4万美元设立北京理工大学育成奖学金，并长期担任北京理工大学东京校友会会长。擅长光电传感和实时图像处理领域的研究工作，具有代表性的作品有日本JVC公司的工业高端摄像机F70系列、日本奥林帕斯公司的外科手术视频系统等。研究方向为光电传感技术、实时图像处理技术。

兼任中国兵工学会光学专业委员会副主任。

张寅超

1961年8月出生。教授。1982年毕业于杭州大学物理系，1987年和1993年

分别在中科院安徽光机所获得硕士和博士学位，1997 年于德国马普化学所完成博士后工作。1984—1995 年主要从事大气分子高分辨率光谱研究工作。1994 年 11 月开始任国家“863 计划”重点课题（大气高分辨率吸收光谱方向）组组长；1995 年 7 月—1997 年 10 月于德国马普化学所，在诺贝尔奖获得者 Paul J. Crutzen 博士指导下从事机载 NOy 测量系统的改进研制及野外航空测量研究工作，并完成博士后研究工作。回国后主要从事大气探测及目标探测技术及系统研究，任中科院安徽光机所激光雷达研究室主任。作为负责人承担并完成了多项有关激光雷达系统的研制项目，主要有：“863 计划”信息获取与处理技术主题项目 4 项，中科院重大项目 1 项、国家科技攻关计划奥运科技专项项目 1 项、中国科学院奥运科技项目 1 项等，均已高质量完成，得到“863 计划”主题、科技部、中国科学院及相关应用部门领导和专家高度评价。其中中科院重大项目“车载测污激光雷达及测量研究”为中科院安光所的研究方向定位项目。

2005 年 12 月来北京理工大学工作，主要研究方向为光电遥感探测理论与技术。

王平

1952 年 11 月出生。教授。1982 年毕业于西安交通大学机械工程系，1982—1993 年在西安理工大学任教师，1993—1996 年在哈尔滨工业大学攻读博士研究生，1996—1998 年西安交通大学博士后，出站后到北京理工大学任教授、博士研究生导师。

曾先后主持、参加、完成国家自然科学基金项目 3 项；参加完成“九五”科技部重点项目“激光开塑成型机”研制项目；主持、完成陕西省自然科学基金、北京市自然科学基金“基于虚拟仪器的非球面干涉仪的研制”、国防重点实验室基金“基于计算全息技术的非球面检测技术研究”等项目多项；主持、参加、完成横向科研课题多项。

先后发表论文 70 余篇；主编、副主编或参与出版专著 9 本，如《SolidWorks 2008 中文版典型范例》《SolidWorks 2009 造型设计项目案例解析》《CAD/CAM/CAE 基础与实践》《Progress in Prototyping Manufacturing and Tooling》《RP 技术与快速磨具制造》等。

主要研究领域：超精密加工技术与检测技术、虚拟仪器的应用研究等。

赵长明

1960 年 7 月出生。教授，博士生导师，现任北京理工大学光电学院副院长。

1983 年毕业于中国科学技术大学物理系光学与激光专业；1993 年毕业于天津大学精密仪器系激光与光电子技术专业，获工学博士学位，从事脉冲掺钛蓝宝石激光器的研究。1994—1995 年在北京理工大学光电工程系军用光学博士后流动站从事博士后研究，研究方向是改善高功率固体激光器光束质量。1996 年 4 月出站留校工作。历任北京理工大学光电工程系光电子技术教研室党支部书记/副主任/主任，光电工程系副主任，北京理工大学科技处副处长，北京理工大学信息科学技术学院副院长。

主要研究方向为新型固体激光技术与激光雷达技术。在新型固体激光器技术方面，从事过改善高平均功率固体激光器光束质量、固体激光器光束质量测量、LD 泵浦单频稳频固体激光器技术、LD 泵浦注入锁定双频固体激光器、LD 泵浦高重频固体激光器的设计软件、LD 泵浦 Yb：YAG 激光器、百瓦级高重频倍频激光器压窄脉宽、太阳光泵浦固体激光器研究等各级各类科研项目的研究，在全固态激光器技术、单频技术、相干双频（光载微波）和太阳光泵浦固体激光器方面进行过比较深入的研究，特别是在国内率先开展了太阳光泵浦固体激光器的研究。在激光雷达技术方面，从事过固体相干激光雷达、激光雷达制导技术、光载微波激光雷达技术基础等各级各类项目的研究，在固体相干激光雷达系统和光载微波激光雷达方面进行过比较深入的研究工作，在国内率先开展了光载微波激光雷达的研究工作。

曾任“军用固体激光技术国防科技重点实验室”学术委员会委员。现为中国兵工学会光学专业委员会副主任委员，《激光技术》《光学技术》编委会副主任委员，中国宇航学会光电专业委员会委员/遥感专业委员会委员，《红外与激光工程》编委会委员。中国光学学会高级会员。

谢敬辉

男，1946 年 3 月出生，四川省绵阳市人。教授、博士生导师。1970 年毕业于北京工业学院光学仪器系，留校任教。1979—1982 年在清华大学精仪系攻读硕士，并获硕士学位。1985—1988 年在北京工业学院工程光学系在职完成博士学位论文《三维成像技术》，并获博士学位。

长期从事衍射光学、光电信息领域的教学和研究工作。先后讲授“应用光学”“光学测量”“物理光学”“波动光学”本科生课程以及研究生“光学全息与信息处理”“傅立叶光学”“全息学进展”等课程。曾担任 403 教研室副主任。目前任信息光学基础实验室副主任，物理光学课程组负责人。主编或参与编写的教材和著作有《傅里叶光学及现代光学基础》（主编）、《物理光学教程》（主编）获 2007 年北京市精品教材奖、《近代光学制造技术》（合编）、《光学全息及信息处理》（参编）、《物理光学题解》（合译）。在科研工作方面，先后完成“全息图模压复制及大规模工业化生产”“白光反射全息图”“计算机彩虹全息图”“透过高散射介质的近红外光学扫描全息术成像研究”“计算机全息波面发生器及非球面光学元件检验研究”“八五”国防预研项目“全息激光定向系统”“九七三”子课题“晶体大容量体全息信息存储及热固定”等项目。获兵器部科技进步二等奖1项、三等奖2项。

2001年荣获校“三育人先进个人”奖，2005年荣获校“优秀博士学位论文指导教师”奖。

兼任《中国高等学校学术选刊》编委，中国光学学会基础光学专业委员会委员，中国光学学会全息与光信息处理专业委员会委员。中国兵工学会会员，《光学技术》编委。

廖宁放

1960年1月出生。教授。1982年毕业于北京工业学院光电成像技术专业，毕业后先后在兵器部298厂、兵器部211所、云南师范大学等单位从事科研和教学工作。分别于1989年4月、1999年8月在北京理工大学光学工程学科获硕士、博士学位，1999年9月—2001年8月在清华大学精密仪器系从事博士后研究。2001年作为引进人才到北京理工大学光电工程系工作至今。

近年来在新型光谱成像技术、新型光存储技术、颜色科学与图像技术等领域主持或承担国家“863计划”项目3项、国家“973计划”项目1项、国家自然科学基金3项以及全国陆地观测卫星数据处理和服务设施建设项目HJ－1－A星高光谱成像仪数据处理和模拟等多项重要科学研究任务。在国内外发表论文70余篇，合作出版著作2部；曾获省部级自然科学二等奖和三等奖各1次、省级科技进步三等奖2次、国家专利3项以及国际发明专利1项。

兼任中国光学学会颜色专业委员会副主任，中国照明学会视觉与颜色专业委员会副主任。

白廷柱

1955年3月出生。教授、博士生导师。1982年从北京工业学院四系本科毕业，1987年从北京工业学院工程光学系军用光学专业硕士毕业并留校工作至今。1990年10月—1992年10月赴日JBCC公司研修OCR技术，1997年9月—2001年7月在职攻读博士学位。

长期从事以光电成像理论与技术为核心的光电技术方面的教学和科研工作。先后为本科生讲授“复变函数与积分变换”“固体成像器件”“光电成像原理”“半导体物理学”“光电成像原理与技术”“军用光电系统”，为硕士研究生讲授“光电成像理论分析”，为博士研究生讲授“现代光电子成像器件及应用”等多门课程。主持承担和参加了国家“863计划”、武器装备预研、武器装备基础研究、115基金等多项科研课题。

目前主要从事光电检测与成像理论和系统、红外热成像系统性能模型、目标与景物微光红外光学特性及其模拟仿真、紫外告警及典型目标紫外辐射、散射理论模型及其模拟仿真、红外图像自适应处理等方面的教学和研究工作。“光电系统模拟仿真技术研究”“红外图像实时处理技术研究”等3项成果获部级科技进步奖；主持编著、参编出版《光电成像原理》《光电成像原理与技术》等教材和著作，其中《光电成像原理与技术》获2008年北京市精品教材奖；主讲的“光电成像原理与技术”获2008年国家精品课程奖；目前已在国际/国内发表学术论文50多篇，其中有30多篇被EI收录。

兼任中国兵工学会夜视技术专委会委员，中国光学学会光电技术专业委员会委员，中国光学学会光学教育专业委员会常委和北京光学学会红外专委会委员。

刘广荣

1956年6月出生。教授。1982年2月从北京工业学院夜视专业本科毕业，同年留校从事教学及科研工作至今。1984年9月于北京理工大学军用光学专业攻读硕士学位，1987年7月毕业获工学硕士学位。1997年于北京理工大学光学工程专业在职攻读博士学位，2004年8月毕业获得工学博士学位。1990年10月—1992年10月被公派赴日本进修两年，研修高速图像处理硬件技术。主要研究方向为光电成像技术，曾获部级科技进步二等奖1项以及部级科技进步三等奖2项，国防科技进步三等奖2项。

现为国家边防委员会全国边海防技术设施建设专家委员会委员。

芦汉生

1953年10月出生。教授。1970年6月入北京工业学院四系工作（工人），1973年9月—1976年12月在北京工业学院四系夜视专业学习。1977年1月至今，在北京理工大学任教，1989年获工学硕士学位。

主要从事教学和科研工作，承担过的教学课程主要有：“微机原理与应用”“光电技术与实验”“CCD原理与应用”。参加过的科研项目主要有：“CCLID特性测量技术与测试装置的研制”“红外CCD特性测量”“光电仪器综合测量系统研究”“红外图像处理技术研究”“光电成像系统模拟仿真技术研究”等。对光电成像技术的理论和实际应用以及与之相关的电子技术、微机接口技术有较深入的理解和实战经验。

揭德尔

1950年9月出生。编审。1967—1975年在兵器工业238厂从事三米测距仪的总校工作。1975年9月—1978年12月就读于北京工业学院光学工程系光学仪器专业。1978年12月至今工作于北京理工大学光电学院。毕业后，主要从事《光学技术》期刊的编辑工作，1992年至今任《光学技术》主编。在工作期间，完成了一项由兵器工业部下达的“光学塑料零件成型工艺”的科研项目，并获得了部级科学技术进步三等奖；共完成了《光学技术》180期的编辑任务，并获

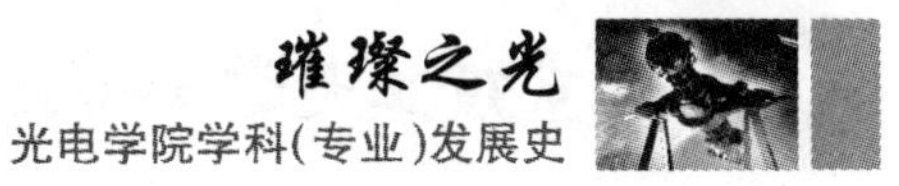

得了部级优秀期刊编辑奖；多年以来，《光学技术》一直为中文核心期刊、中国科技核心期刊、中国精品科技期刊。

韩绍坤

1965年1月出生。教授。1991—1997年被公派至俄罗斯圣彼得堡国立电工技术大学机器人技术及系统自动化教研室学习，获博士学位；2000—2003年多次赴俄参加总装对俄引进光纤陀螺生产线论证与引进工作；分别于2003年和2005年到莫斯科动力学院与莫斯科精密机械研究所做访问学者。

主要从事教学和科研工作，多年来主讲本科生主干课“自动控制原理”和研究生课“光电系统中的控制技术”等。作为项目负责人或主要参加者从事激光测距研究、激光三维成像雷达研究、光电对抗、光纤陀螺工程研究等多项科研项目。发表论文40余篇，其中被EI检索10余篇，出版教材1部，获国家专利1项，俄罗斯国家专利1项。

兼任致公党北京市委科技委员会委员，仪器仪表学会光机电技术与系统集成分会理事，兵工学会光学专委会委员，《光学技术》《化工及自动化》编委。

刘越

1968年9月出生。教授，博士生导师。1992年9月进入吉林工业大学电子系通信与电子系统专业攻读硕士学位，硕士论文题目是《塑膜彩色套印自动对版系统及其控制算法的研究》。1997年3月进入吉林大学信息工程学院通信与信息系统专业攻读博士学位，博士论文题目是《极低信噪比条件下正弦信号参量估计算法及其性能的研究》。2000年12月进入北京理工大学博士后流动站，主要从事虚拟现实人机交互技术和增强现实跟踪注册技术方面的研究工作。2002年10月作为引进人才进入北京理工大学光电工程系光电信息技术与颜色工程研究所工作。

主要从事教学和科研工作。曾讲授本科生学位课“波动光学”、本科生选修课“虚拟现实技术”，主讲研究生学位课“虚拟现实与增强现实技术”和研究生选修课“微弱信号检测技术”，主要研究方向为虚拟现实与增强现实、微弱光电信号处理、摄像机位置和姿态的准确跟踪、新型人机交互技术，作为项目负责人先后主持包括2项国家自然科学基金项目、多项国家“863计划”项目、1项国家重点研究基础发展计划（“973计划”）子课题等项目在内的数十项和省部级课题，作为导师指导硕士研究生30余名，指导博士研究生4名。

兼任中国图形图像学会理事、青年工作委员会委员，北京图形图像学会常务理事、青年工作委员会主任，《光学技术》编委，中国兵工学会光学专业委员会委员，中国光学学会光电技术专业委员会委员，中国仪器仪表学会光机电技术与系统集成分会理事。

张恒利

1968年8月出生。博士，研究员。1990年在山东大学物理系获学士学位，1996年在山东大学晶体材料研究所获硕士学位，1999在中科院物理研究所获博士学位。2001—2005年在德国弗琅和费激光技术研究所等单位从事激光技术方面的研究工作。合作发表学术论文50余篇。2006年来北京理工大学工作，主要从事全固态激光技术研究。

蔡本睿

1965年3月出生。博士，研究员。现任北京理工大学光电学院党委书记。

1987年于北京工业学院工程光学系光学仪器专业毕业后留校任教。先后任北京理工大学工程光学系教师、教学干事、团总支书记，管理与经济学院副院长、党委副书记，北京理工大学后勤管理办公室副主任、主任，后勤集团总经理，总务后勤部主任，北京理工大学工会常务副主席，兼北京市教育工会常委等。期间，先后于1998年、2009年获得北京理工大学管理与经济学院管理学硕士学位、博士学位。在国内外重要刊物上发表论文共14篇；出版专著（译著等）共3部。获奖成果共5项，其中部（省）级4项。

兼任中国兵工学会光学专业委员会副主任委员，《光学技术》编辑委员会副主任委员，《高校后勤研究》副主编，北京理工大学工会副主席。

刘娟

1970年11月出生。教授。2001年从中科院物理所光物理国家重点实验室博士毕业，同年赴维也纳大学医学物理研究所进行博士后访问。2003年回国来到北京交通大学电子信息工程学院光波技术所工作，2008年被调到北京理工大学光电学院光电信息技术与颜色工程研究所工作至今。

主要从事本科生“光波技术基础”“光纤技术基础”“全光通讯网”“物理光学”等课程及为研究生开设“非线性光纤光学基本原理”“专业英语阅读”“傅立叶光学”“微纳光学”等课程的教学。培养硕士研究生5届共15人，已毕业并获学位4届11人。现有硕士研究生4名（在读），协助培养博士生6名（在读）。从事微纳光学、衍射光学元件、全息、新型光束等领域的研究工作。

蓝天

1962年6月出生。教授。1983年于吉林大学本科毕业，1986年于吉林大学毕业，获理学硕士，1986毕业来北京工业学院光电工程系工作。1998—2001年赴德国亚琛工业大学，为联合培养博士，博士论文题目为《用光导探针实现扫描隧道显微镜超高频检测的研究》，作为主要骨干成员完成国防“十一五”预研项目，被三大检索收录论文 20 余篇。目前主持国家自然科学基金 1 项，参加“863 计划”和“973 计划”项目各 1 项。研究内容为高速光电信号检测和激光雷达对地观测。主讲本科生公共平台课“光电技术与实验”和研究生学位课“高等光电技术实验”，参编教材 4 部。指导硕士研究生 22 人，其中毕业 16 人，目前在读 6 人。

第六章

教师和校友回忆

第一节　学科（专业）发展史座谈会纪实

一、学科（专业）发展史座谈会之一

2009 年 6 月 18 日，光电学院学科（专业）发展史编撰工作召开了第一次座谈会，参加座谈会的老师有盛鸿亮、何献忠、谷素梅、张经武、汪遵懋、安连生、蔡本睿等，座谈会围绕光学仪器专业（41 专业）的筹建和发展的历史回顾展开。

盛鸿亮：学校解放初期叫华大工学院，1952 年国家进行院系调整后改名为北京工业学院，当时隶属于中央重工业部。当时学校还没有很明确的专业设置，主要有机械制造系（当时是一个大系）和化工系，好像还有一个无线电专业组。院系调整时，将学校原有的航空这方面的专业与清华大学、西北工学院的航空系航空专业调整出来组建北京航空学院。当时北航还没有教学用房，所以在一段时间里北航的一部分学生还在咱们学校住和上课。地点在城里皇城根。我是 1953 年按照国家第一个五年建设计划的需要提前毕业，分配到我校制图教研室工作。我记得 1953 年年底学校来了第一批苏联专家，开始建立军工专业。光学仪器专业就是在费多托夫（光学仪器专家）的指导下建立的，当时我们和无线电专业组合在一起，名称为仪器制造系。下设两个专业：一个是军用光学仪器专业；另一个就是无线电专业。

我从 1955 年的春天，大约是“五一”前后，从制图教研室调到仪器制造系，主要是筹建实验室。当时系里主要课程如下。

第一门课程为“军用光学仪器”，主讲老师是薛培贞，辅导老师是马志清，这是给本专业上的；同时还有给一系火炮专业学生上的课，是由连铜淑老师主讲的。

第二门课程为“光学仪器理论”，主讲老师是马士修先生，由丁汉章做辅导老师。

第三门课程为“物理光学”，主讲教师于美文。

第四门课程为“光学测量”，主讲教师盛尔镇老师。盛老师原来是实验室主任，为了让他上光学测量课，我接替了他的实验室主任工作。

第五门课程“光学仪器装配与校正”，是由李德熊老师主讲的。

第六门课程为“计算装置”，实际就是解算装置，以机械类学生为主，由谢文林老师主讲。

第七门课程为“光学零件工艺学”，由严沛然老师主讲。当时光学零件工艺实验室建设是最完整的，据了解当时在国内高校来说还是数一数二的。这个实验室当时在皇城根，就在旧中法大学地下室里，还有两个老师傅王森山和熊仲杰。军用光学室也有两个老师傅周广荫和武志广。

第八门课程为“仪器制造工艺学”，由韩锡勳老师主讲，李振沂老师辅导。

第九门课程为“仪器零件”，由樊大钧老师主讲。到1955年，何献忠由华中工学院毕业分配来，开始帮助樊老师。

大概主要有这9门课程，这9门课程属于专业管的。至于基础理论课程，在专业成立以前，有些是在机械系的；专业成立以后，这些课程就变成了基础部，比如说，金属工艺、制图、数学、物理等公共的课程，不管是基础理论的，还是技术实践性比较强的课程，都归到了基础部。

1955年秋天，仪器系由车道沟搬到现在附小和印刷厂的9号楼，在这个地方，各门课程的实验室初步成形，但设备欠缺。其中，如光学测量，大部分是在严沛然老师的指导下，从国外订货的，主要是东德蔡司的产品。仪器制造方面，也从德国和瑞士进口了一些精密机床，其中包括了精密坐标镗床、精密螺丝车床、万能工具铣、专门能车光学镜筒的镜筒车床及小的工具车床等。在这个过程中，学校开始建4号教学楼。1955年年底，又来了一批苏联专家，其中一位叫普里斯努恒的到我系，在他的指导下，开始筹建指挥仪专业，所谓指挥仪专业实际上就是一个模拟计算机，就是对空射击时要有一个提前量的修正。普里斯努恒当时在第二批来的专家中，学历资历较深，他是专家组的组长、博士，是当时院长魏思文的顾问。1956年，无线电（雷达）专业从仪器系分出，成立了无线电工程系，我们仍然叫仪器系。

这是初始的情况，我印象比较深，我就先谈到这儿。

何献忠：我是从华中工学院毕业分配到这儿的，我报到的时候，接待我的是马志清老师，他当时是系的秘书。我记得我来的时候系主任是王发庆，是搞电的。另外，薛培贞是副主任，是搞光学的。当时有个叫付勇的干事，教学干事是马常珠，当时我们和无线电系还是一个系，我们叫八专业，他们叫九专业。我来得比盛老师晚两年。我记得当时有3个教研室，第一教研室的主任是马士修，秘书是丁汉章；我们是第二教研室，主要是研究工艺和仪器零件，当时李振沂是秘书，没有主任，秘书当家；第三教研室是光学仪器，他们变化比较大，他们谁负责我不清楚。当时第一教研室，也就是盛老师说的那些课程都是在第一教研室，

第二教研室的课程就是工艺和仪器零件课，第三教研室就是光学仪器装配与校正。当时的光学仪器包含有两个部分：一个就是航瞄；另一个就是地瞄。航瞄是连老师负责，后来他们设计了一个投弹瞄准仪。另外，装配与校正是由周广荫师傅来管实验室。大概当时八专业的情况就是这样，八专业由马士修负责管理。

当时我们系一共来过 3 位苏联专家，第三教研室的专家是费多托夫，第二教研室的专家就是扎卡兹诺夫，后来来的普里斯努恒，他来以后成立的 12 专业（指挥仪专业）。我来的时候完全是按照苏联的教学计划来实施的，教材也是苏联用的教材，实验室的建设也是按照苏联鲍曼模式建设的，整个实验说明书的内容都是按照那个把它翻译成的。当时我们的主讲老师是樊大钧，我是他的第一任助教。当时还出了一个笑话，来的苏联专家大部分是副博士，博士只有普里斯努恒，后来我做了教研室的秘书，见专家的时候我们都一块儿去，我们系像苏联那样也要培养副博士，樊老师先去当副博士，让我定培养计划，这事情给扎卡兹诺夫知道了，他说你一个刚来的助教，怎么能给你的讲师定培养计划！弄得我也很狼狈，组织上叫我去做我就得做，我哪管那么多啊！当时我们年龄差距不大。全系也就二三十个人，都是二十几岁，气氛特别和谐，老师间的关系特别融洽，大家就像是兄弟一样，合作非常好。我们在那个时候主要就是认真执行苏联的鲍曼的计划，他怎么写我们就怎么执行。如第一教研室，教师上午听专家讲课，下午就给学生上课，因为那时人少，都是专家先给老师上课，然后老师再去给学生上课。来的专家也很负责，检查我们的教学过程，我们也要经常向他们汇报教学情况。苏联专家们还很注重仪表，我们上课或给学生答疑都要穿得比较整齐，绝对不敢穿背心去答疑。我觉得早期苏联专家对我们的帮助都是无私的，他们是不是共产党员我不知道，但他们完全是按照很高的标准来无私地帮助我们中国，给我们留下的印象还是很深刻的。

苏联的这套教学方法和学科建设的思想，对我们起了一定的作用，他们认为学科建设就是要明确学科的培养方向，所谓的“三才建设”，一是教材、二是人才、三是器材（实验室）。当时的专业主任都是按照这个思想来贯彻的。那时候盛老师管实验室，尽管当时实验室几乎是一穷二白，我来的时候只有间房子，里面基本上是空的，樊老师拿出一个纸盒子，说这就是我们实验室的装置，我是从华中工学院来的，华中的情况比这好多了！我问樊老师这是什么试验啊？樊老师告诉我这是擦脸油的盒子，钻了两个孔，然后吊了两条线，上面有一个铁架子，他说这是转动惯量的装置。当时的基础情况是极其的简陋。但是我们从来没有因为这个而丧失自己的信心。上午听苏联专家授课，下午就给学生讲课，都很认真。马士修老师备课非常地认真，我们听过他讲的课，每一句话讲三遍，板书写得整整齐齐。但是大家好像都没有想到什么困不困难，根本就没有这概念，只要叫你干什么你就干什么。

当时我们就业的口号是“到祖国最需要的地方去”。我在华中分配的时候是第九批，因为那时我刚参加完全国运动会回学校。第一批早上通知下午走。我说怎么到了第八批还没有我。到第九批公布的时候就我和黄寿德分配到北京工业学院，他到了一系，这都是保密的，对政审要求严格。现在学生的情况就大不一样了，很多情况我们不了解，但是如果你跟学生多接触，你还是能了解他们为什么会考虑这些。所以我跟学生说，并不希望你们跟我们一样，但有一点我希望你们跟我们一样，那就是到祖国最需要的地方去，这一条是永远不变的。不管提法如何，你毕竟是国家培养的人才。

我再讲一讲学科。我们这个八专业，就是当时的3个教研室，我们把它称作光学教研室、专业基础教研室（包括零件和工艺设计）和专业教研室。按照苏联当时的教学计划，八专业的计划实际上是在机械系计划的基础上加之一些光学专业课，所以课时就很多了。好像5年共计近5 000课时，相当多，实习和课程设计也很多、任务很重。后来大家提出，航瞄不怎么讲了，主要讲地瞄，地瞄里面基本就没有强度的问题。这样大家就出现了不同的意见，搞所谓拼盘，甚至于包括物理的力学、机械原理、机械零件和仪器零件全部合起来，把学时数压下来。因为我是机械系毕业的，我觉得机械这个系统的形成有它的规律，你这么样取消是不行的，你要想办法合并起来，创造新的课程。当时讨论激烈，因为这是41专业内很重要的一个专业基础课，这个专业基础课的改变对整个专业的发展影响较大。后来我写的一篇关于教学的文章，就是讲这两门课不能取消，只能是创建新的课。这篇文章得到当时学校主管教学的尚英院长的支持，尚院长要求我们要充分探索论证，不能简单删减。

1955年盛老师来了，我们实验室就按照苏联鲍曼的大纲要求，自我设计，自己动手，完成了一批实验项目的制作。现在看起来都是很简单的东西，但在当时，能把苏联的教材按照苏联的要求、按照鲍曼的要求把实验室建立起来，在全国是数一数二的。

盛鸿亮：当初樊老师的科研方向初步定在真空膜盒和膜片，由何老师他们帮助搞了一些比较简陋的试验装置，钱伟长听到这个消息后，就跟樊老师联系，想来参观，他看了这个试验装置很感兴趣，说明当时这方面确实很缺乏。

何献忠：那时候我们教研室有4个人，樊老师、盛老师、黄航汉和我。从那个时候开始，我们这4个人就一直合作把精密机械教研室建设发展起来，我们教学任务很重。大概在1956年来了主讲机械零件课的副教授王公侃老师，他从鞍钢回来，从而更加充实了机械零件教研室。王公侃老师到鞍钢搞了一年多的实际工作，再回学校上课作用更大。他回来后来对我们支持很大。王公侃老师给我们的印象深刻，他非常严谨、非常仔细，穿着非常的整齐，讲话非常有礼貌。他来时我是秘书，他很注重我的细微表现。他上课从不迟到，也从不提前结束。他因种种原因调走时留给我的那些资料到现在还在发挥作用。我觉得，这些老教师给我留下的印象确实很深刻。我觉得那时候的书记也一样，直接来抓具体工作。如

1958年研制大型天象仪时，李淑仪书记在天象仪会战时一直是在第一现场。那个时候，老师、书记和师傅（之间的关系）确实是十分融洽。后来我们搞科研的时候，工厂师傅也是这样，如我们研制航空相机时，相机的外壳是铸件，它的图型比较复杂，是由我画图，画好以后就到工厂去加工，那时是哈师傅审查，他看了以后说：你拿回去，这个图没法加工。我心里想，这没问题啊！都是对的啊！可能由于我缺乏一些工艺知识，有些标注尺寸不太对，但我的制图还是可以的。当时魏师傅跟我比较好，我就问魏师傅怎么哈师傅把我的图纸退回来了。他说肯定是你的铸孔留的量不够，还有些尺寸标的有问题。后来我直接去找哈师傅，我说哈师傅，我确实铸造的知识不够，你觉得应该怎么改，你就教我怎么改吧。他耐心地对我讲："你这处要留一定余量，你这个加工余量留的不对。另外，你这个孔的坐标必须有一个基准坐标……，你回去改完以后我再看。"经过师傅对我的帮助和多次的修改，终于满足了要求。后来工厂的师傅给我们四系的评价说：四系的图纸是最好的，这都是在师傅帮助下我们才取得这样的进步。

盛鸿亮：我简单补充3点。第一点是我们建专业之初，当时清华、哈工大、天津大学都没有搞光学仪器这方面的专业，只有浙江大学有，但是人力也有限。其中有一个老教授董太和，他出了一套3本书：第一册讲几何光学，第二册讲工业光学仪器，第三册讲军用光学仪器，无非就是望远镜、炮队镜、周视望远镜，讲得也是很肤浅。现在看来就是科普，也就是说在光学方面可能也就浙大排前面，我们是第二个建光学专业的。

第二点就是说我当时当学生的时候也没有看到真正的好图是什么样，接触了从苏联拿来的图纸后，包括我在制图教研室和到了系里，苏联专家拿来的苏联学生毕业设计的图纸，那真漂亮极了！那个图线，包括可见轮廓线、虚线、点划线是绝对分得清清楚楚的，而且可见轮廓线是要求足够深度和宽度的，老远一看简直就像一张复印的图。这对于我们提高学生的设计绘图能力是有借鉴意义的。

第三点就是当时在20世纪50年代初的学生，学习非常认真刻苦。我举一个例子对比一下，就是50年代那个时候学生都有专用教室，晚自习的时候，老师一进教室门口，刚一迈进门槛，就站起来30几个学生拿着笔记本找老师问。可是我到了退休前，也曾经最后给咱们系的本科生包括专科生上课。你要找课代表考虑一个答疑时间都安排不出来，直到临考了都没有人来答疑，只有考试不及格的来找你。

谷素梅：我1953年出国，1959年3月份回来，我从科学发展观的角度谈教研室的发展建设情况。我回来到学校时是唐良桂老师接我的，当时我们教研室有连老师、邱老师、罗文碧、陆乃驹、鹿景荣和唐良桂等老师，教研室主任是连铜淑，秘书是唐良桂。把我接来后安排在4号教学楼的一个教研室里，一个人都没有，给了一张桌子、一瓶红墨水、一瓶黑墨水。过了半个月我就去了西安248厂，刚好那个时候是54级学生在248厂实习，连老师、邱松发也在那里搞了两

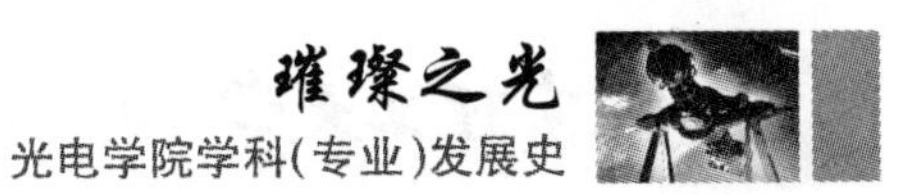

项合作项目：一个是强击机瞄准仪设计；另一个是地炮瞄准镜。

我回来之后第一年的主要工作是跟连老师做辅导教师。那个时候的特点是，学校里面是学、科、产，学习为主，科研为辅，兼顾产业。从54级开始，一直到56级，毕业设计都是“学、科、产”，就是学生搞毕业设计，内容是实际项目需要，设计后就让工厂加工制造。55级毕业设计时刚好搞西藏平叛，下的任务是搞轰炸瞄准镜改进，我就带了55级学生到2745部队搞轰炸瞄准镜改进，杨大钧刚好研究生毕业，就跟我一起做。56级的毕业设计也是搞的大倍率炮队镜的设计，这个是1960年12月—1961年8月搞的，也是作为学生的毕业设计，做实际产品。那时候，许社全搞光学设计，我负责结构，带了5个学生，学生跟我一起画图纸，最后那个大倍率炮队镜生产出来了。后来因为整顿教学秩序，我们就调回来了。所以我觉得那时候“学、科、产”是结合很紧密的。另外，使用实习和毕业实习也是联系很紧密的。我回来的一个任务就是带学生实习，那时学生不像现在学生这样娇气，航空瞄准镜的实习是在空军学院，那时候又没车，我们带学生徒步走到空军学院去完成实习环节。另外，还带学生到炮六师、装甲部队进行地瞄仪器使用实习、参加部队的军事训练，体验部队的艰苦生活。那时的毕业实习是下厂实习、到厂里生产线与工人师傅一道工作，我觉得这点非常好。据我了解，现在坚持得不好，我觉得最好还是要到实际现场去实操性实习。

光学仪器专业主要课程有：“应用光学仪器”“航空瞄准镜”“地面瞄准镜”“装配与校正”。

“文化大革命”后，教研室的主要任务就是做科研项目，凡是跟光学有关的结构设计，我们教研室都承担；凡是我带的学生，其毕业设计绝对不是空对空的，要求学生画的图纸就跟我在苏联上学一样很漂亮，毕业设计、毕业说明书也很正规，有些我现在还留着。现在去看学生的毕业设计，就那么一点点，也没有图纸要求。我在苏联学习陀螺仪原理，光学课程除了航瞄、地瞄，还有普通光学仪器课。我们的实习实验比较多，刚去那里的时候，进大学的第一件事就是下厂实习，做个老虎钳，不管你用什么办法，反正最后你得把这个老虎钳做出来；还有使用实习，我是到潜水艇上进行使用实习的，真正到部队去实习的，体会那种生活，学到了很多东西。可我回来搞了科研项目后总结出最重要一点就是要把基础课程学扎实，自学能力要强。我搞那些科研都是跨学科的，比如水力学，那时候我们也是学过的，最后搞那个激光扫平仪，不管是地面的、航空的，实际上我做的设计是以航空瞄准镜为基础。第二点独立的学习能力比较强，遇到不会的可以学习，只要你学的基础比较扎实，又能独立学习，完成任务不会有问题的。像我搞那个光学稳像，陀螺当时是学了一点，可回来之后，所有都是新鲜的东西，因自己学习能力较强，都可以拿得起来的。

汪遵懋：我是1958年来校学习的，我现在觉得那时候给我们做的教学计划基础非常好，数学、物理、机械原理、机械零件，基础课打得比较牢；物理的话，运动学、动力学、理论力学；数学的话，场论什么的都要学，所以基础打得还是比较扎实，专业基础不管是搞机械的、搞光学的，材料都是必学的。专业课根据当时的情况很对口，课堂讲的仪器工厂能对应生产，所以到这些工厂实际参加生产装调后，学生素质明显提高。我记得那时候 5 年学下来，接近5 000学时，课程门数大概 40 多门，所以我觉得在当时的情况下这个教学计划是优秀的。但是现在来看，太专业了，出去之后你如果不从事这个工作的话，你就等于转行了，不熟悉了。另外，这个教学计划当中有一个特点就是实践环节的教育，认识性实习、工艺实习、使用实习、毕业实习，设计类的有课程设计、毕业设计，这个占的比例相当大。所以在我们脑子里面要培养一个什么人才不能来虚的，要跟实际相结合。我觉得这一点对培养一个人很有好处，要成功就必须踏踏实实去做，学习阶段你就不能投机取巧，你以后才有可能在事业上做出一点成就。大学开始的时候就投机取巧，靠作弊来蒙混过考试关，以后很难想象有所作为。那时候我 5 年大学生活，一个是家里经济条件不好，除了寒暑假，平时都不出校门，就是教室、食堂、宿舍，三点一线，但是生活一点不枯燥，早上早早起来锻炼，中午还有午睡，睡一觉到教室自习，自习完吃晚饭以前一段时间锻炼，课外活动，生活安排紧凑，踏实且愉快。

盛鸿亮：我提一个问题，也是一种感觉。我们建专业之初，清华、哈工大、天大都还没有设，但是后来他们设的时候，他们的系名都叫精密仪器系或叫精密仪器与机械工程系，系下面再分专业，哈工大、天大都带着精密仪器。但是我们搞的方向是把光学独立出来，而且系名也不叫仪器系了，先叫光学仪器系，然后叫工程光学系，走下来的结果就出现了不同的方向。到现在为止，清华有它的特殊性，说起来也有不公平的地方，但是毕竟人家的水平摆在这儿了，甚至于像哈工大什么的都超越了我们。我们在这个方面的问题，虽然说校长也提到了，但是值得深入思考的问题。因为咱们早期专业的学生基础是机械系，包括 51 级，52 级，53 级。从机械系转过来的学光学仪器的同学，他们学机械制图要学两年，在二年级的时候，学的是机械制造图，其中测绘要测绘 3 个项目，其中包括机床夹具，最复杂的是一个小台钻，这个钻床要把它拆了以后把所有的零件都画下来，最后画成装配图。这个过程当中，当然时间花的多，但是所受到的训练那简直深极了。我至今记忆犹新的就是 8531 班有一个孙辉洲的同学，那个图画得不但好，而且出图非常快。

汪遵懋：那个时候教师上讲台，要求非常严格，本科生毕业他真要走上讲台，不容易。先当助教，擦黑板、拎教具，然后辅导，一段时间之后才能试讲，一门课要试讲好多遍，大家听后讨论，觉得行了才能上讲台。试讲板书、语速都很讲究。哪像现在这样，学位级别很高，博士都上来了，但是他是不是也要经过这种培训？

谷素梅：我觉得那时师生关系比较好，我给学生指导毕业设计，他们都送我

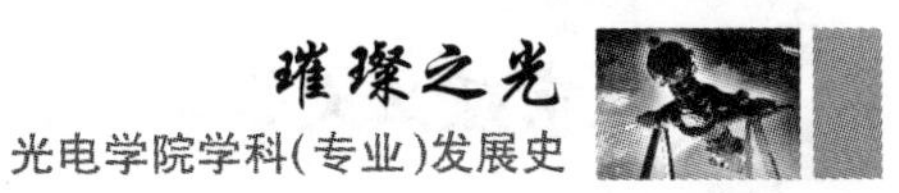

点纪念品，我现在还保留着呢。所以我们系要搞得比较好的话，就要和先进的科研和产品结合在一起搞。学生应该以学习为主，先好好学习，在此基础上参与老师的科研和生产项目。

汪遵懋：我们上学时邱松发老师给我们讲装配与校正，那时没有棱镜调整的内容，主要针对望远镜的装校、炮队镜的装校等。装校书是邱松发老师和邱廷荣编写的，后来江先进老师加了棱镜调整的内容，水平提高了一些，反映在专业课里。“文化大革命”后军用光学仪器改为光学仪器分地瞄和航瞄。一段时间之后以典型仪器为教材内容不行了，所以又搞了一本光学仪器，偏重于整体设计方面的内容，所以在总体设计方面加些原则性内容和具体操作，在讲课的时候就大量灌输具体的例子，但不是军用光学仪器方面的例子了。后来的光学仪器教材基本上没有军用光学仪器内容了，总体设计显得平平淡淡，但实际讲课的过程当中加了好多的例子，大概就是这么个情况。

何献忠：我讲的主要是41专业，课程发展的主导思想一是看需要、二是看学科本身的发展。学科的发展需要是根据国家的需求情况而定，以前就是看苏联的，“文化大革命”以后完全是看美国和日本的。一开始，仪器零件是照搬苏联的，原来用的是苏联教材，后来因为教改的需要，我们就重新编了教材。我们编的时候，还是参照以前的机械零件，但是我们已经跟苏联的不太一样了，我们主要是引入了关于精度误差分析等概念，形成了我们教材的特色。后来是围绕产品而编写的，那时主要是3米测距仪。讲义由我自己油印，晚上我刻钢板刻到3点，第二天早上清晨6点起来，王老师去油印，油印完了去上课，就是这么一个紧张的情况。但是这些东西为我们“文化大革命”以后编写的教材打下了比较好的基础。“文化大革命”以后我们就把这个教材的名字改成了《仪器零件与部件设计》，在国防工业出版社第一次正式出版，我是主编。后来在这个基础上又写了《精密机械》，取代了原来的教材，把强度计算和刚度计算的内容列到这本教材里面，形成了一个比较新的零件计算的方法。这个在国内都是领先的。后来许社全把优化技术带过来，当时给我们的启发很大。我说既然光学可以搞优化设计，我这个精密机械当然也可以搞。从这个时候我们就研究美国的情况，美国没有精密机械，它就是机械，美国人有一个叫约翰逊的，他前后花了6年的时间，出过3本教材，都是关于优化，把优化计算引用到这里面来。在这个启发下我也开始研究，没有用数学规划理论，也学着约翰逊的方法把优化技术引进来了。然后我在学了数学规划理论以后，把优化技术引进到了精密机械设计。这样就为形成新的精密机械打下了基础。随后我们把计算机制图引进来了，这叫精密机械综合设计。这在国内也是最先的。我又写了《设计学》这本书，把设计学的理论再引进来，就构成了现在比较完整的“精密机械综合设计”这个概念，就是把设计学的理论、优化技术、计算机制图综合原来的常规设计程序，编写自动化设计。到现在为止，这本书在国内仍然处在领先的地位。

盛鸿亮：第一本教材是樊老师一个人编的，是油印的；第二本教材是王公侃老师主持的，是内部铅印的，一直用到 1962 年。后来把机械零件和仪器合并成精密机械，实际有两个版本：第一个版本是樊老师做主编的；第二个版本是何老师主编的。

汪遵懋：那时候好像还自己编了，把材料力学跟理论力学合在一起编写了《工程力学》。

何献忠：按现在的话讲，确实要与时俱进。教研室的领导、主讲教师，你是不是根据需要，根据发展去紧跟这个东西？当然这个东西也要与科研有关系。我们教研室这几位老教师的特点是，一直是一边搞教学一边搞科研，我们的第一个科研是航空相机，即 45 号相机，就这个相机本身是成功的；接下来的是 3 米地面远程照相机等一些研究课题。不通过具体实践锻炼也不会出好的教材。

二、学科（专业）发展史座谈会之二

2009 年 6 月 25 日，光电学院学科专业发展史编撰工作召开了第二次座谈会，参加座谈会的老师有丁汉章、陈晃明、彭利铭、苏大图、曹根瑞、李士贤、安连生、张经武、蔡本睿等，座谈会围绕光学系统设计与检验专业（421 专业）的筹建和发展以及相关问题展开。

陈晃明：1953 年，中苏友好，学校聘请苏联专家，到我们系里的专家是比较多的。我记得第一位是费多托夫，军用光学仪器方向的；然后是扎卡兹诺夫，搞工艺的，就是光学加工；后来来了一个鲁西诺夫。那时候我们学校总共 11 个专业，我们光学仪器叫第八专业，第一专业是重武器火炮，第二专业是轻武器，第三是坦克，第四引信那类，第五是无烟药，第六是化工系，第七是工艺，第八就是我们光学仪器，第九就是雷达，十和十一是坦克发动机和坦克。当时光学仪器专业，开了几门重要的课，“应用光学与光学设计”，是马士修讲的课。那时候，他那本书是英国康拉第写的。这本书的确很可贵，因为国内就两本，马老就拿了一本。这本书是 1929 年写完的，我还没出生之前人家就写了这本书，这本书最后是由他的女婿把后部分写完的。我记得那时候马老师是按照这本书翻译出来去讲课的，他讲课是很认真的，讲了两节课，就满头大汗。后来他把讲稿整理出来出了一本书，叫做《光学仪器理论》，这本书对我们八专业是一个很重点的课。首先提出光线的概念，后来我从头学了这本书，觉得的确很不错。英国人把这个光学仪器理论讲得这么透，到现在为止也没有发现它有错误。再一个就是“光学仪器”，是薛培贞讲的，他是德国留学生，在德国蔡司工作过，所以他讲的光学仪器，测距机那些东西是很新鲜的，我们说的炮队镜，迫击炮瞄准镜，周视瞄准镜，特别是道威棱镜旋转 1/2 那些我们感觉都是很新鲜的东西。那时我们到 298 厂实习，该厂生产 82 迫击炮瞄准镜，就那么一个小东西。到 298 厂实习的时候，我们好像走了 13 天，先从北京坐火车到柳州，下火车之后到贵阳又坐 3

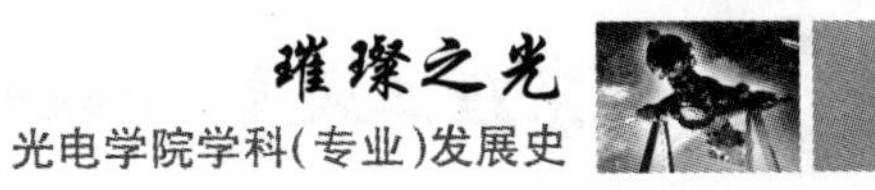

天汽车，由贵阳到沾益坐了3天汽车，由沾益坐小火车到昆明，然后从昆明坐汽车经过滇池到298厂，共计13天。到了那里就遇到了苏联科学家，那还是个很年轻的，在装备车间搞迫击炮瞄准镜。后来由总工程师李文东给我们讲光学设计问题，讲五角棱镜这些东西，感觉很新鲜。后来我们学校来了鲁西诺夫，1958年年底到1959年，他讲了两门课：一个是“技术光学”；另一个是“光学系统外形尺寸计算”，这两门课还是很新鲜的。他讲的两门课，后来科学院的王大珩提议将他的讲稿翻译出来，由科学出版社出版，全国发行。《技术光学》3次印刷，在国内很有影响。鲁西诺夫来校与教师、学生搞了3项科研：一是三米焦距相机，因为远距离照相焦距很重要，短焦距相机不能拍远距离，所以要长焦距，焦距长到3米，这是一个很大的突破。焦距和外形是成比例的，焦距长体型大，但是我们要体型小，从而采用了折反式，这是一个很独特的见解。第二项科研是丁汉章参加的非共轴系统，一般的光学仪器都是共轴系统，也就是光学仪器一个个球面的球心连起来是一条直线。鲁西诺夫他的想法很奇特，他要搞一个光学系统，不是一条直线。非共轴系统这个项目就是搞一个望远镜，后来也制造出来了。我觉得鲁西诺夫这个人真敢想，打破传统，这点是不错的。再一个项目是广角目镜，好像是唐良桂那一组，做到90°，望远系统有一个物镜和目镜配套，目镜的性能标志望远镜的水平，因为人的眼睛有一个角度，他搞到一个极限，搞到90°，有了这么一个目镜，望远系统倍率就很高。后来空军知道了鲁西诺夫，要搞侦察相机。那时空军侦察相机最长焦距是1米，我们要来个突破，搞个1.5米，鲁西诺夫也在设计，他说1.5米装在飞机的斗子底下也不能太长，所以他就采取了摄远式系统，前面一个正组，后面一个负组，这样就把距离拉短了。这个项目最后作为我们54级的毕业设计，光学加工出来了，机械结构也加工出来了，快门没加工出来，装完以后，我和周广荫师傅装上胶卷，用帽子捂着镜头，跑到四号楼顶上，我就拿着帽子一闪开立即再盖上，就等于曝光了，洗出来的相片特别好。那时候鲁西诺夫搞科研，科研组每天跟他汇报，然后他指导，还是很起作用的。

丁汉章：我是51级的，那时叫华北大学工学院，1952年改为北京工业学院。念到1954年的时候，有一天，我正在上课，突然把我叫出来说“你不要上课了，你要提前调出”，这样我就出来工作了。我在机械系念了两年，到了1953年，说国家在光学方面要人，把我们那个班改为学光学的了，教光学课的是教物理的王象复教授。王象复教课的水平是很高的，我记得他讲多普勒效应，他先不讲理论，他先举例子，举了例子再讲理论，很容易接受，印象很深刻。我进光学系的时候叫仪器系，是跟五系合在一块的。上到1954年，就把我调出来，让我当马士修的助教，马士修教光学。我才学了3年就叫我当助教，我还没毕业，还差两年，我还有好多专业课没有学，我当助教行吗？后来，领导就跟我谈，让我边教边学，还让我突击俄语。所以我就跟苏联一个叫柯老头学俄语。由于我过去的底子比较薄，开始听不懂。我觉得他教的方法不行，只好硬着头皮听。后来我慢慢看语法书，也有所进步。出来工作以后和王镁翻译了一本苏联专家的习题集。我主持教学的时候，又翻译一本应用光学，是俄文的。那时候我组织了一下，我也参加翻译，出了一本书。我对马士修是很敬佩的，马士修教授开课的时候，是突然叫他开课的。给 54 级开应用光学，我辅导。马教授接了任务以后就去图书馆找书，王大珩他们送来一本书，就是康拉得的那本。他就拿着那本书，在家里翻，翻译过来整理，整理过后就讲。他实际上给我们光学界开了一条路。我觉得我们系有了马士修，慢慢发展起来，我们走过了一段光辉的历程。一个是搞天象仪，二是传递函数测试仪，都登上了国家的报纸。那个时候我们国家的光学权威王大珩对我们四系的评价是相当高的。后来搞小角度测量，这些东西一搞，在国内一些高等学院就不再小看我们了。到 20 世纪 80 年代初，我当光学系的副主任，主管教学，浙大和清华大学有什么事情一定要请四系去，他们有什么事，有什么教材，或解决什么科研问题，或光学学会开会都要请我们去，对我们光学系是很尊重的。他们认为光学系有水平，因为有那么几样东西摆在那里。另外，我们光学系，尤其 42 专业写的讲义的水平是相当高的。我们应该保持这个光荣。我觉得那个时候我们的干劲很足，想的是自己多学一点，好好地辅导学生。我记得 1958 年设计望远镜的时候我碰了一个钉子，对我一辈子都有很深刻的教训。我把望远镜物镜设计了，结果写错了一个尺寸，我也不去检查，结果磨出来了，不能用。工人师傅的劳动都白花了。后来我就改进了，凡是我的设计一定要审查 3 遍，就这样养成了一个好的习惯。

苏大图：我是 1955 年才转过来的。我们 1955 年在车道沟过完暑假，搬到现在的校址才转为八专业的，以前我们还是属于机械系的，因为我们考进来就是机械系。当时我们上的课很乱，有些课，比如“光学测量”是和 51 级合班，所以我们都听不懂。因为“应用光学”“物理光学”和“光学测量”同时开，“物理光学”和“几何光学”的概念还没有，就听“光学测量”。但他们已经先听完这两门课了，才开始上“光学测量”的。工艺我们有时候还跟 53 级的一起上。测量最开始是薛培贞上的课，辅导教师是盛尔镇。后因反右，一些人被迫离开教学第一线，这一下子，53 级的课才上到一半就没人了。当时就把马士修和李德熊两位老师一起请来把后半部分讲完。我刚出来就叫我去辅导。从那个时候我就转了，本来毕业的时候我是要留在设计组的，因为这样我就到测量组去了。那个时候只有讲义没有书，讲义都是油印的页子。到了 1960 年以后，张炳勳来了，他那个时候在二系。我们两人开始编第一本书，那本书就是 1961 年 5 月或者 7 月出的，那个时候我们系同时出了大概有四五本，我们这边就有 3 本，一个是《应用光学与光学设计》，一个《光学测量》，还有《光学工艺》。我和张炳勳编，油印出版的第一本书，是北京科学技术出版社出版的。一直到“文化大革命”以后又写了一本，曹根瑞也参加了。第一本书工厂很欢迎。记得 1980 年我们学校

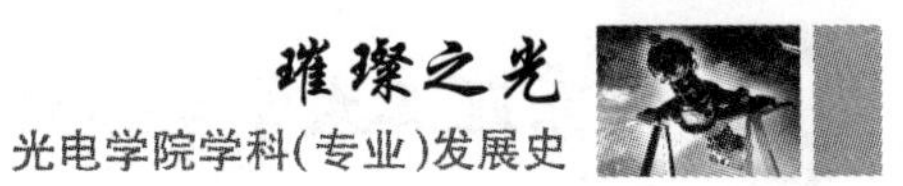

第一次评优秀教材，当时全校报上去的有300多种教材。这300多种最后评了8个一等奖，20几个二等奖，我们有两本获一等奖，《光学测量》和《物理光学》都是一等奖，《应用光学》是二等奖。到了1988年，才编第二本，同时编了两本，即国家统编教材和部里统编教材。到1996年出了第三本，改名叫《光学设计》。我们系的地位在“文化大革命”以前就比较有名了，那个时候，论文、专著、教材什么的要评都送到我们系来。80年代初，我们学校拿到光学仪器的博士学位授予权，那是第一个。当时博士后流动站是于美文领头，用她的名拿下来的，我们拿的是完整的一个。浙大是半个，他是两个人各占一半，一个是董太和，另外一个是路甬祥。我们拿到完整的一个，我们拿博士也比他们早。那个时候我们在总体上已经是国内领先的，后来我们退步了，原因很多，其中领导对光学的重视程度下降是系下滑的重要因素。现在系里头要振兴，恐怕最重要还是在人才。我了解现在系里面的年轻人，我觉得他们的整体水平应该比我们高，就是没有机会，没有拿到一些大的项目。

曹根瑞：前面老师谈了很多，谈了我们学科的发展史，我觉得谈这些东西主要还是为了温故而知新，好的过去，咱们走的路对的，要继续发扬，如果有出错的地方咱们就吸取教训，回顾一下咱们系的历程，咱们学校的历程，确实是有起有落。远的咱们不说，就拿咱们系来讲，值得回忆一下系的发展路径，发展思路到底怎么样，哪些是对的，哪些是不对的，今后的路该怎么走，表面上是看整个系的发展情况，实际上里边牵扯到的是学术思想，学科发展或者专业发展的一个思想，这两个往往是交叉在一起的。首先对学校的定位，当然也涉及对系的定位。以前很明确，就是北京工业学院，是搞工的，改成理工大学以后，实际上是以工的底子，整个学生的学习及课程内容都是以工程为基础的，也是为了解决国家在工程技术当中技术人才的培养，从研究领域来讲也是为了解决一些大的工程项目，解决国家在兵器行业里面工程方面的急需。这个定位我认为是正确的，这也是学校和系的一个特色，历史也证明了这一点。刚才讲的咱们系搞的一些像天象仪、三米相机、传函仪这些实际上都是工程产品，但是也有它的理论基础，不是说随随便便什么人都能搞得出来的。毕竟咱们和清华、北大还有一些其他的理科学校不一样，他们是强调理论基础，咱们应该说是理工结合，以工为主，这个思想是很明确的，我认为是对的，因为国家不可能搞那么多理科学校，大量需要的还是工程方面的人员、应用方面的科研人员。我觉得咱们学校一段时间有点转向，或者说方向模糊了，改成理工大学，似乎咱们学校改成以理为主，都往理的方面靠，听起来似乎起点很高，实际上把工的东西慢慢就丢失了，工的特色慢慢就丧失了。咱们系我觉得也是这样，这一点我个人认为咱们系，包括咱们学校今后要牢牢把住发展方向，理工结合还是以工为主。现在大家思想是不是完全统一，我看也不见得，但是我觉得咱们通过这个70周年校庆，再理一理咱们学校的发展思路，把这一点明确了，大家统一认识，很重要。另外一个，我觉得刚才说到咱们系的发展也受到不同指导思想的影响，我也感觉出来，刚才苏大图也提到了，咱们系应该是以光学工程这个专业或者学科为主的，但后来又出了个激光，微光夜视等这些东西一段时间好像是比较热门的。按照过去的指导思想就是说年轻一点的，政治素质好一点的都去搞新专业，反正哪个新就往哪个去，其他那些实际上就是说打分低一点的话就搞老专业。像咱们搞光学工程、搞光学设计、搞光学仪器都是一些比较老的、经典的专业，都是你们这些人去搞。这样我觉得客观上来讲，也造成一个好处，41 专业和 42 专业就是踏踏实实干实事的，搞出了不少成果。我觉得写学科发展史这个活动的意义还在于总结一下过去走的路到底哪些路走对了，哪些路走得不对，能不能总结经验教训，为以后系的领导或者校的领导提供点意见。

李士贤：举个例子，袁旭沧老师，他从光学设计、光学工艺、测量到装配都行。他就是得益于三米相机。从方案论证，论证完了设计，设计完了怎么加工，到车间加工他也盯着去，在车间的加工过程当中怎么检测，光学系统设计完了以后，结构上怎么保证它比较合理，他都能考虑到，然后装配的时候怎么装，装配完以后又怎么检测，通过一个大的项目培养出一个人。咱们现在培养的人就是很不全面，现在也是条件好了，过去条件不好，逼着你也得一步一步那么去做。比如说光学设计，原来最早就是描光路，用对数表，逼着你要钻研一下，基础打得就比较牢。现在就不一样了，有 Zemax 了，不怎么太懂光学设计的你跟他说说，稀里糊涂地也能设计出一个东西来。其实你要弄一个大的项目，你要从方案论证开始，否则拿不起来的。所以说培养人，就是咱们的教师队伍也是这样，必须要以工程为主。我觉得咱们现在基础理论很差，光学设计、应用光学、光学测量这些课程的教材咱们后来也逐渐地出了不少，我现在遇到什么问题还是翻老教材，那些说得非常透彻，也很具体，有助于你的基础。原来咱们“光学设计”是 180 学时，一个学年的课，现在剩了 56 个学时，还要加上“应用光学”，原来咱们“应用光学”是 96 个学时，“光学设计”是 180 个学时，“光学测量”也是 180，现在压缩成 56 了，这样培养出来的学生，他能深入到哪去，一出来他会干什么，真是难为这些学生们。当然完全恢复到原来那样是不可能的，但是你基础的东西还是应该打牢。高等学校还是要以教学为主，要把培养学生放在第一位上，所以教材就很重要，课程的设置就很重要，对学生往哪个方向引导也很重要。我觉得现在学生咱们比不了的，一个就是计算机，一个外语，年轻教师这也是一个大的优势。但是我觉得缺的是什么呢？最基础的理论，基础的东西，工程基础的东西，太差了，所以也担不起大项目。我感觉现在整个来说都比较浮躁，不是很踏实。项目来了，经费多少，两人分，我就分得多，3 人分我就少一份，它就冲淡了团队的精神。

苏大图：关于年轻教师，我提几点要求。一是要有爱心，对你的学生要有爱心，不管他是学习也好，“调皮捣蛋”也好，你都要爱他。第二个就是要努力地扩大知识面，把基础打好，我感觉我们那时候这个方面还是比较注重的，我虽然是没有搞过这些，但是所有提的那些我都参加了，三米、天象仪、航空相机、1.2米测距机、非共轴等我都参加过，虽然最后里头都没我，但是对我的提高是很有帮助的。比如说三米，装配、最后面型的检测，都是我们在实验室自己弄个装置做的。传函仪也是，当时对我来讲一点都没见过，但是最后调整还是我们去帮忙，最后我把它的反射镜结构都改了。我参加天象仪主要就是调它放星星的放大镜的位置，把他调到正好这个镜头它放的是个什么区，这两个区之间衔接。这些东西对我后来的工作都很有好处。所以我说要努力地扩大知识面，你的知识结构应该是金字塔形的，这样你才有发展的空间。

丁汉章：我觉得除了把基础搞好以外，一定要有一个工程的思想。你怎么实现，你有工程思想没有，搞成什么样东西，这是很重要的。过去，很重要的就是大家建立了一个工程的思想，要实现东西，把东西拿出来，别人就相信你了，确实感觉你们很强。现在有些老师，教学的时候没有工程思想，只是从理论到理论这是不行的，这是一点。另外一点是，要形成一个团队，四系不能你搞你的，我搞我的，要发挥集体的力量，这一点很重要。要完成一个工程，要做到系内大协作。再有，我觉得要想办好系，很重要的一点，教授要了解国内、国际科技动态，了解国家的需求，要互相了解，互相沟通，以后四系怎么搞，就要听从教授、副教授，听他们的意见，然后再把他们的意见集中起来，不要教育部说了什么就怎么干，他们细致的不知道，你专业怎么样他不知道，专业怎么办，四系怎么办还是要靠教授们。

彭利铭：学校的口号是“国内一流，国际知名”，这个口号要变成咱们的现实，1978年的第一届全国科技大会，有“421”这么一个报道。这个报道可以说是这个口号的注释，仔细地研究研究，全面地说明了。“421”这个教研组就做到了这一步。比如说在科研上，像传函，传函是张炳勳同志在杂志上看到的报道，“文化大革命”前就提出了，不用几何像差测量，在光的本性、波动性、位相传递、振幅传递上搞测量。在当时，申请项目很难，就在北京科委申请了一个项目，开始搞了，后由于“文化大革命”就停了，“文化大革命”以后又接着搞。这个事件证明什么呢，国内没人搞，咱们是国内一流。后来苏大图还搞了大口径偏光应力仪。我们好多事情都可以说是国内一流。传函仪，国内一流，国际知名，英国帝国理工大学的温教授一看，特别赞扬，就建议我们参加国际的传函测试的比对；王大珩也特别赞扬，那就是国内一流，国际知名。“文化大革命”以前，美国的航空侦察机被我们打下来了两架，打下来没人分析。当时我在系里主持工作，我就到国家科委，把这个项目争取来了。由北理工来分析，结果我把二系的人和咱们系的人组合在一起，经过半年多的时间，把那个残骸从光学到电气，都分析出了一整套的资料，这在国内也是一流的，后来交到长春光机所去了，由他们来试制。我们那时是以事业为核心，都是为共同事业团结在一起的，没有什么矛盾，这个集体不仅是从事业上，从人际关系上，从生活的关心上，全面的，都是这样。你真正搞到国内一流、国际知名的东西，没有一个集体、没有统一在事业这个方面来搞，没有真正搞国内一流、国际知名的雄心壮志那搞不起来的。

三、学科（专业）发展史座谈会之三

2009 年 7 月 2 日，光电学院学科专业发展史编撰工作召开了第三次座谈会，参加座谈会的老师有周仁忠、魏光辉、张国威、徐荣甫、王惠文、安连生、张经武、蔡本睿等，座谈会围绕激光技术专业（431 专业）的筹建和发展以及相关专业的诞生与发展展开。

周仁忠：我先说一下 43 专业前一段的情况，后来我就离开了激光专业。最早 43 专业是红外专业。当时学校魏院长雄心壮志，事业心很强，鼓励大家建立新专业。我们当时是仪器系，仪器系包括几个专业，我们属于光学仪器专业。建系的过程我们都受到了魏思文的影响，对新的学科是非常有兴趣的。在 1958 年上半年，我们有几个人对红外线比较感兴趣，于是就开始进行了解，过了不久，系里组织了 3 个人从事红外技术的准备，有何理、林幼娜和我。当时也没说一定是专业，而是说红外这个技术我们得想办法进行探索，如果有条件的话就可能建立红外专业。我们主要还是侧重于红外在军事上的应用，军用上主要是红外探测，发现目标。所以我们就想能不能够弄点什么东西出来，由于大家都是学军用光学仪器（41 专业）的，在 41 里头我们学过一米测距机，所以我们搞了两个红外探测头，相当于一米测距机两个头一样，一米测距机两个头，是立体的。我们也搞了两个头，把两路信号合起来能够形成一个既能发现目标，同时也有一定的立体感觉，就弄了这么一个模型。恰好 1958 年六七月份，学校要搞“八一”献礼，我们的模型，后来经过系里面反映上去，学校里面录用了。学校搞了一次展览，就把我们那个东西弄进去了。“八一”前夕，国防部长彭德怀举行“八一”宴会，我参加了那个宴会。这个事情可能是对我们学校、对我们系影响较大的一件事，对我本人来说是我一生中最大的一件事。从此以后我们就有了搞红外测向仪的想法，想搞红外专业。1958 年下半年，总参给我们调了一台热力测向仪，就是红外测向仪，用在海岸上来探测军舰的方位，是苏联生产的，实际上水平不高，虽然探测器的口径很大（有 1 米），但是用的探测器是真空热电偶，用了一段时间以后热电偶的性能就逐渐下降了，老化了，所以在部队里面没有用。于是我们用了大概一个月左右的时间把它恢复了起来。能够工作但灵敏度不高，怎么提高呢？有几个办法：一个就是增大口径，已经 1 米大的孔径了，这个不可能再大了；第二个办法，就是改进探测器，当时我们是不可能有能力改造的；第三点就是提高放大倍数，信号小的话我们把放大系数提高一点，不就能探测更远信号了吗？所以我们就想把放大倍数增大。原来它的放大器是四级放大器，还是真空管放大器，我们就给它加一级进去。设计是我们设计的，制作是在武汉一个搞无线电的工厂做的。做好回来以后，放大倍数提高了40倍，能工作但是没有解决根本问题，由于探测器的老化，作用距离依然不是很远。1959年春节左右，系里决定设立红外专业，首先要开红外的课程，任务就交给我了，我开一个综合性的红外课程。当时开红外课程是非常困难的，没有教材，国内也找不到资料，教材大纲是什么都不知道。一方面只能靠自己考虑，另一方面请教马士修先生，马先生在物理方面是非常棒的。我请教他红外课程怎么开，开哪些内容。他给我谈了一下，并说可以帮我解决红外物理这方面的内容。他就帮我写了基本教材，红外的几个基本定律，怎么推导，数学物理关系全都有，可以说这一点对我帮助非常大，没有他的这个内容，这门课就根本没法开了。1959上半年总算把教材搞出来了，第一章是《红外物理》，第二章是《红外光源》，第三章是《红外传播》，第四章是《红外探测》。课也勉强地开了出来。1959年下半年，系里要求我正式地给全系开红外课，于是就给全系56级开了一门综合性的课程。这个时候就把红外仪器加进来了。这是56级，到了57级的时候，系里面明确了要设立红外专业，正式把57级当做红外专业的学生，这是1960年的时候。这个消息可能也传到国防科工委所属学校去了，当时国防科工委很重视红外技术在国防上的应用。当时的课程主要是两门：一门是“红外技术”，一门是“红外仪器”。红外专业实际上1956年就有了，对57级讲课的时候，国防科工委所属的一些学校派了大概六七十个教师到我们这里来进修，记得有北航、南航、西工大、成电、哈工大等。当时国防科工委准备在8个学校都建红外专业，我们学校是第一个建的，所以他们就派教师到我们这里来听课。当时何理和林幼娜两个人是搞组织工作的，我只是管讲课，写点东西。1961年下半年至1962年上半年，我们的课程做了一点改变，红外专业逐渐向红外导引的方向发展，红外仪器课这时主要讲的是红外导引仪器。所以这时专业课分成两门课：一门是“红外技术”课；另一门是“红外导引仪器”课。红外技术课在当时国防科工委的代号是51001；红外导引仪器课是51002。51001教材是我编写的。

“文化大革命”期间，学校归五机部管了，五机部当时没有红外的内容，我们红外专业将来培养的学生上哪儿去，就成了问题。处于这样的形势，我就给学校写了一份报告，希望把红外专业改为激光专业，这个报告教研室通过了，通过以后就往上面送，结果很快就批了。于是就把红外专业转成了激光专业。后来我们觉得非常后悔，因为全国很多学校都有激光专业，红外专业就剩下我们一个，在国内来讲还是非常有特点的一个专业，我们把这个特点给丢了，考虑的不周啊！改成激光专业以后，我做了几件事情。第一件事是给教研室做了一个激光讲座，讲了一下激光是怎么回事，有哪些基本现象；第二件事情，我写了一个激光教材的大纲，并到外面征求过其他学校的意见；第三件事情，我参加了“1245”的科研，即激光旋转弹导引头原理方案论证和照射器研究。完成了室内、室外实验，非旋转弹和旋转弹的实验都进行了，并达到了预期效果。因一些原因没能继续进行，也是我们的遗憾。

魏光辉：我觉得我们系的学科发展，尤其我们专业的发展，我们之所以有光学，它完全是跟国家的建设、国家发展步伐是一致的，我们红外之所以出现，44之所以出现也是和国防的发展紧密连在一起的。1952 年院系调整，苏联专家提出他们有培养国防工业干部的学校，咱们是不是也应该有。专家说北京工业学院是共产党的学校，不是从延安来的吗？这个事情就让他们做好了。于是就把我们学校的冶金系、航空系、采矿系都从我们学校分离出去，我们学校仅剩下机械系、化工系和坦克，那时候还没有坦克系。变成国防专业后，第一当然是大炮，第二是轻武器，第三是炸药，那时候还有航天，然后就是坦克。有大炮就得瞄准，有瞄准就得有光学，这样光学就出现了。机械系 3 个班，甲班是大炮，我们乙班是光学。为什么后来我们系有那么些专业呢？那是因为 1951 年抗美援朝时，我们的狙击手晚上经常被美国兵打死，我们不知道，一抬头就死了。后来才发现美国用了红外夜视仪器，于是国家责令研究红外夜视，以长春光机所为主，我们系也参加了。为什么成立红外导引专业呢？红外导引专业也是对敌斗争的需要。1958 年在福建，我空军飞机时不时被国民党飞机打下来，原来他们的飞机装有响尾蛇导弹，我们没有，为此成立了红外导引专业。

我们系里专业的发展，完全是受国家的发展、国家需求驱使的，我们今后怎么弄，我觉得情况有点变化。我觉得我们学科的发展眼界要宽，要跟上技术发展的步伐，不然我们就落后。我对这个事情有一个很深的体会，原来我们守着这个专业办的时候还有滋有味，到了“863 计划”开始的时候，我才理解为什么人家要发展那些东西，主要是跟信息技术有关系的半导体技术和器件相联系。重点是信息、通讯，是光电子技术在信息技术里面的发展。我觉得我们系整个应该是信息科学的一部分，镜头只是信息系统里一个获得图像或光信号的一个部件，它不是全部。我有一次提过，无线电技术和我们系是不冲突的。信息的处理发展了一整套非常完善的技术和方法。我们光学做的是信息，完全可以用它来为我们服务。

关于理工结合的问题，理工结合不是说我们学校有理学院，我们是工科，我们所有的专业都应该是理工结合的。对我们大学生来讲，最好是在很强的物理和数学的基础上去教他们，专业课在最后，你可以告诉他们现在在光学领域里存在哪些正在应用和将来能够应用的技术方法，你教他们知道大概就行。到应用的时候，他们再去学习、去创造。但是他们要有物理和光学上的基础，大学生要这样。只有博士研究生，可以按照导师的专长让他去做某一方面深入的研究，成为专家，大学生不要成为专家，大学生成为通才就行。往后我们就紧跟着信息技术发展的趋势，所以我们的学生在光通讯、在国防信息技术方面都能发挥很好的作用。在博士阶段应培养出在光学领域里有专长的人。

张国威：从1959年算到现在已经50年了，从“43”来说，我想大概可以分为3个阶段，第一阶段是筹备过程，包括练兵，大家从20几岁练到30几岁，练了十几年兵。从建红外专业到1971年整整12年，我把它看成是专业的筹备过程。从1971年开始到基本上建成，到何时不太好划，只能说这个专业的“三才”建设基本上有了一定的基础，人才、教材、实验器材基本上铺开，架子基本上有了。第三个阶段是我们的发展阶段，头两个阶段占了专业建设50多年的一半左右，后20多年是发展阶段。

何时开始建红外专业，我记忆是1959年，当时系里宣布了4个新专业，即42，44，46，48。42是红外，46叫天文导航，当时是我负责，44是传感器。我们的专业建设都是跟着我们对美国武器的了解情况发展的。如天文导航专业，1959年我们打下了一架美国U－2飞机，在南苑机场分析，我们学校是我去的。因为当时了解到飞机上肯定有无线电导航，传说还有天文导航。国防科工委、空军组织了将近200人，在南苑机场对U－2残骸进行研究、分析。我参加了光学组，从废墟堆里面找认为跟光学有关系的残片，确实找到了一台天文导航的六分仪。它是无人的，六分仪不是由人操作的，是光电的。于是就有了天文导航专业。所以我们专业的建立是跟着国际形势走，具体说就是跟着美国的军事装备跑。教研室主任是马士修教授，我担任副主任，协助他工作。这时候我们就步入到红外光学导引专业，相继就开出一些红外的课程，在这方面周仁忠起了核心作用，从他开设51001课，到后来其他一些同志也都上来了，编写了51002，51003教材。基本上包含了从红外基础、原理到仪器内容，从无到有，满足了教学的需要。当时科研主要搞热力测向仪，当时在我们学校还算是一个很像样的装备。

1971年正式将红外导引专业变为激光专业。经过大家讨论，确定我们以中小功率的器件为主，大功率的器件先暂时不考虑。系统地来讲，把我们原来的光学导引这一类东西不放，还是以导引作为第一位，其他测距等都可以考虑。当时大家确定这么一个基本的专业方向现在看基本上还是对的。当时大概有这么几件事，新专业的“三才”建设。53级、54级的同学当时都30来岁了，虽然“文化大革命”浪费了好几年，但大家起码有十年左右的经验，当搞激光的方向明确以后，大家的思想比较齐，“三才”建设还是很快的。首先，我们是国内几所院校里最早拿出全套教材的，包括《激光原理》《激光技术、器件》，还有实验，我们相对于教育部那些学校来讲，像华中理工大学，甚至清华，作为全套教学计划，他们当时还没有编出来。我们大概用两年时间把全套教材搞出的。实验室建设，确定开设5个方面实验，有激光器件，分固体和气体、激光接收、激光仪器，还有光学的。我们用了两三年的时间把将近十个教学实验开出来了。当时的科研项目，一个是北京炮兵的10千米测距机，这个也可以说是国内最早的，我们搞到第二代的时候测距已经超过了10千米，接着研究第三代，第三代一下子又提高了一倍，达到25千米，精度是10米，这在国内应该是第一代比较远的激光测距仪。一个是1245激光制导项目，周仁忠已经讲了，这个项目现在回头看是非常可惜的，我的观点主要是学校不重视，如果重视一下，我们把它拿下来的话，可能就是一个很好的局面。另外，我再补充一点，红外的问题，现在回头想，我们当时红外是有可能不丢的，专业把它调整过来，如果我们的红外不丢，到现在可能也会发展成为一个很好的方向，因为我们已经有了相当的基础，在这一点上当时可能考虑不周，现在国内好像也没有哪个学校这方面比较突出的，甚至从现在抓的话也不晚。

徐荣甫：我说3点。第一点我觉得我们要提出一个响亮的口号。我们国家提"振兴中华"，我们光电学院应该提"振兴光学"，在国内如果你经常出去走走，我们经常和其他学校的教师接触，感觉到他们确实有一种忧患意识，我们现在比以前落后，相对于他们，他们进，我们不进，等于落后了。我感觉我们43比以前的地位和名气有所减弱，具体怎么振兴第三点我再说我的看法。咱们光电学院的名字定下来的时候，我们几个人议论，就觉得不太合适，我们应该叫光学（电）信息学院，在科技里面我们起了一个眼睛的作用，眼睛就是获取信息的方法。咱们学院应酝酿提出一个明确的、振奋人心的口号来。

第二点我说说43专业，20世纪80年代以后有哪些闪光点，值得说一说的，在科研方面、在教学方面，我们说出来国内同行能信服。在科技方面，有3点值得一提：一是李乃吉等人和六系共同研制的BDN染料片，是一项发明，该成果起了非常大的作用，得了很多奖，这个东西一直到现在还应用在激光测距机里；二是教研室邓仁亮等人发明的交叉棱镜谐振腔，它是抗激光谐振腔失调的，用以保持野外应用情况下激光性能的稳定。这个项目获国家发明三等奖；而且后来好多激光器用了这个技术，这个是有目共睹的，起了很大作用；三是我们搞的海军光电对抗综合测试仪，20世纪90年代初总经费达到400万，这在学校里也算是最大的项目之一了。主体是我们搞的，搞红外辐射计、红外测距、红外角跟踪，二系和五系都派人参加了，这是一个协作项目。在教学方面，至少有两点可以说是闪光点：一是高教部系统组织的、全国第一个激光方面的统编教材，有华中理工大学、成电、四川大学和我们；二是兵器部系统的激光专业也有一个统编教材的专门编审委员会，我们主编的《激光器件与技术教程》，我跟刘老师合编的，我到外面开会，好多人都是因为看了这本书知道了我们。好多大学的激光专业将它作为本科生的教材，研究生的参考书。《激光实验讲义》，张自襄和长春光机学院合编的，那本书出版量小一点，但是也是关于激光实验方面的第一本书。

另外，我们为什么一直把激光制导作为我们的重点，我们在这方面不仅有基础，而且也起了很大作用。你到全国各地去，有关32所的激光驾束制导仪的定型设备就是我们做的，当时他们给了我们106万，到现在还在用，凡是搞激光驾束所用的检测设备都是我们做的。为扬州最早做的100米通道到现在还在用。为什么我们有这个实力呢？部里当时引进激光驾束炮弹以后，制导仪也是引进来，

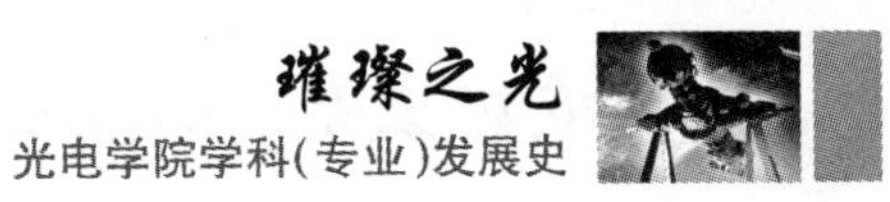

但是检测没有引进。怎么检测、工艺怎么保证，是一片空白。依据我们搞“1245”项目积累的经验，掌握的技术，承接了此任务，人家也相信我们的实力，在规定时间里我们就完成了检测设备的研制任务，交付给委托单位，保证了生产任务的完成。

第三点我简要地说说学院怎么振兴。我觉得我们学院涉及的面很宽，我也说不全，主要是动员起来，让大家都有这样的忧患意识，大家动起来，是很重要的。对于我们教研组来说，还是要抓住我们原来的主攻方向，就是激光制导，教研室现在在搞激光雷达，还是非常有前途的。激光测速、激光雷达、半主动制导、激光驾束，这些要移植到不同的弹上。怎样提高它的性能、适合不同的弹和炮弹，这个工作量是非常大的。当然你也可以创造新的形式、新的方法，水平就更高了。另外，我们要抓住检测、仿真模拟，提高检测设备的水平，也是非常重要的，而且有大量的工作可做。还有一个我们可以进去的方面，就是激光医疗器械，发展得比较快，原来李家泽老师他们做了不少的工作，不要丢了，还是可以进一步做的。

张国威：43 在咱们系曾经属于前列的，也辉煌过。咱们为什么项目多？因为我们有优势。优势在哪里？我们原来是搞红外，然后又搞激光，你说搞科研，红外和激光咱们都能搞，这个优势很大。红外方面主要是制导，制导我觉得还有发展。一是好多是复合制导，再一个就是有新的制导方式或内容。不要老是追着过去，追着过去不行，大家一定要研究点新的。老的现在都定型了，人家都占上了，你去也挤不进去。光学制导很有前途，我觉得学院应该好好抓一抓，让年轻的抽出点精力来研究。

王惠文：大家在技术方面讲了很多，我觉得现在教研室缺乏一种精神，这个精神是什么，我们 431 为什么当时在白手起家的情况下能够发展到在全系名列前茅？我觉得最主要的是团队精神。当时我们新出来的年轻人心往一处想，力往一处使。然后还有一个好班子，当时的几个头头，都很团结，目的只有一个：把我们专业搞上去。当时大家都没有考虑自己，都是很团结的，气氛是很浓厚的，一个年轻人来了怎么干，班子成员都给想得很周到。所以我觉得这个精神是取胜的法宝。比如最近上演的《士兵突击》，里头主要强调班长，他首先带头，他为大家冲锋陷阵，把整个班带动起来。我觉得现在基层（教研室）比较松散，课题组在干什么、有什么项目，基层头头都不一定清楚，而且我觉得组与组之间也挺困惑的，和上面的领导说不上话，下面又感觉没人管，有力无处使。所以我说领导班子是非常关键的，领导班子必须有务实精神，要与时俱进，自己要跑到前面去观察，你得花一定的时间去做这方面的工作，要知道现在技术发展的前沿是什么，我们技术范围里头现在应该往哪一边去做。比如说我们理工大学光学专业和工厂、研究所联系的状况是什么样的，人家的技术做到什么地步，我们还有什么地方能够超过他们，这些都应该是作为团队班子经常考虑的。现在力量很分散，没人管，形不成一个团队，如果下面形成一个团队，你们上面去抓，也能抓得起来。另外，我觉得基层班子得有一点牺牲精神。

四、学科（专业）发展史座谈会之四

2009年7月10日，光电学院学科专业发展史编撰工作召开了第四次座谈会，参加座谈会的老师有唐良桂、陈南光、陈德惠、安文化、安连生、张经武、蔡本睿等，座谈会围绕摄影与遥感专业（412专业）的筹建和发展及相关问题展开。

唐良桂：我是军用光学仪器第一届毕业生，但是我没毕业以前就提前参加工作了。我是华北大学工学院进来的，当时由重工业部领导，上了一年以后就改成了国防院校。我1951年入学，1952年就调到光学仪器专业了。建校时有11个专业，八、九专业合起来叫做仪器系。后来苏联专家来讲课，九专业就是雷达，我们是军用光学仪器专业，实际上讲的是炮兵仪器。费多托夫后来又开设了航空瞄准具，以后又增加了12专业（指挥仪）。当时军用光学仪器、光学专家叫薛培贞，他在国民党的光学工厂工作过，去德国实习过一段时间，因为全国搜罗人才没有光学仪器方面的。马士修从物理教研室调来，王发庆是从工厂调过来的，后来薛培贞、王发庆又都调走了。他们最初开的课虽然较粗糙，但是是奠基人。后来军用光学仪器分为炮兵光学仪器和航空瞄准仪器两门课，另外有装配校正，李德熊调来讲这门课。当时光学仪器分为1，2，3组，1组有马士修、于美文，2组是韩锡勳、樊大钧、李德熊，3组是搞专业仪器。到了1958年“大跃进”，跟着部里去搞了45号航空相机，由此引出来“航空摄影”这个课题。从那时起，航空摄影在我国已经有需求了，为什么呢？记得1959年，在北京通县打下了一架高空侦察机，叫RB－57D，B就是轰炸机、R就是侦查。因为过去我们国家的飞机主要是作战飞机，侦查方面偶尔配备的相机，都是第二次世界大战时候的东西。我们国家很多军事上的东西都是战争缴获的。RB－57D上配备了航空摄影设备，我们对此进行了分析、研究后才诞生了航空摄影这个教研室。我们教研室的成长发展和当时的形势是有关系的。当时在通县打下来那台高空侦察机以后，空军情报部就找了长春光机所的人把它们拆开分析，这个事我们当时还没沾上边，不太了解。那些残骸最后还是给我拿回来了，在我们教研室里头，第一次了解了美国那些侦察机和它的那些设备的性能情况。后来紧接着在1961—1962年，又在前线打下的RF－101，RF-101是低空侦察机。打下来以后，在南苑机场，国防部六院就组织有关专业人员去研究、分析残骸，有关照相的部分是我跟陈南光以及武志广和杜书林两位师傅参加了分析。在那待了一段时间，因为各个部分要分割，哪些仪器哪些残骸是谁的，把它分开，分割以后把关键部分拿出来分析。1960年咱们教研室就成立了，1961年六号教学楼建成，咱们从四号楼搬过去，411和412才分家。到了1961年和1962年的时候，RF－101拿回来分解，几乎同时国防部六院又开一次会，决定我们国家要搞自己的侦察机。当时最新的飞机

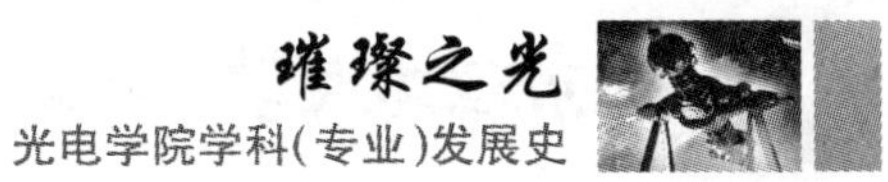

就是1960年歼八飞机，后来在困难时期下马了，歼八本身也下马了，侦察机就更不用说了。再往后就是U－2飞机，咱们打下了七八架，前3架都是光学照相，第四架红外扫描仪、红外照相。当时我们系搞不了红外，后来国防部就找到了上海复旦大学，复旦大学有一个固体物理专业组，就拿到那儿去了，但是他们不懂相机，咱们的耿立中就作为相机专家去了，搞了一个红外扫描仪，是一个单元器件的扫描仪，第一次夜间侦察照相的光学扫描仪。最后这个东西由228厂生产了。再后来就打下无人机了，这个在我们实验室摆着好多。1962年前后，当时学校在搞教改，炮兵部队从四川到武汉再到南京，一直这么走了一圈，回来以后拿回了一个项目，无人驾驶侦察机。他们找到我们，由于教研室的教师都去实习去了，只剩下我一个，后来我从一系、二系临时找了一些人，把这个无人机说明书、残骸基本弄清楚以后，最后把它破损的部分进行了恢复。这个飞机在1965年“文化大革命”前夕进行试飞，系里刘茂林跟我们一块儿去的。然后在湖南的耒阳把我们恢复的相机放在轰炸机上进行实地照相，照相回来能看出一些东西。后来我们又拿到一架比较完整的相机残骸。整个工程一直到“文化大革命”。我们教研室在这期间，当然还有地面的长焦距摄像机，我们搞的三米焦距和一米焦距地面远程照相机。所以我们教研室是完全从结合社会和国家的需要发展起来的，同时也把我们国家军用侦查相机的水平提高了很多，这在当时来讲可以说是独一无二的。

“文化大革命”期间，我们教研室去了13个人参加“尖兵一号”卫星相机及地面处理设备的研制。卫星里面有3个层次：一个就是近地的，在200千米左右，随时要回收，寿命很短，主要用于军事侦察；第二个就是中高层的资源卫星，900千米；再一个就是3 600千米高的同步卫星。

军用上的东西只有靠自己，要不就是打下来或缴获的那些东西。根据需要，我们国家成立了陆军航空兵，他们要了解敌情需要进行侦查，要搞一个无人机，里面用相机，当然还有其他设备，例如红外扫描仪，或者其他相机。要求我们搞全景相机，这是个很新的东西。我们1995年研制成功，1997年已用于无人侦查机上。在军用、航空相机上我们学校在全国的地位是拔尖的，没人比得过。我们自己编写教材和资料。

当初成立的八专业，很多设备是经过我手搞的，我亲手订的海军仪器，而且是从苏联定的原装货，好多都还没用过。当时收集了好多东西摆了几个实验室。原来四号楼的顶上，实验室里面那个测距仪，看不出去，白费了，搬出去扔了。过去的指挥仪大型实验室，现在改装成了图书馆配电室，那里头的设备要处理掉，我觉得那些东西很可惜，把那个海三米测距仪、海岸炮用的，好多东西拆回来，把指挥仪的指挥镜也拆了。还有很多测距仪，这些都是第二次世界大战的，有的是第一次世界大战的，还有日本的东西，从来没有那么全过。“文化大革命”的时候我没事就把它们画成立体图，传动图都画了，现在这些东西都没了。

在中国，作为历史博物馆来讲，我觉得军博都没有那么全，枪械也是最全的。包括那些残骸，包括我们自己研制的设备，现在都不知道在哪儿了。很多东西是苏联专家在这儿的时候，彭德怀批的，费多托夫带着人去，到部队的仓库里面看，点着要才拿过来的。现在教学的发展只知道搞计算机，只知道搞软件，真正在硬件上没人能搞。

退休以后我把教研室的资料借出来，《U－2 的残骸分析》和《RF－101A 的残骸分析》都还保留着。这些书我们学校只有一本，当时是国防部出版的，我们分析残骸只能拿到一本，这都是机密资料。后来无人驾驶飞机的分析是我们学校自己印的，可能也没有了。虽然现在有卫星侦查，但 U-2 到现在还在用。陆军航空兵、总参二部搞侦查无人机的全景相机，飞机是西工大做的。西工大本来在航空工业是不起眼的，但是它一直坚持，现在航院都没超过它。西工大以研究小型无人机为主，一直用来装备部队。

国家买了很多美国的卫星图片，科学院遥感所就找我们搞多光谱照相。1986 年前后，中越战争被地雷炸伤炸亡的很多，要探雷扫雷。扫雷问题不大，用扫雷车或者爆破，但是你怎么知道哪有地雷？所以当时国防科工委开了一个地雷工作会议，我校六系的吴峰也参加了，他们要用机器人探路，我们探雷用机器人搞不起，我们提出用多光谱试试，于是就和工程兵联系，做些试验。最后到了会议上，我们拿出来我们照的像，不是埋在地下的雷，而是地表雷，地表雷可以识别。于是我们就改装了一台多光谱相机，又联系了直升机，从直升机上往下照。完后我们参加了那个会议，最后仅给了我们 2 万元的研制费。除此，我们还搞了微光迷彩服识别。咱们国家做的迷彩服有好多种，我们就借了各种迷彩服，在南京工程兵学院专门为我们做实验照相。有美国的迷彩服、有沙漠的、有咱们国家的。摆在地上，不管你是反红外的还是其他的，都能照在图片上，都可以区分出来。照相一是照出来，二是要合成处理，所以我们当时搞了一台合成仪，还生产了十几台。我们自己做了个地面多光谱相机，另外航空的也改装了一下。我们还跟 228 厂搞了个分离式多光谱相机。

我们接了海军情报部门测量水深的一个研究课题，要求测水下有多深，当时我们心里也没底。为了做准备，我们首先跑到颐和园，拿着白板将它沉到水底下，看照相能不能照出来。结果 10 厘米还看得见，20 厘米眼睛就看不见了，水是浑浊的。后来我们改在游泳池底下做，两三米还可以，但是不知道海水怎么样，咱们东海、黄海的水也是很浑浊的。经过一段时间的准备，我们就奔赴到南沙，在那里待了一个月。我们改装的一架相机，事先在青岛北海航队海军航空兵司令部的一个师团那儿试了一下，绕山东半岛飞了一下，基本上可行。因为不知道水下要穿透哪一个波段，所以我们准备了 13 个波段，这在我们国家是没有的。在南沙第一次拍照，从早上六点起飞，一直到下午三四点钟才回来，回来以后就赶快冲洗胶卷，结果仅看到一点，个别的大一点。而红外波段只能照水面以上

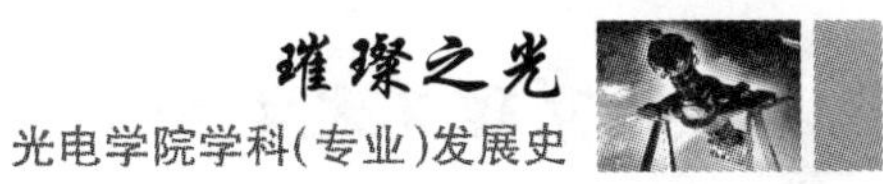

的，水面以下全都没有，这个结论非常重要，就是能把水线给分清楚了。有大一点的、再大一点的，这样就分层次照出来了。在一个月里，我们飞了好几个航次，但还没有完全解决问题。现在作为军队来讲，航空侦察照相仍然是需要的。我们国家无论搞卫星还是航空相机，都是有前途的。在光学仪器这方面来讲，我们系曾经辉煌过，为什么辉煌？因为我们参加了实际工作，拿到了国家重要的项目，在这个领域里头起了作用。原来航天部要和我们学校合作，人家说要多少钱给多少钱，我们就要地皮，结果人家跟哈尔滨工业大学合作了。南沙那些资料现在拿来数字化还是很有用的。

安文化：我谈几个问题，第一，咱们国家的航空相机最早搞出来的时候，我们是参加单位之一。第二，第一批试飞，我们也是参与单位之一。这个项目叫45 号，是 54 级毕业搞的，许社全搞光学设计，我们教研室搞电气、搞结构。当时影响力是比较大的。最早的雏形，是我们到了空军司令部情报部那儿拿来苏联的航空相机，作为我们研制参考样机。苏联给我们的都是第二次世界大战时候的东西，技术起点比较低。我们研制的原理样机，是我们国家第一次，长春光机所和我们学校共同完成的。那个时候参与的人比较多，有樊大钧、何献忠那些老教师，也有学生参加。那个时候思想没有框框，干劲很足，但是基础不够。1960 年在唐山机场试飞，照出第一张相片，山上的“大跃进”几个字拍得清清楚楚。这个样机曾在我们学校科学展览馆展过。彭德怀、贺龙、许光达都来参观过。这说明我们的研究工作要跟国家的需要结合起来，这样工作才能有生命力。如果闭门造车，那是不行的。另外一个，这个样机是很珍贵的，应该再总结一些技术问题，再进行第二个型号的改造，但是当时这种意识不浓，国家又在困难时期，所以这个项目的后续研究工作就停止了。后来我们搞了三米焦距地面远程相机，参加珍宝岛战役立了功。三米焦距相机有 60 多千克，在这个背景下，根据炮兵的要求“小型化、轻型化”，我们又研制了一米焦距地面相机。一米相机定型后转到总后 3304 厂生产。

学校要走出校门，和国家最需要的部门、最需要的单位挂钩，要跟人家合作，要搞出成绩来，成为可信赖的伙伴，学校办专业才有生命力。我很关心我们学院的未来，学院领导首先应该出去看一看，到相应的国际上知名的学府，搞光学专业的包括清华、浙大，我们虚心地去看看人家干了什么事情，在干些什么，不能老抱着老的那一套，看看最新技术怎么发展，再来定位，定我们的发展方向，这是我的一个基本观点。

五、学科（专业）发展史座谈会之五

2010 年 1 月 7 日，光电学院学科专业发展史编撰工作召开了第五次座谈会，参加座谈会的老师有周立伟、邹异松、高鲁山、刘榴娣、安连生、张经武、张忠廉、魏平、蔡本睿等。座谈会围绕红外夜视、光电成像技术与系统专业（441 专业）的筹建和发展以及相关专业、教研室的建设历程展开。

高鲁山：周立伟应该一开始就到夜视专门化，这个专门化应该是周仁忠的421红外专业，和何理、邓仁亮、林幼娜在一起，当时这个专业有两个专门化，一个叫做红外导引，一个叫红外夜视。红外夜视有周立伟、邱永林、马士修，马士修是421教研室主任。红外夜视专门化还有我、章俊鸿、曹会中，邱永林是我们这个小组的组长，还有55级、56级的学生，有赵汉章夫妇，毕业生起码有五六个，1960年我们跟他们一起来的。

周立伟：我1958年毕业就留校工作，1962年出国学习，当时叫红外夜视。1958年这一段时间有我、刘茂林、邱永林3个人开始专门化工作，到长春、298厂学习，后来我到北大去学习。再后来，马士修开设“电子光学”课程，我和老高两个人辅导，我记得叫422。当时张罗专门化，给学生开课，指导毕业设计。我在马士修讲完课后，就接手了“电子光学”这门课，1962年出国之前写了一部书，这个讲义，叫《电子光学理论与实际》（上、下册）。

高鲁山：我用周立伟的讲义主讲“电子光学”。

周立伟：后来我走了，邹异松来了，这个时候邹异松当了主任。

刘榴娣：对，记得邹异松任教研室主任。

高鲁山：我再补充一个细节，我1960年4月份进来，印象中周立伟、邱永林、刘茂林曾经带着55级的学生到北大去、到长春去、到298厂去。这是我听人家说的。我来的时候刘茂林已经调到系里去了，就是章俊鸿、曹会中，五系来了个张法汉是我们小组的组长，周立伟在主管教研室。55级以后，我们都分到41专业去了，叫做夜视仪器专门化，就剩4个人了。

安连生：我在档案馆查资料，1961年专业实验室名称项目里面，专业名称是光学系统设计与检验，实验室名称是军用电子光学实验室。那时就有422了。

高鲁山：412当时只有我们4个人，邱永林、曹会中、章俊鸿和我，周立伟学俄文去了。马士修给56级上电子光学，我给马士修提小黑板。那时还在四号楼，叫412，我们搬到六号楼，也叫412。我们是56级，1961年8月份毕业，我们毕业的时候可能就把我们归到421了，叫422教研室。412教研室是从4号楼搬到6号楼，那段时间叫412教研室。41专业的一个夜视仪器专门化。随后划归到421，叫422。

刘榴娣：我进来的时候就叫422。

高鲁山：62级、64级和65级都有422专业，我们当时要发展了，55级、56级、57级也都有，57级是付鑫伯那一个班，56级是我们那个班一部分，电子光学毕业设计我当预备老师，帮老周指导了几个人，许振华、华科、赵家琪等。

412应该从1960年下半年开始，1962年初搬家也还是叫412，后来改成422，422的时间比较长。马士修上课，一开始老周提小黑板，后来我提小黑板，我给56级我们同班同学去答疑。58级、59级、60级我讲了3年《电子光学与仪

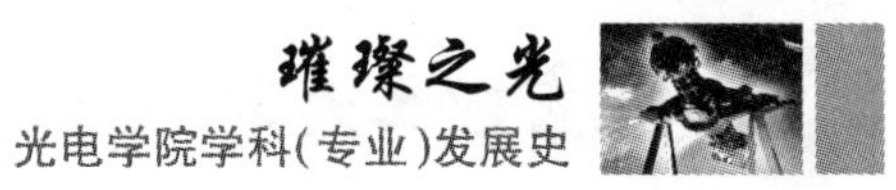

器》这本书，因为当时和421合成一个专业。“文化大革命”以前一直叫422。

张经武：这里有个问题，58级特别特殊，有个航空仪表专业。好像只有这一个年级有这个专业。我印象很深，我系搬到六号楼后，就把我们班十几个人分到了这个专业。

高鲁山：1959年分专业，这些专业才出来。1960年年初我们和二系分开。那时就是马士修当主任了。那几年，42，44，46，48这几个专业都出来了。那个时候红外还叫421。我们当时在248实习，回来后就有了四系，几个新专业都上了，441，461……

刘榴娣：2，4，6，8，我记得是这样，我印象是双号。

安连生：红外叫42，43应该是后来的。

高鲁山：我印象很深，421叫红外教研室。但是我们是叫红外夜视专门化。1960年4月份一回来，然后邱永林就给我们讲421里面的红外夜视专门化。

周立伟：当时我们什么都不懂，自学马士修写的《电子光学》，他也是参考了法国的一些书，这是最基本的。当时他每天就拿了几页纸讲课，课后我们就拿回来复习，给学生答疑。红外夜视是马士修负责，是有功劳的。我出去学电子光学设计了。

高鲁山：那个时候，所有专业的构思都是马士修。

周立伟：现在看起来，那些知识都很浅，可当时，马士修从光学介质转换到电子光学的知识，他讲的还是比较深的。

邹异松：我补充一点，我们国家当时搞叫红外夜视的是相当早的，也是相当敏锐的，捕捉了这个新局面的发展方向。当时，在国内，只有我们学校设立这个专业，叫红外夜视专门化，独此一家。从国际上来讲呢，是1930年出了变像管、1955年才出了多碱阴极，说明国际上刚刚出了一个新技术，当时的系领导马士修先生就很敏锐地捕捉到了新技术的发展方向，成立了一个这样的专门化。当时，就3个单位搞这个，我们、中国科学院长春光机所和298厂。中国科学院长春光机所是由我们培养的学生在那里挑大梁，比如赵汉章。搞红外变相管技术，当时叫串联，还不是级联。说明我们学校对这个专业、对国际发展方向有最敏锐的捕捉。

周立伟：298厂是引进了俄罗斯的管子。

邹异松：我说这个的意思是突出对专业发展的敏锐性和快速反应，开拓了我国红外夜视微光人才的培养的主渠道。我们在1960年左右建立这个专门化，在这里要突出形势和敏锐性。专业大发展的时候，周立伟派去苏联学习。当时教研室人员就5~6个人，邱永林、章俊鸿、高鲁山、曹会中、孙九恒。周立伟不在时，我任主任。我们侧重工艺。“文化大革命”以后，把我们排在风口浪尖上，费了很大心血建立实验室，希望搞国产变像管。师资力量在第二次变动是一条龙建设，当时把基础课打散，分到各个专业里面去，那时这个教研室一共有40多个人。陈东波调进来，搞固体成像器件、CCD、红外扫描，专业面扩大了。1974年改名叫光电成像技术专业，一直沿用到现在。从招生情况看，62级是这个专业的正式招生，有62，64，65，72，73，75，77，79，81级，后来就连续招生，在77级的时候，是专业发展的鼎盛时期，获得全国4个标兵。

周立伟：我们那个时候很团结的。20世纪70年代，我们科研项目搞得是比较早的。

张忠廉：我1962年9月到422专门化。那个时候学校叫北京工业学院，有一次学校组织我们去西安调研。当时，我们的处境非常艰难。周立伟正在国外。调查专业方向的这些资料我都保存完好，原始的，包括盖了保密章的。那个时候条件不好，章俊鸿他们在4号楼的那个厕所的位置搞实验。周立伟回来以后，就把专业理顺了。那个时候，工作是大家一起做，但每次奖励都算我头上了。我记得当时周立伟给了我2本书，是俄文的，好像是变像管的发展过程。这个书对我启发很大。我走过的过程，感谢这些人。这些人的功劳和记录我那都有。这样走过的路，很艰难，也产生了一个院士，真才实学的，用光学概念打开了图像，专业起步早，是个突出的亮点。这个非常重要。

安连生：邹老师，我想问一下您，跟着苏联专家的都有哪些人？

邹异松：周仁忠跟着费多托夫；查立豫和邱关明跟着梅德韦杰夫；我跟扎卡兹诺夫。我跟着扎卡兹诺夫学指挥仪制造工艺学，他搞结构设计。把我作为他的研究生来学指挥仪制造工艺学，当时，费多托夫开了2门课，一门叫“炮兵光学仪器”，一门叫“航空光学仪器”。连铜淑跟着他做助教，翻译他的炮兵光学仪器，李德熊跟他学航空光学仪器。

安连生：根据资料记载，费多托夫进行课程指导的有5个人：薛培贞、韩锡勲、谢文林、樊大钧、连铜淑；梅德韦杰夫进行课程指导也有5个人：马士修，于美文、严沛然、潘承浩、李德熊。

邹异松：你说的是叫进修教师，不是研究生，指导他们开课，这些人是作为他的翻译，同时又把课接过来了。

安连生：后来包括马志清、李振沂、丁汉章都是作为辅导教师。

邹异松：除此辅导教师外，还都给他们配了研究生，是研究生不是教师。单独给他们要求完成毕业生论文等。咱们校志都没记载。我们那届研究生都没资料，校志没反映。实际上我们光学仪器系是6个研究生，有张绍诚、董佩刚、孙季宽、倪六一、何志昌。

高鲁山：53级没有研究生，54级研究生就是刘培森和彭利铭。然后56级有一批研究生，李建明等。

邹异松：校志把我们第一届研究生漏了，可能是当时涉及苏联专家。

安连生：我们专业的建设与发展还是要感谢苏联专家。

邹异松：军用光学仪器、炮兵光学仪器、航空光学仪器，如果没有苏联专家

讲课，我们自己开不起来。唯一的是我们马士修先生的电子光学给拿出来了。如果说没有马先生，我们连“电子光学”都拿不下来。

周立伟：我们也为这个教研室的建设、发展奋斗过，是无愧的。

第二节　教师对专业发展历程的回忆

一、周仁忠回忆——404 教研室的建立

1958 年，美国响尾蛇导弹击落了我国的战斗机，激发起我们对红外技术的研究热情。恰在这一年，国防科委给我们调拨来一台退役的苏制“热力测向仪”，为了增加它的灵敏度，我们研制了一台放大倍数增大 10 倍的电子放大器。但由于该仪器的探测器已老化，它的灵敏度并没有明显提高。

1958 年年底，系决定要建立红外专业，并要求 1959 年上学期为学生开讲“红外技术”课和开始研制红外实验装置。于是，我们便开始了光电技术的教学和研究工作。

1974—1980 年，我们承担了兵器部下达的“激光半主动导引头样机”研制任务。研制成功的样机在野外试验中能自动跟踪约 3 千米处被激光照射的快速运动坦克。这一样机中包含了相当复杂的电子线路，使其即使在旋转情况下，还能捕获和自动跟踪远距离目标。

随着科学技术的发展，我们深深感到经典光学的局限性太大，必须与电子学结合，才能发挥更大的作用。于是，我们建议：对光学系所有专业开设光电技术课程和开设内容先进的光电技术实验。这样才能跟上时代的要求，满足国家现代化的要求。

1983 年下半年，系领导采纳了我们的建议，要我们开始这方面的工作。因此，我开始拟订光电技术教材的大纲和光电技术实验内容。随后就逐个设计实验装置的光机电结构。到 10 月份，系领导表示要建立光电技术基础教研室，我便与一位教师商量，请他来当教研室主任。最初他同意了，但后来他还是推辞了。无奈，当正式宣告成立 404 教研室时，我只好当了 404 教研室主任。

当初，404 的成员只有：刘振玉、卢春生、陈永昆和我 4 人。限于人力不足，只好先建光电技术实验室，而且还只能开展部分实验装置的研制工作。

经过 3 个多月的努力，于 1984 年 2 月我们研制出了 6 个先进的光电技术实验装置。系和器材处领导对工作进行了检查，给予了肯定和鼓励。器材处又追加了 10 万元的研制费，让我们继续完成规划的尚未研制的 20 个实验装置。此外，校系还不断给我们室增加教师和工人。

我们受到了鼓舞，也意识到责任重大，便经常加班加点地工作，终于克服了

无技术资料的困难，于1985年年底研制出了规划的全部光电技术实验装置26个（详见下页附件）。

因为这些实验装置覆盖了现代光电技术的主要方面，实验装置还便于学生动手操作，有利于培养学生的实际工作能力。而且，在国内高校中，只有我们建成了现代化的光电技术实验室，所以校系领导鼓励我们去向国家教委汇报。经过国家教委有关司局领导来实验室检查后，表示希望在我们实验室召开现场会，与其他高校进行交流。

1986年4月，在我们实验室召开了光电技术实验交流会，到会的有浙江大学、清华大学、哈工大、国防科技大学等十多所高校光学系的教师，我们进行了交流，受到了上级领导和兄弟院校的好评。

1986年10月，我们实验室被评为“北京市高等学校实验室工作先进单位”。

1987年7月，周仁忠被国家机械工业委员会聘为高等工业学校光电技术专业教学指导委员会副主任。

1987年5月，中国光学学会光电技术专业委员会挂靠在我们教研室。

在建设光电技术实验室的过程中，我们同时编出了《光电技术实验》教材，并着手编写了《光电技术》教材。

1987年上学期，我们开出“光电技术”课和“光电技术实验”课。至此，404教研室建设完成了。

1989年7月，北京市人民政府授予周仁忠“北京市普通高等学校优秀教学成果奖”，授奖项目内容为“内容先进，教学实验系统完整的光电技术与实验课程建设成果奖。”

附件：光电技术实验目录

1. 光电探测器光谱响应度的测量
2. 光电探测器响应时间的测试
3. 光电探测器探测度的测试
4. 光电倍增管的静态和时间特性测试
5. 光电探测器的偏置（雪崩光电二极管）
6. 低噪声放大器
7. 有源滤波器
8. 光电信号的积累接收
9. 光电信号的相关接收
10. 锁相放大器
11. 光子计数
12. 光外差测量光波位相
13. 光学调制盘
14. 莫尔条纹测长

15. 光电轴角编码器
16. 声光调制器
17. 光电信号的采样与保持
18. 线阵 CCD 的驱动与放大电路
19. 摄像机原理实验
20. 一维光强分布测试仪应用实验
21. 二维光强分布的显示
22. 干涉图的数据处理
23. 光电定向
24. 光电报警
25. 光纤通讯
26. 激光跟踪表演实验

二、张国威回忆——激光专业是怎样诞生的

我校“激光技术专业”，是由 1959 年上马的“红外导引”专业演变而来。

（一）红外导引专业的上马

1959 年，原八专业（“军用光学仪器专业”）改称 41 专业，并宣布成立 42，44，46 和 48 新专业。42 方向是“红外技术”，44 为“传感器”，46 为“天文导航”，48 为“光电侦察”。

为何要建这些新专业？专业方向由何而来？这与当时形势有关。抗美援朝战争后，美国不断策动蒋介石反攻大陆，骚扰我沿海边疆，侦察我内地军事情报，我人民军队英勇还击，先后击落一批蒋机，缴获不少美制装备。最轰动的有：空—空红外制导“响尾蛇导弹”和“U－2 侦察机”等。为此，军委和国防科委，多次组织人力，对这些装备残骸进行分析、论证。1958 年年底，我校向茂楠、邓仁亮等，就在北航参与了对“响尾蛇导弹残骸资料”的分析，由于重要部件残骸，已被苏联专家带走，他们未能见到实物。两年后苏联仿制成“K－13 型空—空红外跟踪导弹”，不久我国将它国产化，成为我国第一代“PL－2 型空—空红外跟踪导弹”。此后，我参加了在南苑机场，对“U－2 侦察机残骸”的分析，任务是：确认是否装备有天文导航，并尽可能绘出其原理图。残骸数量很大，翻一遍就要好几天，在空军战士帮助下，翻了三四遍，确认 U－2 机上确实装有“天文导航光电自动六分仪”，绘出了其结构原理图。

这就是当时上“红外”和“天文导航”专业的历史背景，当时的认识就是，敌人有，我们也要有，必须迎头赶上。此外，当时海军送给我校一台苏制岸用“热力测向仪”（一种远红外装备），它是当年我校 4 号楼楼顶上，一台标志性装备，也对专业建设起了参考作用。

42 专业上马时，青年教师有 51 级周仁忠、53 级林幼娜、54 级何理和邓仁

亮；而46专业，仅我一人；48专业没配人。一年内，42专业又增加了54级肖裔山和刘振玉。

我们专业一上马，1959年暑期，就从41专业四年级（56级），划出部分学生，转专业组成42，46专业的小班。周仁忠早就为八专业55级讲了“红外技术基础和应用”课，在此基础上，从56级始，此课就分成两门课，周仁忠为42小班讲“红外基础”部分，邓仁亮则讲“红外应用”部分。张国威为46小班讲“天文导航原理”和“天文导航仪器”。当时的上述课程，仅有部分讲义，还没有编成教材。第二年（1960年），又从这两个小班中，留下近20人，42专业有徐荣甫、李家泽等，46专业有穆恭谦等。

1961年，觉得摊子过大，决定精简调整，将42，46合并成42专业，后又改叫43专业，方向为“红外导引”。合并后教师人数超过40人，遂将大部分56级学生跟班重新分配，仅留下徐荣甫、穆恭谦、李家泽3人，加上当年55级毕业的李乃吉，又从5系调来张自襄、刘巽亮、武学殿（56级）等。

系里对42专业，极为重视，合并后的教研组长，由系主任马士修教授兼任，我为副组长，主持日常工作。当年教研组的干部，也由魏思文院长直接任命，发任命书，还出布告公告，很庄重。此后，系任命周仁忠为教研组秘书，邓仁亮为实验室主任，43专业的方向和规模，从此就基本定型，长期在20人左右。

不久，我系41专业也分成两个专业，新建的“光学系统设计与检验”专业，就称为42专业，从此我系的专业布局基本铺开，光电工程学科比较齐全，走上了创建我国第一个国防光电工程系的征途。

（二）引领国防口“红外”专业的建设

我校是最早创建“红外”专业的高校，1959年就招了第一届学生，1960年就为（由41专业）转专业的学生开始讲红外的课，他们于1961年毕业，是我国最早学过“红外”技术课程的毕业生。而当国防科委决定统编红外专业教材时，我校已编出“红外线技术基础”和“红外导引”课的讲义。因此，这次统编工作，以我校为主，已成定局。协商后，确定《红外线技术基础》（代号为51001）由周仁忠编写，署名周家谦；《红外导引仪器》（代号51002）由邓仁亮主编，北航申功勋、哈工大曹雅君、北工刘振玉参加，署名申亮、曹玉。此后，我系李乃吉、武学殿又编写了《红外探测器》（代号51003），也纳入统编教材并出版。

由于我校上专业早，上专业课早，招专业正规生早，就争取到了时间，走在了同行前列。从1961年起，就从北工走出了我国最早的“光学导引”人才（从56级转专业的），从1963年始，就培养出了我国第一批、按专业教学计划培养的“光学导引”毕业生（58级）。可以说，我国最早一批从事“光学导引”的技术骨干，大多出自北工，他们为我国早期战术导弹技术的发展，作出了重要贡献。

（三）1971年“红外”改“激光”

1970年，中央提出体制改革和专业调整，“红外导引”专业将不在“兵工”

类院校设置，我校“红外”面临下马的危机。在危机情势下，我们组织了调研组，到国内有关研究所、高校进行调研，为专业找出路。调研得知，兵器部已从科学院接收过来一个研究所——“西南技术物理所”，打算将其研究方向由“声学”改为“激光”；兵器部另一光学所（205 所）也打算上激光；其他国防院校和地方院校，也有此动向。特别是，国家已把“激光”列为今后的发展重点，“上激光”已成全国大趋势。

经多次讨论，教研室取得了共识：要想在国防口站住脚，有所作为，必须配合兵器部意图，果断转向，为“兵器激光”培养人才。大家当机立断，一方面打报告，另一方面制订建设规划、教学计划。报告审批很快，1971 年兵器部第 1381 号文，批准我校成立“激光技术与器件”专业，也同意我们对专业方向的设想：“以激光器件研究为主，以激光技术的军事应用为主，近期以激光测距为主”，这就是起步时的“三个为主”。

“山重水复疑无路，柳暗花明又一村”，从此 43 教研室走上了建设“激光专业”的新征程。

（四）先抓激光专业的教学建设

1972 年学校任命我为 431 教研室主任，同时开始招收 72 级“激光专业”学生，制订教学计划（当时工宣队尚在校，学制改为三年制）。面临的任务是，必须以教学为中心，抓紧专业建设，两年内编写出全部专业教材，完成专业教学实验 8—10 项，配好讲课教师和准备毕业设计。

专业的教材编写，从 1971 年专业一上马就启动了，两年后 3 门专业教材相继编写完成。《激光原理》理论性较强，魏光辉请 421 教研室范少卿担任主编，魏光辉参加（后改名《量子光学》），由范少卿主讲；《激光器件与技术》（后分为两门）由教研室另一副主任徐荣甫主编、主讲，我参加了“调 Q”部分的编写；此后，邓仁亮和郝淑英合编了《激光和它的应用》。

1974 年，教育部组织全国统编《激光专业教材》，会议在华中工学院召开。先交流各校的教学计划，然后讨论教材编写，当时能拿出教材的，就清华和北工两家，清华是周炳琨的《激光原理》，我校拿出了《激光原理》《激光器件》和《激光技术》，天大是一本翻译的《激光技术》文集，华工和成电没展示。因这次工作由教育部主持，落实编写时，主编任务都给了它的部属院校，为顾全大局，我们仍参与了编写。由于该教材，不能满足我们的需要，此后兵器部又自行组织了《激光》教材的统编，除《激光原理教程》由长春光机学院院长沈柯主编外，其他教材全部由我校主编。

实验室建设问题，主要是经费问题，经费来源除部分由学校专款拨给外，主要靠科研经费支持。张自襄长期担任实验室主任，他对专业的实验室建设，作出了重要的贡献。当时实验室下设五个分室：固体激光（穆恭谦），气体激光（明万林），激光晶体（李乃吉），光电接收技术（何理，周仁忠）和激光光学（林幼娜，邓仁亮）。实验室的建设，除服务于科研外，当时的首要任务是开出专业课教学实验，在项目确定后，分配各分室分担，限期完成。到72级上专业课前，这些项目都已完成，张并编写出了实验课教材。以后，此教材公开出版，历经多次修改、再版，长期被国内各院校采用。

经几年紧张工作，专业教学所需的“三才（材）”基本到位，能基本满足教学的需要。

专业的招生，1972年建专业当年，就招了首届学生20人，次年又招了20人，但自1974年起，与44专业分别隔年招，每届则招30人。因是“三年制”，因此从1975年起，就开始输送“兵器激光”人才。

（五）开展激光科研，推进专业建设

专业建设的另一条战线，是“科研”，没有科研，就没有充裕的建设经费，就不好把握专业方向。1971年“激光”一上马，我们就承接了一项横向应用课题，北京军区炮兵要求为其研制一台“炮兵激光测距仪”，主要指标“测程1万米，测距精度+10米”。

激光测距仪，包括“激光发射”与“激光接受”两部分，课题由周仁忠担任总体，参加激光器、接受线路和光学系统研制的有：何理、邓仁亮、穆恭谦、张自襄、林幼娜和刘宏发等。一年多时间（1972年9月），第一台“激光测距仪”样机出炉，多次在6号楼的楼顶，进行野外实测实验，目标有北京大学水塔、玉泉山白塔和京西宾馆高楼等。结果，测程和测距精度，都达到委托方的要求（实测记录，最远达12 940米）。到1975年，3型“激光测距仪”问世，最远测程可达25 000米，测距精度提高到5米，这是我国自行研制的、最早的炮兵激光测距仪之一。

专业建设过程中，专业方向和内容不断明确，兵器部来文指出：“在应用上，以军用应用为主，包括测距、瞄准、制导、定位等；学科上，以激光器及其应用技术为主，也能从事激光接收的研究；器件类型，以中小功率固体和气体激光器为主。”这样，虽然改“红外”为“激光”，但仍继承了“光学导引”的方向，且扩大了军事应用范围。

1973年，这一年非常关键，当年正制订《全国激光科学技术发展重点规划纲要（1973—1980年）》和《常规兵器科研发展规划》，进一步明确：“北工研究重点：研究优质YAG激光晶体，激光电光调Q技术，远程激光测距仪和激光半主动制导。”方向更明确，重点更突出。这时，我们激光晶体组，已初步长出YAG激光晶体；激光器研究，开始转向高重复频率激光器，为应对“高速飞行目标”作准备。

接着，1974年国防科委“576会议”，又明确：“北工负责‘激光反坦克导弹制导’‘激光半主动制导’‘防中空导弹激光制导’‘远程地炮激光测距仪’‘激光器研制及激光测试技术’和‘YAG激光晶体’的研究。”而兵器部的激光

所（209 所），承担“激光对抗与侦查、干扰、识别”“激光致盲”“低空战术激光炮”“炮弹末制导”和“激光炸弹”等。兵器部范围内，北工与 209 所的分工，进一步明确了。北工，在国防科委范围，主攻“激光战术制导”应用的研究，也明确了，“激光半主动制导”和“防中空导弹激光制导”，包括了“地—地”和“地—空”各种战术导弹，前景十分广阔！但也埋下了一个隐患，开头那条“激光反坦克导弹制导”，最后导致北工告别“激光制导”的命运！

在这大好形势下，1975 年 2 月，科研处范琼英与我，代表北工参加了国防科委在友谊宾馆“科学会堂”召开的科研任务布置会议，会上北工承担了第一项激光制导课题——“对空激光制导的研究”。项目领回后，学校决定由一、二、四、五系共同承担此任务，简称“1245 课题”，并决定组成课题 5 人领导小组，以领导协调此项目，课题归科研处直接领导（不归各系）。由四系张国威任小组召集人，成员各系一人，一系文仲辉，二系李钟武，四系周仁中，五系金振玉。北工承担主攻“激光制导”的重任，“对空”就意味着“对高速飞行”的空中目标，当时目标是非常明确的，就是“地—空”激光制导。完成此任务，关键是“激光半主动导引技术”，它与响尾蛇导弹的红外被动导引在技术上有一定关联，在系统组成上，只多了一个“激光照射器”而已，或称“高重频激光指示器”。而光学导引头的结构，与红外导引头相仿，只是“导引原理”不同，接收线路不同和信号处理不同而已。

论证后决定，大局（包括一、二、四、五系）分两步走，四系先开局，先开展导引头模拟研究，然后全面铺开（各系可做一些预备）；小局（431 教研室）也分两步，先上导引头，再上激光器。为此，由周仁忠、何理、卢春生等组成的攻关组，先改造“空—空 PL－2 导弹”的导引头，按半主动导引原理，设计研制“信号接收和讯息处理”电路。在周仁忠带领下，经过一段时间的攻关，初步实现了对室内激光照射点（目标）的模拟跟踪，实验取得了初步成果。为此，开始部署激光器的研制，由马达调 Q 低重频，转向电光调 Q 的高重频，前景一片光明！

1978 年改革开放号角吹响，这年暑假，系主任李振沂突然通知我，国家要选派 100 人分赴美国、西德留学，要我交代工作，准备外语考试，如果选拔上了，年底前就动身。我顺利地通过了外语考试，并赴德国做访问学者两年，“1245”项目就再没有参与。

三、邓仁亮回忆——激光专业的建立和发展离不开科学研究

（一）从激光测距机到激光目标指示器

1969 年夏秋季节北京军区 63 军找我们学校做激光测距机，“文化大革命”期间没有多少事，做什么都可以。领导答应下来，安排到 431 教研室。记得 1970 年下半年有一天我在工厂四车间盯测距机零件加工时，教研室主任张国威到车间

征求我的意见，我们教研室以后不搞红外改搞激光怎么样，我说可以呀，现在不是已经干上激光了吗。所以我的印象是我们的激光专业从1969—1970年就诞生了，至于什么时候正式批准的我就不大知道了。

我们的激光测距机做了3轮，前两轮不是潜望式的，精度为10米、5米，到1975年交付了4台潜望式、精度为5米的激光测距机给部队。参加此项工作的前后有：周仁忠、何理、林幼娜、张自襄和我等多人。前后五六年，跑了有关研究所、工厂和部队，查到许多资料，学到许多知识，在正规兵工厂（太原524厂）加工机械零件，研制出了自认为性能不错、特点独到的激光测距机。同时我们也向社会无保留地贡献了我们的创新、经验和教训。

1972年开始以“激光”专业的名义招生，当时称为工农兵学员。我们研制的激光测距机理所当然地成为历届工农兵学员的教具，我甚至还为北京大学的第一届（70级）工农兵学员开了激光测距机的专题讲座。至于本专业教学环节中的课程设计、毕业设计等均以“激光测距机及其部件（尤其是激光器）”为题目。1978年携带激光测距机参加全国784激光学术会议，我第一次在全国学术会议上发表论文，并且根据在会议上了解的情报向学校科研处提交开展“1.06微米BDN调Q染料片”的建议。在科技处范琼英的安排下由于郭炳南、李家泽等人的努力取得了满意的成果。

1976年以后我被安排转入激光半主动制导课题，参加激光目标指示器的研制。其内容与激光测距机的不同在于：激光测距机的激光器基本上是单次的，马达调Q的；激光目标指示器的激光器是重频的、电光调Q的。另外，激光测距机必须有接收系统；激光目标指示器则可以不用接收系统。1977年我被安排为激光目标指示器课题的技术负责人。在“1245”的圈子里折腾了好多年。

（二）“1245”——北京工业学院历史上的重要符号

1973年国家在上海的一次规划会议上定下来要开展激光制导研究工作，1974年五机部二局、三局布置北京工业学院和248厂、308厂进行激光回波半主动制导的先期研究。

北京工业学院四系404，411，431教研室在四系崔仁海、李振沂、张经武等同志的领导下成立了激光导引头和激光指示器两个科研组，由这些教研室的党政负责人担任课题组长。

北京工业学院和248厂的同志将PL－2红外导引头改造为激光导引头。办法是取消调制盘和PbS红外探测器，换上209所研制的四象限激光探测器，并配以相应的电路，实现信号接收、处理和对目标的跟踪。做成功两种用于旋转弹的导引方案。北京工业学院的工作前后由周仁忠、何理、卢春生、张化鹏等承担。

308厂的同志采用马达调Q的激光目标指示器。北京工业学院的同志采用电光调Q的激光目标指示器，都研制成功了。北京工业学院的工作前后由郝淑英、陆乃驹、邓仁亮、徐荣甫、穆恭谦、张自襄等承担。

在大约6年断断续续的工作后期，上述各单位用做成的导引头和指示器进行多次室内外联合试验，证明原理可行。于是，就有了五机部的586会议，诞生了北京工业学院的“1245”。“1245”的成立和活动纪实如下所述。

(1) 1980年6月25日~7月2日由五机部二局主持召开586会议，研究如何开展三代反坦克导弹的研制工作。参加会议的有14个单位40个人，其中有北京工业学院的齐尧、文仲辉、周仁忠、邓仁亮、徐荣甫、张经武、杨述贤、张运、蔡敬、何理、康景利。会议上由北京工业学院周仁忠、邓仁亮，308厂李绍育，248厂应澎耀等介绍了激光制导技术方面的先期研究的详细技术内容和室内外联合试验情况，并且在北京工业学院观看了指示器与导引头的室内联合试验。还向会议提供了书面资料。会议充分肯定前阶段的成绩，并且决定开展以激光半主动制导为前提的三代反坦克导弹的全面预研工作。同时指出导引头和照射器各自的两个方案可以并存一段时间，进行更深入的研究、做出更好的样机，经过实验比较后再行取舍。会议决定为此成立项目总体组，北京工业学院齐尧副院长、844厂王总工程师、308厂赵以仁副总工程师、248厂梁副总工程师为负责人。相应地，北京工业学院成立总体组，称为“1245”。

(2) 1980年7月9日四系431教研室决定以“1245—4”的名义参加学院“1245”的工作。

(3) 1980年7月15~17日由一系主任胡延年主持召开北京工业学院“1245”总体组会议。布置相关工作。

(4) 1980年10月7~11日由五机部二局主持召开“107”会议，讨论总体方案。北京工业学院“1245”总体组胡延年、周仁忠、邓仁亮分别介绍了导弹总体、导引头、指示器的相关内容。会议决定按照会议确定的战术技术指标开展深入的研究工作。关于指示器出于满足编码的要求决定采用电光调Q方式的激光器。

(5) 北京工业学院“1245”总体组根据校领导齐尧、丁儆的指示，在实际负责人俞宝传、杨述贤的组织下开展了导弹总体结构、飞行弹道、战斗部引信、发动机、制导控制、编解码、导引头、指示器 等方面的研究，文仲辉、李昌龙、徐令昌、康景利、周仁忠、邓仁亮、万春熙、俞仁顺、袁曾风、张志芳、李景云等同志在1981年1月、3月1245总体会上汇报了各自的见解。

(6) 1981年4月6~11日由五机部二局主持召开“8146”会议，论证总体方案、战术技术指标，安排当年工作。参加会议的有12个单位50个人，其中有北京工业学院的丁儆、俞宝传、杨述贤、王春利、万春熙、李昌龙、徐令昌、张春晓、文仲辉、方纪明、李景云、周仁忠、邓仁亮、何理、徐荣甫、张经武、康景利、蔡敬、汪淑兰、俞增惠。在会上北京工业学院介绍了方案，由俞宝传、文仲辉、王春利、康景利、邓仁亮、周仁忠、李景云分别讲解。邓仁亮、周仁忠还向会议提供了详细的书面材料。会议决定进一步开展总体方案论证，深入研究导引头和指示器的关键技术。接着在1981年4月13日在五机部二局研究激光目标指示器的工作，参加会议的有五机部二局左文英、刘景玉、丁翠英，308厂赵以仁、李绍育、刘传生，北京工业学院俞宝传、邓仁亮、徐荣甫、穆恭谦。明确308厂做整机，北京工业学院进行关键技术研究。

(7) 自“8146”会议以后到1984年中，各个单位开展相关工作。五机部1982年6月至14日召开了“826”会议，与会单位、人员比以前多；1983年12月16~19日在308厂召开项目协调会。为配合科研，五机部请来以色列人于1984年7~8月在白城靶场表演他们的激光半主动制导导弹FLAME。介绍他们的激光指令制导反坦克导弹，有关单位和人员到场参观。另外，五机部组织少数人在小范围内听取过美国马丁公司介绍他们的激光半主动制导“铜斑蛇”炮弹，听取过以色列介绍他们的激光目标指示器。

(三) 我们在“1245”中的业绩

因为我们承担激光目标指示器关键技术的研究，所以我们的重点在激光器方面。

(1) 全面了解国内外半主动回波制导用目标指示器，见1981，9 (1)《国外兵器》。

(2) 全面了解国内外目标指示器用的激光器，并重点实验研究了“采用交叉直角棱镜腔的电光调的QNdYAG激光器”。有多篇论文发表在1982年的《工程光学》《激光与光学》《兵器激光》上。开了鉴定会，获得五机部科技进步三等奖。

(3) 发明“交叉棱镜望远镜激光谐振腔”，研究了“采用交叉棱镜望远腔的NdYAG重频巨脉冲激光器”。论文在1982年广州国际激光会议、《光学学报》(1983，4)、美国《中国物理》(1984，8) 发表。通过鉴定会鉴定并获得国家发明三等奖。

(4) 制作了采用交叉棱镜望远镜激光谐振腔的指示器试验样机。

(5) 发明固体激光器用的聚四氟乙烯泵浦腔，1992年获得国家发明三等奖。

(四) 轻型反坦克导弹制导技术预先研究的成果——激光半主动导引头

1985年以后形势有变，五机部的管理体制也有变化。但是围绕激光半主动制导的研究工作仍然在进行。只是纳入“轻型反坦克导弹制导技术预先研究”的范畴了。我在1985年以后的研究工作也转向了激光导引头，由于学校强调统一领导，课题指标、经费、进度等都由一系牵头，我名义上当个副组长，但是技术实际负责人。轻弹激光导引头的工作事实上是冯龙龄、张自襄和我完成的。我院参加“轻型反坦克导弹制导技术预先研究”的各个方面，以激光技术教研室为主研制的激光导引头于1996年通过部级鉴定。

激光导引头的预先研究中申请到两项国防发明专利，第一发明人分别是邓仁亮、孟庆元。

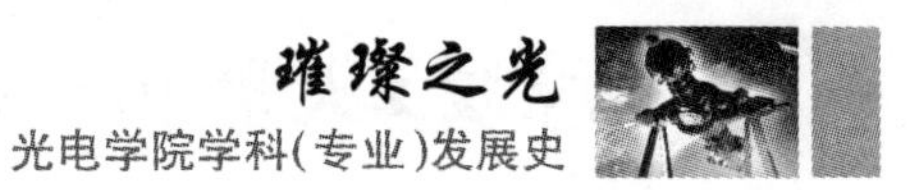

1992 年国防工业出版社出版了邓仁亮编著的《光学制导技术》。该书获得 1993 年“国防工业出版社优秀图书二等奖”、1995 年“兵器工业总公司优秀教材一等奖”。

(五)“红土地”

1992 年 7 月我被安排去俄罗斯考察激光制导“红土地”炮弹，1994 年国家引进此项目，科研工作就转向了，让我和冯龙龄、冯义民前后去负责（“红土地”）激光导引头的“反设计”，消化图纸、开会、靶场试验、故障分析等。直到 1996 年 2 月我退休以后，工作至今仍然在继续。

四、邓仁亮回忆——我知道的红外专业

1958 年上半年，我校为了适应“大跃进”的形势，扩充教师队伍。1958 年 7 月 25 日我被通知提前一年毕业，留校当教师。全系 21 人，我们八专业军用光学仪器 13 人，其中我们 8542 班只有 2 人。

工作开始时在仪器系第三教研组即军用光学仪器教研组。事先曾去长山岛野营。随后同 58 级新生去远郊山区斋堂植树造林，在石头山上挖鱼鳞坑、水平条。至于业务上则继续与同班同学从事红外跟踪装置的研制，向“十一”献礼。

1958 年 11 月底，我被派往北京航空学院参加国防部组织的“55”号科研项目。对“响尾蛇”导弹残骸进行分析、复制，一直工作到 1959 年年末。由于国内没有完成复制，随后国家又从苏联引进以“响尾蛇”为蓝本的“K13”，形成我国的“霹雳－2”空对空导弹，它对我校红外专业的发展也起了重要作用。

四号教学楼当时有光学系和无线电系两家，光学系包括 2 个专业，后来光学系又分为 2 个系。光学系扩大，除了原仪器系第三教研组命名为 411 教研室（41）专业外，新成立了 421，441，461，481 教研室，代表 4 个新专业。同时保留仪器零件、工艺、光学等专业基础课教研室的设置，被命名为四零几。再后来（1962 年）421 才改称为 431 教研室（43）专业。

我被安排到 421 红外专业室，包括红外成像和非红外成像，由马士修教授和马志清领导，成员有周仁忠（原第三教研组）、周立伟、林幼娜、刘茂林、何理、刘振玉、肖裔山和我等人。日常事务由刘茂林负责。

不久后红外成像和非红外成像分家，421 以非红外成像为主叫做“红外导引”专业。周立伟、刘茂林随成像红外离开了 421，其他新专业也作了调整。马士修教授仍然任 421 教研室主任，日常事务由林幼娜、何理负责。当 461 教研室与 421 教研室合并后，日常事务由原 461 的张国威负责，我被安排为实验室主任（一年左右）。1960 年从四年级的 56 级又留下更多的人，还有 55 级毕业生，还有少量 57 级的肄业生扩充到教研室来，队伍相当庞大。

红外专业一成立就开始了培养学生的工作，54 级的应届毕业设计任务中安排了几位同学做红外导引的课题，由我从“55”号项目带来相关内容，结合虚拟题目

开展设计。后来，有了教材，培养学生的工作从56级开始就已经正规化，而且持续到“文化大革命”开始为止。包括专业基础课、专业课、毕业实习、毕业设计各个环节都是完整的、严格的。值得指出的是，在专业创建初期，为了提高全体教师的业务水平，在教研室内部进行过很有成效的学术交流。至今我还有例如1962年10月中旬的交流计划和各主讲人讲的内容记录。

1960年国防科工委组织所属7所院校（北京工业学院、北京航空学院、南京航空学院、哈尔滨工业大学、西北工业大学、成都电信工程学院、长春光机学院）的红外专业统编教材。421教研室在统编教材《51001讲义》（红外技术基础）、《51002讲义》（红外导引仪器）的工作中承担主编的责任。《51001讲义》由周仁忠主编，署名周家谦。《51002讲义》由我主编，参加的主要成员还有北京航空学院的申功勋、哈尔滨工业大学的曹雅君、北京工业学院的刘振玉，署名申亮、曹玉。这两本讲义1961年由科技出版社出版，成为7院校的正规统一教材。后来又由教研室刘振玉、刘巽亮编写了《51002补充教材》，由李乃吉、武学殿编写了《51003讲义》（红外探测器）。这些教材一直伴随着红外专业。

除了教学工作，红外专业也开展了一些科研工作，例如：1958年下半年开始研制红外跟踪装置、仿照“响尾蛇”导引头研制试验装置。

1963—1964年红外导引专业由邓仁亮、刘振玉、俞信组成科研组，开展导弹的红外驾束制导技术研究。1963年光学工程系系主任马士修教授提出建议，能否考虑进行激光制导的研究，可惜当时没有落实。

1963年、1965年邓仁亮、刘振玉等人被派参加U-2，F-4B，F-8U，无人驾驶侦察机等残骸的分析，都与红外导引有关。

这就是我知道的红外专业。红外专业不能笼统地说是“43专业”！准确一点说，“43专业”在1970年以前为红外专业，1970年以后为激光专业。

第三节　回忆学科（专业）创始人马士修、于美文

一、回忆恩师马士修教授

马士修，教授，著名物理学家、教育家。是新中国军用工程光学和电子光学专业的奠基人，我国工程光学专业主要创始人之一。

马士修，1903年出生于河北省蠡县布里村一个中农家庭。父亲是地方少有文化的开明人士，懂耕田，会经商。注重对男孩子的培养教育。让大儿子务农，让二儿子先经商，后去法国打工挣钱，让小儿子马士修报考中学法语班，去法国勤工俭学，培养成才。家境虽不富裕，勉强过活。整个家庭团结和睦，其乐融融。

马士修受“五四”革命精神的影响，家庭支持，于1923年赴法国勤工俭学。从1923年起，在法国巴黎各大工厂打工挣钱。一干就是4年。4年中，吃尽了各种苦头。为闯过语言关，白天学习，晚上打工。一干就是12个小时，累病了，还要与病魔作斗争。靠着4年的打工挣钱，平常省吃俭用，手中稍有积蓄，便立志求学，考取了凯恩（CAEN）大学，开始了学习。经过刻苦努力，战胜重重困难，先在该大学机电学院，用了两年时间获得了预备电机工程师及数学教学硕士学位。后又在理学院用了一年时间获得了预备物理学教学硕士学位。

取得了几个学位之后，本打算去巴黎寻求工作，正逢里昂中法大学招公费生，报名考试，获得了第一名的好成绩。不久，就收到中法友谊会每月资助600法郎生活费的通知。此时，理论物理学科异常发展，受到新理论的刺激，他改了主意，不寻工从业，又回到凯恩（CAEN）大学理学院，在理论物理学科领域进一步攀登。经过4年（1930—1934年）的努力，艰苦奋斗，完成了法国教育部物理学博士论文，获得了物理学博士学位，后成为法国国家物理学会终生会员。

马士修，12年的勤工俭学生涯，一连不断地获得数目如此之多、品位如此之高的学位，实居勤工俭学学生中之独秀，轰动了巴黎教育科技界，也荣耀了中华。

马士修，功成名就之后，寻求工作，易如反掌，很快就进入了巴黎潘加赉（Institute Poincazzk）学院听讲并作理论研究。生活条件、工作环境可以说相当优厚。工作进行得很顺利，也颇有成就。但脑海里常常浮现“我是中国人，应报效祖国”的想法。不久，收到国内中法大学聘任通知和回国路费。这恰好与其报效祖国的心愿相吻合，随即于1935年，放弃了优厚的生活、工作条件，“束装东归”，回到了祖国。

北平中法大学聘任马士修为物理学教授。在这块教育阵地上，他倾全力，不知疲倦，像永动机一样，夜以继日地工作，发挥他的作用。他讲授过普通物理、近代物理、理论物理、数学、概算等许多课程。他还兼任北师大几门课程的教学工作，实现了他内心蕴藏已久的夙愿。

日寇侵华，北京沦陷。学校撤离，他留在北京，成为中法大学校产保管员。他立志“不当亡国奴，不为日寇服务”。不与为日伪服务的伪知识分子、伪教授相容为伍。由于朋友相约撰稿，他便用“守一”假名发表寓意为“守住只谈科学的原则，不参加政治活动”文章，题目有《铀的裂变和原子能利用》《中子和射线》《北极光和太阳黑斑》《化学能和原子能》《居里对称原理》等，并在各大学演讲，真真实实地实践了一个爱国者言行一致的诺言。

1945年，日寇投降，举国欢庆。中法大学迁回北京。马士修又为振兴学校，开学复课，辛勤工作。

蒋介石、国民党政府不与共产党合作，违背民意，发动内战，战火四起，民不聊生。马士修，忧国、忧民、忧自己发挥不了作用。第二次世界大战结束后，法国恢复战争破坏较快，经济、科学、教育得以复兴，特感高科技人才缺乏。法国朋友来函邀请马士修携夫人赴法工作生活，工作条件优厚。当接到赴法的一切手续时，解放战争不断胜利的好消息传入耳中。马士修感到曙光来临，阳光将要普照大地，胜利就在眼前。经过认真思考，他断然放弃了赴法优越的生活、工作条件，辞退邀请，仍留在国内，为祖国效劳。这是他第二次弃“小家”顾“大家”的爱国表现。

1948 年北平解放后，革命老区的华北大学工院 1949 年进入北平。他应聘教课，同时，也受到了崭新的革命教育思想的深刻影响。

1950 年，华北大学工学院与中法大学校本部及数理化三部合并，翌年易名为北京工业学院。马士修仍是教授，职级定为二级教授。从此，他成为革命职工，在党的直接领导下工作。1952 年，该校又定为军工性质，是专门培养国防建设人才的学院。此后，马士修的思想发生了巨大变化，由报效祖国，换位为事业的主人。服从工作需要，不挑不拣，要干什么，就一定干好。他是这样说的，也是这样做的。他常以勤工俭学时的共产党员和老干部为榜样，争做一名共产党员，为党多作贡献。他当过物理组组长，当过专业应用光学组组长，光学仪器系系主任；教授过物理、物理光学、应用光学、光学仪器原理、电子光学等许多课程。所讲的新课程，都是由他本人收集资料，系统整理，编写讲义，边写稿，边上课。负担很重，但他从没有半句怨言。

马士修十分关注后继人才的培养。他在各个方面都以身作则，身教重于言教。他给青年老师辅导数理基础，开学科专题讲座。热情细心地指导教学的全过程。修改、审查各类教材的初稿，校订、修正各种文本的译稿，从不留名。他常说：“从事教育要严肃认真，绝不能误人子弟。”在他的直接指导和影响下，一大批青年教师，迅速茁壮成长，不仅满足了教学、科研、专业建设的迫切需要，而且成为系里的中坚力量。

1959 年，教育部确定研究生招生考试和录取培养制度。在教育第一的年代，北京工业学院唯有马士修教授一人，选中了一名在革命阵营吃革命饭长大，1947 年 1 月参加革命，1948 年 10 月入党，工农速成中学、大学毕业，考试录取的工农调干生，作为培养对象。师生第一次会面时，他说：“你年轻，党龄比我长，有朝气；我年长，党龄短，经历比你多，我们相互学习，取长补短，携手前进。”让人深深地感受到他不仅是一位态度和蔼、知识超人、热情奔放的导师，还是一位至尊长者、平等待人、视生如子的亲人。他周密考虑，制订详细的培养计划。他细心、耐心地指导学生，认真阅读、审批学习总结，还关心体贴学生生活。在困难时期，粮、油、肉实行定量供应，他做红烧肉给他的爱生吃。真是香在口中，暖在心头。恩师亲情，难以用语言形容。这种心贴心、情相融、无话不讲的师生亲情关系，维系他们的终生。在历届研究生培养选题上，他总是站在科学技

术的高处和学科发展的前沿，如三米长焦距地面远程摄影光学系统设计、光学信息编码与图像处理、光学散斑理论与应用、电子光学成像理论与电子透镜设计等，当时，都处领先位置。经他培养的几名研究生，都成为教学、科研各项工作中的骨干，发挥着重要作用。

马士修积极参加各次政治运动，认真学习文件，领会党的方针、政策，联系自己“自高自大，理论脱离实际，不问政治倾向”的三大毛病，深刻剖析，接受大家批评，思想水平、政治觉悟不断提高。他亲历体会，目睹现实，新旧社会两重天对比，感到党的伟大、正确、光荣，没有共产党就没有新中国。

1957 年年底，他向党递交了入党申请书。

申请书开头写道“入党就是把自己的一生贡献给党”，表示了入党的态度、目的。申请书最后：“我已下了决心将我的一生投入解放人类的伟业。即使申请不被接收，我一定还继续提高觉悟，改正错误，争取参加中国共产党，为共产主义事业奋斗。”表明了他入党的决心。

同年党支部大会一致通过马士修入党申请，上级党委批准，同意马士修为中共预备党员。

马士修入党后，时时、事事都以共产党党员的标准要求自己。忠于党、紧跟党、不忘党。

在“大跃进”时期，“人有多大胆，地有多大产”“亩产万斤粮”“土法上马，挖坑炼钢”，他说:“不合科学规律，这不可能。”他不怀疑党的号召，他只认为是对“大跃进”的片面浮夸。

在祸国殃民的“文化大革命”年代，他被扣上“反动学术权威”、“老财迷”的大帽子，立马变成了牛鬼蛇神。揪斗游行、关牛棚、劳动改造。对于这样一位 63 岁高龄老人，突遭如此厄运，他想不通，但能冷静思考，小心对待，顺其自然。向他的爱生细语，沉痛而又爽直地说：“国家首脑、大将之帅、广大干部普遭厄运，我算什么，总不能老这样下去!”他紧跟党，没有放弃对共产主义的信仰。

在经受几年的精神摧残、肉体折磨之后，身体垮了，糖尿病缠身，眼睛严重白内障。生命垂危，一再表示：“将一生工资剩余全部交党费。”此时此刻，他心中所想的只有党。

马士修夫人李孟娟女士，落实遗愿，征询马士修生前许多弟子、领导、同事、亲朋好友的意见，大家一致同意设立马士修工程光学奖学金基金。让马士修一生献身教育的光辉形象永存，精神光芒永放。

（撰稿人：彭利铭）

二、七彩人生路——记光学全息专家于美文教授

于美文先生，1922 年 5 月 25 日出生，山东省安丘市人。1948 年以优异的成

绩毕业于西北大学物理系，获学士学位。共和国成立之初，百废待举，人才奇缺，于美文于1950年9月来到我校工作，从此，她就和这所由我党亲自创办的理工科大学结下了不解之缘。她从助教开始，1955年晋升为讲师，1978年晋升为副教授，并开始招收硕士研究生，1983年晋升为教授，同年，经国务院学位委员会批准建立首批光学仪器专业博士点，成为首批博士生导师，1985年又经国务院学位委员会批准建立了我校第一个博士后流动站。她先后受聘担任国家科委发明评选委员会委员，国家自然科学基金委员会评审委员，从1992年开始享受国务院特殊津贴。她培养的学生和研究生遍布海内外，在各条战线上成绩卓著；她著述颇丰，科研成果累累；她是我校“物理光学”“波动光学”和“全息学及光信息处理”等学科方向名副其实的开创者，也是我国光学全息学科的先驱者之一。

（一）光学仪器学科的开路人

刚到华北大学工学院时，于美文老师被分配到物理教研室，担任马士修教授的助教，协助马教授辅导“大学物理学”和“大学物理实验”课。

1952年，华北大学工学院更名为北京工业学院。1953年专业调整，学院开始筹建光学仪器专业，马士修教授和于美文老师被同时调入光学仪器专业，承担筹建工作。他们和连铜淑、李德熊等其他老一代创业者一起，为今日北京理工大学光电学院奠基。

“物理光学”是光学仪器专业最重要的专业基础课之一，与“应用光学”并称为光电专业课程体系的两大支柱。这门课应用麦克斯韦电磁理论研究光波在介质中的传播规律，对数理基础和形象思维能力要求较高。这门课的建设和教学质量，是培养高素质建设人才的关键。马士修教授和于美文老师一道，共同承担了建设“物理光学”课程的艰巨任务。1953年秋季开学伊始，首届光学仪器专业学生的“物理光学”课由老教师田琦讲授，于美文老师辅导，讲课中途，田琦老师因故调离了学校，鉴于田琦老师已经调离，马士修教授担任繁重的领导工作，《物理光学》教材编写和教学任务就历史性地落在了于美文老师的肩上。于美文老师临危受命，毅然接受了这一重任。由于时间紧迫，她利用了包括节假日在内的全部时间，钻图书馆，查阅资料，绘制插图，撰写书稿，联系印刷厂，终于赶在54级开课之前，将第一版自编的《物理光学》油印教材交到了同学们手中。这本凝聚了于美文老师智慧和心血的教材经过多次改编和再版，1962年后，油印改为铅印，成为一本公认的优秀教材，在20世纪五六十年代曾被国内多所同类院校所采用，并在1964年全国光学仪器专业教材会议上，被审定为国内公开出版的《物理光学》教材蓝本。

1960年开始教学改革，为了加强理论基础，将本专业的“物理光学”分为“波动光学”和“量子光学”两门课。由于美文老师承担“波动光学”的教材编写和教学任务；而由范少卿老师承担本专业“量子光学”，以及外专业“物理光学”的教材编写和教学任务。到1963年，赵达尊老师接替了“波动光学”的教学工作之后，于老师就转入物理光学实验室主任的工作岗位，以全部精力投入实验室建设。

多年后，在回忆这段火热的创业历程时，于老师还动情地说：“在20世纪50年代，大学教材大都是翻译苏联的教科书。物理光学没有相应的苏联教材，第一次讲课用的是国内解放以前的讲义，内容太少不适用，我的备课要从编写教材开始。因为那时人手少，我还要同时准备实验。专业初建，一切从头开始，教材建设和实验室建设一起抓。第一次开课时也是我自己负责同学的答疑，我觉得这样做有许多优点，通过学生的提问可以促进我的思考，能够更深刻地理解课程的内容实质，对如何修改教材和改进讲授方法都有很大的帮助。”“回忆这段时间的工作，虽然艰苦，但也锻炼了我自力更生、艰苦创业的精神；在业务上，对物理光学有了更精辟的理解，这对我后期的工作能有所成就是非常重要的。”

2002年5月25日，在“于美文教授八十寿辰茶话会”上，中国工程院院士周立伟深情地回忆起50年前于老师讲授物理光学时，对学生循循善诱，细雨润物的往事，并即兴赋诗一首：“博学谦恭美文师，仁者名享北理工；崇高理想无怨悔，物光全息创新篇；孜孜不倦传学问，循循善诱育英才；只问耕耘不问名，朴实严谨是师风；学高身正师之范，山高水长创新风；深情白发感师恩，吾祝吾师仁者寿。”

（二）成绩卓著的女科学家

1972年，大学恢复招生，于老师也从光学车间调回物理光学实验室工作，她开始认真考虑学科的发展和自己的工作计划。她认识到：培养高素质的创新型人才，要走理论联系实践的路线，必须加强科学研究工作和实验室建设，才能从根本上提高教学质量。她摒弃对实验室工作的偏见，决心把科学研究和实验室建设作为自己今后的主要方向。

“文化大革命”以前，大学的经费十分拮据，物理光学实验室十分简陋，许多实验设备是旧中法大学遗留下来的，或者是教师自制的演示实验装置。在这种情况下，于老师首先带领实验室工作人员设计了一批新的物理光学实验，自制了相应的以激光为光源的干涉、衍射实验装置，以及偏振光定量测量装置。特别值得一提的是，她与力学实验室的教师合作，研制了索列尔补偿器。这种补偿器是偏振光检验中的核心器件，关键元件是两片光轴互相垂直的方解石晶体光楔，加工难度很大。为了解决加工中光轴测定的难题，她创造性地提出一种逐步近似原理，并用分光仪改装了一台光轴测定仪，与光学车间工人一起，制成了合格的索列尔补偿器，填补了国内的空白。这项工作于1978年通过部级鉴定，荣获了北京市科技进步三等奖。

全息术，又称为波前的记录和再现，被认为是20世纪最伟大的发明之一。国际上，直到1962年激光出现后才开始大规模研究。于老师以其深厚的物理光学基础和对光信息的深刻理解，敏锐地认识到，全息术是具有重要发展前景的研究方向，我们应该紧跟国际科技前沿，在这方面有所作为。1975 年在国内率先开展了全息术的实验研究。由于当时国内根本就没有全息实验设备商品，就自己动手，土法上马，用轮胎和水磨石板搭建了防震平台，并从光学车间找来一批废旧光学元件，设计加工了一批调整支架，开始了全息术的原理实验，很快就获得了初步的实验结果。与此同时，她还与云南光学仪器厂协作，争取到兵器工业部一项重大科研项目——“大块光学玻璃均匀性测试研究”。由我方负责原理实验研究和光学系统设计，厂方负责机械结构设计加工，最后共同完成调试。历经 5 年的艰苦努力，该项目于 1981 年圆满完成，经专家鉴定，获得 1982 年兵器工业部重大科技成果四等奖。

1980 年，法国著名光学专家弗朗松（M. Franson）教授应邀来我系讲学，介绍了他们实验室应用维格特效应进行光信息处理的研究成果。于老师很快重复了弗朗松的实验，并且改用自然光曝光，获得了更好的实验效果。在观察实验现象过程中，她敏锐地发现了可以利用维格特效应实现黑白胶片的假彩色编码，就立即领导研究生开展实验研究，并很快获得成功。应用该原理研制的“偏光图像处理仪”荣获了 1982 年北京市科技成果二等奖。这一研究成果比弗朗松教授实验室整整早了两年。

1984 年，在国家教委博士点研究基金的支持下，于老师带领博士生和实验室教师在国内率先开展了“全息图模压复制和大规模工业化生产技术”的研究，很快获得成功，并在 1985 年通过了兵器工业部的鉴定，成为国内第一个掌握了核心技术的研究单位。该项目荣获兵器工业部民品司颁发的科技进步三等奖，并在国内多次技术转让，获得了较好的社会效益和经济效益。

从改革开放以后，于老师的研究成果层出不穷，举世瞩目，仅在 20 世纪 80 年代，她就承担并完成了 5 项国家科研项目，获得部、市级以上奖励的共有 4 项。在她的领导下，北京理工大学全息及光信息处理实验室形成了较大的规模和很强的实力，在白光反射全息图、体视全息图、真彩色全息图、模压全息图、全息防伪技术、全息干涉测量等许多研究领域都处于国内领先地位，在国际上有很好的声誉，被国家教委指定为重点开放实验室。

丰硕的科研成果，除了来自于老师的聪明才智、执著追求和勤奋工作之外，还与她为人处世的高尚品格有关。她无私奉献，为人诚恳，对同事和学生热心帮助；她胸襟开阔，学术思想不保守，因此能够团结各种人一起工作。她淡泊名利，远离纷扰，一心一意徜徉在科学的园地；她是一个理论家，更是一个实践家。她在一篇文章中曾谈到：“我喜欢参加实验工作，愿意将新的思想通过实验来验证，去伪存真，从中又可以得到新的启发。”“我乐于助人，学术思想不保守，在与同行，同学交往中，能坦诚相谈。”这些，充分体现了一个老科学家的高尚情操和博大胸怀。

（三）诲人不倦的教育家

1978 年，伴随着十一届三中全会和全国科学大会的召开，科学的春风吹绿了大学校园，高校恢复招收硕士研究生。于老师被聘为全国第一批硕士生导师，1983 年成为首批博士生导师，1985 年又开始招收博士后。在第一批研究生入学伊始，她就一头扎进北京的各大图书馆，查阅文献，收集资料，构思研究生的研究课题。买书是于老师的一大嗜好，她经常光顾几个有名的中外文书店，遇到好的图书总要多买几本，送给其他老师和研究生。在她功成身退之后，将自己收藏的数百本中外文图书全部捐赠给了学院资料室。

为了给研究生开课，于老师从 1981 年就开始着手编写研究生教材《光学全息及信息处理》，新书面世之后，深受各大高校相关专业的欢迎。这本书通过多次修改后于 1984 年由国防工业出版社正式出版，并于 1988 年获国家教委优秀教材奖。她深刻认识到：结合科研编写教材是学科建设和教书育人的重要内容，写一本好书，是对全社会、全人类的奉献。在此之后，她写书的热情一发不可收，一口气又完成了《全息显示技术》《光全息术》《光全息学及其应用》《全息记录材料及其应用》等 4 部专著，并参加了全国大型工具丛书《机械工程手册》的编写。这一浩大的出书工程一直延续到退休后才最后完成。

于老师在培养研究生方面有一套科学的方法，其最大的特点是：学术民主，言传身教。由于她深厚的数理功底和细致入微的实验研究方法，她总是能够经常提出一些新思想、新见解、新方法，并且带领大家一起讨论，一起开展深入的实验研究。她的很多得奖科研项目，都是由她提出，并带领研究生一起完成的。于老师总是想办法扶持年轻人，给他（她）们出题目，压担子，她的好几本专著都是带领研究生共同完成的。她的弟子们都深有感触：能够在于教授门下学习和工作是幸运的，作于教授的研究生，是一生中知识、能力和才干增长得最快的一段经历。从改革开放到光荣退休的 20 年间，于美文教授共培养了 9 个硕士生，5 个博士生，3 个博士后，这些人大多在各自的工作岗位上作出了杰出的贡献。

大爱无疆，知识无界，于美文教授诲人不倦的博大胸怀，还体现在对校外科技工作者的无私关爱和帮助。往往素昧平生的人慕名找来，求得她的指导和帮助，她总是一视同仁，毫无保留地将自己的研究心得和技术传授给他们。在她的倡导和主持下，20 世纪 80 年代初，我系举办了三期“光学全息技术暑期培训班”，她亲自授课和指导实验，给学员们留下了深刻的印象。如今，这 100 多个学员散布各地，很多人虽然没有北京理工大学的学历和学位，但见面都会自豪地说：我是于老师的学生。在“于美文教授八十寿辰茶话会”上，中国航天科技集团七零一所的研究员袁格先生发来贺信，盛赞于老师对他的帮助和提携：“于美文教授是我敬爱的启蒙老师，她的《光学全息及信息处理》一书使我第一次系统全面地学到了全息照相的理论与技术，甚至在该书正式出版之前，刊物上连续登载该书初稿时，我就一章一章地全文手抄，如逢甘雨，得益匪浅。于教授多次对我当面指导，非常亲切，对我完成科研任务帮助很大，至今记忆犹新。”这样感人的事例真是举不胜举。

于老师几十年的辛勤耕耘和默默奉献，赢得了广大师生的爱戴。她多次被评为校、系的优秀教师；1983 年荣获国家机械委颁发的“教书育人优秀教师”称号；1991 年荣获国家教委颁发的“从事高校科技工作四十年成绩显著”表彰证书。

（四）人生最美夕阳红

于美文教授于 1991 年年底光荣退休。

在退休后的前 5 年，她继续著书立说，希望“对 20 多年从事全息学的教学和科研工作做一个全面系统的总结，反映 90 年代初的国际水平”，为后人留下一笔宝贵的精神财富。她以坚强的毅力，用 5 年时间，终于完成了最后 3 本专著的写作。1997 年 7 月，先生的最后一本专著《全息记录材料及其应用》出版了，望着整齐排在案头的 5 本饱含墨香的先生的著作，一个 70 多岁的古稀老人，不顾身患白内障和糖尿病等疾病，还笔耕不止，奋斗不息，完成近 300 万字的巨著，这需要何等的勇气和毅力，这又是多么宝贵的民族精神！

1996 年年初，最后一本著作已经付梓，先生开始考虑今后的人生安排。经过几个月的比较和选择，“一个偶然的机会”，促成了一段比晚霞还要绚丽，甚至带有一点传奇色彩的精彩人生。且听先生自己的叙述吧：“1996 年 10 月，一个偶然的机会使我参加了女教授联谊会的书画班。起初还是抱着试试看的想法参加的，但是一经参与便产生了浓厚的兴趣，打算我的余生学习书画了。因为这个书画班是 1995 年 9 月开始的，我 1996 年 10 月才去，不知从哪里下手。我就请教老师，请教画友，经常去美术馆、画院、荣宝斋参观，买一些参考书、名画册学习。经过半年多的实践，在 1997 年 6 月底学校老干部处举办“迎香港回归书画展”，我也送去两幅画参展，得到了画友们的鼓励，也增强了我学画的信心。”

现在，先生的绘画已经达到相当高的水准，她的作品多次在校内外参展。2003 年 10 月荣获“北京市高科技工作者书画展”三等奖；2004 年 9 月荣获中国老年书画研究会“庆祝建国 55 周年暨纪念邓小平诞辰 100 周年全国老年书画大展”优秀奖；2009 年，作品参加“南浔杯全国老年书画展”，获入选证书；同年，作品参加“中国重阳书展”，获入展证书，其作品被刊登在“书画报——老年书画”上（还专门写了画评）。俗话说“画如其人”，先生高雅的画品折射出她高尚的人品，她的孜孜不倦的追求和成功，最好地诠释了“有志者事竟成”的真理。

今天，走进光电学院全息与光信息处理实验室，还能看到当年于美文教授制作的彩虹全息图，它完整地记录了光波的振幅和位相，同样也完整记录了先生的精彩人生和高尚人格魅力。这些神奇的全息图，无论是精彩示人之时，还是尘封已久之后，总能凸现出栩栩如生的三维景物，衍射出绚丽的七彩光芒。最后，我们以“于

美文教授八十寿辰茶话会”上的一段祝辞作为本文的结束语。

北京理工大学光电工程系的祝辞是：“先生是一位杰出的开拓者，一位卓越的教育家。先生德高望重，奋斗终生，又那样淡泊名利。先生正像她画中的山岩、挺松、荷花、青竹、寒梅一样，在创业艰难时是那样泰然；在盛名之下，又是那样淡然；面对污浊世风，是那样的浩然；而在功成身退之时，却是如此怡然。《周易》曰：天行健，君子以自强不息、地势坤，君子以厚德载物。先生正是我系全体师生员工敬仰的自强不息、厚德载物之先辈。”

（撰稿人：谢敬辉）

第四节　教师访谈录

一、艰苦奋斗，开创仪器科学新天地——访连铜淑教授

认真严谨，从容淡定，学者风范。这是采访中连老给我留下的印象。从1952年于清华大学机械系毕业并任教于北京理工大学光电工程系，连老始终奋斗在教学科研第一线，作为光电学院创建者之一，连老为光电学院奉献了近50年的时间，为我国仪器科学发展培养了大量人才，为我国仪器科学发展创建了“反射棱镜共轭理论”中“刚体运动学”的学派体系。

采访中，连老严密连贯的思维和语序折射出其丰富的教学经验，在1952年建系初始，我国的仪器科学教学一片空白，没有教学大纲，没有教材，没有教案，今天很难想象在这样的情况下如何教学。一切都得从头开始，在苏联专家的指导和共同努力下，光电学院的教学渐渐起步。不久，中苏关系恶化，苏联专家撤走，一切的重任都落在了连老他们这一代人的肩上。经过艰难的开创和长期的教学工作后，连老对教学颇有心得，他主张培养学生“独立思考”的能力，在教学中启发学生“举一反三”。讲到这里，连老特别提到这种教学方式的来源是他上清华大学时的授课老师——钱三强，言语之间透露出对大师的敬佩，也让我感到连老的执著与追求。他先后讲授过“炮兵光学仪器”“航空军用光学仪器”“几何光学”“光学系统三级像差理论与查表法望远物镜设计”“反射棱镜共轭理论”“光学仪器调整与稳像”“机械设计”（辅导）“机构学”（辅导）“自动车床凸轮设计”（在318厂授课）“机构精确度分析与计算”以及“傅里叶光学”等课程，为我国仪器科学培养了大量优秀人才。

连老长期致力于光学仪器和应用光学的教学和研究工作。在发展“反射棱镜共轭理论”的研究中，创建了崭新的“刚体运动学”的学派体系。提出了一系列新的概念、定理、推理、计算公式、作用矩阵、特性参量、新型棱镜和棱镜组以及棱镜的新的分类方法与工程图表，使我国的反射棱镜共轭理论成为一个相当

系统和完整的体系。

他把"刚体运动学"的分析方法应用到棱镜体系中，使棱镜分析有了理论方法，大大简化了棱镜系统的分析计算。当时采用光线追迹的方式手工计算多次反射的棱镜系统，需要1个月的时间，而采用连老的"刚体运动学"方法进行分析，只要半个小时。

这一成果在国际光学工程界享有盛誉。他多次应邀在欧美等地举行的国际学术会议上宣读论文，讲授短课，担任会议主席。通过连老的工作，成功地把我国的仪器科学学术成果展现给国际社会。

从20世纪50年代末起，连老开始投入到科研工作，研究轰炸机稳瞄系统，经过调研、摸索和总结，走出了一条自己的科研道路。先后主持并参与了"雄鹰强击机瞄准具""大型天象仪主要配套设备太阳系""棱镜调整与实践"和"远程反坦克导弹控制技术和稳像技术"等课题的研究工作。

从理论到实践的反复磨砺，连老的成就都凝练在著作和成果中。著有《三级像差理论与查表法望远物镜设计》《光学设计图表》《棱镜调整（光轴和像倾斜计算)》《棱镜调整》（国防工业出版社1978）《棱镜调整（原理和图表)》（国防工业出版社1979）《反射棱镜共轭理论》（北京理工大学出版社1988）以及《Theory of Conjugation for Reflecting Prisms》（中英合资企业 International Academic Publishers 1991；由英国 Pergamon Press 资助出版，并在 Oxford - New York - Frankfurt - Sao Paulo - Sydney - Tokyo - Toronto 发行）。译有《轰炸瞄准具讲义（俄)》《轰炸瞄准具与空中射击瞄准具光学理论（俄)》以及《工程力学（下册）（俄)》。发表论文40余篇。

获奖有：《棱镜调整》被评为"1977—1981年度全国优秀科技图书"一等奖；《反射棱镜共轭理论》获1992年度部级优秀教材一等奖；《反射棱镜共轭理论》（英文版）获1995年度部级优秀教材一等奖；"棱镜调整与实践"获国防工办1980年重大科技改进成果二等奖；"远程反坦克导弹控制技术和稳像技术研究"获兵器工业总公司1995年度部级科技进步奖三等奖。1992年获国务院发给的政府特殊津贴。拥有"分离式圆束偏器"及"方截面等腰屋脊棱镜"两项实用新型专利。

除了学校的工作，连老还从事大量社会兼职工作：兵器工业部科学技术委员会委员、兵器工业部学位委员会委员、兵器工业部高等工业学校工程光学专业教材编审委员会委员、中国光学学会理事、中国光学学会基础光学专业委员会委员、《光学学报》编委会编委、《仪器仪表与分析监测》委员会副主任、北京市光学学会理事、北京市人民政府第三届专业顾问团顾问。

连老对语言学颇为爱好，熟练英语、俄语；能阅读德、日语；对汉语语法及拼音也饶有兴趣。

从连老的交谈中，能感觉到一种严谨、淡定的学者气质，也能听出来老一辈创业时的艰辛与排除万难钻研学术的执着。与过去的艰苦环境包括生活环境、政治环境相比，现在的条件可谓大大改善，连老希望我们年轻人把握大好机会，努力奋斗。

（青年教师：何川、陈凌峰）

二、访光仪创始人之一李德熊教授

李德熊老师，1952 年清华大学机械系毕业后就到北京工业学院工作。那时校址在东黄城根，北京工业学院的校名也刚挂牌。当时四系还未成立，学校仅有一些专业组，李德熊老师就被分配在机械专业组。1952 年开始了全国高校专业大调整，1953 年确定了咱们学校为国防工业院校，并从苏联引进了一批专家协助建立各门类专业和系。于是成立了 11 个专业，其中第八专业就是光学仪器。通过师资平衡，李德熊老师就被抽调到光学仪器专业。李德熊、连铜淑、于美文等人就被安排给薛培贞、马士修及苏联专家等人做助教。

1953 年创系之始，学校的科研与教育可谓是真正的一穷二白、一无所有，尤其是光学这样一个“全新”的学科，那是一段艰辛的岁月。应用光学、物理光学、光学仪器、光学测量等重点骨干课程都是在那个年代从无到有建立起来的。开始，李德熊老师负责辅导光学测量课和光学仪器装配与校正，仅有的资料是一个教学大纲、一页纸。为了搜集资料以及系统深入地自我学习，需要到国内各地方去学习。他首先到了昆明 298 厂，在厂光学车间待了几个月，然后又到长春光机所待了近一年，与对方科研人员一起工作。就这样，通过国内外各种途径的实习和资料收集，整理出了最初较为粗陋的讲课讲义。当时老师们边收集资料边讲课，有时甚至还会出现收集资料的进度赶不上讲课的进度，每次讲课都是采用随堂发放讲义的形式进行。那时，任何一点资料都是非常宝贵的，且由于1953 年北京工业学院转为国防院校，相关资料的保密工作也提上了日程。李德熊老师回忆，当时每次上课之前，老师都给学生发放当堂课程的讲义，上完课之后还必须回收课程讲义，并统一存放在系资料室，有专人和解放军负责管理和守护。教师备课或学生上自习需要使用课程资料，必须去资料室借，用完须及时归还。李德熊老师介绍，由那些讲义合编形成的最初教材是很简单的，只是薄薄的一本。后来经过多年修改、几代教师的努力扩充，才发展为后来的成熟教材。

光学测量课程后来并没有让李德熊老师辅导，因为什么资料也没有，他很难利用有限的时间、精力备出课来，且当时苏大图老师留校专职辅导光学测量。李德熊老师主要负责光学仪器装配与校正课程的辅导，其辅导工作内容主要是答疑、批改作业、辅导习题及实验等。由于当时人才非常缺乏，国内也没有相关专业，因此最初那些年的教师全部都是师兄弟关系，属于近亲繁殖，直到六七十年代这种局面才有所改变。在那个年代，李德熊等老一辈教师为四系做了不少卓有成效的工作，但李老师说，泡过去的时间也很多，例如“文化大革命”之类的。

在困难时期，大家都吃不饱，但还得接着干，有的时候任务来得紧，开夜车也得干。例如：周仁忠老师，那时候开始搞红外研究，因没有暖气，冬天在实验室里冻得鼻涕哈拉的，也得干，非常艰苦。还有，当时六楼实验室要搭一个工作台，完全靠人力将大量砖搬上去，泥瓦工也自己做。正是李德熊等老一辈教师在那个艰苦的年代所做的艰苦而扎实的工作，才为四系后来的发展和腾飞打下了坚实的基础。

在教学方面，李德熊老师谈到，必须把基础课学好。只有把基础打好，才能更有发展后劲，才能把专业课学好。如果专业课相对比较扎实，那么其他知识，通过自学或实践等方式也能学会。而物理、数学基础是很重要的，很多大科学家都是学基础出身，而不是学仪器出身，除非是进行到专题研究中才需要。对于一些专业课的消亡，李德熊老师说并不一定很可惜，关键是要把数理基础打好。

（青年教师：张旭升、邱丽荣）

三、上善若水，厚德载物——周立伟院士访谈节录

我们主要请周老师谈谈夜视专业的建立、他的成长感悟以及对我们的期望。

周老师：我 1953 年上大学，1958 年毕业留校任教。我学的是地面瞄准具，毕业设计是坦克瞄准具，用的是光学和机械知识。当时国内没有军用电子光学这个专业，我们是国内第一个开设这个专业的，是马士修教授开设的。当时科研很少，教学是“现学现卖”。到工厂实习、开设工艺课都是根据生产实际来教给学生。跟现在的课程不完全一样。但是当时我们比较注重的是物理问题，所以我就要求大家打好物理基础。比如四大力学中，我们学了理论力学，还学了材料力学，像半导体理论、量子力学、电动力学都没有学。后来我们在这个专业课里加了一些量子力学、电动力学的课程。我还是希望我们现在的专业加强四大力学等物理基础。

周老师：创建时问题非常多，因为这个领域的内容我们在大学里从来没有接触过。搞红外夜视，变像管里面有光阴极，荧光屏还有一个聚焦成像的类似光学系统的电子光学系统。怎样能把光阴极上的像不失真地传递到荧光屏上，这个就得考虑电子光学系统。电子光学我们又没有学过，要开办这个专业就让我出国攻电子光学。当时我年轻，有一点初生牛犊不怕虎。另外一点我很务实，一年不行两年、两年不行五年、五年不行十年，我觉得经过我的努力总是能把电子光学掌握的。我去北大听一位俄罗斯专家的课，两年以后，我的老师马士修在学校也开设一门电子光学原理课。后来我写了一本《电子光学理论与实践》讲义，1961 年出版。当时电子光学方面有本很权威的电子光学著作——德国格拉叟著《电子光学基础》的俄译本，我就是读这本书，因为是俄文的，不能说都懂，所以边读边记。1962 年我到苏联列宁格勒乌里扬诺夫（列宁）电工学院物理系学习，当时去的目的是解决夜视里面的电子光学设计，但是到了俄罗斯才发现学不到。一

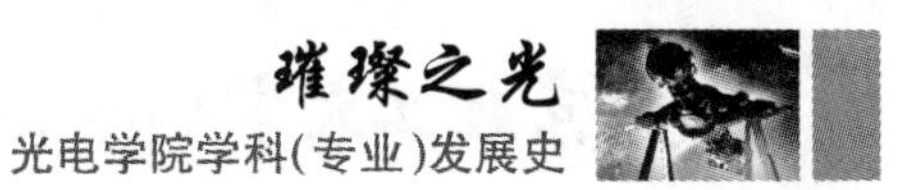

方面他们保密，另一方面学校也没人做这个方面的研究，他们主要做的是强流和超高频电子光学。我思考再三，觉得不应该改变我原定的方向，决心自己闯出一条路子来，实现自己的诺言。就这样，我的科学生涯一开始，就走上了一条艰难的路。因为不认识人，我在俄罗斯的所有工作全部都是自己做，包括电子光学测量实验、接线路和测量，条件比现在差多了，最后我还自己选定了这个方面的课题。

我在列宁格勒乌里扬诺夫（列宁）电工学院做研究生阶段，正值中苏关系趋于白热化，我大部分时间是在列宁格勒谢德林图书馆和苏联科学院图书馆度过的。在寂寞的学案上，每天读书、记笔记，探索着、研究着，终于在静电聚焦同心球系统的电子光学和阴极透镜的像差理论上有所突破。

1966 年 4 月底，列宁格勒电工学院学术委员会以 22 票全票通过我的物理数学副博士学位论文答辩。

我在苏联主要是做理论研究，回国后才研究实际工程系统。我总是想把问题从理论上升华，所以我写的大部分都是理论文章。

我当副教授是 1980 年，那时我 48 岁了！我是博士毕业 14 年后才当副教授，是全系最早的一批副教授。1984 年被评为教授，是国家教委特批的。1984 年我正好到美国出席国际会议，我回国下飞机的时候，有个人告诉我："周老师，您连升三级，成了六级副教授。" 1984 年我升教授的时候，我的先生还不是教授，所以我没跟任何人宣布这个消息，等到我的先生 1986 年升教授时我才正式向大家宣布我是教授，这样我跟我先生是一样的，我填正教授的日期一般都填 1986 年。我是 1982 年申请博士点，1983 年当博士生导师。

青年教师：您在书上说，现在的学术环境很宽松，这是与当时您所处的环境相比吗？

周老师：是啊。从本科毕业到 1978 年期间，我没有文章发表。在发表的文章中，除了在苏联外，其他都是用我的化名，包括我写的讲义，也都是用化名或用教研室的名字。因为当时不能有个人的名利思想，如果你写自己的名字，就有名利思想！直到 1980 年政策才放宽。从 1980 年到我 1999 年评为院士，我发表了大约有 140 多篇文章，其中有 110 多篇被 EI，SCI 检索。我最好的年代已经过去了，我现在还在努力做工作。

青年教师：周老师请谈谈在教学工作里的一些感触和体会。

周老师：教学工作我有一个感触，教室是一个提高人水平的地方，老师更得努力地教。教到一个地方解释不通了，被卡住了，说明没有搞懂，所以我每上一遍课都会学到新的东西，教学的体会对科研有很大帮助，可以知道哪个环节还有哪些工作可以做。后来我们教研室新人比较多，我要求他们都要搞教学。我始终认为教学是可以提高人的。我写的《变像管与像增强器的电子光学》，这基本上是我的博士论文，俄罗斯的论文翻过来的，讲一些基本原理，后来到 1977 年我又写了《夜视器件的电子光学》，1993 年我写了《宽束电子光学》，这本书得了 3 个大奖。其中一些工作是我和学生一起做的，有倪国强、金伟其他们的贡献。我最近准备写一本动态和静态电子光学。

青年教师：周老师在教学时，哪些事或学生给你的印象最深？

周老师：学生答卷子时用英语，当时我并没有要求用英语答题，这说明学生是比较有创造力的。我觉得中国学生的一个问题就是不愿意提老师的缺点。如果老师哪个地方写错了，学生不敢提，怕提出来老师不高兴。其实是问题创造了我，别人给我提问题，我把它吃透了，我就能进步。如果我们没有一种怀疑的态度对问题进行深度思考，那么什么问题都不要做了。俄罗斯授予我俄罗斯工程院外籍院士的时候，俄罗斯工程院院长给我写信说："你创造了自己的学派。"我的工作跟别人不一样，我的所有工作都是我和我的学生、我的合作者一起做的。有自己的一套思路和想法，这些想法要实践、要来证明、要克服很多困难，其实我的数学水平并不高。

青年教师：我们的毅力和能力根本没法和您比。

周老师：毅力是很重要的，人的一生当中的成功还是要靠恒心和毅力。你有思想，还要有恒心来做。做事情可能要有人说你有名利思想，我不管这些，做事情不管别人在背后说什么。我不打击别人，要团结，但要有底线。我现在体会，做人比做学问还难、还重要。我在自然基金评议会上讲，人要有一个很好的诚信，我申请了十几项基金，没有不批的。通常基金批准率很低，大约 18%。为什么我就能申请上呢？第一，我的申请书写得非常漂亮；第二，我认为成就是他们的，无论是自然基金还是国际基金，我给他们的报告都是很棒的。在社会上，大家都认为我是很诚信的人，我的名字写上了，大家一看，大家都认识我，即使有意见，大家写的也比较客气。所以，做事情一定要有诚信，别人把任务交给你，一定要做好，给国家争荣誉。另外就是要尽量帮助别人。表面看是我们在帮助别人，其实帮助别人成就的是自己。

青年教师：您的研究方向还有哪些展望？

周老师：我的愿望是再写一本书。这本《科学研究的途径》已经出版了一万册，有些内容要补充，有一些要改动，所以还要再版。两年内准备出一本中英文的宽束电子光学书，大概字数比现在这本要多，原来这本都是空间的，新出的要把时间的、空间的，动态的、静态的电子光学从理论上全面阐述。美国人一再讲要把现在这本书翻译成英文在美国出版，但我觉得缺点还很多，所以我想新写一本。我的自然基金今年完成了，明年就不申请了，我要集中精力写这两本书。

青年教师：学院发展方向您有什么建议？

周老师：都靠你们年轻人。我认为真空这方面的途径越来越小，我建议在学院里加强半导体、固体物理方面的基础知识，对学生来说我觉得这方面很重要。我们教研室现在做的大部分都是应用基础研究，这部分研究做得好也可以，但是原创性的工作就不太够，这和我们实验基地不强有关，这是我们一直存在的问题。

青年教师：温家宝总理说，一个国家的实力，一个民族的荣誉，不仅反映在经济实力上面，还反映在社会的进步、人的素质、科技水平、文化底蕴和道德力量上面。请您谈一下，我们学校现在要培养大师级人物，要建设研究型大学和温总理说的社会进步、人的素质有何关系？

周老师：我认为首先要有一个很好的氛围，大家在一起要相互鼓励，相互学习，相互帮助。有一个非常好的氛围，而不是钩心斗角，或者说我帮你就是我吃亏了。学校不是名利场，不是权力场，也不是市场，学校就是一个讲学术的地方，所以我不同意把学校搞成名利场、权力场，大家一起为了权力去奋斗。

青年教师：我们感觉非常需要像您一样的大师级人物。

周老师：我也不是大师级人物，每个人都可以做大师。我的一些老师，他们的品德都非常好，像王大珩等，他们的思想都非常高尚，我们应该向他们学习，我们做不到他们这样，但是我向他们靠近，就像太史公司马迁说的："高山仰止，景行行止。虽不能至，心向往之。"就是说达不到这个高度，但是我努力去做。我绝对不是你们的榜样，但是我们自己要从点点滴滴做起。现在把导师称为老板，我非常不同意这种说法。老师和学生是师生关系、师友关系，师生是相长的。不要把老师看成是"我雇佣你，你出力气，给我卖力"，这样不对。我们古代也没有这样的想法，现在越来越功利化，把学生作为劳动力，作为他们成名成家的工具，这是不对的。我专门写了一篇给导师的十个建议，里面讲了，师生之间的关系，老师是榜样，学生把你当榜样来看，你自己做工作抄抄写写，投机剽窃，学生一看就会觉得做学问这么容易啊！老师这样做我也这样做！这样学风能好吗？所以我说学风好不好是老师做出来的。一个对自己要求不高的老师，还去教育学生，学生怎么会服呢？学生们可能会想，有朝一日做到你这个地位，我也欺压下面这些人。做人不能这样做。所以说，不管是教研室还是学院，大家都要讲究团结，一起努力工作，多做些事情。你们成长的大气候非常好，你们要自己努力上进，把任务完成好，在理论方面深化和提高。

（青年教师：王岭雪、刘丽辉、王吉晖、刘克）

四、精密机械学术带头人——访何献忠教授

何献忠老师于1955年毕业，同年9月来到北京工业学院仪器系工作，一干就是将近40年。从20世纪50年代在苏联专家的帮助下创建专业，到苏联专家撤走时凭借自身的积累和踏实肯干的精神将仪器专业发扬光大，到60年代中期排名国内前列，到80年代后仪器科学与技术、光学工程学科排名相继跃居全国高校前茅，光电学院的每一步发展都与何献忠等一批老教师的工作分不开。

何老师说他们这一代人是听着英雄人物的故事长大的。保尔·柯察金，《钢

铁是怎样炼成的》，革命党人坚强的意志让正是意气风发的何老师立下誓言，只要是认准的事情一定要坚持做到底。50 年代中期，苏联专家扎卡兹诺夫等向当时的教师们传授专业知识和讲课方法，帮助刚刚起步的仪器系建设自己的课程。由于讲课的迫切性，往往是上午专家向教师传授，下午教师就要上讲台教学生。1958 年，何老师给教 52 级学生课的老师当助教，由于任课教师遭遇意外无法完成授课工作，何老师临危受命，把当助教时早已烂熟于心的内容成功地教授给学生。1959 年苏联专家撤走时，仪器系也有人彷徨，不知是该继续苏联的教材和教育方式还是学习英美。何老师与当时的教师一起以苏联《机械零件》书籍为基础，兼顾机械零件和仪器零件，在 62 级学生的帮助下整理了精密机械的教材。慢慢地，凭借苏联专家的帮助以及自身的努力，仪器系终于有了自己的教材，发展了自己的专业，在当时的浙大、哈工大、天大中也享有盛名。

忠诚党的教育事业，对学生负责，正是何老师这一代老教师辛勤园丁形象的真实写照。由于“文化大革命”的影响，70 年代初期国家对高级人才的需求非常迫切，当时的工农兵学员是比较特殊的一批学生，他们虽专业基础较差，但很努力，何老师认为任何一代人都是社会发展的一个环节，不能因为学生基础差就放弃教学，只有教好了这些学生才能让他们发挥自己的作用，为国家做贡献。为了因材施教，何老师等老教师根据工农兵学员的特点重新编写了教材。当时教师居住条件都不好，何老师也仅有一间住房；为了刻印讲义，他经常在缝纫机台面上刻钢版。由于不熟悉钢版的刻法，经常是拿去印刷才发现不能使用，只能重刻。就是在这样艰苦的条件下，秉持着“不能让一个同学掉队”的思想，老教师们在“文化大革命”期间也坚持着教书育人。十年树木百年树人，正是何老师等一批老教师以强烈的责任心担负起仪器系的教学重任，才有北京理工大学光电学院桃李满天下的今天。

作为一名专业教师，何老师不仅以教好学生为己任，更以参与和承担国家的科技项目、为我国精密工程等领域科研水平的提高作贡献为目标。1958 年建国十周年前期，学校组织了一批重大科技项目为国庆献礼，其中有反坦克导弹、弹道经纬仪、三米焦距照相机等项目。何老师的第一个科研项目是反坦克导弹的放线机构。当时何老师并无任何科研经验，仅带领两名学生，可以说是白手起家。不过扎实的专业基础、旺盛的精力和强烈的责任心支撑何老师在紧迫的时间期限内基本完成任务。既然不是天才就只能凭借勤奋和学习。何老师工作到最累的时候每天只休息 2 ~ 3 小时，经常是持续的室外实验。有了第一次的经验，在弹道经纬仪项目中，何老师担任了小组长，与王大珩负责的中科院小组合作。敢于重用新人的氛围让何老师充分发挥自己的主观能动性，既累积了经验也为项目的发展作出了积极的贡献。指导学生参加实际的研究项目，培养他们解决实际问题的能力，只有这样才能助其成才。与学生协同工作，注意因材施教挖掘学生的潜力，数十位硕博研究生得到何老师的悉心培养，他们中的有些人也成了何老师的同事、朋友。

以党的教育事业、科研事业为己任，何献忠老师长期致力于精密机械、设计方法学及评估、决策理论方法的研究。先后为本科生、硕士生、博士生开设了“精密机械”“优化设计”“设计学”等9门课程，公开发表论文40余篇，出版专著、教材、大型工具书《设计学》、《精密机械零件综合设计》、《仪器仪表结构设计手册》等共6册。曾任4个部委级大、中型科研项目组长。在精密工程设计领域有多项创新性研究。以排名第一的成绩获得国务院电子组三等奖1项、兵器部科技二等奖3项、机电部科技二等奖1项、兵器部优秀论文奖1项。并于1992年起享受政府特殊津贴。

以史为鉴可以知兴替，何老师寄语正处在发展关键时期的新光电学院，紧跟国家发展方向，扎扎实实从基础抓起，戒骄戒躁，踏实进取，锐意创新，并祝愿光电学院有更辉煌的明天。

（青年教师：胡摇、董立泉）

五、全心奉献祖国光学设计事业——访袁旭沧教授

他，是一位真正的科研、教育工作者。当他还在接受苏联专家培训的时候，已胸怀改变中国光学落后状况的理想；当他站在应用光学授课第一线的时候，为编写光学设计教材夜以继日地付出艰辛；而当他成为国内光学设计领域的领头人时，他更加努力地奋斗在最前线。50余年来，在京工坚守着自己的科研、教育岗位。望云卷云舒，自坚贞无悔！

如果你是一位光学设计工作者，就一定会知道北京理工大学的袁旭沧教授，他编纂的《光学设计》《现代光学设计方法》等国内公认的最早的经典光学设计教材，为培养祖国光电人才立下了不朽丰碑；他带领研制的SOD88软件，作为20世纪国内应用最广泛的计算机辅助光学设计程序，享誉光学设计界。

我们的采访约在了晌午时分，冬日的阳光柔柔地洒在堆满了书的大书桌上，整个屋子溢满了书卷味。谈及他所创造的无数个第一，他获得的国家奖项，他钟爱的光学研究时，袁老师神采飞扬。

袁老师向我们讲述了他的丰富经历。“在我以前，咱们学校没有人搞光学设计”，1957年学校计划创立光学设计学科，派遣即将大学毕业留校任教的袁老师到长春光机所做关于经纬仪的本科毕业设计工作。1958年又与列宁格勒光学机械学院的苏联专家鲁西诺夫共同工作了3个多月。

20世纪60年代，苏联专家撤离，袁老师作为学科带头人承担起北京工业学院光学设计方面的研究、教学工作。袁老师为金门、珍宝岛等前线部队设计“250毫米口径，三米焦距远程照相机”，曾多次赶赴福建前线、成都军区进行实地调试。经过多次改进，相机清晰度及重量、体积、调焦方式等得到极大的提高，获得各个前线部队的好评，通过相关部门鉴定后，30多台成品机器成为北

京工业学院四系当时唯一列装部队的产品。

袁老师在这里特别提到“通过这个项目培养了一批人”。当时的光学车间从来没有加工、装调过如此大口径的光学系统。重量大压圈变形、口径太大等一系列问题亟待解决。“文化大革命”期间，我很少参加运动，一直待在车间里，而且跟工人师傅一起加工、检验、调试。用单透镜做 10 多米的土平行光管。根据 150 毫米口径的拼接条纹推出整个光学面的条纹，然后和师傅一起装调。这样今天我们无法想象的简陋环境培养了一批优秀的人才，车间的加工能力和装调师傅的水平也得到了极大的提高，为以后的工作打下了坚实的基础。

“文化大革命”期间，为拍摄样板戏，上级提出国产化电影摄影设备的想法。国防科工委下属的工厂请袁老师负责设计 35—75 毫米焦距中焦国产摄影物镜系列。工作期间，中科院计算所专门调人编写像差计算程序，用全国最早的计算机协助袁老师进行设计工作。样机加工好后，工厂将相同规格的国际名牌镜头与我们自己设计加工的镜头进行影像对比，经专家鉴定，我们的中焦镜头视觉效果好于进口的国外大牌镜头。袁老师说这是由于他在早期解析、研究美国的 U－2 坠机侦查镜头时所获得的设计思想：“重视整个视场像的质量的一致性。”在此期间他还利用在电影厂车间工作的机会为《光学设计手册》拍摄了多个镜头星点图。1978 年的全国科学大会，在国防科工委和电影制片厂的一致推荐下，“电影摄影物镜中焦系列”作为北京工业学院的一个单独项目获奖。

袁老师一共获得 4 项全国科学大会奖，即“大型传递函数测试仪”“离轴抛物面的光学补偿器”“适应法自动校正程序”以及国产“大型天象仪”等项目。还有为航天部设计、加工的 5 米焦距复消色差透镜，采用“光学分向法，把焦面上不同波段光导入不同光学系统”方法为资源卫星设计的“13μm—可见光波段多光谱扫描仪”等不一而足。

作为一线教师，袁老师编写的《应用光学》《光学设计》《现代光学设计方法》等教材影响了国内一代又一代光学设计者；以向量分析为基础的“棱镜转动定理”蜚声应用光学界；袁老师等中国老一代光学设计大师智慧结晶的 SOD88 软件，在算法和像差优化方面完全不次于业界流行的 ZEMAX 等光学设计软件。

提到光学的发展前景时袁老师认为，从科学技术的整体范围来说，相对于电子科学的日益发展，光学的地位和作用在下降，比如闪光灯的使用以及芯片感光度的提高，以前流行的大相对孔径镜头将不再需要；但是光学设计在航天相机、线视场镜头、超小投影仪光学引擎等特殊应用方面还将继续发挥作用，以及 3D 设备的放映、摄影技术也极有可能成为热门方向。

（青年教师：陈靖、常军）

六、全心奉献祖国光学测量事业——访苏大图教授

苏大图教授是我国在光学测量领域享有盛誉的专家。提起苏老师，只要跟他

接触过的老师、学生都会有诸多共识：苏老师的概念绝对准确清楚！有不甚清晰的问题找苏老师讨论一下能够理清思路；苏老师钻研学问深入细致；苏老师特别谦虚敬业……这样一位在学术上如此高屋建瓴的老教授，他所经历的治学之路是怎么样的？对我们后来人有着什么样的启示？带着这些问题，我们采访了苏大图老师。

苏老师给我们的第一印象是精神矍铄，每天他依然按照正常工作时间到达六号教学楼的实验室，开展着他正常的科研工作。从他的动作、话语中丝毫看不出他已经是一位年过七旬的老人。苏老师通过自己的求学、任教过程见证了北京理工大学的成长和发展。苏老师回忆说，当他 1952 年考入北京工业学院成为仪器系的一名学生时，当时校舍还在车道沟。1955 年学院从车道沟搬入现在校区，作为学生他参与了校区搬迁与建设工作。1957 年苏老师毕业留校，分配在仪器系第一教研室工作，开始了光学测量方面的教学与科研工作。当年仪器系的军用光学仪器专业在国内虽然声誉显赫，可实验室建设才处于起步阶段，必须借助苏联专家制订教学计划，指导实验室建设。苏老师虚心向苏联专家学习，在工作中不断夯实基础，同时也不遗余力地扩大自己的知识面。有一次要解决应力仪测量方面的问题，苏老师跑遍全国各地相关单位，由于经费不足，在成都只能长时间住在地下室，直到问题解决。苏老师非常关心国际上光学测量的进展，为了准确制订当时透镜标准，在当时信息极不畅通的情况下，四处托熟人到各地图书馆查国际标准。几十年中，苏老师正是这样勤勤恳恳、脚踏实地、一步一个脚印地默默耕耘，才换来在光学测量上取得的丰硕成果。国内第一本正式出版的《光学测量》教材就出自苏老师之手，此后陆续出版了 5 本光学测量方面的教材，这些著作至今仍被奉为光学测量领域的权威之作。早在 1985 年，苏老师就被聘为总装国防计量测试技术委员会专家；同时他还担任《光学学报》编委、国防计量测试技术委员会委员、中国光学学会光学测试专业委员会副主任。1992 年苏大图老师享受政府特殊津贴，1995 年被评为“全国优秀教师”。在科研方面，苏老师也是成果累累，他所完成的很多科研项目多次获国防科技进步奖，而他却不要写他的名字。以他为主完成的标准望远镜项目被专家一致评为具有国际先进水平，在 1997 年香港回归被选为了展示成果之一。

在采访中让我们感慨最深的是苏大图老师在工作中甘于奉献、从不在意个人名利的为人准则。苏老师身边的老师说，对所承担的科研项目，苏老师向来只承担责任，埋头工作，而把经费使用与获奖全给了青年教师。在很多获奖奖项中，苏老师甚至都不允许写自己的名字，而把机会和荣誉让给了别人。苏老师非常关爱青年学生的成长。对每一个研究生的指导他都是竭尽所能，苏老师培养了国内第一位以光学测量为研究方向的博士，到如今已经是桃李满天下。苏老师也非常关心青年教师的发展。他希望现在的青年教师，能摆正健康、工作、生活、名利的位置，一定要非常重视基础和原创性，希望年轻教师努力通过自己的奋斗，争取能够成为大师级的人才。

70多岁高龄的苏老师依然积极关心着学院的发展，他希望学院能够在整合团结方面下大工夫，组成力量强大的团队，搞好团队建设，争取大项目。同时，苏老师还指出纳米测量和紫外探测是光学测量发展的方向。我们要抓住机遇，敢于超越，只有这样，才能够使学院得到长足的发展，在各种竞争中立于不败之地。

（青年教师：黄一帆、蒋玉蓉）

七、从事光学系统设计的一生——访陈晃明教授

值此北京理工大学建校70周年之际，我们有幸拜访到北京理工大学建校初期的一些学科创业者、建设者，通过聆听他们的人生故事与风采，回顾建系初期他们为国防科技事业的发展所做出的努力与奉献的心血、为学校重要学科的起步所克服的困难，以此来激励新世纪的北理人继续发扬老一辈教育家们为科学事业钻研终身、不计名利、终身奉献的光荣传统，从而为国民经济建设和国防建设事业的发展提供前沿技术支持，为学校的发展、建设添砖加瓦。

——题记

（一）

陈晃明，北京理工大学光电学院教授。1951年进入华北大学工学院学习，后并入北京工业学院仪器系学习，1956年留校于仪器系任教。

在中苏关系友好时期，许多苏联专家被派往中国帮助新中国进行初期建设，来到北京工业学院仪器系的专家有4名，其中之一为列宁格勒光学精密机械学院的苏联专家鲁西诺夫教授，他被众多苏联专家认为是工程光学方面的世界级学术权威，被邀请来北京理工大学帮助建设工程光学专业。在此背景下，陈晃明1958年被派到北京俄语学院留苏预备部学习俄语，当鲁西诺夫教授来华讲学时担任其翻译，协助这位国际著名教授完成了3项创新科研成果：“三米长焦距远程摄影照相机”“90°广角目镜”“非共轴望远系统”，解决了当时光学系统设计方面的难题并达到了世界水平，大大推动了中国光学学科的发展。

由于其在语言方面的优势，陈晃明翻译了《光学系统外形尺寸计算》和《技术光学》两本书籍。难能可贵的是，陈晃明作为这两本著作的翻译者，将所有的稿费捐出，丝毫不贪图名利，一心一意只为国防科技事业的发展无私奉献。

陈晃明在校任教期间，曾先后赴英美两国访问、讲学和参加学术交流活动，在广角航空照相和摄影测量物镜、球幕鱼眼物镜、高倍显微物镜、带全息透镜的非常规光学系统等方面有精深研究，其中，“光学自动设计应用程序”获1981年国务院国防工业办公室技术改进一等奖；“YW－1型氩离子激光微束仪”获1981年北京市科技成果二等奖；“偏光图像处理仪”获1983年北京市科技成果二等奖；“大型天象仪太阳系和流星雨光学设计”（合作）获1985年国家科技进步二

等奖；独立完成国家“七五”重点科研项目“全息光学的基础理论与系统设计及应用的研究”，获 1991 年兵器工业总公司科技进步三等奖，为北京理工大学工程光学学科在国内一直处于领先水平奠定了坚实的基础，作出了突出贡献。

作为教师，陈晃明利用自己在俄语、英语方面的优势，翻译了若干国外优秀光学著作，从而让国内的研究人员能够接触到国际最前沿的光学知识，推动整个光学学科的发展。陈晃明还曾担任中国北方工业公司高级工程师、北京中南机械电子集团高级技术顾问、第四届全国高校光学学术委员会委员、美国国际光学学会（SPIE）会员、《北京理工大学学报》编委等职务。在这些成绩和荣誉的背后，记载了陈教授严谨的治学态度，更记载了一名共产党员对党和国家的国防事业的执著追求和拳拳挚爱。

（二）

也许鲜为人知的是，陈晃明是中国共产党第九烈士陈毅安的遗腹子，在共和国众多革命先烈中，陈毅安能够排列为第九名，无疑是一种引人瞩目的政治殊荣，足以表明烈士有着非同凡响的辉煌人生。

陈毅安烈士 1924 年就加入中国共产党，是黄埔军校第四期学员，毕业后曾带领部队跟随毛泽东参加秋收起义，参加了攻打龙源口、围困永新城、保卫黄洋界等战役并担任重要指挥员，在红军创建时期曾经先后迎接朱德和彭德怀的部队上山，在井冈山会师这一中国革命历史的壮丽诗篇中书写了重要一笔。1930 年在第四次反围剿中壮烈牺牲，彭德怀曾为陈毅安写下了这样的题词“生为人民，生的伟大；死于革命，死的光荣”。

然而，作为中国共产党早期革命者的后代，陈晃明并没有放松过对自己的要求，反而更加严于律己，时刻把国家的安危、国防建设放在心上，选择了能够为国防事业作贡献的工程光学专业作为自己学习的方向，并认真钻研学科难题，提高专业素养，为缩小中国与发达国家在光学仪器，尤其是军用光学仪器的差距尽心尽力。

陈晃明和父亲陈毅安烈士生活在不同的年代，面临着不同的任务，他的功绩虽然不如父亲那样卓著，但他的业绩无愧于“英模之子”的称号。他延续了父亲的爱国情怀，父亲在硝烟弥漫、战火纷飞的战争年代为了民族的解放抛头颅，洒热血，英勇战斗，前赴后继，直到流尽最后一滴血；陈晃明则在和平年代为了国家的富强献身科学，努力钻研与学习自然科学知识，成为中国光学学科的先驱力量，同时为北京理工大学工程光学学科的发展奠定了坚实的基础。

（三）

如今陈晃明教授即将步入耄耋之年，但是仍然能够熟练地使用英语、俄语进行交流，对于光学公式也是信手拈来，这些都足以反映出陈晃明教授扎实的专业基本功和开阔的国际视野。虽然已离开工作岗位多年，陈晃明教授还时刻关注学校光学学科的建设情况，询问、了解自己所培养的学生在各自岗位中的表现和取得的成绩。他还非常关心青年教师的生活、工作现状，希望学校能够在本学科培养更多的优秀人才，吸纳更多优秀的青年教师，从而能够继续保持学校在光学方向的领先地位，为军用光学仪器提供强大的技术支持，并且为把我校建成“国际知名、国内一流”的研究型大学而努力。

（青年教师：章婷、杨健）

八、学而不厌，诲人不倦——访盛鸿亮教授

他是一位治学严谨的教授，在科研的岗位上一干就是几十年。他认为，教师的本职就是教书育人。他又是一位和蔼可亲的老人，以朴实、幽默的语言讲述了自己的科研工作和生活感悟，使我们深受感动和鼓舞。

盛鸿亮教授在自己的人生经历中凭着对党的教育事业的忠诚和责任心，凭着对科学事业的坚韧奋斗和执着追求，凭着勤于治学和任劳任怨的耕耘精神，凭着对专业的博学和精深，凭着几十年如一日的忘我敬业精神，为党和国家作出了突出的贡献，为北京理工大学的发展奉献他所有的光和热。不论是在教学岗位还是在退休之后，都一如既往不图名利，无私奉献，培养了一代又一代青年学子。他用自己的言行，体现了一位科学家的师者风范。

采访中，他满怀深情地讲述了他和同事们几十年的科研经历：1953 年，他和教研室所有老师克服重重困难，组建了北京工业学院的仪器制造系，并不断奠定专业理论基础，锻炼队伍，服务社会。作为光学仪器专家，盛鸿亮教授不仅取得了多项研究成果，而且勤勤恳恳，教书育人，为国家培养了大批优秀人才，为科技、教育事业都作出了巨大贡献。他不断探索的科学创新精神和淡泊名利、甘为人梯的奉献精神值得我们每一个人学习。

1953 年年底，建系初期，每个教研室有若干个实验室，每个教研室由一名青年教师担任实验室副主任，而作为当时实验室总管理主任的盛鸿亮教授则是以一种“传、帮、带”的方式培养这些青年教师。“当时并没有如今这样丰富的电教手段，主要用事先画好的挂图和小黑板进行教学。”老一辈教师就是在这样艰苦的条件下孜孜不倦地将自己的毕生所学传递给下一代人。

1958 年 7 月，系里决定研制大型天象仪，大干 3 个月向建国 10 周年献礼。盛教授参加了研制工作，经过日夜奋战终于研发成型，在北京天文馆试运行，达到了预期的效果，产生了一定的社会影响。更具历史意义的是，这个项目的成功，给全系教师鼓足了劲，激发了大家的科研热情，过去连一些老教师都认为不能做的科研项目，现在年轻的教师也可以大胆去尝试，在全系范围内掀起了一股科研热潮。

20 世纪 70 年代，盛老师参加了当时才刚成立的“4701”科研组，主攻夜视技术，与教研室的同仁们为我国第一代微观夜视仪的早日面市做出了不懈的努力。

当问及自己的主要成就，盛教授显得非常谦虚。他认为如果没有其他老师的努力，也就没有他个人的成功。

在20世纪70年代中后期，盛教授和苏大图老师共同致力于大型应力检测仪的设计，主要担任起偏器的设计，该项目获得1980年国防科工委重大科技成果一等奖。为提高复式螺旋的测微器的测量精度，不厌其烦地进行分析实验，并由此发表了论文，获特等奖，被EI收录。另外，盛教授还参与了许多项目的设计，例如承担了“45”号航空相机和三米地面远程相机的快门设计，除此还负责1.2米综合测距仪和红外坦克瞄准镜的总体审核等。

教材编著方面，盛教授最早编写了《精密机械设计基础》《精密机构与结构设计》，被全国范围内的几十所专业院校采用，影响了一代又一代学子。之后和王惠敏老师共同制作了音像教材《精密机械概览》，该教材从一些现代的光机电一体化的仪器当中提取精密机械部分的精美画面，然后把每一个部件展览陈列出来，并且配上解说，最终获得了部级音像作品三等奖。盛教授在王大珩主编的《现代仪器仪表技术与设计》中，任第六篇《现代仪器仪表中的精密机械》的责任编委、作者。该书获第十一届全国优秀科技图书二等奖。

最后，盛教授对现在的青年教师提出了自己的期望：现在年轻教师有很多优势。电学、计算机、外语都比早期的教师有明显的优势。他认为如今的青年教师都是沐浴在改革开放春风下的一代人，他们获得的教育是老一辈人难以望其项背的，但是他们所面临的竞争与压力也是前所未有的。“我认为，一个人，无论从事何种工作，在实际工作当中要学的东西很多，想只凭借学习阶段就把所有东西都学会并且能付诸实践是不现实的。很多同学觉得某个问题不难，实际上，他们理解得还太浅显，学生对一些知识的理解与教师理解的深度相比还是有一定差距的。”

盛教授认为年轻人还应该在工作中来补充在学习阶段所欠缺的知识，并且应该注重实际应用，在应用中来锻炼、提高自己。当今的学子应该好好利用来之不易的良好的学习环境，努力充实和完善自己，提高综合素质和专业知识水平，在未来的工作岗位上为国家、为社会奉献自己的绵薄之力。“教育学生要有责任心，树立求真精神，创新精神。我也会把这个教育理念传承下去。”盛鸿亮教授如是说道。他认为高等院校是国家创新能力建设的源头，而大学教师的责任就是培养学生的创新思维、创新精神和创新能力。

与盛教授的访谈让我们深刻了解到，教师的工作是通过言传和身教两种途径进行的。身教就是教师默默地通过自身的行为来展示做人的道理，使自己成为青年学生思想上的向导、理论学习上的良师、心灵情感上的益友。几十年来，无论何地，无论境遇如何，无论面对怎样的困难，他都对教师职业安之若素、不离不弃。这一切，都充分演绎了盛教授对教育事业的大爱精神，展示了他高尚的人格魅力，而这些，都值得我们用一生去学习。

（青年教师：王姗姗、张丽君）

第五节 部分校友回忆录

一、曾垚回忆——光与电的交融

我的老师。我要写下四年大学我们的引路人，我们的老师。大家一定都记得，在光电创新基地，满头白发的张忠廉老师亲自到电子市场给大家一个一个买零件，还有那午夜12点前一定不会熄灭的灯光；也还记得，一个人教我们3门课的方伟老师，不仅专业上全能，在吟诗作词上也毫不落下，“一塞二扣零端界，相同相异整半常”；也一定还记得，在陈思颖老师那让男生一定不会睡觉的课堂上，像姐姐一样满载青春的话语和表情给每个人带来的那股清凉。从老爷爷到大姐姐，从教授到讲师，我们更愿意用“老师”这两个字来称呼他们。一日为师，终身为父。正如对于父母我们总是无以报答一样，在老师面前，我们四年的所学其实还只是刚刚入门，我们取得再多的成绩也只是班门弄斧。但是，如果四年之后，我们已经比从前更懂得怎样成熟而理性地对待我们的生活，更懂得如何像老师那样去做一个顶天立地的人，那么，我相信我们四年成长的每一步，都是给老师们最好的慰藉和报答。

我们自己。我要写下我们自己，作为“大学生”的我们。也许，我们都不知道是谁发明了“学生”这个词，但是我们却分明可以感觉到，“学生”便是“学习”与年轻的“生命”的契约。每天都学习着，在学习中生活着、成长着，生命伴随着学习，学习成为一种生活方式，生生不息，继往开来，这就是学生的全部意义！大学四年，我们每个人都从一个刚刚走出家乡，来到北京的少年开始，用课堂和操场上的学习来见证着我们的成长。男生，有王大千一样的顶尖高手，四年七个学期，就从来没有体验过乙等丙等或者没有奖学金是什么感觉；而女生，也有像张璇一样的女中豪杰，用她四年的进步和手中的篮球，一起划出空中两条美丽的弧线。还有更多和我一样的同学，毕业，对于我们来说，并不意味着结束，却都是一个新的开始，课间休息以后的下一堂课。不论工作与深造，都是我们自己的期待与选择，我们也一定会把这“学习”和“生命”的约定进行到底！

然后，我还要写下我们的专业，老师和同学们一起建筑的这个灿烂的光电世界。光和电的速度，让我们比别人更清晰地感到四年如白驹过隙，但是，当我们考完一次又一次试，拿到一个又一个证书的时候，我们却越来越发现，世界的奇妙和人类智慧的浩瀚，也正如光和电的变幻无常和广阔无边，普通人能够看到，能够把握的，也不过仅仅是可见光谱那三四百纳米的窄窄一段。一个人一生对于世界的价值与意义，又究竟在哪里？而在这些成长的烦恼与彷徨中，四年光电的

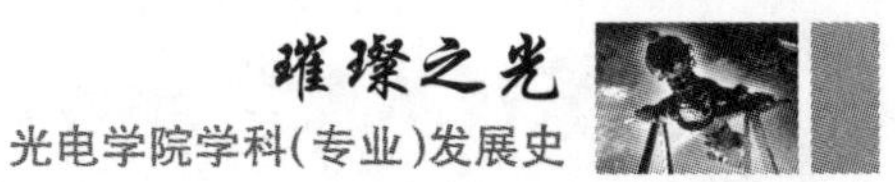

交汇给了我们一个日渐清晰的答案。准直导轨上的一片透镜，可以让我们找到平行光的焦点，而谐振腔中的来回往复，便可以让自然光变成激光。我们每个人都是那平行光中的一束，都是工作物质中一个小小的原子。但是，当我们把我们的价值融入千万个他人所组成的这个时代，站上理想和信仰构筑的神圣平台之时，我们也正如穿过透镜的平行光和受激辐射的原子一样，在与千万人的碰撞中积聚着自己的能量。我们光电工程系的每一个人都是一束微弱的光，但是，我们也一定能够超越一束光的亮度，变成最亮的激光！

最后，我要以我们的朝气与热情，再次深深感谢学校所有关心、关注我们的老师，感谢在身后默默支持、鼓励我们的父母和亲人。尽管我们已经毕业，对于师长的期望，对于“北京理工大学”这6个字赋予我们的责任，我们应当挺直身躯，满怀自信地说出：“我们一定能够担当得起！”

（注：曹垚，北京理工大学信息科学技术学院光电工程系2007年毕业生，现为北京大学硕博连读研究生。）

二、严佩英回忆——困难见真情

我是1961年入学的41611班的学生，当年16岁的姑娘现在已经是将近65岁的老婆婆，离开学校也已经40多年了。但是，大学生活的情景经常会浮现在脑海中，尤其是退休赋闲以后，更有时间去回味，有时也带着一点对人生总结的思索。

我们入学的年代恰逢国家3年困难时期。对于我们南方去的同学，本来对北方吃杂粮的生活就不太习惯，但那时却连杂粮也不够吃，食品奇缺，许多东西都是凭票供应。食堂的饭菜很难吃，酱油拌生茄子，水煮干菜，双蒸窝窝头……许多同学出现了营养不良性浮肿，浑身无力，连上楼梯都吃力。我们班还有5个严重浮肿的，按学校规定可以不去教室自习，可以免试，可以免交作业。在这种困难情况下，我们班一些身体较好的同学，纷纷拿出分配给自己的糕点票送给他们。当时学校领导为了改善学生伙食，设法通过特殊渠道从新疆搞来一些黄羊，从东北搞来一些鱼分给各个学生食堂。即使是这样难得的打牙祭的机会，身体较好的同学都会从自己碗里拨出一些给他们。

我就是当年那5个严重浮肿者之一，每当我收到师兄、师姐的糕点票，吃到珍贵的、美味的羊肉、鱼肉时，我都会感动得热泪盈眶，集体的温暖让我充满克服困难、努力学习的信心，认真地完成每科作业；我从心底对自己说要向师兄、师姐们学习，热心帮助有困难的同学。次年班委改选时，我主动承担生活委员一职直至毕业，利用课余和休息时间为大家服务。

当年我们班有好多个“调干生”，他们没有高中的学习基础，是从部队或军工厂择优送到预科班补习后进入大学学习的。他们年龄比我们大得多，非常珍惜这来之不易的学习机会，废寝忘食地努力学习。但是，由于基础差，常常是事倍功半，考试成绩往往不尽如人意，有的同学几乎每学期都至少有一门功课要补考，寒假和暑假都不能回家与家人团聚。为了让这些同学能顺利毕业，系里号召班级组织学习互助组，帮助他们学习。我们班在自愿结合的基础上也成立了几个学习互助组。如果组里有个同学要补考，同组的同学哪怕已经买好回家的车票，也会很乐意地主动退票留下来帮助复习功课，准备开学前的补考。当年，我也自愿参加了这种学习互助组，而且我们的四人互助组一直坚持到大学毕业。我们不仅在学习上互相帮助，还在思想上互相交流、生活上互相照顾。

类似的困难见真情的故事还很多很多，这不过是其中反映生活和学习方面的两个例子而已。大学生活使我深深体会到同学情深终生难忘。

大学是人生的黄金时代，是人生观形成的阶段。学生不仅要学习知识，更重要的是学习如何做人，怎样把学得的知识更好地为人民服务，报效祖国。思想教育不等于说教，正是在这种学校文化氛围的熏陶下，在温暖的集体中，通过日常的点点滴滴，潜移默化，逐渐地让集体主义精神、助人为乐的思想变成一种凝聚力，融化在我们的血液中，渗透到我们学习、工作和生活的方方面面中。因此，思想辅导员、班级党小组、班级团支部深入细致的工作尤为重要。

凡是从事工程科学类的工作者都能体会得到团队精神的重要性。一个工程项目的完成，往往会牵涉到许多协作单位，许多不同专业的工作者，每个人只是承担了其中很小很小的一部分工作。所以，必须要有团队精神，大家才能和谐相处、才能协同作战，才能为了一个共同的目标团结一心攻克道道难关去争取最后的胜利。

现在回想起来，正是通过大学阶段的学习、生活，培养了我们年轻人的集体主义思想和团队精神，让我们在日后的科研工作和科技管理工作中受益无穷。

衷心感谢母校对我们的教育和培养！

（注：严佩英，北京工业学院光学仪器系61级学生，毕业后分到中科院成都光电研究所，研究员。）

三、付鑫伯回忆——调整发展中的专业建设

1904年，延安自然科学院在战火中诞生；1952年，北京工业学院——我党创建的第一所国防院校在新中国诞生后宣告成立；1988年，北京理工大学，一所以工为主、理工管文相结合的综合性大学，在改革开放中发展。3个标志，3个历史时期，涵盖了建校70年的光荣历史、奋斗历程和蓬勃发展。

1957年，在“一颗红心，两种准备”的高考严峻形势下，我正在农田干活时，一张高考录取通知书随着一声声呼叫送到了我的手中，一个土生土长在当时落后的上海浦东农村的我被北京工业学院录取了。我能到首都北京上大学，进入国防院校学习，这是我的幸运，我的心情无比激动，家人、邻居为我高兴、祝福。我穿着浦东农村的土布衣服，第一次独自远离家乡来到北京，在母校学习、

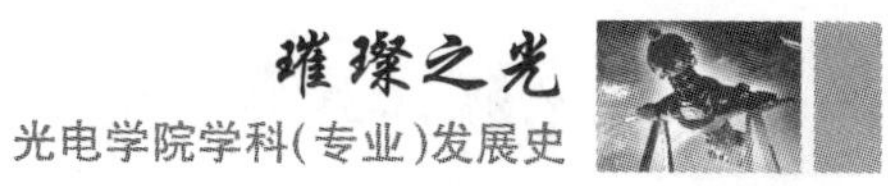

工作了26年。

我入校那年，学院共设有6个系，14个常规兵器专业。我学习的专业为八专业，也就是光学仪器专业，属仪器系。那时，我对专业一点不了解。大学前3年学习的课程是公共基础课、技术基础课和部分专业基础课。大学后2年进入专业阶段学习，八专业加上五六级俄文班百来名学生被分配到4个细分专业：光学仪器、夜视仪器、红外线技术和传感器件。相应地，原仪器系一分为二：原八专业部分成为光学仪器系、原系的十二专业部分成为自动控制系。20世纪60年代初，学院专业的细分与拓展，据我猜测，有两个方面的因素：一是计划经济下对专业人才培养强调专业对口；二是当时中苏关系已恶化，苏联专家全部撤出，加上军工新技术的发展为自力更生发展新军工专业的需要。这次对原有大专业的细分，成为学校以后学科专业发展的一个重要平台。我被分在夜视专业20人的小班，幸运地成为我国夜视技术的第一批专业人才。由于专业发展的需要，大学毕业后被留校从事该专业的教育工作。

从20世纪60年代以来，科学技术有了突飞猛进的发展。十年“文化大革命”导致我国失去了这段重要发展的历史机遇。大学教育、专业人才培养中断，我国科学技术发展水平远远落后于世界先进水平。1977年大学恢复招生，改革开放给高等教育的发展带来了希望和生机。我于1962年留校担任教学工作，两年后转任政治辅导员工作，于1975年重回教学第一线。此后的8年是我从事大学教学的最稳定时期。在专业教学工作中，我深感科学技术的发展和社会对专门人才的需求两个方面给予专业建设的很大影响。以我所从事的夜视专业来说，当时实现“夜视”，即实现人在夜间或黑暗的条件下观察，最核心的是一种能把不可见光图像或微弱光图像转换成可见的或光增强了的图像的光电成像器件，通称“变像管”，当时专业教学就是围绕这种器件展开的。这种以产品设置的专业，涉及多学科，如半导体阴极电子学、电子光学、显示技术和器件的复杂制造工艺学等。随着科学技术的发展，70年代，利用目标自身的辐射的红外热成像技术已经相当成熟，成为实现夜视的更安全可靠、全天候的技术，而红外探测器又成为主要器件。相应地，专业教学内容又需拓宽，这样的专业给教学带来不少困难。另外，这种专业培养的人才面向较窄，社会需求量小，也限制了专业的稳定与发展。正因为上述问题和矛盾的存在，从而不断地推动着学校专业设置的调整和发展。随着改革开放，社会主义市场经济制度的建立与逐步完善，学校的学科、专业建设获得了强大的推动力，取得了长足发展，迎来了又一个春天。

1983年，由于工作的变动，我离开了母校，被调入当时的兵器工业部教育司工作。但我同母校的联系一直没有中断，持续了16年之久直到退休。我目睹了母校在改革开放后的飞速发展和巨大变化，见证了学科、专业建设的变革与发展。在改革开放初期，作为国防院校的母校，在专业建设上碰到许多矛盾和问题。一是军工专业设置和办学方向。这些专业培养军工专业人才是履行社会责任的天职，尤其是当时军工行业处于困难时期，专业人才大量流失急需补充。另外，多数军工专业存在专业面窄，统招统分体制被取消后，招生、分配都带来不少困难，专业自身的建设与发展也受到了很大的制约。二是学校的服务面向。学校的性质决定了学校要为军工科技发展和培养高层次军工专业人才负起社会责任。改革开放后，国家以经济建设为中心，作为在1959年就成为全国16所重点大学的高校，必须适应改革开放的形势，服务面向必须拓宽，面向全国，放眼世界。三是学校内部的办学体制改革。以产品设置专业，以教研室为专业教学的体制已不再适应时代需要，也不利于学科、专业的发展。面对上述矛盾和问题，学校不断地进行探索与改革，极大地推动了学科、专业的建设。专业设置及服务面拓宽，如经济管理类专业、应用理科类专业、外语类专业、艺术设计专业，以及机械电子工程、高分子材料、工业工程、热能工程等一批新专业设立并招生。军工专业在保持军工特色的同时，逐步向军民通用方向拓宽。专业教学安排上，强化学科，工程技术基础课程，拓宽专业方向。教学体制上，系一级办专业的职能得到强化。国际教育交流与合作进一步扩大，一批教师被派往国外留学进修，师资队伍水平进一步提高。正是在上述改革发展的形势下，1988年，北京理工大学应势成立，学校由单一工科院校转向“以工为主、理工管文相结合”的综合性大学，成为母校发展史上又一重要的里程碑。进入90年代，在建设中国特色社会主义道路指引下，社会主义市场经济体制的确立，为我国教育事业的发展提供一个新的发展空间。这一期间，在科教兴国战略引领下，国家对高等教育改革与发展采取了一系列重大举措，如扩大招生规模，实行国家计划招生和招收自费生并举，在满足经济快速发展对专门人才需求同时，学校办学的规模效益得到了极大的提高。到90年代末，母校的在校研究生和本科生规模已近上万人。实施“211工程”，面向21世纪重点建设100所左右高校和一批重点学科。1994年，母校是首批15所列入“211工程”的高校之一，“光学工程”“兵器科学与技术”被列为国家级重点学科，爆炸科学和技术实验室被列为国家重点实验室。改善教职工住房条件，提高教师待遇，教师的社会地位大大提高。实施研究生和本科专业目录的调整与规范。扩大高校特别是重点大学的办学自主权，如硕士学位点设置权逐步下放给有研究生院的高校，本科专业设置权逐步下放给高校或其主管部门，高校有权自主调整和设置校内学院和系部。实施高校管理体制改革。到1999年绝大部分部办学校下放给地方管理，列为“211工程”建设的母校则划归国防科工委管理，与北京市共建。这一系列改革与发展措施为高等教育面向21世纪的发展奠定了很好的基础。在这里，需要强调指出的是，作为中国共产党创建的第一所国防院校的母校来说，它的学科建设，特别是作为高校教学主体或基础的本科专业设置与调整，与其他高校有共同点，但更有其特殊性。我1957年入学时14个专业均为常规兵器专业，多数是以军工产品设置的专业。改革开放的80年代，在“军民结合”方针指导下，以军工专业为主的格局被打破，军工专业自身也逐步向军民通用、工程学科型方向调整与发展，但军工性质较强的一些专业尚未真正突破。90 年代初，随着国家对研究生学位点及本科专业设置的调整与规范，学校在军工专业的改革上下了很大的工夫。经相关专业系的教师讨论，征求专家意见，学校领导研究，与主管部门共同商讨，形成了较为一致的改革基本思路：以专业的主干学科为主调整专业设置，在保持军工特色的同时，向军民通用方向拓宽专业面；强化专业学科基础和工程技术教学，设立专业必修课和选修课，以利于拓宽专业面向；转变教学体制，以系办专业为主，由系统一安排教学。在上述思路下，军工专业做出了较大的调整，继续成为学校最具特色和优势的专业。最近看到了学校 2009 年本科专业目录，学校现有 17 个专业学院和基础教育学院，47 个系，60 个本科专业（其中 10 个为国防特色专业），涉及 10 个学科门类，学校各类学生在校生规模已超两万人，学校在各个方面都取得了快速发展，对国家的贡献越来越大，我为母校而自豪。

20 世纪 90 年代末，随着学校管理体制改革的实施，从国务院秘书局协调完成中国兵器工业总公司最后一所学校下放地方相关事宜走出来的那一刻，我一身轻松。顺利完成学校管理体制转制与交接，兵器教育局机构撤销，兵器总公司改制，我也到龄退休，这是一个恰当时候的一个幸运完美的结局。母校即将迎来 70 周年校庆，我衷心地祝愿学校在未来取得更大的发展，为发展科学技术、培养高层次创新型人才作出更大的贡献，成为有特色、有影响的世界一流大学。

（注：付鑫伯，北京工业学院光学仪器系 1962 年毕业，并留校任教。后调到兵器工业部教育局任副局长。）

四、刘茂林回忆——大搞科学研究、创建新的专业

1958 年，我是北京工业学院军用光学仪器系的四年级学生，面临考试后进行毕业实习和毕业设计。根据学校的要求，系里作了 3 周的复习和考试安排，一定要在“大跃进”形势下考出好成绩。但是，后来学校又作了重大改变，决定不考试了，要大搞科学研究。对高年级学生作了重新安排，54 级学生以搞科学研究为主，成立了许多科研组。同时也把 55 级学生安排到各个课题组里去，一块来搞。当时军用光学仪器方面共有 303，304，305，306 和 307 等 5 个科研组，还成立了核心组和方案组，我被分配在 304 组，它是研究夜视仪器的，主攻像变换管。我还参加了核心组和方案组的工作。大约在当年 9 月的一天，系领导带领 53 级留校毕业生周立伟和我等数人去北京大学物理系商谈科研的协作问题，具体接待我们的是电子物理教研室的主任和实验室主任，决定周立伟和我同他们一起在该教研室搞像变换管的研究。周立伟以搞半导体接受为主，我以荧光屏制作为主，都兼顾电极和高压电源部分。我们成了科研课题组的组员，一起干。经过一段时间的工作，我们深知在这个课题上，他们在国内是走在了前头，我们与他们相比差距很大，因此要虚心向他们学习，勤奋刻苦地工作，按照党和国家的要

求作出应有的成绩，赶上时代前进的步伐。

不久，周立伟同志按照学校的安排，到苏联学习，这样，系里又作出了重新的安排，同北京大学的协作，向“国内先进”学习的重担，就自然落在我和其他同志的肩上，不达目的决不罢休。目的是什么？这是我在以后的工作中逐渐体会到的，通过大搞科学研究，在我系创建一个新的专业。

1959 年上半年，面临毕业的 54 级学生怎么办？在“大跃进”的形势下，经过了各种运动，四年级的期末考试没搞，而大搞科研，就在这段时间里，我接到了通知，提前毕业留校，安排到军用光学仪器专业教研室工作。根据系和教研室的意见，继续在北京大学电子物理教研室协作搞科研，并给我分配来两名 54 级的同学，和我一起搞科研，他们要写出论文，作为毕业设计成绩，通过了，就能正式毕业。名义上我是指导教师，实际上我们一起搞，这对我也是一种考核，将和他俩一起通过毕业论文答辩，获得及格成绩，实质上是同时毕业。我们一起搞的题目是“像变换管中荧光屏的制造工艺”和“如何获得高分辨率的各项性能参数”。经过我们的努力，利用北京大学的已有条件，我们自己也建设有关装置，他俩终于写出了符合要求的论文，通过了答辩，获得了正式的毕业资格。这样的毕业设计是建立在真刀真枪搞科研的基础上，取得的成果也是创建新专业所需要的。

从安排复习，准备考出好成绩，到决定不考试，大搞科学研究，而且毕业生结合科学研究，真刀真枪作毕业设计或论文，这种重大改变，我是从 1958 年 8 月 20 日院党委第二书记刘雪初同志做的制订北京工业学院 5 年计划发展纲要的报告得到了答案，它指导了北京工业学院大好形势下的持续发展。在此“纲要”精神指导和要求下，为了纪念北京工业学院 20 年校庆，为了迎接北京市先进生产者、先进工作者代表大会的召开，学校要求搞展览，以检阅“大跃进”以来所取得的各种成果，发展大好形势，为国防事业建设作出更大的贡献。我系和兄弟系一样，投入搞好展览的工作中，抓好展品的制作。我和教研室的同志们都积极投入到这一工作中，将大搞科研、筹建新专业的成果，重新制作和整理，如荧光屏的新成品和它的有关资料，制作新的实验装置等。我有幸参加了北京市先进生产者、先进工作者代表大会，学习了代表们的先进事迹和鼓足干劲力争上游的精神，为党和国家作出更大贡献和全心全意为人民服务的精神，找出了自己的差距和今后努力的方向。

大概是在 1959 年年末，我被调到系里帮助李振沂同志抓计划工作，一面力争做好行政管理工作；另一面到教研室参与夜视专业建设，做我力所能及的工作。

1960 年 2 月，根据大好形势发展的要求，我系又一分为二，分成军用光学仪器系和自动控制系，这是继八专业与九专业分为四系和五系以来的第二次。无论身份是学生，还是教师，我都留在了四系。分系后不久，大概是在 1960 年 2 月，被任命为四系主任科研助理，在马士修主任领导下协助李振沂同志主抓全系科学研究的行政管理工作。在1960年2月16日与原来的系主任科研助理潘恒生同志做了工作交接，此后我就大力投入做好本职工作。尽管如此，我仍念念不忘我从事过的创建新专业的工作，主要参与了实验室装置的设计和制造工作。根据我的回忆，从422教研室主任邹异松同志在1963年4月25日向系里作的工作汇报里看出，第一项工作就是实验室工作，谈到了6项装置，其中电解槽、电阻网、夜视器演示、像变换管参量测试等4项，我都曾做出了力所能及的工作。

北京工业学院四系终于在1962年创建了红外夜视仪器专门化。尽管我们是白手起家，摸着石头过河，走过了一些曲折的路，但毕竟成功了。这是在共产党的正确领导下，在毛泽东思想的指引下，认真贯彻党的教育方针，执行“以教学为主，实行教学、科学研究、生产劳动三结合”的结果。

祝愿光电学院在新的历史时期勇于创新，为我国的人才建设、经济建设、国防建设作出更大的贡献。

（注：刘茂林，北京工业学院仪器系54级学生，毕业后留校任教，后调到湖北襄樊科委任办公室主任。）

五、贺修桂回忆——母校对我的教育与培养

（一）入大学初期的思想波动

1952年我毕业于湖南省长沙市著名的雅礼中学，解放初期，新中国急需大量技术人才，当时读到一本北京工业学院的简介，学校是从延安革命圣地迁来的红色大学，有着优良的革命传统。作为长沙市应届高中毕业生，还聆听了时任湖南大学校长、中共一大党代表李达同志的动员报告。他说：国家急需大量学工科的技术人才，把社会主义国家建设好。按我当时的学习成绩完全可以考上北大、清华，但我决心还是以第一志愿、第一学校报考北京工业学院。一个18岁的年轻学子，离家几千里来到了首都北京。到达前门火车站时，有学校人员接站。先接到东黄城根，原中法大学校址。再集中用卡车送我们到新校址车道沟。九月的北京比南方要冷。新校址给我的第一印象是百废待兴。唯一一栋楼房是新建成的延安大楼。我们就住在大楼内，十几个人住一个大房间。其余校舍是简易平房。真不如我们中学的环境和条件。国庆节时，寒流来袭，已穿上棉裤棉袄。用水还要用手动压水机抽水。怎么不是简介中的楼房校舍？觉得介绍不真实，有上当的感觉，认为比北大、清华差远了。想打退堂鼓回家，明年再考北大、清华。

当时班上同学做我的思想工作，说学校的简陋条件是暂时的。正因为是延安迁来的，要平地起家。再说学习技术知识不是看校舍，而是看教师水平，我们的曾毅院长就是数学家。校舍是可以建设的，一张白纸可以画更美好的校园。明年再考耽误一年的学习，影响早日投入社会主义建设，对个人、国家都不利。经过反复思想斗争后，决定留下来学习。我被分配到机械系丙班，有40多位同学，

大家来自祖国的四面八方，走到一起，彼此都非常关心，相互帮助，心也就静下来了。

（二）大学校园生活丰富多彩

进入大学学习后，发现母校很注重人才的德、智、体全面发展。当时国家推行劳卫制，各项体育指标要达标，如单杠引体向上，最少要完成8次才达标。由于我臂力不够，拉到第八下已很勉强，让我凑合过关。学校组建了各类球的校队。我中学就喜欢足球，逢有足球赛，我就是铁杆拉拉队员。劳卫制中要求长跑达到3千米。每天从车道沟校门口向东跑到今天的紫竹院，再折回到校门口，刚好3千米。20世纪50年代初马路很窄，不小心就会出交通事故。冬天时学校在延安大楼的北墙边修建了一个人工冰场。南方人不会滑冰，但很喜欢。记得期末考试，我第一个进考场考试，考完后我急忙到冰场上去滑冰，冰场上空无一人，由于还不会倒脚，转弯时摔了一跤，把腿摔坏了。导致考试期间，要同学背我进考场。

学校文娱活动非常活跃。有合唱队、舞蹈队、话剧团、京剧团。器乐方面有二胡队、小提琴队、国乐队等。当时我在文娱部工作。先后担任各乐队队长，还担任过京剧团团长。张素澄任文娱部部长。教职工也成立了京剧团，徐和生老师唱老生，王远老师唱旦角，唱得都很好。

中学时就会跳交谊舞。进入大学后，学校号召大家参加各项文娱活动。号召大家跳交谊舞。党团员带头，不会跳的也要站在旁边看。我是跳得好的，女同学中跳得好的愿意找男同学中跳得好的跳。每次周末舞会，我都是跳到舞会最后，然后大家高唱“团结就是力量”歌曲结束。

学校还经常请外面的专家到学校作报告，如著名作家丁玲就来校作过报告，钱学森的夫人著名女高音歌唱家蒋英到过我校演唱等。

我们班与8521班一同到昆明298厂进行工艺实习时，积极参加工厂的文娱活动，如为工厂演京剧，在工厂大食堂我教工人跳交谊舞等。工人、学生亲如一家，工人夸奖大学生多才多艺。

解放初期那些年，每逢五一、十一节日，大家到天安门参加群众游行。我校往往担任标兵，即由学生组成隔离带。群众从这些隔离带中通过，维持队伍秩序。晚上在天安门前开展各种文娱活动，大家围成一个圈，跳着集体舞、交谊舞。文娱部人员一般都坚持到最后，有时狂欢到天亮，今天回想起来依然很激动。

后来学校迁到了巴沟，物质条件好多了。建了4栋灰色的教学大楼和一栋6层的主楼组成教学区。此外，还建了几栋有民族风格的学生宿舍楼。8个学生住一间屋（$12m^2$），睡双层铺，同学们生活、学习在一起，相互关心帮助，亲如兄弟，感觉比当代大学生同学间的感情与友谊要深刻得多，尽管大家毕业后走向各自工作岗位，时间已过了半个多世纪，但只要有可能总想方设法以母校为中心，

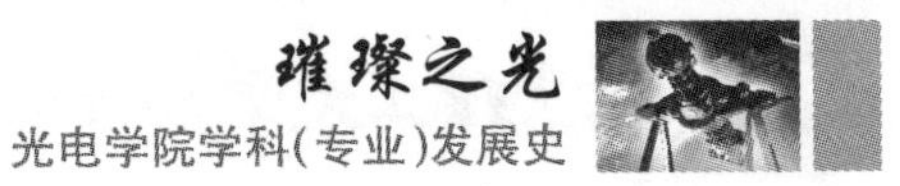

大家在一起说说笑笑，谈笑风生，彼此都很留恋大学期间生活、学习在一起的美好时光。

（三）政治思想工作抓得紧、做得实

大学学习期间政治思想工作开展得非常到位，党团组织经常关心同学的思想活动，出现思想问题及时帮助解决。遇到实际困难会伸出援助之手，帮助同学克服困难。党团组织开展活动，让同学积极参加，鼓励大家思想进步，争取早日加入党团组织，使自己成为“又红又专”的人才。

学校经常开展时事教育，请专家学者和领导给同学作报告，讲国家大事，讲国际形势，同学们的思想觉悟不断提高，珍惜今天的学习机会，更加发奋努力。记得一次魏思文院长请他在山东领导革命斗争时期的部下、铁道游击队的政委来我校做报告，非常生动精彩，我们为他们在艰苦条件下的抗日斗争取得一个又一个的胜利所感动，钦佩他们对敌斗争的艺术和智慧，深切感受到新中国的建立是无数先烈抛头颅、洒热血换来的呀。

随着社会政治运动的展开，学校也参与其中，如“一打三反”“三反五反”“肃反和反右”等政治运动。回忆起来受当时“极左思潮”的影响，伤害了同学之间友谊与感情。经过了漫长的岁月，都得到了纠正和平反，但精神上、物质上蒙受的损失是无法弥补的，我也是受害者之一。今天我已是一名光荣的共产党员，得感谢党的好领导胡耀邦、邓小平，是他们带领我们党进行了认真的总结并加以纠正，我们才能在改革开放的大道上奋勇前进。

（四）大学学习的精彩回顾

1952 年全国高校进行了院系调整，我校被确定为培养国防工业技术人才的高等学府。1953 年正式成立仪器制造系，后设立指挥仪专业，由机械系丙班抽出 30 人，成为指挥仪专业第一届大学生。大学学习中有哪些令人难忘的回忆呢?

（1）师资水平高。我们学习中接触到的老师中有不少留学美、英、法等国家的老教授，教“材料力学”的一级教授张翼军，教“理论力学”的赵进义教授，教数学的孙教授、陈殊教授。教物理的张教授上课时还对同学发牢骚，他说，我的论文要送到法国去发表，因《物理学报》被留学英美派掌握着。后院系调整，他被调到北京航空学院。其他，如教电工学的张教授，讲话口音重。教化学的是留美的刘教授，讲课时手拿一份英文写的讲稿，仪表堂堂，很有一派学者的风度。给我们讲自动调节原理的是王发庆教授，还是系主任。还有一批年轻有为的副教授、讲师、助教，如张纪昌、樊大钧、王远、徐和生、李向平、李德熊、吴沧浦等。教指挥仪原理的张志芳老师，讲课概念清楚，很受同学欢迎。教陀螺仪原理的谢文林老师，四川口音太重，同学们听起来吃力。讲画法几何的是邓开举教授，同学们把这门功课称为头疼几何，但邓老师讲得很好，还有空间结构模型，让同学们听课时好理解。教俄语的是一位俄罗斯女老师，中国话说得不好，叫我名字时把“贺修桂”发音成“贺小鬼”，引得大家好笑。

我校当时有一批苏联专家指导教学改革。指挥仪专业是崭新的专业，普列斯努恒专家年轻有为，36 岁已是科学技术博士、教授，还担任院长顾问。他编写的《指挥仪原理》是在苏联驻中国大使馆写成的。同时寄往莫斯科鲍曼工业大学，和我校是同步的。由于师资缺乏，学校决定从我们班抽调 4 人，跟苏联专家先学一步。然后回到本班指导毕业设计，我负责指导 3 个同学的毕业设计。当时和同学开玩笑说：没有教你们前是1∶0，教完后就是1∶1了。

（2）注重实践与实习。进大学后学习金属工艺学课程，要参观工厂。如钢铁厂的生产过程，了解钢铁是怎样生产出来的。学生要动手学习钳工、焊工、打铁锻造，挥 12 磅大锤。实习是在接收国民党的一个兵工修造厂，看到老师傅的高超手艺惊叹不已，如操作锻锤的八级工，把手表放在平台上，操作锻锤，就是砸不上手表。其他还有实习车、铣、刨、钳、磨和翻砂铸造的工艺。了解各加工工艺的特点，动手操作体验，为理论学习打下了良好的实践基础，增加了感性认识。

大学期间，先后参加了金属工艺课程的实习、机械零部件装拆与测绘。到 298 厂进行仪器制造工艺实习，参观 356 枪炮制造厂。到南京炮校进行军训和武器实习。我们打过手枪，步枪，轻、重机枪和火炮的射击。大炮实习要打几十发炮弹，求弹道点的分布是否符合高斯分布曲线。当时一发炮弹值 6 两黄金。国家在大学生培养上得花多少钱呀！我们还到旅顺国家靶场实习指挥仪打飞机。到浦东造船厂实习军舰指挥仪，到北海舰队上舰实习。这些丰富多彩的实习是后来大学生享受不到的。

在南京炮校军训实习是在夏天，炎炎烈日下进行步兵的基本操练，汗流浃背，个个晒得黑黑的，但大家心情愉快，既团结紧张又严肃活泼，大大提高了组织纪律性。记得炮校举行欢迎大学生到部队来实习的庆祝晚会上，当我们步入会场时，响起欢迎曲，会场上巨大的横幅写着“欢迎未来国防工业战线上的工程师”标语，同学们顿感热血沸腾，也深知未来责任的重大。

（3）课程学习多，涉猎范围广。中华人民共和国成立后，我们一切都是向苏联学习，他们派来专家指导高校的教学改革，包括教学大纲、专业设置、课程科目、实习要求等。学制定为 5 年，课程科目分为基础理论课、专业基础课、专业课等。指挥仪专业是后设立的，我们班原学习火炮设计制造，对力学课程学习多，如材料力学、理论力学、水力学、热力学等。我们前期学习机械制造工艺学，转入仪器系后又学习仪器制造工艺学。学习普通高等数学外，因专业需要，补充学习复变函数、矢量概论、工程物理数学。专业基础课有光学概论、雷达概论等，5 年累计课时达5 000多学时，是光、机、电一体化紧密结合的专业，课程达 50 多门。涉猎的知识范围广，学习负担虽重了一些，但还是可接受的。这些广泛的知识为我后来工作取得优异成绩打下了良好的基础。

（4）苏联专家指导我毕业设计的体会。几十年来，一直深刻记得指导我毕

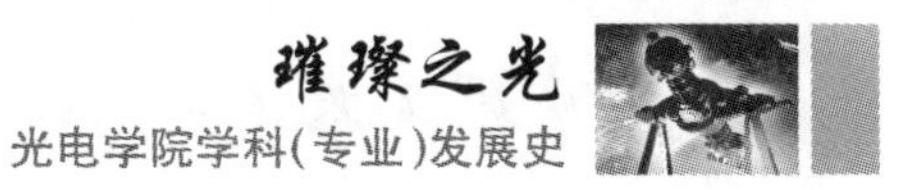

业设计的两位苏联专家风格、水平各异。教指挥仪原理的普列斯努恒教授，对同学指导答疑从来是一支笔一张纸，边说边写，公式也不查书，全记在脑子里。而指导工艺设计的扎卡兹诺夫专家，已 47 岁了，还是一个老讲师。向他请教问题，总是从身后书架找出一本书在多少页让你去看，答疑下来拿着几本书回去自己消化。由于俄语水平不高，看起来很费劲，还不能解决自己工艺设计中的问题，心中对他有看法。普列斯努恒成为我一生学习的榜样。

（5）1956 年 9 月至 1962 年 1 月在母校工作期间的收获。1957 年不幸被错划为“右派”。幸运的是留在四系边改造边工作。自己参加了我国第一块罗马手表的测绘设计工作，最后我整理了全套设计图纸，受益匪浅。当时清华大学 58 级毕业生邬敏贤的毕业设计课题是表板铣床。还找到我交流讨论。我参加了我国第一台天象仪的设计，负责电气控制柜部分。还参与了 Tenax 照相机的测绘设计。“大跃进”期间，3 天搞出一台台式小车床，一个月设计制造了宝石磨棱机床。在实验室干过光学镜片包边，干过钳工，开过机床。所有这些工作大大增长了自己的实践知识。

（五）离开母校后继续与学校保持联系与合作

1962 年初调到北京照相机厂工作，工厂当时处于困难时期，没有自己的产品。我把母校学到的知识运用于实际，提出研发缩微胶片阅读器，当时靠从东德进口。产品研发成功，填补了国内空白，受到用户好评。工厂扭亏为盈，领导与职工对理工大学培养的技术人员表示钦佩和赞赏。北照厂当时有我校毕业的技术人员 7 人。从事光学设计、光学冷加工工艺、精密仪器结构设计以及化学方面的技术工作。为北照厂后来的发展，发挥了重要而关键的作用。

北照厂光学车间的技术工人都是送到四系光学实验室实习，由王森山等老师傅亲自培养。1964 年在北京举行国际科学讨论会，在友谊宾馆内新建科学会堂。我厂承担光学黑板、大型透射反射放映机的设计与制造工作。与光学专家王大珩，电子声学专家马大猷、汪德昭，物理专家钱临照工作在一起，亲自聆听他们的指导，圆满完成任务。老科学家还为工厂题字祝贺，我们也为自己是理工大学的毕业生而骄傲。

1965 年在北京玻璃研究所照相机研究室工作，学校请我回四系指导毕业生的设计。1966 年因“文化大革命”开始而终止。

1972—1973 年参加四系研发国内第一台光学传递函测试仪的工作，被聘为技术顾问。

1982 年由我负责组织人民大学萧绪姗教授，我校李开源、王基鸿、李全臣、张庭恩及中国摄影家协会陈石林编写《摄影手册》一书，1987 年获全国图书金钥匙奖。1991 年修订再版，累计发行百万册。

1992 年与我校潘广钺、何广存、杨位钦等老师合作，研发设计胶片图形自动判读仪项目，填补了国内空白，圆满完成任务。

1982—1992 年我任北京市照相机总厂厂长期间，曾请四系有关教研室主任担任我厂技术顾问。

2000 年后与赵达尊、王森、胡新奇、阎平等老师合作国家“863 计划”项目，负责微小型自适应光学系统的总体结构设计与制造工作。

与曹根瑞老师合作，为航天集团二院二部设计研发气动光学效应波前扰动模拟装置。胜利完成任务并投入使用。与曹根瑞、朱秋东、赵伟瑞等老师合作“973 计划”项目分块镜面共相位试验平台项目，负责其中 4 个部件的结构设计与制造，2008 年通过验收。

与李林、黄一帆老师合作“973 计划”子项目三米折反式三镜系的结构设计与制造。

从以上简短回顾，说明母校培养了我，我又与母校不断紧密合作，共同取长补短，完成国家科研课题，作了自己一定的贡献。

（六）对母校的期望与建议

离开母校几十年，一直关心学校的发展。特别是改革开放 30 多年来，学校变化巨大，软、硬件都有了极大的提高：由一所工科学院发展为理、工、文全面覆盖的理工大学；新学科、新专业不断涌现；大学本科生、硕士生、博士生培养的数量有了空前的增长、质量有了空前的提高；为社会主义祖国建设输送了一批又一批德才兼备的“又红又专”的技术人才。成绩是巨大的，但全国高校的发展与竞争是激烈的。我们既要看到成绩，也要看到不足。知己知彼、百战不殆。我有以下几点建议供校领导参考。

（1）要有永远争第一的思想与目标。毛泽东同志在《实践论》中强调物质可以变精神，精神又可以转化为物质的辩证关系。即使在今天市场经济条件下，也要强调精神对物质的反作用。作为一所高等学府应树立远大目标，要有雄心壮志永创一流高等学府的精神面貌。学习国安俱乐部永远争第一的思想，他们经过 16 年奋斗终于实现。我校有光荣的革命传统，是延安革命战争年代发展成长起来的。延安精神和传统就是不怕艰难困苦，一往直前去争取革命的胜利。今天的条件与那个时代比已有天壤之别。不应该条件好了，自我满足，驻足不前。国内我们落后于北大、清华、哈工大等，甚至落后于由我校与清华航空系合并组建的北京航空航天大学，还不说落后于香港的高等学府。现在正学习胡锦涛总书记提出的科学发展观理论，好好武装我们的头脑，迎头赶上。

（2）专业划分不可过窄过细。要加大基础理论课和专业基础课的分量，使培养的人才有较大专业适应性。而专业课可以以综合概论课的形式来教授。同时要学习一部分文科方面的综合知识。实现理工中有文，文中有理，互相渗透共同发展。过去我们上学时讲专业对口，实践证明是不可能的。例如，我们班毕业时有 10 人分到指挥仪工厂，应说是最对口了吧，但进厂后有的分到生产科、工艺科和车间，仅有两人分到设计所搞设计，就是典型的例子。

(3) 教材要不断更新、修改、补充。教育部对课程、教材不可统得过死，各校要有自己的特色，开展校际间教材的竞争与交流，教材水平的高低是对教师的考验。是否可采用倒求法，即培养的人才是适应哪些方面的；这方面的人才必须具备哪些知识；根据应掌握的知识，探求课程设置及课程内容。面对当前网络信息化时代，新技术、新材料、新工艺、新元器件不断涌现，很快在网上传播。如何及时收集纳入教材取决于教师。为人师者要不断跟踪这些技术，掌握信息资源，充实自己并加以消化，然后补充到教材中去。

(4) 学校要与企业科研单位挂钩，相互交流人才。不论你培养什么档次的人才，总要走向社会，服务社会，人才要适应社会需求，学校要进行社会调查。可以走出去或请进来相互交流。当前社会对人才的共同呼声是来了能干活，工作拿得起来并具有实践经验。应当说这种要求是合理的。

(5) 一定要坚持理论与实践相结合。20 世纪 50 年代学习苏联高等教育经验，改革开放年代大批留学人员到西方大学学习，学习了西方教育人才培养经验，现在应吸收这两方面的经验并结合国情加以融合，走出一条自己的路。目前有一种重理论轻实践的倾向，这是不正确的，应加以改进。现在是信息化时代，视频技术空前发展，有的实践可以到现场，有的可以用视频进行实践知识的教育。自己拍视频实践课，问题的根本是重视了没有，教学大纲规划了没有，领导重视是关键。现在大学重视产出论文，殊不知论文课题必须来源于实际，论文的结果又必须接受实践的检验。言之无物、脱离实际甚至是抄袭来的所谓论文，害了教师，害了学生，也毁了学校的信誉。

(6) 要引进国内外学术尖子、学科带头人。引进国内外在学术上有突出贡献的专家学者，充实到学校教师队伍中，起骨干带头作用。从企业吸收有突出贡献、有实践经验的人才做兼职教师，教师中有水平的送到企业科研单位进行产品设计和课题研究，提高教师理论联系实际的水平，对提高学校教学质量会产生好的效果。

综上所述，希望母校在新一代校、院、系领导的带领下，好好总结几十年办学经验与教训，发扬传统，克服不足，以科学发展观的理论为指导，早日成为国内一流、国际著名的大学。

(注：贺修桂，北京工业学院仪器系 52 级学生，毕业后留校任教。后调到北京照相机总厂任厂长。)

六、阎长荣回忆——母校情深，同学谊长

1962 年 7 月，我从北京市第 47 中学毕业，由于受校友张经武（1958 年毕业于 47 中，在校期间曾担任初中班级少先队辅导员；光学系 41582 班）和李祥光（41602 班）的影响，第一志愿报考了北京工业学院光学仪器系并被录取。连续 3 年自然灾害，国民经济计划完成得不好，因此国家减少了 1962 年的高校招生数

量，北京工业学院只招了827名学生，(上年招生1 051名)，光学仪器系（四系）只招了4个班共100名，比上年减少了30名。我们41621班有同学25名，其中男生16人，女生9人，分别来自东北、华北、华东、西北的15个省、市、自治区，可谓五湖四海。男生住在2号宿舍楼，我们寝室有5个人：南昌的钱群驹、山东曹县的张宝亮，还有北京的杨培根、蒋作风和我，真可谓南腔北调汇聚一堂。在教室里，我们6个人的课桌前后左右相邻。在业余爱好方面亦有相同志趣，蒋作风会拉二胡，而且是名家之后——其父是二胡泰斗蒋风之教授。我是二胡爱好者，曾任北京47中民族乐队队长。我俩不但切磋技艺，还在班上的联欢会上联袂演出过。我是个摄影爱好者，蒋作风不但爱好摄影，还有一架“上海－202”牌折叠式照相机。后来我们扩大吸收了42621班的冬震寰和41631班的武继彦，以三架相机（上海202、上海58－2、苏联斯米那）起家，成立了摄影小组，真实地记录了一段历史。我们同宿舍的几个同学相处融洽，关系密切，如同兄弟。

班里组建了团支部和班委会，党员温志敏（女，内蒙古固阳人）任团支部书记，杨文龙和王法会（男，河北人）任班长。陈魁增老师担任辅导员，他衣着朴素，说话面带微笑，态度和蔼，作风朴实，像个老大哥，据说是57级的留校生。

开学后，学校和四系对新生进行了一系列的入学教育：学校发展变化历史——1940年创建于延安的延安自然学院，是培养红色工程师的摇篮；保密制度——严守国家机密，不该看的不看，不该听的不听，不该说的不说，不该去的地方不去；端正军工专业思想——军工专业是保卫和平的武器库，要发扬延安精神，培养军工作风，热爱军工专业，为国防科学技术和军工事业奉献毕生的精力。系里组织新生参观了实验室，系主任马士修教授简单介绍了光学系的概况——1953年建系，为国防光学领域培养了一批科技人才，还成功地研制了我国第一台大型天象仪和长焦距照相机。他勉励我们要刻苦学习，要立大志，改变我国军用光学落后的面貌！要用微观的方法和微分的思路扎实地学好基础课，他说：“比如一个圆，它的周长是弧线，若是把它分成非常小的一段，那么这一小段就是直线。”时至今日，我还清晰地记得他眯缝着眼，用拇指和食指间狭小缝隙比划微小线段儿的情景，就像一张照片一直定格在我的脑海中。系里还安排毕业班的学长给我们介绍学习、生活经验，我记得41571班的苗春安和我们座谈过。一年后，58级优秀留校生俞信、李为、车念增、哈流柱等也给我们介绍过学习方法。记得车念增说过：要想学习好，健康的身体是保证，必须坚持锻炼身体。他说，由于他热爱运动，5年中从未患过感冒。

虽然3年自然灾害已经过去，但是物质生活仍然很困难，粮食定量不高，勉强可以吃饱，主食是窝头为主，馒头为辅，米饭次之。副食则是蔬菜为主，平均每天吃一次鱼或肉，但几乎都是与蔬菜混做，菜多肉/鱼少。早餐是清一色的窝

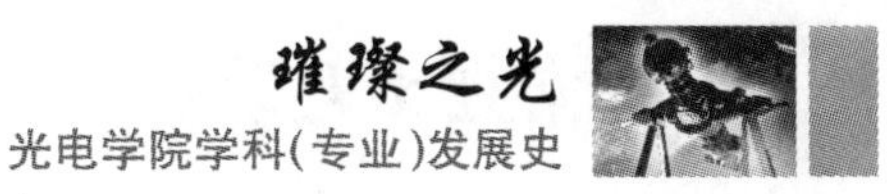

头、稀饭、咸菜，每月伙食标准 13.5 元，凭伙食卡打饭菜；不吃的，凭卡退钱和粮票。同学们穿着朴素，几乎都有带补丁的衣服，没有穿皮鞋、戴手表的，甚至夏天还有光脚的，从南昌来的钱群驹同学赤脚去上课，在中门（3 号教学楼和露天剧场之间）被老门卫谢斋民拦住，不让进教学区。在我们班，艰苦朴素蔚然成风，衣服、鞋袜破了，自己缝补；被褥脏了，自己拆洗；还用班费购置了理发工具，我本人就是技艺上好的理发员，头发长了，我来打理，分头、背头、平头、寸头，甚至剃光，样样精通。

当时国家欢迎国宾的礼仪是相当隆重的，欢迎的群众队伍从东城北京站的建国门一直排到西郊玉渊潭畔的钓鱼台国宾馆。出身好的我们京工学生，每次都站在国宾馆大门右侧的明显位置，面向驶来的贵宾车队。然而我们色调单一黯淡并且打着补丁的衣服却有损“国家形象”，总是调来着装艳丽时尚的北大、清华和北师大女生站在第一排，以遮“国丑”。

国家和学校对新生给予优惠和照顾，享受公费医疗，家庭生活困难的享受助学金，最高为每月 19.5 元；免收学杂费；课本书籍收半费，生活困难者免费；冬季来临，学校从各军兵种要来棉衣、棉帽、棉鞋等冬装，无偿发给需要者，以保证经济困难学生安全过冬。

物资匮乏，生活困难，但我们精神愉快、品德高尚，班级集体团结友爱、互相帮助，比如迟雨臣同学因家庭困难退学回家，经系里和同学们的极力劝导，又重返学校。张宝亮因原高中（菏泽一中）一同学的诬陷而受到不公正对待，知情的同学不但没有丝毫的疏远，反而给予思想疏导和精神安慰。大一期间，我父亲因做肺部切除手术住院，刚刚痊愈出院，又因手术输血检查不严而传染黄疸型肝炎住进北京第二传染病医院，真是祸不单行。母亲又因胃出血而数次昏倒；哥哥参军远离北京。要照顾父母，还不能让哥哥知道而影响军事训练。原本打算休学，可父母坚决反对，使我处在进退维谷的境地。照顾父母和经济困难的双重重担影响了我大一第二学期的学习，高等数学期终考试成绩很不理想，我的情绪很低落。张宝亮、杨培根知道后，暑假期间专程到香山家中看望我。性格内向的张宝亮语重心长地对我说：“困难是暂时的，我们 3 个人一块来克服！”快言快语的杨培根鼓励我说：“咱哥们儿哪能说不灵？你老兄上学期考试倍儿棒！高等数学改成口试都拿个 5 分儿！”的确是这样，我从小学、初中，到高中，一直都是品学兼优，而且初中和高中都是免试保送升学的。培根又自嘲地说：“你还别说，我对口试还真有点儿肝儿颤！抽题后老师提问的空间很大呀！备不起就会嘬瘪子、崴泥！”他俩回校后向辅导员和系里反映了我的情况，开学后我享受到每月 8 元的助学金，解了燃眉之急。

我们不但刻苦学习科学知识，还积极参加政治活动，思想上进，积极申请入团入党，争取做一个“又红又专”的大学生。我们班把常规的“三点一线”（宿舍、食堂、教室）生活模式创造性地扩展为“四点一线”，增加了操场这个点。

每天早晨6点钟起床，集体到操场跑步锻炼，时间为40分钟左右。下午5点钟为课外活动时间，或打篮球，或打排球，夏天则常去学校西面的京密运河游泳，冬天则常在学校的冰场上滑冰。尽管伙食营养不足，由于坚持不懈地锻炼身体和严格的作息制度，我们都能保持旺盛的精力和强健的身体素质。

我们还根据个人的特长和爱好，积极报名或被选拔、聘请参加了学校和系里的社团活动。张宝亮是系学生会的秘书；葛占元和付振宇是京工冰球队的主力队员，有“冰上飞人”之称。我因为高考作文成绩较好（84分），被《京工通讯社》聘请为编辑部的编辑，负责采编、修改全院的新闻稿件，供京工广播站每天2次的广播使用。

依照现在的生活标准，那时大学生的物质生活是艰苦、清贫的，刚刚达到温饱的水平，这还是在国家和学校多方资助下才获得的。不管你是出身于高干、工人、贫下中农，还是城市贫民，在校生活待遇是一样的，任何人也不许特殊。低工资多就业、缩小工资级差和提高科技人员待遇是基本国策。魏思文院长是学校一把手，行政7级，副部级，月工资302.5元；而一级教授（如一系李维临）月工资400多元。四系总支书记刘振中，行政12级，月工资170元；系主任马士修二级教授，月工资284元。

为了把京工的学生培养成既有专业知识，又有艰苦奋斗精神和热爱军工专业的合格人才，校党委和魏思文院长经常邀请将军、部长和英雄模范人物来校作报告，据我所记，来作报告的先后有装甲兵司令许光达大将、国家计委副主任宋养初、大庆油田王进喜和张洪池、北京三建木工李瑞环、济南军区模范司务长孙乐义、原鲁南铁道游击队政委郑惕、中华全国总工会副主席陈少敏、山东曲阜东郭大队书记郭守明、解放军总参谋长罗瑞卿大将、国务院副总理谭震林等。

京工时期的学生生活，可以概括为：团结紧张，严肃活泼；艰苦朴素，奋发图强；克服困难，积极向上；互相帮助，相亲相爱。尽管经历了40多年的风风雨雨，但储存在脑海中的这段历史信息没有丝毫的衰减，而且始终成为工作学习、待人接物和克服困难的动力和准则，是我拥有的最宝贵财富。

“文化大革命”期间的1968年，我们毕业了，天南地北，人各一方。又由于后来工作单位的变动和工作调动，还因为张宝亮、蒋作风和我因受当时“极左”思潮的迫害，被剥夺了分配到国防系统的权利，分别分配到山东、河北、内蒙古的民用单位，所以同学之间几乎音信全无，不知谁在何方。

1980年2月，为了专业对口，我从内蒙古包头市电器开关厂调到山东省济宁市的山东省激光研究所工作。一天，该所菏泽人氏王新智对我说，他有一个曹县老乡叫张宝亮，也是北工毕业的。根据他的描述，我在济宁抗生素厂找到了分别18年的张宝亮！我是一个外来户，在济宁举目无亲，老同学重逢，欣喜若狂，犹如找到了亲人一样。从此，两家往来频繁，亲密无间。

1981年的一天，我翻阅过期的《广播电视节目报》，一则节目简介吸引了我

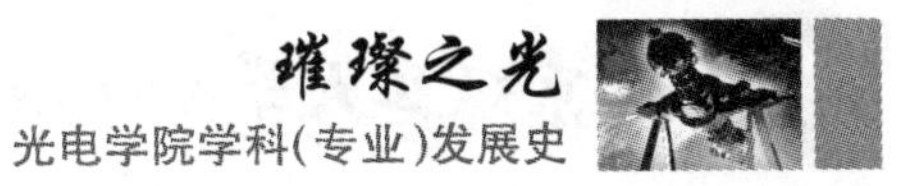

的注意力："激光武器，主讲人：杨培根。"我好像不相信自己的眼睛，摘下眼镜，凝视着"激光武器——杨培根"7个字，似乎老同学杨培根的模样就跃然于报纸上。我立即给中央电视台写了封信，请求转交杨培根。一周后我收到了杨培根的回信，他已从外地调回北京，现在兵器工业部210所从事光学科技情报工作，地址为车道沟10号。感谢CCTV的好心人，使我又找到了一个同学知己。1982年1月，我回北京过春节，专程去西郊车道沟看望了阔别14年的杨培根。从此，两颗相濡以沫的心又紧密地连在了一起，息息相通了。在学术上，尤其是激光技术信息方面，使我受益匪浅，因为我当时正在主持研制山东省科技攻关项目——激光测云仪。同年7月，激光测云仪在北京西郊机场为总参气象局、空军气象局作测云试验表演，培根应邀参加，老同学再次见了面。同年11月，由山东省科委主持的激光测云仪项目鉴定会在济宁召开，培根以兵器激光专家的身份应邀出席。会后，培根、宝亮和我，3位情同手足的老同学相聚在古城济宁，抚今追昔，悲欢离合；酸甜苦辣，千言万语，达到了"酒逢知己千杯少"的绝妙意境。高兴之余，却有"遍插茱萸少一人"之惆怅感，我们仨都想念蒋作风和其他同学，纷纷提供线索，以期找到。

1985年2月，由我主持研制的激光测云仪荣获山东省科技成果二等奖，为了达到军队使用的标准，我带领课题组到位于赣东北德兴县的兵器部5308厂（华东光学仪器厂）做军品例行试验。试验不仅顺利通过，还意外地找到了同班的魏光松同学。这个上海籍同学是沪剧的爱好者，能演唱诸如《罗汉钱》《双推磨》等许多曲目，而且声情并茂，韵味十足，是班级联欢会上不可或缺的节目。

1988年5月至1991年6月，在我担任山东省东平县科技县长期间，曾经到河北省科学院寻查过蒋作风；也曾到中央音乐学院，企图找到蒋风之教授，结果都是扫兴而归。几年寻蒋毫无结果，但我矢志不渝。1991年我调到山东省科学院工作，利用省会的区位优势和通信便利的条件，继续查询。我忽然想起蒋作风的二哥蒋巽风20年前是空政文工团首席二胡演奏员，不妨一试。经在国防科工委工作的高中同学李春辉在军内电话查询，找到了空政的蒋巽风，由此终于找到了在河北唐山的蒋作风。1998年10月初，我和宝亮驱车进京会同培根回母校四系履行公务并看望系党总支张经武书记。次日，我们仨"秋风得意车轮急"，直奔唐山。4位知己同学30年后见面了！此情此景，只能会意，不可言传，用任何美丽的辞藻来描述都显得乏味、苍白无力，只有4颗相思的心知道。

在"母校情深同学谊长"动力的鞭策下，从2002年起，我致力于北京理工大学山东省校友会的工作，并被推选为山东省校友会秘书长。我始终遵循"心系京工，胸怀山东，交流信息，增进友情"的工作方针，发挥余热。现在，山东省校友会已在济南、青岛、烟台、淄博、潍坊、泰安和济宁7市建立了分会，独立开展活动。山东校友会定期编辑出版《校友桥》刊物；建立了校友网；省校友会和济南校友会每年联合举行校友联谊会、新春理事会和企业座谈会，其中企业座谈会已走出济南，先后在淄博、泰安举行。由于省、市两级校友会理事们的共同努力，山东校友会成功地在校友和校友之间、校友和母校之间搭起了一座信息桥梁。

（注：阎长荣，北京工业学院光学仪器系62级学生，目前在山东省科学院任科技处处长。）

第七章

继往开来　再创辉煌

第一节　学院的现状

2008 年年底，学校党委决定，将信息科学技术学院光电工程系独立成立光电学院，同时组建学院分党委。光电学院现有教职工 140 人，拥有中国工程院院士 1 人，长江学者奖励计划特聘教授 3 人，国家级突出贡献专家 2 人，国家杰出青年科学基金获得者 2 人，入选教育部（新）跨世纪高层次人才各项计划 8 人，教育部“长江学者与创新团队发展计划”创新团队 1 个。其中正高职 38 人，博士生导师 35 人（含兼职 6 人），副高职 51 人。在校本科生 800 名、硕士研究生 340 名、博士研究生 232 名。

学院现有一级学科博士授权点光学工程、仪器科学与技术，二级学科博士点物理电子学，其中光学工程和物理电子学均为国家重点学科。对应的本科专业有测控技术与仪器、光信息科学技术、电子科学与技术（光电子方向）。学院下设光电仪器研究所、光电信息技术与颜色工程研究所、光电子研究所、光学成像与信息工程研究所、光电教学实验中心和《光学技术》编辑部。

经过近几年的建设，学院主要在以下几个方面得到了显著的发展。

第一，学科建设成绩斐然。通过“985 工程”和“211 工程”的建设，学院在学科建设上取得了长足的进步。光学工程在 2001 年即已成为国家重点一级学科，同时物理电子学成为国家重点二级学科，2008 年光学工程又被国家国防科技工业局批准为国防特色学科的骨干学科。目前，已形成服务国防现代化建设、同时满足国民经济发展需要、研究方向具有鲜明特色、为我国在光学光电领域中培养高层次创新人才和高新科技研究开发的重要基地之一。

第二，平台建设效果良好。“985 二期”在“复杂信息系统”平台中建设了“超常规光电信息获取理论与技术”和“超常规光电信息处理理论与技术”两个子平台，同时建设了“微光机电器件与系统支撑”“高精密光学加工”以及“空间探测与对抗”子平台。“211 三期”建设了“高分辨光电成像理论与技术”平台。目前，这些平台建设基本就绪，对相关学科的人才培养和科学研究正在发挥着巨大作用。正是因为这些基础平台的建设，学院取得了一系列成果：成功申请了“光电成像技术与系统”教育部重点实验室，获国家精品课程 1 门，北京市精品教材 2 部，引进长江学者 1 名，荣获教育部创新团队资助 1 个，获全国优秀博士学位论文 2 篇，科学研究课题质量与数量得到较大幅度提高，包括国家“973 计划”项目、国家“863 计划”项目、探索项目、国防科工委重大背景型号预研项目、国家自然科学基金仪器专项项目、国家环境卫星地面处理系统项目等。

第三，科研能力快速增长。全院到校科研经费已从 2006 年的1 973万元增长到 2009 年的3 999万元。学院 3 年合计到校科研经费 1 亿多元。2006—2008 三年来，承担数 10 项高水平国防预研和国家高新技术研究项目（“863 计划”、“973 计划”、国家自然科学基金重点项目等）；其中国家“973 计划”项目 3 项、国家“863 计划”目标导向类项目 4 项、探索导向类项目 8 项、国防科工委重大背景型号预研 1 项、国家自然科学基金仪器专项项目 1 项、国家环境卫星地面处理系统项目 1 项等。2009 年获国家自然科学基金 15 项，其中重点项目 1 项，仪器专项 1 项，总经费超过 750 万元，在全校各学院排名第 2。近几年获得省部级科研成果奖 14 项。

第四，教师队伍建设成效显著。2006 年成功引进长江学者李艳秋教授，学科在 IC 重大装备深紫外光刻技术研究方面拓展了新的方向。2007 年“超常规光电图像获取、处理和显示技术”团队获得教育部长江学者和创新团队发展计划项目的资助。2008 年王涌天教授当选国际工程光学学会（SPIE）资深会员（Fellow）。近年来共引进人员与青年教师多名，全部具有博士学位。通过多种渠道，积极引进高层次人才，教师队伍建设取得显著成效，拥有一支结构合理、学历层次高、学缘分布广泛、学术思想活跃、充满活力的教师队伍。

第五，科研环境和实验室建设。2009 年学院成功申请到“光电成像技术与系统”教育部重点实验室，连同国家重点学科点专业实验室“颜色科学与工程”，教育部开放实验室“信息光学基础”实验室，学院已有 3 个部级实验室。同时学院设有光电教学实验中心、现代光电仪器实验室、光电信息技术实验室、光电子信息技术实验室。各类教学、科研实验室配备完善，设备先进，利用率高。学院积极推进与企事业单位的产学研合作，发展与企业联合培养、研究基地，并取得了显著成效，近 3 年来建设了 7 个研究培养基地，为科研和学科建设水平的提高奠定了坚实的基础。

第六，教育教学氛围日益改善。我院坚持按照学校“三步走”的发展战略和中长期发展目标，注重和依靠原始创新，注重夯实学科基础，走理工并重、相互融合的道路。加强高水平科研对教学的促进作用，推进高水平研究型大学发展，培养创新型人才。学院高度重视教学制度的改革和创新，为提高教育质量采取了很多具体措施，比如加强教师队伍建设，改善学位论文质量保证体系，完善论文评审和答辩制度，以精品课程、骨干课程为龙头带动学院教学质量的提高，加强教学与科研的结合，促进重大项目对创新人才培养的支撑作用。营造学术氛

围，开展“研究生轮讲”“光电讲堂”等系列学术活动；鼓励研究生参加国际国内学术会议等。

第七，国际交流不断扩大、深入。学院一直重视国际交流与合作，学院依托中国光学学会光电专业委员会，承办了美国 SPIE 主办的、国际上具有影响力的“Photonics Asia”系列国际会议，该会议两年召开一次，每次均有国际上著名学者专家参加会议并应邀来我校我院讲学，使我院学生及时了解近期国际上最新的研究成果。我院注重国际学术交流，每年均选派数名具有高级职称的教师和青年教师出国进行半年到一年的访问，近 3 年派到美国、德国、瑞典、瑞士、英国、澳大利亚、日本等国家联合培养或攻读博士学位的研究生共 24 名，取得了良好的效果。2007 年公派联合培养的博士生程德文在国外学习期间获得美国光学学会和 Optical Research Associates 公司颁发的 2 项国际大奖。近 3 年学院还培养了多名国际学位留学生。

第二节　未来的展望

作为一个具有光荣传统、曾经拥有辉煌成就的学院，如何保持传统学科的优势，突出技术和学术上的特色，同时开创新的领域，在研究的深度和广度得到进一步发展是我们面临的艰巨任务。在国际上光电领域迅猛发展的今天，光电学院面临着“逆水行舟，不进则退”的机遇和挑战，“继往开来，再创辉煌”是历史赋予我们的责任和使命。

光电学院领导班子认真分析和总结了建系以来的学科发展经验教训，并走访多所同类院校和相关企业，听取各方面意见，特别是结合学校第十三次党代会提出的目标，提出了学院发展的规划与设想。

在 2009 年学校第十三次党代会上，学校进一步明确了中长期发展目标：到 2015 年，经过“十二五”建设，在学科专业建设、人才队伍建设、学生培养质量、人均科研产出、论文质量等方面居于国内研究型大学前列，成为以理工为主的国内一流大学；到 2020 年，经过“十三五”建设，学校在若干重点发展领域跻身亚洲领先地位，实现办学特色鲜明、领军专家汇聚、创新人才辈出、原创成果丰硕、文化氛围浓郁、社会贡献卓著的目标，成为以理工为主的亚洲一流大学；到 2040 年，即建校 100 周年之际，把学校建设成为理工学科特色鲜明的世界一流大学。

为了实现这一宏伟目标，光电学院首先按照上述“三步走”的发展战略和中长期发展目标，在学校建设特色鲜明的高水平研究型大学的整体发展理念的指导下，在学校“强地、扬信、拓天”发展战略的指导下，瞄准国家重大需求，继承兵器光电行业的传统优势，努力拓展在航空航天等领域的研究及应用，不仅面向国防现代化服务，同时也服务于国家的工业化和信息化。

学院在继承与发展方面提出了“聚拢传统优势，开拓新兴领域”的理念，在学术和技术的发展模式上强调了“理学和工程相济，器件与系统并重”的理工结合型的发展思路，在建设措施上确定了“集中优势兵力，组建院级团队，打破学科壁垒，共享资源设备”的方针，明确了“突出特色，团结一心，集中力量建设大光学”的发展方向。力争在3~5年使学院现有一级重点学科“光学工程”在国内同类学科中位居一流之榜首，在国际上影响广泛；一级学科“仪器科学与技术”有较大发展，在国内同类学科中争取进入第一方阵；二级学科“物理电子学”要保持良好发展态势，稳居国内同类学科领先位置。

在学院建设上的总体思路是，突出重点、整体推进，强化优势学科、促进相关学科，使学院现有两个一级学科和一个二级学科快速发展，占领学科制高点，为学院新兴学科、交叉学科的建设起到示范作用；扶持新兴学科，积极培养、引进人才，充实学术队伍，加强建设，促成其快速发展；重点支持、举全院之力建设学院的公共平台，包括颜色科学与工程实验室、光电成像技术与系统实验室、信息光学实验室、光电检测与计量实验室以及光电教学实验中心等，使它们成为国际学术交流的窗口，加强与国际学术界的交流与合作，拓展发展空间，尽快与国际接轨，使学术水平在国际国内相关领域位居前列，共同支撑学院各学科的发展。

在学科建设和队伍建设上，力争把光学工程、物理电子学、仪器科学与技术建设成国内一流、国际趋于领先的品牌与特色学科。以学科为依托，组建学术创新团队以及教学团队，构筑高水平教学科研共享平台，提升学院在光电行业的竞争力。经过努力，逐步形成以院士、“长江学者奖励计划”特聘教授和国家杰出青年科学基金获得者、教学名师为骨干，以中青年教师为主体的创新团队和教学团队，提高研究生教育教学水平，稳步提高研究生教育质量。在人才培养上，继承和弘扬延安精神，发挥国防学科专业优势，精心培育德才兼备的高层次人才。

在科学研究上，学院坚持以国民经济建设和国防科技发展的重大需求为导向，按照“强化基础，提高能力，军民结合，跨越发展”的国防科技工业发展战略，注重重要基础研究问题以及重大工程项目中的关键技术问题，积极为国家战略服务，积极承担国家自然科学基金重点项目、“973计划”课题子课题、国家重大科技专项的研究。

学院坚持“立足国防、面向全国、服务地方”的服务定位，积极与北京、广东等省市的企事业单位特别是军工企事业单位建立产学研联合体，形成稳定持续的合作关系。同时，为了冲出亚洲、走向世界，学院高度重视国际交流活动，积极拓展与国外大学和企业的合作，包括每年选派在读研究生公派出国访学或直接攻读学位，并通过组办国际会议、建立联合实验室等方式广泛展开与国际学术界、企业界的交流和合作。

在精神文化层面上，学院重视发挥党建和思想政治工作的导向、动力、保证作用，树立“凝聚人心，举院团结”的良好院风，形成党群、干群、师生关系“融洽团结、争创一流”的和谐氛围。

光电学院是各位师生员工的，也是曾经在此学习、工作过的校友们的。和世界众多知名大学一样，光电学院也热盼着各国各地的校友们的关怀和支援。为了我们共同的母校，为了曾经共同生活过的“家”，全体师生和众多校友的鼎力支撑必将造就光电学院的再度辉煌！

第二部分

北京理工大学光电学院
学科（专业）发展史附录

北京理工大学光电学院学科（专业）发展史附录

附录1　北京理工大学光电学院发展沿革图

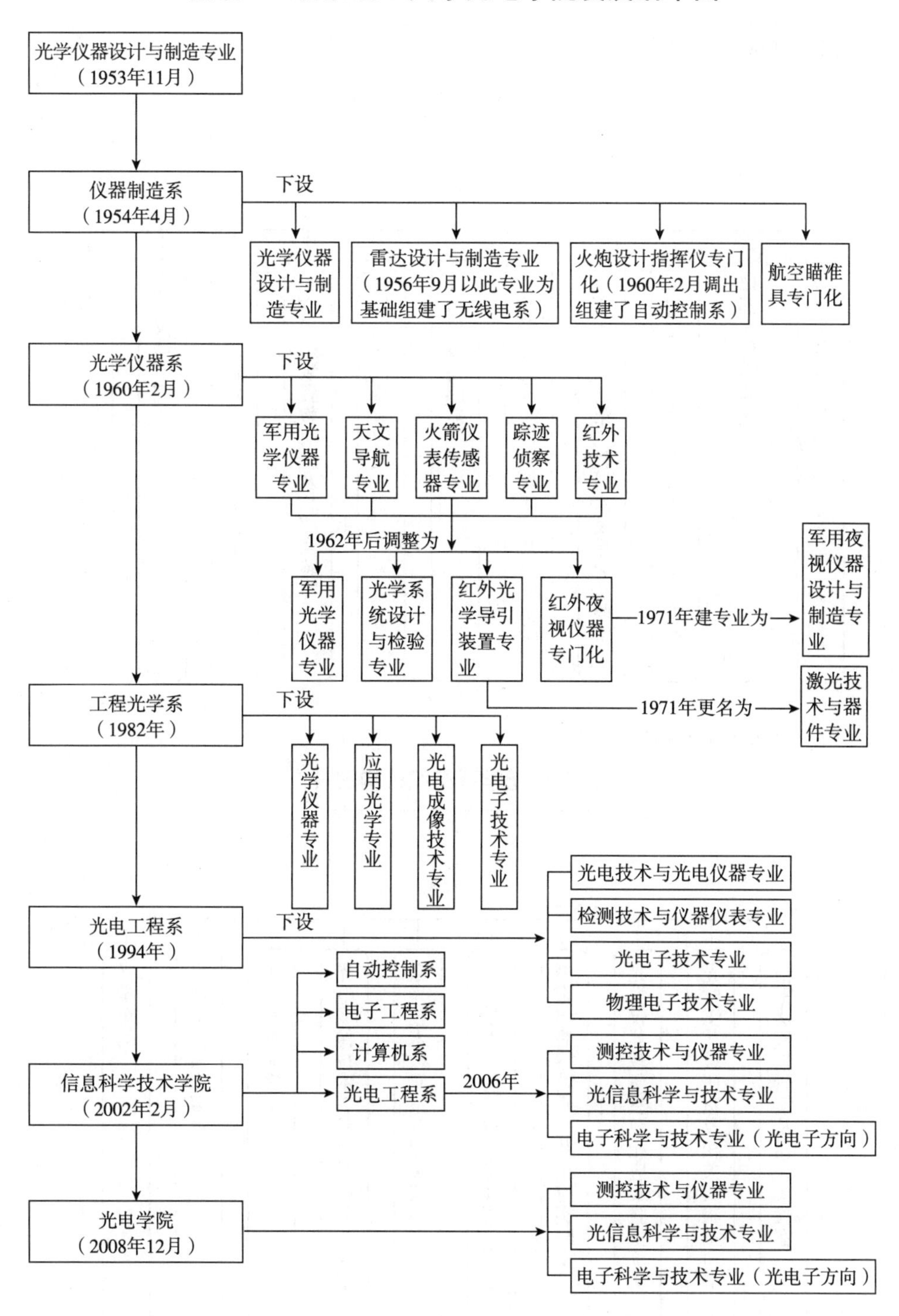

附录2　北京理工大学光电学院教研组织机构变化图

（1）1960—1982 年：

光学仪器系组织机构图
- 仪器零件及机构教研室
- 仪器零件实验室
- 军用光学仪器第一教研室及相应实验室
- 军用光学仪器第二教研室及相应实验室
- 光学系统设计与检验教研室及相应实验室
- 火箭仪表传感器
- 红外夜视仪器专门化
- 光学导引装置教研室及相应实验室
- 光学工艺教研室及相应实验室
- 光学仪器研究所
- 光学车间

（2）1982—1994 年：

工程光学系组织机构图
- 精密机械教研室及相关实验室
- 光学工艺教研室及相关实验室
- 光学仪器教研室及相应实验室
- 摄影与遥感教研室及相应实验室
- 检测技术与仪器教研室及相应实验室
- 激光技术教研室及相关实验室
- 光电成像技术教研室及相关实验室
- 工程光学研究室
- 光学工艺杂志编辑部
- 光学车间

（3）1994—2002 年：

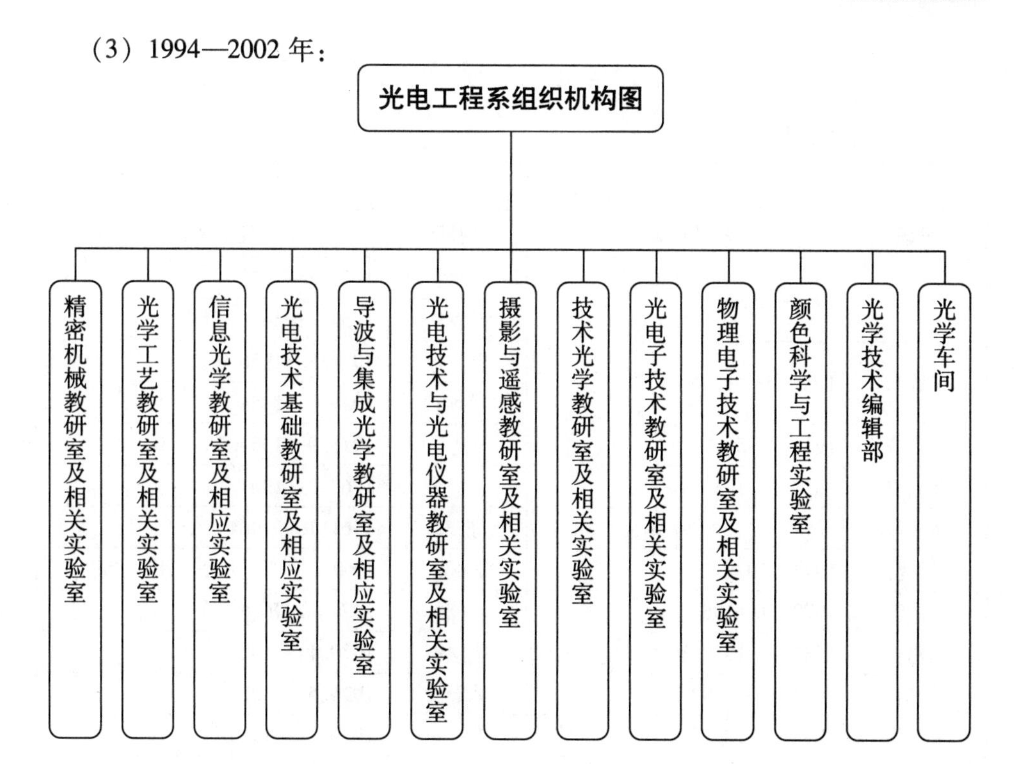

（4）2002—2010 年：

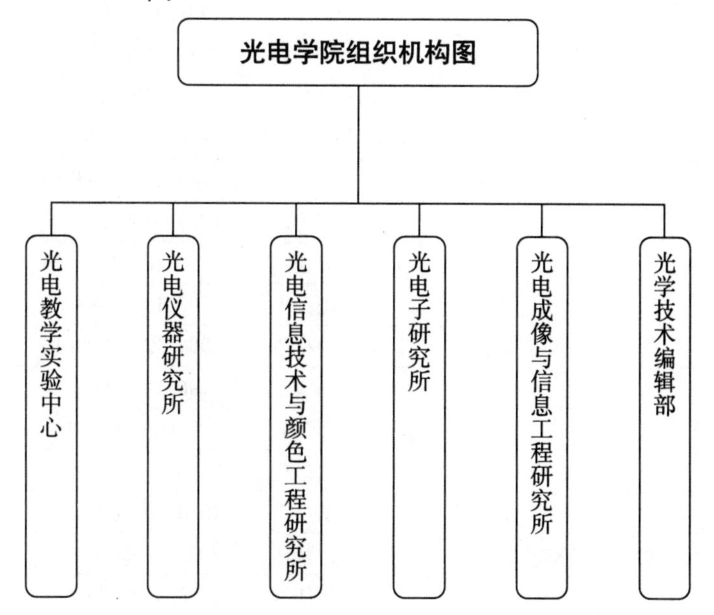

附录3 北京理工大学光电学院历任主要领导班子成员

（1）行政领导：

系主任或院长			
正职	任职时间	副职	任职时间
王发庆	1954—1956	薛培贞	1954. 8—1957
		王发庆	1954—1956
张耀南	1955. 10—1956	李宜今	1954. 8—1956. 9
		彭瑾	1956. 4—1958
王发庆	1956—1958	马志清	1958. 9—1960. 2
李淑仪	1958. 4—1959. 4	连铜淑	1960. 2—1961. 10
马士修	1962. 3—“文化大革命”期间	张瑞	1961. 10—1964
崔仁海	1973—1979. 10	李振沂	1960. 2—“文化大革命”期间
李振沂	1979. 11—1986. 4	刘茂林	1971—1976. 6
李酒吉	1986. 4—1989. 10	连铜淑	1979. 11—1983
俞信	1989. 10—1993. 7	林瑞海	1976. 5—1982. 11
倪国强	1993. 10—2000. 1	丁汉章	1979. 11—1985
金伟其	2000. 1—2002. 6	张经武	1982—1989
		赵生俊	1988—1991. 4
		张经武	1991. 4—1995. 12
		罗文碧	1985—1987
		俞信	1987—1989
		陈魁增	1987—1993. 10
		倪国强	1989. 10—1993. 10
		何秀蕊	1989—1994. 12
		辛企明	1993. 10—1996. 10
		张民生	1993. 10—1998. 6
		刘小华	1994. 12—2000. 1
		薛唯	1996. 10—2000. 1
		李兰东	1998. 6—2000. 1
		闫达远	2000. 1—2002. 5
		李冠甫	2000. 1—2002. 5
吕昕	2002. 7—2006. 6	付梦印	2002. 7—2006. 6
		金伟其	2002. 7—2006. 6
		陈朔鹰	2002. 7—2006. 6

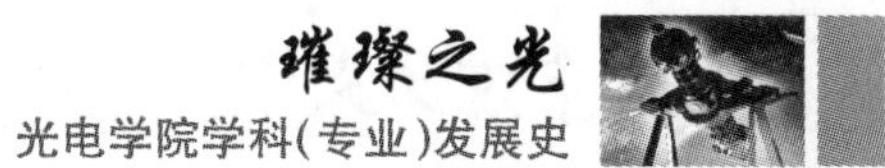

续表

系主任或院长			
正职	任职时间	副职	任职时间
		李庆常	2002. 7—2006. 6
		贾云得	2002. 7—2006. 6
		仲顺安	2002. 7—2006. 6
		王军政	2002. 7—2006. 6
		刘明奇	2002. 7—2003. 1
		郭宏	2003. 1—2006. 3
仲顺安	2006. 6—2008. 12	王军政	2006. 6—2008. 12
		廖晓钟	2006. 6—2008. 12
		安建平	2006. 6—2008. 12
		汪渤	2006. 6—2008. 12
		赵长明	2006. 6—2008. 12
		郝群	2006. 6—2008. 12
魏平	2009. 1 至今	郝群	2009. 1 至今
		赵长明	2009. 1 至今
		邹锐	2009. 1 至今

注：2002 年 7 月至 2008 年 12 月期间为信息科学与技术学院，光电工程系是学院下属的一个单位，其负责人是赵跃进。

（2）党总支（党委）领导：

党总支（党委）书记			
正职	任职时间	副职	任职时间
李宜今	1955—1956	麻志如	1957—1958
彭瑾	1956—1958	唐顺清	1958—1960
冯义彬	1958—1960	赵登先	1960—1965
刘振中	1960—1965. 9	崔仁海	1965—“文化大革命”期间
牛志清	1969. 9—1972. 10	张仁贤	1978—1979
韩秉义	1972. 12—1975. 10	焦文俊	1979. 11—1982
焦文俊	1975. 11—1979. 4	林瑞海	1982. 11—1984. 10
赵登先	1979. 11—1985. 4	高惠民	1983—1986
丁汉章	1985. 4—1987. 10	陈坤林	1984—1987
陈坤林	1987. 12—1990. 12	何秀蕊	1987. 12—1994. 12

续表

党总支（党委）书记			
正职	任职时间	副职	任职时间
鄂江	1990. 12—1995. 12	张民生	1991—1993. 10
张经武	1995. 12—2000. 1	刘小华	1994. 12—1995. 12
李兰东	20001. 1—2002. 6	刘明奇	1996. 10—2000. 1
陈杰	2002. 7—2006. 6	薛唯	2002. 7—2006. 6
		刘明奇	2002. 7—2003. 1
		张笈	2002. 7—2006. 6
		郭宏	2003. 1—2006. 3
薛唯	2006. 6—2008. 12	张笈	2006. 6—2008. 12
		郝群	2006. 6—2008. 12
蔡本睿	2008. 12 至今	邹锐	2009. 1 至今

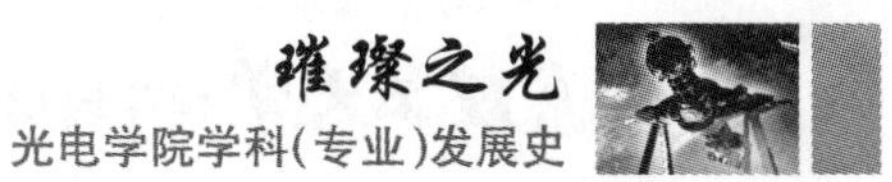

附录4　北京理工大学光电学院各历史时期教职工名单

1953—1960 年

王发庆　彭　瑾　李宜今　李淑仪　张耀南　赵登先　薛培贞　马志清
唐顺清　麻志如　马士修　李振沂　刘茂林　盛尔镇　谢文林　韩锡勋
潘承浩　武学殿　高昌文　徐邦芬　陈魁增　王荫熙　王金柱　付　勇
马藏珠　樊大钧　盛鸿亮　何献忠　黄航汉　王惠敏　范妙富　李汉民
张志民　王公侃　于云台　查立豫　辛企明　于美文　范少卿　王民草
周仁忠　刘振玉　刘巽亮　丁伯瑜　丁汉章　秦秉坤　连铜淑　邱松发
谷素梅　鹿景荣　董国耀　江先进　王惠民　罗文碧　李德熊　唐良桂
安文化　秦月贞　陈德惠　陈南光　耿立中　杨洪福　李　芷　甘子光
张炳勋　许社全　陈晃明　袁旭沧　苏大图　魏光辉　邓仁亮　张国威
林幼娜　何　理　李乃吉　徐荣甫　张自襄　穆恭谦　邹异松　周立伟
邱永林　孙九恒　张忠廉　高稚允　胡士凌　李国鉴　刘榴娣　张敬贤
章俊鸿　高鲁山　严沛然　伍少昊　潘广钺　贺修桂　李开源　张贵琴
陈秀云　朱正芳　汤顺青　曹会中　王基鸿　高惠民　杜书林　周广荫
王金山　王森山　武志广　何　有　胡玉荣　熊仲杰　林　青　湛秀珍
曹玉凤　段士明　李占然

1961—1970 年

马士修　赵登先　李振沂　刘茂林　武学殿　高昌文　徐邦芬　陈魁增
刘振中　牛志清　崔仁海　杨春松　花义春　孔德芬　江德炯　张经武
曹学典　刘凤兰　潘绍兰　李守德　宋文祥　姜伯信　吴忠连　樊大钧
盛鸿亮　何献忠　黄航汉　王惠敏　范妙富　李汉民　张志民　裴先惠
朱爱莲　董明礼　查立豫　辛企明　郑武城　林宏娣　于美文　范少卿
王民草　刘培森　林永昌　张怀玉　哈流柱　周仁忠　刘振玉　刘巽亮
丁伯瑜　曹根瑞　丁汉章　秦秉坤　连铜淑　邱松发　谷素梅　鹿景荣
罗文碧　董国耀　江先进　王惠民　汪遵懋　涂仲元　党文俭　须耀辉
汤自义　邱廷荣　任志文　董洪川　张承善　李德熊　唐良桂　安文化
秦月贞　陈德惠　陈南光　耿立中　杨洪福　李　芷　车念增　徐丽芳
刘淑君　任桂芳　甘子光　张炳勋　许社全　陈晃明　袁旭沧　苏大图
李士贤　彭利铭　周文秀　安连生　赵立平　潘茂树　郭富昌　尹　芬
刘永禄　许凤民　郑乐年　魏光辉　邓仁亮　张国威　林幼娜　何　理
徐荣甫　张自襄　穆恭谦　李家泽　王惠文　朱宝亮　刘敬海　薛　莉

刘宏发	潘乃义	明万林	郝淑英	朱伯申	俞　信	邹异松	周立伟
邱永林	孙九恒	张忠廉	高稚允	胡士凌	李国鉴	刘榴娣	张敬贤
章俊鸿	高鲁山	钟生东	王仲春	付鑫伯	张学恒	严沛然	伍少昊
潘广钺	李开源	朱正芳	汤顺青	曹会中	王基鸿	张贵琴	陈秀云
贺修桂	赵达尊	李　为	高惠民	胡立山	杜书林	周广荫	王金山
王森山	武志广	何　有	胡玉荣	熊仲杰	林　青	湛秀珍	曹玉凤
段士明	李占然	李淑兰	崔德荣	杨晋梅	谷同臣	徐玉魁	

1971—1980 年

马士修	赵登先	李振沂	刘茂林	武学殿	高昌文	徐邦芬	陈魁增
牛志清	崔仁海	杨春松	花义春	孔德芬	江德炯	张经武	曹学典
刘凤兰	潘绍兰	李守德	宋文祥	姜伯信	韩秉义	张仁贤	张　惠
林瑞海	张淑娥	郭忠全	刘长清	何秀蕊	焦文俊	李希荣	李兰东
郑　云	钮保英	张　健	韩亚娟	程蓉蓉	杨福莲	王成年	吴忠连
张　燕	沈玲玲	樊大钧	盛鸿亮	何献忠	黄航汉	王惠敏	范妙富
李汉民	张志民	裴先惠	朱爱莲	董明礼	郭在德	王仲彬	查立豫
辛企明	郑武城	林宏娣	李树明	朱　莉	于美文	范少卿	王民草
刘培森	林永昌	张怀玉	哈流柱	张静方	谢敬辉	卢维强	顾兆梁
孙晓茉	曹自东	霍桂林	武长春	娄玲芳	马春荣	周仁忠	刘振玉
刘巽亮	丁伯瑜	曹根瑞	卢春生	陈永昆	叶文书	张化朋	丁汉章
秦秉坤	王　琦	崔　芳	吴秀玲	连铜淑	邱松发	谷素梅	鹿景荣
董国耀	江先进	王惠民	汪遵懋	涂仲元	党文俭	须耀辉	汤自义
邱廷荣	任志文	董洪川	张承善	许惠英	张庆生	赵生俊	皮安荣
李　莲	王慧芳	王梅英	孔秀英	庄一鹤	刘玉萍	李德熊	唐良桂
安文化	秦月贞	陈德惠	陈南光	耿立中	杨洪福	李　芷	车念增
徐丽芳	刘淑君	任桂芳	甘子光	张炳勋	许社全	陈晃明	袁旭沧
苏大图	李士贤	彭利铭	周文秀	安连生	赵立平	潘茂树	郭富昌
尹　芬	刘永禄	许凤民	郑乐年	林　岩	邓培龙	王玉范	索丽萍
付秀玲	林家明	魏光辉	邓仁亮	张国威	林幼娜	何　理	徐荣甫
张自襄	穆恭谦	李家泽	俞　信	王惠文	朱宝亮	刘敬海	薛　莉
刘宏发	潘乃义	明万林	郝淑英	朱伯申	王德智	武越文	丁陟高
冯龙龄	李绍英	徐　丽	马开兰	滕　军	邹异松	周立伟	邱永林
孙九恒	张忠廉	高稚允	胡士凌	李国鉴	刘榴娣	张敬贤	章俊鸿
高鲁山	钟生东	王仲春	付鑫伯	张学恒	陈坤林	陈东波	章柟君
尹晓舜	李晓明	平　珍	党长民	尤惠英	冯湘琴	密树林	张民生

李玉丹	高　岳	钟堰利	芦汉生	张志丽	杜　玲	刘　健	朱正芳
汤顺青	曹会中	王基鸿	赵达尊	李　为	蒋月娟	高惠民	胡立山
揭德尔	吴增杰	倪　彬	杜书林	周广荫	王金山	王森山	武志广
何　有	胡玉荣	熊仲杰	林　青	湛秀珍	曹玉凤	段士明	李占然
李淑兰	崔德荣	杨晋梅	谷同臣	徐玉魁	郭世霞	孔繁荣	段淑琴
李秋香	杨婵敏	王　富	吴砚东	成四建	刘　榕	栗喜庆	田余杰
仲维建	王焕敏	谢铁志	单雪清	李志红	韩名芝	薛亚莉	梁　斌
梁丽英	叶　芬	张秀英	张学英	王丽英			

1981—1985 年

马士修	赵登先	李振沂	徐邦芬	陈魁增	孔德芬	张经武	刘凤兰
潘绍兰	李守德	宋文祥	姜伯信	张淑娥	何秀蕊	焦文俊	林瑞海
李希荣	李兰东	郑　云	钮保英	韩亚娟	程蓉蓉	杨福莲	王燕生
丁印泉	张建东	郭亚夫	吴志敏	田　毅	吴忠连	樊大钧	盛鸿亮
何献忠	黄航汉	王惠敏	裴先惠	朱爱莲	郭在德	王仲彬	苑敏燕
查立豫	辛企明	郑武城	林宏娣	段京美	于美文	范少卿	王民草
刘培森	林永昌	张怀玉	哈流柱	张静方	谢敬辉	赵业玲	卢维强
孙晓茉	曹自东	霍桂林	娄玲芳	李玉润	任以实	林世雄	黄　敏
方　伟	刘小华	马春荣	周仁忠	刘振玉	刘巽亮	丁伯瑜	曹根瑞
卢春生	陈永昆	叶文书	张化朋	魏　平	王苏生	吴泽言	张素全
姜爱民	银　空	丁汉章	秦秉坤	王　琦	崔　芳	吴秀玲	姬文越
杨　扬	李延玲	孙雨南	郑　刚	李玉润	连铜淑	邱松发	谷素梅
江先进	王惠民	汪遵懋	汤自义	邱廷荣	任志文	董洪川	许惠英
张庆生	赵生俊	皮安荣	李　莲	王慧芳	王梅英	孔秀英	庄一鹤
张京云	曲鲁杰	索　萍	李德熊	唐良桂	安文化	秦月贞	陈德惠
陈南光	李　芷	车念增	徐丽芳	刘淑君	任桂芳	邓瑞平	闫达远
甘　泉	罗文碧	甘子光	张炳勋	许社全	陈晃明	袁旭沧	苏大图
李士贤	彭利铭	周文秀	安连生	赵立平	郭富昌	尹　芬	郑乐年
林　岩	王玉范	索丽萍	付秀玲	林家明	王学良	李　林	沙定国
朱秋东	赵　瑜	魏光辉	邓仁亮	张国威	林幼娜	何　理	徐荣甫
张自襄	李家泽	俞　信	王惠文	朱宝亮	刘敬海	薛　莉	刘宏发
王德智	武越文	丁陟高	冯龙龄	李绍英	徐　丽	严柏生	闫吉祥
丁仁强	刘　莉	邹异松	周立伟	孙九恒	张忠廉	高稚允	胡士凌
李国鉴	刘榴娣	张敬贤	章俊鸿	高鲁山	钟生东	王仲春	付鑫伯
张学恒	陈坤林	陈东波	章柟君	尹晓舜	李晓明	平　珍	党长民

尤惠英　冯湘琴　密树林　张民生　李玉丹　高　岳　钟堰利　芦汉生
张志丽　倪国强　刘　颖　刘力滨　刘广荣　伍少昊　潘广钺　李开源
陈秀云　朱正芳　汤顺青　王基鸿　赵达尊　李　为　蒋月娟　熊小雄
褚志平　李晓宁　侯光明　高惠民　胡立山　揭德尔　夏　阳　吴增杰
杜书林　周广荫　王金山　王森山　武志广　何　有　胡玉荣　熊仲杰
林　青　湛秀珍　曹玉凤　段士明　李占然　李淑兰　杨晋梅　谷同臣
徐玉魁　刘　榕　李建军　栗喜庆　田余杰　仲维建　孔繁荣　段淑琴
李秋香　杨婵敏　王　富　吴砚东　成四建　王焕敏　谢铁志　单雪清
李志红　韩名芝　薛亚莉　梁　斌　张渐进　王　勇　武　威　周冬成
张万海　赵海泉

1986—1990 年

李振沂　俞　信　徐邦芬　陈魁增　孔德芬　张经武　刘凤兰　张淑娥
何秀蕊　李兰东　郑　云　钮保英　韩亚娟　程蓉蓉　杨福莲　王燕生
郭亚夫　吴志敏　田　毅　蔡本睿　宫亚东　马金红　纪　荣　吴忠连
陈坤林　樊大钧　盛鸿亮　何献忠　黄航汉　王惠敏　裴先惠　朱爱莲
郭在德　王仲彬　苑敏燕　金小海　施伟民　查立豫　辛企明　郑武城
林宏娣　段京美　于美文　范少卿　王民草　刘培森　林永昌　张怀玉
哈流柱　张静方　谢敬辉　赵业玲　卢维强　曹自东　霍桂林　娄玲芳
李玉润　任以实　方　伟　刘小华　马春荣　梅文辉　周仁忠　刘振玉
刘巽亮　丁伯瑜　曹根瑞　卢春生　陈永昆　叶文书　吴秀玲　张化朋
魏　平　王苏生　吴泽言　张素全　姜爱民　银　空　唐文辉　顾若炜
蓝　天　李翠玲　丁汉章　秦秉坤　王　琦　崔　芳　姬文越　杨　扬
李延玲　孙雨南　郑　刚　连铜淑　邱松发　谷素梅　江先进　王惠民
汪遵懋　汤自义　任志文　董洪川　许惠英　张庆生　赵生俊　孔秀英
张京云　曲鲁杰　刘　洁　赵跃进　李德熊　唐良桂　安文化　秦月贞
陈德惠　陈南光　李　芷　车念增　徐丽芳　刘淑君　任桂芳　邓瑞平
闫达远　甘　泉　罗文碧　陈晃明　袁旭沧　苏大图　李士贤　彭利铭
周文秀　安连生　赵立平　郭富昌　尹　芬　郑乐年　林　岩　王玉范
索丽萍　付秀玲　林家明　李　林　沙定国　朱秋东　赵　瑜　王涌天
魏光辉　邓仁亮　张国威　林幼娜　徐荣甫　张自襄　李家泽　王惠文
朱宝亮　刘敬海　薛　莉　刘宏发　武越文　丁陟高　冯龙龄　李绍英
徐　丽　严柏生　闫吉祥　丁仁强　刘　莉　辛建国　邹异松　周立伟
孙九恒　张忠廉　高稚允　胡士凌　李国鉴　刘榴娣　张敬贤　钟生东
王仲春　张学恒　陈东波　党长民　尤惠英　冯湘琴　密树林　张民生

李玉丹	高　岳	钟堰利	卢汉生	张志丽	倪国强	刘　颖	刘力滨
刘广荣	白廷柱	金伟其	刘明奇	伍少昊	潘广钺	李开源	陈秀云
朱正芳	汤顺青	王基鸿	赵达尊	李　为	蒋月娟	李晓宁	崔桂华
张　健	范秋梅	高惠民	胡立山	揭德尔	夏　阳	吴增杰	武志广
段士明	林　青	湛秀珍	曹玉凤	李淑兰	崔德荣	杨晋梅	谷同臣
徐玉魁	段淑琴	李秋香	杨婵敏	王　富	刘　榕	李建军	栗喜庆
田余杰	仲维建	吴砚东	成四建	王焕敏	谢铁志	单雪清	李志红
韩名芝	薛亚莉	张渐进	王　勇	武　威	周冬成	张万海	赵海泉
曹　磊							

1991—1995 年

俞　信	陈魁增	鄂　江	张经武	刘凤兰	何秀蕊	李兰东	钮保英
韩亚娟	程蓉蓉	杨福莲	王燕生	田　毅	蔡本睿	宫亚东	马金红
纪　荣	汪本聪	程建军	刘雪峰	盛鸿亮	何献忠	黄航汉	王惠敏
王仲彬	苑敏燕	吴忠连	金小海	施伟民	查立豫	辛企明	郑武城
林宏娣	段京美	高　云	于美文	范少卿	王民草	刘培森	林永昌
张怀玉	哈流柱	张静方	谢敬辉	赵业玲	卢维强	曹自东	霍桂林
娄玲芳	李玉润	方　伟	刘小华	梅文辉	王　森	张存林	薛　唯
周仁忠	刘振玉	刘巽亮	丁伯瑜	曹根瑞	卢春生	陈永昆	叶文书
吴秀玲	张化朋	魏　平	王苏生	张素全	姜爱民	银　空	唐文辉
顾若炜	蓝　天	李翠玲	王晓晖	江月松	丁汉章	秦秉坤	王　琦
崔　芳	李延玲	孙雨南	胡新奇	熊　剑	陈淑芬	蒋剑良	连铜淑
王惠民	汪遵懋	汤自义	任志文	董　川	赵生俊	张庆生	张京云
曲鲁杰	刘　洁	赵跃进	李德熊	唐良桂	安文化	陈德惠	陈南光
李　芷	车念增	徐丽芳	刘淑君	任桂芳	邓瑞平	闫达远	甘　泉
罗文碧	陈晃明	袁旭沧	苏大图	李士贤	彭利铭	周文秀	安连生
赵立平	尹　芬	林　岩	付秀玲	林家明	李　林	沙定国	朱秋东
赵　瑜	王涌天	黄一帆	魏光辉	邓仁亮	张国威	徐荣甫	张自襄
李家泽	王惠文	朱宝亮	刘敬海	薛　莉	刘宏发	冯龙龄	李绍英
徐　丽	严柏生	闫吉祥	丁仁强	刘　莉	辛建国	闫　平	孙志勇
高春清	雷海容	何　斌	王茜蒨	彭　中	邹异松	周立伟	孙九恒
张忠廉	高稚允	胡士凌	李国鉴	刘榴娣	张敬贤	钟生东	李玉丹
王仲春	张学恒	党长民	密树林	张民生	高　岳	钟堰利	芦汉生
张志丽	倪国强	刘广荣	白廷柱	金伟其	刘明奇	苏学刚	段　炼
侯山峰	郭　宏	闫吉庆	李相民	朱正芳	汤顺青	赵达尊	李　为

蒋月娟　崔桂华　林文平　范秋梅　胡威捷　高惠民　揭德尔　夏　阳
吴增杰　赵保章　林　青　曹玉凤　李淑兰　谷同臣　徐玉魁　王　富
吴砚东　成四建　王焕敏　谢铁志　单雪清　李志红　韩名芝　薛亚莉
张渐进　王　勇　刘　榕　李建军　栗喜庆　田余杰　仲维建　武　威
曹　磊　郭　敬　叶　勤　闫立民

1996—2000 年

俞　信　鄂　江　张经武　李兰东　钮保英　韩亚娟　程蓉蓉　杨福莲
王燕生　田　毅　马金红　纪　荣　汪本聪　李吉锋　刘雪峰　于　洋
韩　松　卢　平　张艳钗　陈丽英　俞　锋　黄航汉　王仲彬　苑敏燕
金小海　施伟民　尹继学　罗　勇　辛企明　郑武城　林宏娣　段京美
王　平　王民草　林永昌　张怀玉　哈流柱　谢敬辉　卢维强　曹自东
霍桂林　娄玲芳　李玉润　方　伟　刘小华　薛　唯　赵业玲　顾永琳
刘巽亮　丁伯瑜　曹根瑞　叶文书　张化朋　魏　平　王苏生　张素全
王　森　姜爱民　蓝　天　李翠玲　施真芳　冯义民　江月松　秦秉坤
王　琦　崔　芳　李延玲　孙雨南　吴秀玲　胡新奇　熊　剑　陈淑芬
蒋剑良　连铜淑　王惠民　汪遵懋　任志文　张庆生　曲鲁杰　刘　洁
赵跃进　韩绍坤　陈德惠　陈南光　徐丽芳　刘淑君　邓瑞平　闫达远
甘　泉　苏大图　李士贤　周文秀　安连生　赵立平　尹　芬　付秀玲
林家明　李　林　沙定国　朱秋东　王涌天　郝　群　黄一帆　魏光辉
邓仁亮　徐荣甫　李家泽　王惠文　朱宝亮　刘敬海　薛　莉　刘宏发
冯龙龄　徐　丽　闫吉祥　丁仁强　刘　莉　辛建国　闫　平　孙志勇
高春清　何　斌　王茜蒨　彭　中　赵长明　江　毅　崔小虹　邹异松
周立伟　孙九恒　高稚允　胡士凌　李国鉴　刘榴娣　钟生东　王仲春
张学恒　党长民　张民生　高　岳　钟堰利　芦汉生　张志丽　倪国强
刘广荣　白廷柱　金伟其　刘明奇　郭　宏　苏学刚　段　炼　侯山峰
闫吉庆　李相民　曹峰梅　何　川　赵小江　朱正芳　汤顺青　赵达尊
李　为　蒋月娟　崔桂华　范秋梅　胡威捷　揭德尔　夏　阳　吴增杰
赵保章　徐玉魁　王　富　吴艳东　成四建　栗喜庆　田余杰　仲维建
刘　榕　李建军　王焕敏　谢铁志　单雪清　李志红　韩名芝　薛亚莉
张渐进　王　勇　武　威　曹　磊　闫立民　郭　敬　叶　勤

2001—2005 年

李兰东　薛　唯　李冠甫　韩亚娟　杨福莲　程蓉蓉　张志丽　钮保英
叶文书　田　毅　王燕生　纪　荣　陈丽英　卢　平　于　洋　韩　松

张艳钗	俞　锋	段京美	王　平	林永昌	哈流柱	霍桂林	李玉润
谢敬辉	卢维强	娄玲芳	曹自东	方　伟	刘小华	魏　平	张素全
张化朋	蓝　天	李翠玲	施真芳	吴秀玲	秦秉坤	崔　芳	孙雨南
陈淑芬	蒋剑良	曹根瑞	俞　信	胡新奇	赵跃进	任志文	汪遵懋
张庆生	刘　洁	韩绍坤	刘淑君	邓瑞平	闫达远	甘　泉	安连生
尹　芬	付秀玲	林家明	李　林	沙定国	朱秋东	王涌天	黄一帆
郝　群	魏光辉	刘敬海	刘宏发	冯龙龄	徐　丽	闫吉祥	丁仁强
刘　莉	辛建国	孙志勇	高春清	王茜蒨	彭　中	赵长明	江　毅
崔小虹	周立伟	高稚允	钟生东	王仲春	高　岳	钟堰利	芦汉生
倪国强	刘广荣	白廷柱	金伟其	刘明奇	李相民	闫吉庆	曹峰梅
郭　宏	赵达尊	李　为	蒋月娟	林文平	范秋梅	马金红	胡威捷
揭德尔	夏　阳	赵保章	王焕敏	谢铁志	单雪清	李志红	韩名芝
薛亚莉	张渐进	王　勇	武　威	曹　磊	刘　榕	李建军	栗喜庆
田余杰	仲维建	闫立民	郭　敬	叶　勤	冯义民	熊　科	高　博
李　卓	张寅超	廖宁放	刘　越	程灏波	王　霞	苏秉华	陈思颖
许廷发	高　昆	何玉青	王岭雪	常　军	蒋玉蓉	喻志农	黄庆梅
付　雷	于常青	杨苏辉	高明伟	张晓芳	武　红	周　雅	周桃庚
宋　勇	惠　梅	陈　靖	赵伟瑞	杨爱英	王吉晖	陈小梅	米凤文
裘　溯	左天军	唐宋元	吴文敏	冯立辉	孟彦彬	崔建民	邹正峰
何　川	赵小江	陈凌峰	张旭升	张丽君	李　直	卢　平	刘鹏程
董文勇	方俊永	付国锎					

2006—2010 年

周立伟	蔡本睿	魏　平	赵长明	郝　群	邹　锐	赵达尊	曹根瑞
俞　信	薛　唯	谢敬辉	崔　芳	高　岳	钟堰利	林家明	卢汉生
张化朋	韩亚娟	杨福莲	程蓉蓉	张志丽	徐　丽	卢维强	张庆生
冯龙龄	沙定国	阎吉祥	揭德尔	刘　莉	甘　泉	钮保英	娄玲芳
丁仁强	曹自东	刘　榕	刘　洁	李建军	叶文书	邓瑞平	田　毅
倪国强	孙雨南	刘广荣	李　林	方　伟	刘小华	王燕生	朱秋东
夏　阳	张渐进	王　勇	武　威	辛建国	金伟其	王涌天	赵跃进
栗喜庆	田余杰	仲维建	曹　磊	马金红	纪　荣	白廷柱	范秋梅
蓝　天	李翠玲	陈淑芬	高春清	李相民	黄一帆	胡威捷	蒋剑良
王茜蒨	胡新奇	彭　中	闫立民	闫吉庆	赵保章	王　平	韩绍坤
江　毅	曹峰梅	崔小虹	施真芳	冯义民	陈丽英	熊　科	高　博
卢　平	李　卓	张寅超	廖宁放	刘　越	程灏波	王　霞	苏秉华

陈思颖　许廷发　高　昆　何玉青　王岭雪　常　军　蒋玉蓉　喻志农
黄庆梅　付　雷　于常青　杨苏辉　高明伟　张晓芳　武　红　周　雅
周桃庚　宋　勇　惠　梅　陈　靖　赵伟瑞　杨爱英　王吉晖　陈小梅
米凤文　裘　溯　左天军　唐宋元　吴文敏　冯立辉　孟彦彬　崔建民
邹正峰　何　川　陈凌峰　张旭升　张丽君　赵维谦　刘　娟　章　婷
刘丽辉　邱丽荣　杨　健　徐　超　唐　义　郭　磐　刘　克　陈　和
白云峰　翁冬冬　张春雨　邢冀川　张海洋　董立泉　胡　摇　王姗姗
张　博　李　恒　张　红　高　路　陈　平　李艳秋　张恒利　时永刚
方俊永

附录5　北京理工大学光电学院历年学生名单

一九五一年入学名单

51级

朱绍希　魏光辉　刘宏光　黄峻晓　吴山豹　计秉贤　陈良平　唐良桂
郑天荃　张炳勋　张兆华　李承德　李蕃时　甘子光　王傅明　童　坤
陆肇铭　欧学炳　易璐璐　杨承华　罗文碧　董　祺　姜子鑫　黄清远
冯厚纶　王　山　张保贵　周孝安　曾昭煌　刘鸿宝　伍少昊　郑锦陵
陈赛娥　陆乃驹　黎廷方　张国柱　郭亮工　韩景福　丁汉章　艾健华

一九五二年入学名单

52级

郭沪生　周铭钊　刘长乐　金秀石　赵展洋　丁锦仲　袁旭沧　李迎旭
李立椵　桂松茂　吴雅信　许心镜　唐家范　鹿景荣　熊大柱　何少惠
苏大图　靳振家　缪家耀　詹瑞琦

一九五三年入学名单

53级

周立伟　林幼娜　邱松发　秦月贞　杨百荔　李开源　陆　佩　王金堂
朱耀升　孙辉洲　包琳玉　徐秀贞　李自通　张天相　郑克康　王燕梅
张桂生　杜友松　张瑞云　王邦益　李运元　汤圭尧　曹玉琳　王传基
刘延珍　袁尤龙　张友琪　左长庚　李世德　刘伯顺　聂来发　周　行
赵　闾　盛拱北　茅志成　杜国华　刘瑞芝

一九五四年入学名单

班级：8954

刘茂林　方洪涛　牛春梅　沈梅琴　郭育英　曾顺明　张士俊　何志华
殷铁柱　杨金城　杨鸿福　陶登意　沈同和　白明彬　张树桐　戚锡璋
汪国驹　张肇昌　李　严　何　理　郝敦书　王涤鹏　程维治　刘仁怀
丁先华　刘菊枝　唐腾芳　刘凤卯　朱明远　吴　琦　戴永增　杜魁贞
林淑华　刘表鸿　罗一鸣　宣恒傅　李　玮　戴润林　胡杏生　刘天兴
韩前伟　王至刚　周祥玉　邓庆增　孟庆钫　张钦明　徐永善　宋光全
何国俊　林凤来　常汉林　黄能达　唐桐林

班级：8541

孔祥炎　杜强华　许社全　张振民　高贵玲　丁志欣　刘振玉　武近海
李永安　赵　瑛　游步文　王石生　韩茂珹　周炳良　李金谘　庄子强
张鸿钧　王惟吾　韩新志　冯立林　肖功弼　张英云　张大鹏　张忠远
沈雪熊　赵从忠　刘之勤　刘玉春　袁石麓　余惠阶　唐仁介　苏化原
谭顾祥　李荣森　唐泽民　尹国义　邱永林　蔡祖基　黄佰文　戴傅衡
袁在康　张仁汉　荣化力　廖士江　张敦元　杨懋春　王　荣　彭兴泉
江　涛　刘善恒　姜仁富　逄维超

班级：8542

王栗春　刘培森　候蕴华　王文桂　姚秀芳　薛光星　杜正秋　姜仲儒
吕天雄　郑保熹　李其舜　孙世雄　耿立中　阮宝湘　徐永荣　路宝富
乔启瑞　倪志生　冯文才　廖谦元　辛德章　陆明智　马忠杰　张荣耀
武朝栋　王积善　陈官善　李　铧　吴正华　孙春茂　熊先钜　辛继隆
白锡祜　唐耀中　殷凤翔　陈道辉　赵天爵　王吉圣　邓仁亮　谭国顺
郑文彧　范炳荣　冯启贤　安文化　杨大钧　王少亭　何绍宇　陆雅瑾
李能甲　吴爱民　厉　志　唐正彦　张国威　李德全　申宗明　张　静
李乃昌　李　崴　于云台　胡联才　邹敦礼　吴爱成　万　治　张庆隆
张锡庆　陈为正　许立平　侯德芳　胡晋礼　孟祥銮　何明枢　蒙建国
郭西茂　王彦池　陶龙光　李英儒　刘秀武　萧顾君　邱玉材　王桂海
朱瑜菊　王必华　谢锡琪　易瑞生　徐伯礼　刘正兴　唐永钰　锺绍义
彭倍元　李耀墀　黄德昆　张宗奎

一九五五年入学名单

班级：8551

梁明伦　陈玉江　董兴隆　刘铁林　贺清海　吴山豹　何绍宁　谭世青
谢秉贤　孙玉龙　张日仁　刘伯修　刘长馨　蒋尚智　程守澄　卢　军
陈逸存　田德文　谢尧庭　高景澈　康立民　许春帆　刘志诀　王　强
吴世臣　蒋经诚　唐义全　魏家熹　吴慎义　杨国云　朱继伦　蓝邦固
柳玉德　许淑梅　周礼中　王文谟　赵国勇　吴孝起　李淑雯　夏学信
胡立山　姚景林　王世开　徐真善　王友生　徐裕俊　邓宇焦

班级：8552

郑寿祺　李凤海　石秀珍　李吉生　汤佩英　侯朝桢　陈磷堂　倪保家

吴蕴芬　叶正堂　孟庆元　秦秉坤　周炳炎　蔡世达　唐惟瑳　张秉华
王庆宣　胡光裕　侯国平　赵　武　耿凤飞　李伯英　盛元玉　孙新民
钱根如　张允济　刘永宝　段文斌　王才瑶　王惠敏　苏纪富　向　汉
李文林　吴昌群　杨方敏　胡定逸　周瑞民　钱维德　蒋有为　王烈锋
宋士芳　齐金森　陈居心　朱忠龙　张生华　李　铎

班级：8553

段耀武　张德钦　王熙英　韩学斌　谈正庭　梁羽祥　黄殿明　朱振林
郑宝奎　常强三　黄嘉友　张乃正　乐庸汗　刘兴美　张厚生　袁克妹
张金山　周福秋　邹明隙　张庆林　陈文英　王咸钧　邓庚寅　章丕中
刘元杰　李乃吉　吴兴源　唐瑞霞　王泽信　严瑛白　于俊华　邱熊飞
孙根宝　张雄远　陈达权　王庆源　李　挺　蒋荣富　刘雪莱　李评辉
张立中　平书珍　赵汉章　杨定九　李嘉树　马福全　李　嘉

班级：8554

李启光　王宝昌　彭祖骥　周景年　刘国生　郑明善　敖茂全
杭正中　刘本修　张安荣　谢　平　吴鹤龄　王文彦　何文杰
欧阳蘅华　张孝龄　李天仲　冯玉铭　马其毅　马其毅　王克全
刘必舜　邓启迪　金家成　谢馨儒　陆世爵　邸翠珍　訾世钟
冉启良　徐宇春　周润铨　杨光晰　蔡庆生　张荣华　陆黎仙
关玉相　高永峰　屠庆祥　肖正山　郑天纲　贺大愚　戴光曜
王纯忠　李福科　吴志箴　王海江　王伯祥　严顺忠　罗跃生

一九五六年入学名单

班级：8561

王玉铃　王庚运　王敬哲　尤晋元　司马灿　任静华　朱筱兰　刘玉贞
刘明文　刘栖山　刘彬培　李春日　李翠英　汪广平　何学年　罗效慈
吕连根　周明梁　林江孝　林维菘　陈有根　姚　唐　姚志明　姜楚华
修振江　徐邦芬　郑云岩　张　涛　张万秀　张宏芬　张宏渝　张宗德
张前焜　张振和　张锡九　张载道　许世安　郭同恩　陆永健　戚卓发
冯安仁　彭庆杰　傅长根　黄长胜　杨育华　鄢明柏　邹镜明　慕风春
荣顺元　顾惠廉　周长林　丁萃英

班级：8562

丁锡成　毛纯芝　王耕禄　王招海　王明亮　王福林　王蔼梅　史福珍
司连技　杨中德　伍厚国　朱正芳　汪鸿颐　刘庆堂　李天佑　李自修

李永培　李道和　辛企明　武述兰　沈崇渊　宋克卿　汪麟祥　周政嘉
吴庆荣　胡长庆　柳美琳　徐丽芳　徐荣甫　徐信鸿　孙福麟　栾永年
曾德光　高稚允　高鲁山　汤天祥　陈定先　叶瑜生　陆敏伟　戚元燧
付占先　付宝环　张　逸　张志民　张政永　张德荣　张荣林　万文复
赵治平　邓石龙　穆瑞红　薛勤东

班级：8563

于春泾　王铁民　王智光　王秉国　王建国　王克善　王丰尧　王晓蓉
左鸣岐　安保禄　刘望英　李　智　李国光　肖伯桐　汪祖应　邢家珍
周桂芳　苗嘉夫　苗春安　吴恒林　吴友准　吴德生　吴湘祺　郑玉才
段慎治　保伦夫　倪海清　凌汝星　梁启荣　徐仁章　徐立达　徐勤贵
马铁华　常庆之　常宁华　焦世举　黄　辉　闰　斌　陈锺田　陈开明
曾柏川　许震华　曹会忠　张世云　张振斌　张堃石　张德桐　杨居信
程伟龄　钱静汝　顾复华　桂新华　姚关元

班级：8564

王　洪　王化亭　王家升　王致颖　方锦华　白闻喜　田振明　申伟成
朱传琳　刘君杰　刘富林　李介明　李金生　李嗣淦　吴永铭　吴孟怡
吕喜温　周惠芬　陈怀兴　郑福隆　郑举庭　施士芳　高永安　高光瑜
宫卓立　倪英英　郝景尧　连舜华　马志厚　孙秀华　孙培基　张成祥
张先金　张茹荪　张家骅　郭振英　陆学艺　陆春祥　冯云卿　汤绍怀
董钧良　邬长乐　葛树明　赵景贤　熊宏楷　熊辉丰　魏鸿基　谢良诚
朱培林　陈志刚　徐敬燮　宫钦林

班级：8565

丁继曾　于　强　王雅芳　王敬培　王德厚　王中民　王近贤　王孟法
王有声　尤俊明　田金生　朱芝诚　刘桂林　刘晋文　刘景林　刘少珏
刘振奇　李茂鸿　李家泽　李　翁　吴应林　何秉娴　宋家吝　陈锷云
陈天锡　邵毓径　罗琳烈　孟繁升　林永昌　胡绍楼　姜学圃　姜淑贞
孙少友　孙永田　乌增森　袁银胜　宫润涛　张汝楣　张志雄　张荣国
张庆阁　黄润兰　梁漪玲　许文英　杨名恪　赵家琪　赵焕俊　邓伟达
骆自申　戴永盛　简立人　籍同锋　阚文木

班级：8566

万大祥　万顺清　王锡智　王豪球　王积贵　王世连　王基鸿　王宝昌
王俊起　史　鑱　平连庆　刘本伟　刘金声　朱德元　向德时　向定元

乔火舟	李士贤	吴永言	宋耀宗	汪人定	陈连初	陈斯诚	姜树芬
周　敏	姚觉人	姚稚刚	徐孚学	孙思远	栾庚和	马新渠	袁宏义
张景伟	陆君达	陆宗炎	崔松荣	屠居者	冯振德	冯占元	华　珂
杨兴林	董国耀	赵维攀	骆凤翔	钱沧基	薛连宝	韩立石	戴金兰
魏守礼	谭文秀	严自健	蒋昌桂				

班级：12561

丁士城	于春阳	王春岩	王稚民	王国治	刘立夫	刘名燧	刘振钟
刘俊鑫	刘风山	刘殿卿	任锦城	李德振	余　杰	武学殿	吴可均
吴达周	吴树仁	吴美先	邹世梓	周鸿昌	金向娟	姜希茂	马惠明
徐汉臣	耿秀芝	唐采苹	黄金生	陈国正	陆葆林	曹友桂	彭金莲
张昌霖	张冠百	闵贵云	郭达胜	郭玉凤	杨乃和	杨春初	解兆贵
赵　沛	赵彬朋	赵霁虹	滕克治	谢华生	穆恭谦	穆恩鸣	邝明雪
戴爱妹	萧光杰	聂祥恕	韩相春	徐之仁	杨　洁		

班级：12562

王士廉	王志成	王序升	王锡江	王增哲	王傅藩	方贤庭	刘丽娟
刘俊中	刘赞周	刘耀良	朱翼松	向伦辉	李守唐	李应龙	李增瑞
李树勤	余章秋	何鹤鸣	那鸿章	毕耜耠	杜素兰	吴文龙	周树兰
周丰伟	范开懋	范盛章	宫　望	胡律绳	胡书信	姚锡诚	郑子恒
姜义祥	陈志山	陈根福	曹酉根	张忠炘	张东元	张俊英	张　鸿
张国雄	张国权	张惠先	张铮龄	程为曙	诸敬义	赵启亮	顾远新
闰　璋	严苗根	锺联炯	华永一	李　导			

班级：12563

丁伯瑜	王之渭	王金英	王建章	江先进	朱连聚	刘汉标	余桔芳
李绍明	何仁祥	宋锡文	肖克敏	肖鸿康	沈祖溢	沈书翔	周玉隆
陈宇宽	陈国栋	洪丽玉	胡麒禔	姚天芹	姚鹏田	修世华	段信彬
郑爱宁	姜绸法	夏绪田	高昌文	唐贤永	格　根	张永超	张春农
冯利安	许瑞忠	梁夏端	鄂　江	彭志善	傅阿英	叶天民	杨秉元
赵厚润	赵惠傅	滕人忠	滕魁元	卢旭初	卢显忠	卢通南	蒋　正
韩绍文	戴昆福	张英志	王之超	华克俊			

一九五七年入学名单

班级：41571

张立中	韩立石	钱沧基	屠居者	姚稚刚	王锡智	申伟成	梁漪玲

张汝楣　王孟法　丁继增　葛树明　白闻喜　顾复华　钱静汝　顾惠廉
张　涛　汪麟祥　王豪球　李天佑　施士芳　倪海清　王秀珊　王永德
王建基　张贵文　张纯玉　陈蔚涛　姚多舜　陈云锷　孟繁升　简立人
平连庆　陈居心　史福珍　陆敏伟　陆家璧　林梅增　季长年　李瑞亨
戴树煌　傅宝环　方慰三　桂新华　邱迁荣　苗春安　赵治平　谭世青
李　翕　张茹荪　徐信鸿　黄润兰　沈崇渊　孙思远　王晓蓉

班级：41572

王雅芳　王智光　尤俊明　袁银胜　赵玲珍　蔡朝福　陆永健　魏守礼
魏清海　马千里　崔鸿兴　邓文玻　傅鑫伯　吴本兴　谭立秀　杨铭恪
郑玉才　丁锡成　冯振德　宫润涛　陈魁增　王　喜　张敬贤　张刚臣
曹根瑞　卢春生

班级：43571

王近贤　刘子钦　刘永珍　何启予　黎绍基　孙　晶　赵继祥　戴鸿钧
丁萃英　姜学圃　郑龙恩　赵景贤　刘栖山　周长林　阚文木　尹世英
王绍礼　许其鹏　冯安仁　慕凤春　朱忠龙　熊辉丰

班级：44571

武述兰　王有声　许文英　袁宏义　王广福　荣桂珍　胡炳荣　张世仲
彭文彬　谢良诚　王铁民　张荣林

一九五八年入学名单

班级：41581

杨惠风　郭玉祥　沈维福　秦洪元　冯达文　王明方　李连柱　李荫全
陈甫金　王季莲　梅才辅　李　为　张明海　韩　元　常志仁　尚润波
吕邦正　车念曾　张雅文　唐启岾　程　鹏　黄玉高

班级：41582

张经武　须耀辉　乔世昆　刘万超　王继武　万文祺　闰会勇　罗谦华
叶式灿　宋志平　罗效慈　杨荣品　杨美珍　符先财　汪遵懋　黄耀锡
朴莲玉　孙福余　李洪生　樊林书　哈流柱　刘秉岳　黄庚练

班级：42581

李远明　刘成俊　都云阳　赵显恩　孙昌成　陆继根　梁丽轩　朱淑玲

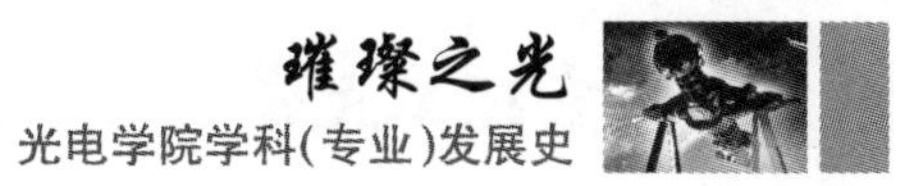

周克强　霍忠山　张刚臣　陆春祥　王承苾　刘光荣　陈少玉　黄亦先
高长竹　姜世懋　朱筱兰

班级：43581

刘伯明　邓　祥　张泰成　高明善　黄文跃　猷献相　潘乃义　郑祥平
陶从良　黄国梁　胡富润　俞　信　潘洛汗　王立柱　赵长远　张恩福
达战军　林恩美　赵万富

班级：44581

万庆年　李忠兴　柳锡国　张教义　江运泰　陈荣昌　汤全福　彭厚纯
李　伟　金皖田　王德嘉

一九五九年入学名单

班级：41591

洪宝仁　汪治杰　刘福才　于淑敏　张德讯　张彩云　王惠文　赖国吉
于越忠　朱明亮　朱昌琛　曹树林　唐永惠　金　生　方芙年　朱文开
倪国良　高夫文　戴浩春　吴建德　任志文　邬秀凤　林国村　王士铨
李德安　王广中　左其元　傅　钧　吴金铭　彭少贤　邓明业

班级：41592

许正青　何保武　黄兆珠　涂仲元　周绍祥　胡　仁　侯延龄　陈禹福
伍肇娟　黄德宝　刘石山　贾国起　谢幼金　仝邃安　耿增亮　李统劝
杨正智　陈宝柱　周家骏　冯守仁　郝景瑜　童本康　胡玉禧　刘汉章
孙超君　朱庆元　何振山　张好思　王长贵　王锡鹃

班级：41593

彭再年　姜玉梅　吕剑军　文建贤　胡明顺　蔡浩基　吕能和　张　琳
叶乃豪　张孝友　荣淑清　王洪逵　李兰英　赵慧敏　苏尧阶　张祖伦
蔡俊春

班级：42591

岳佩丽　张国瑞　陈世龄　王祥龙　安连生　沈海龙　吴俊有　蔡俊椿
张树平　刘建华　温玉琴　金　有　毛世华　苏凤云　张立鳌　赵立平
张德强　朱鼎涛　马正来　王志敏　杨森林　赵令田　杨定福　徐天翱
苏其美　杨文锡

班级：43591

郑　玲　杨承岳　岳　敏　陈仕奇　何仕才　韩振美　米宝永　夏锦文
王振忠　陈宗礼　冯世范　朱成元　苏英华　王玉琴　钱锡凯　钱盈康
姚贺君　刘火章　王焕瑛　陆　英　徐立和　陈尚达　冯秀珍　王福样

一九六零年入学名单

班级：41601

侯淑坤　师汉鑫　武树勋　刘依炳　唐乾生　张世堉　包富景　郝淑英
张守权　姜媚娥　董保权　吴林芳　范文智　李全臣　王振杰　牛力生
陈英发　郑翁夫　严自英　杜发权　徐锦炎　赵述林　陈介修　王方兴
奚龙茹　陈清明　曹风文　成广耀　郑振霄

班级：41602

候明久　徐凤桂　彭功树　李样光　张汝泉　崔振荣　秦廷楷　刘宝林
张　桓　王家骐　董明礼　修延佩　刘长江　张文芳　焦建华　武有田
林惠筠　黄祥成　顾德诚　孔秀英　甄　毅　廖承忠　王国仁　史金林
张金荣

班级：41603

王法法　李孟贤　董洪川　徐维尚　周宝华　寇玉霞　闵连胜　何应水
王乃强　王　琦　刘鸿媛　钟伙华　邵明敏　朱春霞　王成奎

班级：42601

常茂森　张　泽　马士林　喻妍芳　郭才亮　丛增福　张恒金　高思起
李毓梅　姜玉明　刘永禄　刘学义　吴汉琪　王炳兰　王新武　董淑兰
万合聚　李增泰　李守德　宋增禄　温瑞棠　杨照清　王金保　刘德文
许凤民　王万松　戴懿荣　曹小海　刘振英　李守德

班级：43601

刘崇锡　云自修　林钧英　王桂兰　王建章　温　忠　刘敬海　宋孝云
李介宗　谭恩禧　刘士文　侯在荣　李士民　朱明义　彭德馨　梅金风
杨忠臣　王凤琴　孙树申　王铁铭　杨理舟　宋乃福　刘铁臣　罗永前
张玉珊　董玉珍　廖光福　田蕴兰

一九六一年入学名单

班级：41611

秦德金　潘金根　方成忠　张基仁　刘正德　梁　平　顾培源　陈古川
陈德华　蔡松茂　周　壮　李荫倩　孙元光　沈文魁　陈德渊　周作恒
刑荣增　高　峰　徐大勇　贾春恒　魏文荡　杨吉安　任修礼　陈观云
张兴权　卢坚强　王志忠　刘沁广　丰　善　刘　汾　盖云卿　姜杏英
王沁荣　王笑梅　成桂贞　严佩英　黄宓荣　吴秀媛　蒋爱群　王丽丽
莫有麟　郝临华　李　丽　朱菊华　胡海华　邱坚汗

班级：41612

张学武　陈显芝　董烈棣　张香九　艾惠超　李灵安　姚克根　刘莹勤
徐连科　郑奇源　佟富珩　吴兆远　崔立帮　师鸿荣　宋秀珍　宋蕴群
杨柏玲　陆文兰　崔彩琴　勒万海　秦德金　吴秀媛　贾春恒　杨志文

班级：42611

赵义清　沈　骥　滕昭华　郑道敏　杨惠光　马国余　王保安　丁广初
沈伟田　熊开周　邵明玖　陈志浩　易树明　王凤歧　承久达　张桂贞
张静方　王桂英　王焕成　杨雪婉　罗小延　刘启俊　胡国风　宋文玉
钱海虹　赵生俊　杨志文　王树生　刘肖民　李承龙

班级：43611

詹玉林　曹雅琴　李素珍　权银凤　牛荣祥　曹秀兰　郭明贤　王文芝
张立荣　王玉香　王荷盛　唐朴风　李志民　乔根泰　刘敬宗　曲宝石
吴家寿　佟嘉祺　于鸿涛　兰绍海　廖俊彩　张庚元　胡克俊　范秉枢
朱世锟　杨仁福　马荣表　马怀良　刘振环　王建成

一九六二年入学名单

班级：41621

王法会　张保亮　闵光地　张新民　葛占元　迟雨臣　周光明　魏光松
付振宇　冯卓祥　杨文龙　童乃源　钱群驹　蒋作风　阎长荣　杨培根
方顺香　史荣华　史丽君　刘淑敏　温志敏　朱作珍　黄丽丽　梁彩芝
梁鸿兰

班级：41622

田玉柯　刘　群　刘连增　李厚石　李义安　叶相锋　张守忠　赵伯魁

高福生 倪广才 郁维銧 曹鹤年 韩义君 陈志刚 张世九 石慧英
李淑兰 刘苏淮 姚员元 严一飞 孙焕荣 荆兆美 刘静廉 宋素琴
薛仁慧

班级：42621

王国胜 王永仲 卢冬良 冬震寰 孙继光 赵立仁 李建民 张 铭
张晨曦 陈 梅 周企五 杨宏达 续文荣 康 孝 裴铁山 李尔玉
许世熙 王河崎 王素英 张惠筠 张勤珠 张桂兰 范应续 杨 琼
薛蓉馨

班级：42622

王文绵 刀志才 刘纪华 何中良 刘国改 李义平 李善彦 张增跃
李仲清 李达宝 马文岑 陈三九 恒荣武 程道生 沈迎春 王淑瑜
宁 融 华惠芳 张可一 许秀荣 杨玉修 陈 阳 黎 红 贠巧香

一九六三年入学名单

班级：41631

肖玉璋 杨维保 张昆虎 胡国兴 武继彦 李万清 任玉生 张秦生
肖克利 杨边生 康学谦 李贵等 王炳龄 张毓林 陆圣乃 谢常理
杨存明 周万治 张 培 詹少华 蔡菊菁 方建新 董亚光 李鹤令
冯 英

班级：41632

钼洪丰 张其亮 何福长 臧树才 张祖泉 张光明 张殿英 罗谦绪
王启阳 刘君新 贺柏祥 戴升长 陈焕德 吴云胜 蔡 轼 徐创朝
宋新强 徐尚荣 郑全宝 徐咬齐 胡鼎富 马秋莲 杨爱玉 钮停夏
谭世利

班级：42631

许安民 周盛林 张晋德 周向宾 袁行君 杨树贵 李力征 晋 达
刘伟立 张生兴 吴泽耀 唐友元 张秉均 丛喜胜 杨振威 刘玉华
杜英乔 王桂田 王玉霞 赵荣海 高明晓 杨 访 王志勤 易长发
王柏庭

班级：43631

张居野 潘立广 舒长生 汪尊基 魏伟民 张志精 严颂涛 毕毓伦

张光照　张柏林　柳平青　金学宏　毕玉瑶　李树森　胡士保　李加力
赵雯仔　张庆华　蒋月娟　许洪波　杨彦明　王梦勋　于国臣　丁益明
沈树群

一九六四年入学名单

班级：41641

王修波　向禾青　孙钦雨　孙庆云　吕天庆　宋田荣　杜亚萍
吴铁骑　孟庆皎　欧阳秀珍　查长生　郝仁贵　施恒耀　陈玉书
陈坤林　高一林　高杨仁　马德元　袁冬华　陶桂枝　梁铁城
张洪泉　张进法　张庆麟　黄庆奎　赵叔晖　滕国杰

班级：41642

王木春　王志祖　任义素　孙广荣　安双兴　朱建平　刘长耀　李进玉
肖书城　周海宪　吴汉智　吴鹤鸣　林秀惠　范学俊　浦嚅宁　高　旺
高　珉　张昕虹　张嘉常　张崇志　焦文俊　曾玉培　冯家珍　董一德
杨长顺　赵汉涨

班级：42641

孙　霞　刘小增　刘克学　刘清岑　任志诚　李印昌　罗一鸣　周延滨
林瑞海　纪英兴　韩荣丰　高承善　陆季云　陶有翠　张宝印　张庆同
张补生　巢凯年　杨凤回　钱文华

班级：42642

王黎明　刘玉金　刘新民　刘　涛　白长波　朱　昌　李进才　林开基
孟运查　胡洪文　徐爱强　施柏梅　桑孝纯　曹玉文　郭风蕉　杨能楹
赵来旺　赵润华　钱东章　蔺志伶

班级：43641

王可志　闪步华　任曼芳　李安常　李明学　岳东生　吴金华　范秉权
许佩珍　柳成林　徐冀侠　高明亮　马然芝　郭小燕　张宝聚　张继增
陈贵印　杨宗林　赵福清　熊笃华　潘国梁　霍志文

一九六五年入学名单

班级：41651

丁海星　于金生　王家瑞　王连云　王　敏　王乐章　王崇云　王建华
王志刚　刘立本　李桂莲　季珠英　李国平　李继言　李传存　沈海珍

邹文美　陈书娥　周小端　周依汶　周昌联　郑仁敏　吴金堂　杨云章
敖丽娟　郭来福　梁国柱　曹锦章　潘高高　霍怀英

班级：41652
刁春华　王月梅　尹翠珍　邓足生　冯海燕　陈克明　闫兴祥　华小明
李来仔　李素萍　杜仕芳　赵福荣　周治民　周正仪　姜烈君　韩元发
侯鸿意　徐国清　陆荣丽　张爱敏　张云景　张福贵　黄存厚　黄启福
彭全平　柴燕影　谢敬辉　贾素云　樊振江　慕明珍

班级：41653
马小华　王恒俭　王秀堂　牛　涛　冯亚彩　冯景苏　刘秀英　刘松江
许绍开　孙淑琴　杜志勉　初立志　荆显业　段礼和　涂润苟　姜海兰
娄培兰　胡文成　胡朝刚　柳惠深　张元朴　张占弄　陶运汉　汤成东
谢功伟　葛宝祥　黄景元　费志群　蔡菊梅　鲁寿生

班级：42651
丁延生　丁庆年　牛西柱　王崇德　江永才　谷茂敏　肖文宾　何宪斌
杨　钧　李玉丹　杜中国　周明英　花永先　武　琴　罗启慧　郑玉兴
郭　巩　柳　晶　梁玉英　张　杰　张未钗　张伯顾　黄继先　戢家仟
谭光宏　赵棣棣

班级：42652
于振洲　王　晓　王贵福　左嘉增　扈石雨　朱　萱　刘世宏　刘宁元
乔钦业　尚方其　季法美　孟宪民　张振华　张　黛　张铁志　南自卫
郑礼星　赵相玉　梁自达　薛垂兴　彭定庆　孙海春　曹克娟　崔金珠

班级：43651
王乃春　边福生　刘明德　刘卉风　刘惠玲　江　田　沙荣泉　李　峰
李子勤　李世恒　李先辉　李顺茹　李舒安　周宗谦　周生良　郑连芳
郑希姜　段致平　张小平　张天爵　高兰惠　侯菊香　曾福元　黄霖源
续永厚

一九七二年入学名单

班级：41721
马力农　王向林　牛培森　李发灵　李利芳　杨平均　张亚瑞　梁锁记
黄京安　王梅英　王慧芳　刘新中　田端秀　李　莲　李凤兰　范延生

张庆生　高斌山　吕玉清　任长增　李新建　郑宗祥　武守林　郭宝玉
龚纤余　李庆新

班级：41722

马俊亚　王学朋　王洪生　刘志瑛　柳淑英　许立国　杨　霞　答固洲
董玫德　曹迪行　丹笑临　刘玉萍　白秀生　许　荣　陈丽颖　苏家芬
贾世宏　董谭所　马学民　田追追　吕士良　毕可俊　李兴湖　梁宝旺

班级：42721

方周仁　王春杰　汪茂兴　李树华　林家明　张　静　张江淼　赵祥瑞
姚国利　高怀俊　崔　芳　韩娅娟　薛荫亮　丁立风　马延祥　王玉范
刘　军　白加光　卢维强　杨兵学　李桂平　林　岩　索丽萍　贾惠娟
董敬长　靳保党　叶小龙　吴风柱　李海才　杜军占　耿建设　鲁德发

班级：43721

王　健　王志敏　王冀波　刘传生　吕连生　曲晋生　朱淑兰　陈惠良
吴光星　李地华　杜惠昌　张　华　贺　苏　荣天奇　王德智　刘改霞
高　凤　曹崇智　谢德彩　吕士良　宋世和

班级：44721

王秀亭　王熙铸　刘长福　汪秀玲　杨志鹏　贺立成　郭晓云　常秀河
马月琴　王凤玲　王冬梅　石廷芝　艾克聪　朱晓华　孙瑞萍　陈二绪
杨文珍　李晓明　高　岳　党长民　钟堰利　路中海　潘顺臣　霍金生
李　文　胡有林　张洪飞　姚立生　徐林志　晏永瑶　韩洪策　潘华忠
薛南斌　段掌权

一九七三年入学名单

班级：41731

王　丽　叶志如　熊绍林　殷　红　殷永康　江解英　曾凤琴　张文岐
马启增　胡建辉　任建雄　申为中　樊南甫　杨松岑　章良骥　赵玉芳
苏路群　李洪滨　张　健　裴晋平　刘　江　刘玉萍　万晓武　高福贵
赵祖洪　金　朴　张宜庄　张新利　王念初

班级：41732

王天平　王小玲　李江文　吕朝刚　尹家贵　白　英　徐鲁萍　耿淑敏
李应林　何学武　郑世海　黄榜荣　苟德泉　严高师　蒋智为　王海涛

来国琦　徐亚敏　王维猛　王牛富　田　伟　刘锦华　任恩华　范翠萍
陈　飞　时志民　郭建新　陆广炽

班级：42731

王玲如　王群力　田　毅　胡远珍　朱玉祥　邓培龙　吴恒基　赵颂尧
杨冬静　惠国华　姚建忠　马永珍　郭元福　解维坪　陈宗和　张子振
聂润泉　顾兆梁　韩西秦　王志才　朱大凯　张清洁　郑淑梅　丁玲青
苗家平　郭小兴　罗　敏　顾伯江

班级：43731

杨章俊　徐海龙　徐　玉　张志敏　张淑先　朱俊兰　延　焖　赵兰英
陈国平　俞伟忠　游宗祥　郑天伟　魏爱俭　田德民　冯龙龄　赵和平
傲　道　田　克　谷喜亭　时普选

班级：44731

王海军　尹克明　李建雄　张民立　张思平　张德娟　武德录　陆海英
周小英　房利军　耿桂英　芦汉生　赵　坚　黄慧芳　顾景平　顾进法
夏继水　檀小穗　王贵富　刘煜华　张民生　郑东学　包金云　刘绍民
刘玉森　李子昌　申联星　许本瑞　徐长山　马赞成　覃海安　陈其富

一九七四年入学名单

班级：41741

王学惠　王昌碧　王娅丽　张海梅　张学礼　李晋湘　李民主　张贤仲
刘长和　药　苏　徐秀斌　马黎霞　王天河　张秀荣　周培权　单玉晶
马丽凤　陈淑敏　蓝惠贞　曹金水　曹予栋　朱庆海　赵永生　刘永沛
苏俊德　陈广学　陈　玉　曹发亮　曹清华　罗才荣

班级：41742

王燕生　刘永琪　刘桂选　江献民　李凤英　余燕平　许秋枝　张江河
罗应弟　马嘉琦　范振旺　魏育武　杨学英　赵建方　王卓雄　井振东
林　宏　阮丽清　吴世双　周泗忠　殷复增　马巨峰　芦富彦　付本献
顾洪财　宋春发　周庆漩　丁洪生　杨秀兰

班级：42741

王荣华　李　坚　吕连祥　任秀婷　杜金秀　徐裕祥　周敏杰　夏兆华
裴家琪　韩　磊　田清杰　刘守祥　吴宝常　李志强　李　莉　何秀蕊

张义花　沙广琴　孙晓茉　杨耀富　郭金庆　卿尚平　丁学清　李胜祝
李希望　董要武　王联社　朱光俊　李培轩　金晓渝

一九七五年入学名单

班级：41751

王明兰　刘群华　郁玉凤　金琦玢　周碧秀　赵　洪　赵连胜　李志友
姚逸群　高建民　揭德尔　杨治才　杨继贤　武　红　庞全华　董　辉
尚观兰　刘菊芳　刘泽荣　刘灵霞　张月春　冯秀艳　常顺英　刘天荣
皮安荣　郑　云　张欢乐　乔　钰　韩全良　秦文华

班级：41752

于　晨　石秀玲　朱淑英　苏秀坤　苏燕平　屈桂花　赵　荣　罗媛平
柳津生　张英利　张克湘　金春植　程兴伟　杨永存　蒋启忠　王建霞
王会阁　何　敏　吕朝霞　焦彦平　靳均巧　张广民　李金铎　李希荣
杜玉波　柴金芳　周　斌　雷旭光

班级：43751

王晓津　王西京　王成年　刘子栋　邓志雄　肖楚黔　周建申　周国民
袁和平　张新元　张德元　黄建华　戴显明　甄建民　杨世昌　杨　武
李京萍　李秀华　曾兰娥　曾海欧　顾　琳　谷　林　张　萍　耿秀琪
刘光华　李来华　程文法　黄福泉　唐苏学　傅绍军

班级：44751

于明春　闫吉庆　朱宝元　王雅兰　盛秋兰　陈桂苓　张彩萍　张效毛
张雪君　张治图　张雪松　陈雅斌　倪建国　姜凤官　缪广选　李朝木
武越文　许世成　陈素平　郭清明　熊仕才　赵庆芝　南慧敏　杨　英
宋明祯　韩兆福　顾福根　王清弟　李　静　郭桂芝

一九七六年入学名单

班级：41761

魏　红　崔小平　甘国志　荀敬东　刘志实　董俭明　石玉芬　李建华
李文赞　刘全会　梁秀卿　彭东亮　肖国安　徐继武　官建华　蔡国琴
马彦芳　石全贵　刘　静　王金海　张秀英　方鸣岗　王明来　于建华
叶　璞　王振华　卢晓源　李新春　张福元　高楠娜　李毅杰　胡军成
张金明　白明玉　张　玲　贾菊琴　康玉兰　徐群英　李德敏　张小寒

杨　澍	魏帮杰	胡翠华	倪学平	梁　萍	谭　军	赵建华	刘宗东
梁玉琴	李传慧	杨厚云	蒋建章	刘建玲	陈兴法	辛　勇	郭小萍
李建蓉	李建军	赵小曼	张群星				

班级：43761

李文生	侯春洁	崔爱华	汪　静	马汉池	项晓禄	张　军	陈建勋
丁潮伟	毕瑾瑜	周技敏	甄国然	王宝林	乔家强	张　莉	阎春华
郭慧敏	郑小惠	卫　洁	王悟敏	李能超	张建华	龚怀宽	冯晓红
徐孝明	薛京平	李正元	胡玉芳	常　伟	张群星		

光学设计进修班名单

班级：42762

吴庭礼	刘朝仑	李海章	吴意如	李　一	董德承	王鲁青	梁　持
张交利	周中岳	王桂回	宋荣荣	楚　元	贾素云	张玉铉	赵兰萍
张德翔	孙明亮	刘保安	刘永祥	李树华	李雄辉	沐定一	邱卫鲁
谢凤龄	宋建中	谢芝明	王宏声	洪嘉贤	徐孝德	马秋莲	董映霞
侯季邕	田子昕	吴　兴	高国欣	朱津生			

四系短训班学生名单

班级：42761

王富祥	王秀荣	毛　莉	刘爱华	刘渝丽	刘大清	李　敏	何凤林
朱云福	杜永昌	陈天仪	陈　红	吕爱香	徐金玲	郑玉娥	周秀琴
张织芳	张秀英	段计平	高艳娟	袁明玉	梁玉秀	袁金海	梅才生
姚超群	葛广林	麦绿波	戴治湖	付式玲	李志红	程家风	付秀玲

光学零件冷加工工艺进修班名单

班级：40771

于祥林	高远志	韩仓恩	周维宁	张彦萍	李秀云	程文英	陈俊达
荆云芳	杨红卫	陆开平	雨万成	张　坤	徐　霖	陈述谟	兰光富
张承雨	伟长宝	李世松	陆良才	毛贵忠	娄吉堂	王仁义	朱典亮
李如光	胡长明	李亚平	彭惟慈	王冬香	何　萍	杨　昆	宣国钦
郭慧琴	吴玉兰	亦明辉	谢　准	沈聪英	马忠梁		

一九七七年入学名单

班级：41771

王　瑜	王敬平	王　云	王希民	刘巨林	刘汉旺	刘建英	丁印泉

任芸　厉志刚　吕轩林　陈建中　李正权　李萍　李东跃　吴广生
汪小燕　金小海　闫达远　林丽玲　周培海　周虹　罗庆生　罗锡芳
赵跃进　张京云　郑小薇　邹勤　袁明山　莫服勤　钟新明　韩宝玲
熊小雄　钱锋　曹方　曹季　诸志平　郭惠斌　黎三涛　梁贻

班级：42771

王英　王金狮　左宝奇　毛妙昌　田敬尧　朱梅　权贵秦　李林
李勤学　刘丽君　李连和　何对燕　杨明辉　杨贺东　林全军　张保山
赵瑜　韩建华　韩京筑　韩俊平　洪纪平　唐赵英　龚清华　钱文华
绿波　郭京　崔庆丰　储晓安　赖亦凡　戴大洪　霍卫群　胡白楠

班级：44771

孙国胜　王昊　王方民　白廷柱　田行俊　刘光灿　刘东升　刘广荣
史万宏　孙林　乔西庆　陈平　陈华　李晓峰　李唐军　吴玲
金伟其　周天明　张维佳　张广祥　许小京　钱新源　侯光明　郁志光
黄忠守　魏平　廖宁放　董锦铭　龚政　张岐江　吴俊峰

一九七八年入学名单

班级：41781

王小蓬　王作超　文伟　及方　马为　朱秋东　刘志军　乔爱国
许兆林　宋东健　李铁　谷晋　林莹　安明亮　邢克全　孔德扬
张一军　张建军　张小玲　张玲　陈晨　陈实　陈亚莉　陈映平
邹创民　曲鲁杰　高志民　孙奕　候建军　韩茂祥　宦文星　杨路晖
曹东红　唐海钰　盛永红　龚晓英　晏羽　黄鸿耀　商广义　董军
穆永超

班级：42781

王宁　王军　马宇　马君　付晓亮　刘利　刘巧平　田立龙
李洪武　李健　李宣　张跃　张崴　张劲松　张健　张晓甦
张卫平　汪岗　沈亮　许勤　郑刚　陈山　陈茂礼　陈安涛
尚学艺　旷桂英　袁燕荣　罗永丰　乔玉全　孙淑莲　温晓宇　唐勇
姚永龙　麦绿波　熊景杰　蒋世迅　黄开祥　潘庆　颜学平　谢虹

班级：43781

王彦　王金钢　王建华　王大庆　王亚东　李立中　李素坤　洪瑾
宋艳　孔卫　刘金虎　吴正平　郑国荣　朱晓　杜普　冯戍

马晓青　张梦琦　陈晓路　陈亚雄　陈丕财　辛建国　陆　耘　贾志杰
唐　喆　饶智力　崔小虹　睢喜凤　钱　英　聂文星　颜　跃

一九七九年入学名单

班级：41791

傅常青　赵　进　王　鹏　乐军浩　鲁　岱　徐　鹏　曾理江　李　军
刘　毅　李晓兰　刘　兰　刘　育　王仿军　丁　梅　侯广利　万　方
吴建宁　叶尔琳　王　翔　张喜兵　瞿为群　林　宁　王小明　张勇进
许重谨　许建敏　施伟民　赵力平　陈文君　陈　莹　陈世雄　颜永珞
申怀欣　刘和平　郭　青　潘锦祥

班级：42791

连文杰　张惠龙　杨大湘　刘　丰　袁　宁　游　琴　许　莉　胡军民
段　滔　谢文以　曾　涛　钟　明　刘　劲　廖向东　孙晓光　冉　策
金建国　宋天武　肖琳华　廖湘彧　师以海　廖峰波　刘振疆　管顺德
封小萍　张国先　尚庆虎　董满仓　孙文秀　李瑞成　仝敬贤

班级：43791

施军田　杨　津　江　榕　郭晓燕　吕　勇　周望喜　王晓东　袁　琛
袁小玲　郝玉生　柏建民　史奋英　鲁雄辉　王勇猛　王树堂　朱紫冬
王丽娟　杨群峰　吕日宝　王彭生　舒　适　王振涛　张建东　盖彦丽
武光信　刘维平　薛立刚　董宝民　任　华　刘国才

班级：44791

章　扬　丘　燕　周　彤　蒋占全　李　建　闫华昌　王利平　高雅玉
朱丹克　成　功　封　锋　刘心刚　尚作羽　吕海旺　孟庆德　张爱全
鲁　力　罗忠东　刘凤峰　项建兰　纪增祥　杨建平　游向东　饶小平
武晓芳　宋小永　李海瑾　宋羊虎　范蕴峰　张　琦

一九八零年入学名单

班级：41801

张　晶　王文辉　张小军　迟晨浩　赵天安　黄　霞　郭肇敏　张宏伟
来松灿　张崇喜　吴宗俊　张　莉　刘盛元　唐　玲　冯　明　邓　岗
赵　智　王　伟　张剑敏　徐建波　石　琳　刘　康　姚　武　司玉兰
郭军松　郭亚夫　周永海　康景峰　杨彦锋　王　岩　袁红维

班级：42801

姜梅瑛 李　强 彭汉俊 王彦煜 刘　毅 石英飞 孙　惟 梁佳沂
薛天记 赵　新 金永哲 时春山 赫　建 褚建勇 王巧根 王恋华
侯和南 刘　伟 夏　彦 王力生 崔桂华 龚新根 汪平涛 闫天纵
吕晓春 刘景丽 梁秀玲 王培庆 王　跃 付瑞斯

一九八一年入学名单

班级：42811

吴志敏 祝恩森 赵雪山 刘延平 冯国盛 李增信 孟思维 朱晓宇
刘小先 王建明 章　蕾 唐　捷 陈　敏 李　锐 王　凡 潘国庆
刘　兵 梁列国 晁　炜 王　双 申文高 张桂清 王典民 孙　继
孙文龙 易治明 胡三民 罗　林 何万涛 刘　惠

班级：43811

后青岷 潘晓斌 孙先春 刘　杰 李　红 陈东瑚 史　磊 李晓梅
沈　兵 郭书平 陈大全 黄榕禾 林群英 王维理 丁　励 牛爱民
杜景祥 李丽霞 刘　晨 姚兆东 乔学臣 顾若炜 李天德 侯建华
秦　琦 罗　涛 胡开荣 徐茜人 刘向东 孟晓黎

班级：44811

张　凯 莫金海 王俊麟 赵卉玲 秦建伟 王静华 钱思远 黄志湘
闫彝强 苗若冰 苏　星 魏建树 魏泽斌 曾桂林 段雪梅 苏德坦
刘明奇 王　黎 周　冬 欧　芒 牛丽宏 姚德海 赵志坚 刘竹忠
陈宇红 王亚伟 邓建军 景世刚 杨映保 耿建君

一九八二年入学名单

班级：41821

聂小华 职和平 吴劲松 黄　庚 安悦新 王　新 陈国胜 付玲兰
柯　学 尚亚平 王　东 周　威 吴　克 吕　宁 朱向东 刘安民
张继斌 谢　辉 魏旭东 何黎明 徐少波 蔡　波 秦建松 罗　慧
晏建军 张保健 屈洪涛 王　安 井传发 王　钢

班级：42821

郭春燕 顾　帅 方　清 张福平 刘长风 曾宪龙 张　培 梁旭巍
梁子进 杨晓昀 金有平 余　杰 陈　超 曾剑伟 魏秀珍 张喆民
马继光 李春业 锡　利 周伟清 刘昌琪 高黎明 王新贵 朱振红

邱志宏　李玉兰　魏广利　刘　杰　赵晓晋　刘金亮

班级：43821
冷　强　马旭东　唐继烈　陈逸峰　杨树柏　田红凤　孙吉瑛　陆福滨
贺庆源　李　青　闫　平　郭金龙　盛延林　任国潘　刘　艳　杨传庆
蔡　伟　蒋彩云　刘　越　王会平

班级：44821
周　佳　潘宏达　马　玉　苏国强　沈冬良　盖　静　赵　頠　陶　云
王琪琛　陈小砚　周　强　蒋　勇　史凤强　陈立朋　路丽杰　程　军
张　宽　武　勇　李秀俊　李承玉　王　辉　袁晓洁　陈学亮　段国永
张庆华　于立明　赵明华　蒋国红　毛新民　王　钦

一九八三年入学名单

班级：41831
宋国峰　王兆华　王　彤　陈　曙　卢海燕　王东光　薛艳萍　刘　霞
杨文运　蔡本睿　汪巧萍　张华平　李华贵　向伟平　史洪践　李四清
夏　勇　崔　襄　吴文辉　刘　芳　梁尚立　高　黎　任随意　吴衍记
王献文　黄　造　王燕平　陆肖弘　李才莉　程一兵

班级：41832
滕艳平　郭　敏　邹　勤　林　柯　李　璐　张旭辉　薛广增　陈雪玮
周　林　徐红珍　段晓涛　刘　威　雷元刚　陆　峥　王鸿飞　周学枚
刘成子　黎政先　陈永军　刘新平　许东升　刘忠义　杨　帆　王世涛
杜海芳　高阔叶　刘尚平　李华山　邹昌秋　涂　丹

班级：42831
吴艳红　吴凤魁　俞美子　宋　玮　杨龙赋　梁　晨　刘德强　梁　宏
杨保亚　李重光　乐海平　杨　浩　邱国培　邹沧桑　肖炳初　杨明生
黄　镇　王建志　曹志亮　阎学纯　王丽枝　张立华　饶杨瑜　吕永清
王晓枫　高明祥　钟　宁　杨　军　封　雷　李海明

班级：44831
刘晓东　赵青春　曹金莲　陈建军　赵桂志　黄丽宏　郭铜安　乐丽珠
普建勋　乔静轩　马雪梅　张晓玲　吕瑞云　万世民　左　昉　王贤锋
陈洪涛　赵　崑　杨正国　吴洪兵

一九八四年入学名单

班级：41841

张 欣　张 莹　闫 林　朱 祥　陈 方　李池娟　张 君　邱金昭
尚 欣　王守存　姜云翔　李 辉　傅细如　邹艳清　喜春晖　余连成
左国梁　陈志勇　陈 利　杨子军　殷 波　王安科　刘艳萍　穆雪梅
王正平　刘 彬　周惠民　贺 清　张文明

班级：42841

赵志峰　史元春　孙浩林　谢启明　姜 华　戈文明　陈克伟　徐梦丽
华元柳　赵 奎　刘清涛　赵 锋　王 宏　陈 英　李庆伟　黄海波
彭 樟　郑建新　张 辉　唐砥柱　孙利群　万 清　李天舒　许 冰
冯 迪　张利伟　李广云　罗绵卫　余 健　林中璞　翟消冰

一九八五年入学名单

班级：041851

彭永寿　罗云贵　陈元直　杨兆森　张晓东　李开端　三 涛　赵炜渝
张洪涛　廖 红　胡 东　张步曹　季岳良　霍东升　崔志刚　廖丹燕
史朝阳　廖明金　张 峥　罗 丰　刘顺发　李 斌　王文勇　姚良军
陈太平　倪 炜　鲁腊春　刘 薇　朱晓军　张思团

班级：042851

李义虹　金 宁　杜力更　潘 卫　李军毅　张云英　聂卫东　王晓宇
王满意　刘 军　易文泉　李向文　张士明　宋余华　刘文国　金 侃
王 钢　杨 辉　隆林红　邓单花　饶学军　曹红曲　郑晚生　古文英
王继红　王彦敏　徐文东　杨长城　张宇晖　赵建文

班级：043851

孙志勇　何俊斌　张鹏羽　王玉富　夏立峥　谭瑞军　潘新华　鲍清波
徐 勇　李云霞　夏伟伟　王春林　高春清　李 俊　李艳芳　赵百平
于常青　徐 晓　徐 彤　吴 畏　刘 弘　丁恒星　谢恒星　蒙 文
韩吉龙　常 红　杨成斌　张爱华　廖莹童　张文桥

一九八六年入学名单

班级：041861

杨征宇　张 驰　李 岣　耿 亮　凌 靖　张国盛　孙晓光　龚晓洁

陈梦斌　段誉　吴开宇　杨霞　职立军　杨军　熊智　李竑松
刘拾根　唐承刚　冯伟　李洪庆　周焱　陈海洲　孔祥玉　罗莉
唐波　欧阳杰　任志东　王永忠　高阳　徐红伟

班级：042861

周扬斌　戴征　杨国民　朱湘安　涂才银　程锦波　刘华　典瑞文
李力　郑维彦　陈天明　凌东　黎斌　袁兴娟　单吉波　杜培清
杨立人　于涛　李林平　马骥　高雄　鲜浩　戴忠　张红
李小兵　徐军　张怀宇　罗红　李芒　高瞻

班级：044861

李石磊　吴昊　郝晋荣　高磊　侯山峰　路晓明　丁艳　马义才
丁圆圆　李吉锋　杨忠　龙葵　李一璞　王伟东　孙国正　于俊东
王强　高明华　姜勇　王庆涛　刘珍　何明　陈欧　文军
陈育森　温强　吴渊　夏冰　刘保花　张顺庆

一九八七年入学名单

班级：041871

陈鸿嘉　阮昌京　金毅　姚健　阮超群　郝玉红　刘俊庆　马瑞青
梁报清　黄恩伦　王竑　唐冀川　李斌　胡威捷　刘铮　李华
李力　杨建莉　李军　王铁军　陈新民　李劲松　蒋宁峰　焦建安
候斌　郭磊　张凤勤　尚涛　王德勇　刘兴华

班级：042871

秦勇　曹峥　李超　陈冬辉　隋平　林雪梅　江滔　唐琼
张勇　程文兵　陈卫东　李远东　韩庆久　程云超　田钟钢　王子健
李文义　曾庆华　郑波　汪本聪　李如松　吕宏　李明　谢文杰
贾姝华　段东林　杨哲　白英俊　徐爱东　顾向阳

班级：043871

赵力　王成波　应文胜　乔琼　王晓春　李媛　王国庆　张军
冉纬华　明伟　李雪梅　蔡炜　张力　韩春风　杨崇民　解一文
李洪军　刘朝晖　雷海容　曲波　方显峰　张彦云　雷春　肖隽
王冬　马文莉　刘辉　马莉　柴文元　张忠

一九八八年入学名单

班级：040881

朱凯 郑伟 曾强 张勇 何向宇 刘晔 陈英俊 黄健
郭毅 王茜蒨 吉成亮 苏学刚 祁宁 张雪松 李爱民 杨勇峰
杨宏 任刚 向卫军 陈刚 赵桂东 陈昀 谭涌涛 陈涛
吴成斌 秦素娟 赵延 邹玉林 曾曙光 梁鑫

班级：040882

王强 袁丁 程筱强 刘洪涛 范连忠 陈华伟 王若冰 张杰
庞长富 张璞 虞怀滨 李海林 赵勇 欧阳赞 周云卿 徐晓东
王宏民 金红 伍剑 王太伟 王智勇 刘园园 王钢 田州
张志前 张国田 何昭玲 刘震飙 殷琪琳 黄飙硕

班级：040883

刘勇 郎元 邓飞 周巍 李嘉 潘哲 王忠杰 王丽珍
牛京军 崔永利 鄢世平 李俊青 黄丽琼 常建新 吴翔 周朝宝
方立权 陈建军 王东伟 杜云 马俊 郭军虎 陈永强 董晓栗
周立勇 程建军 蔡铁 任晓飞 过文华 叶小朋

一九八九年入学名单

班级：040891

原军 赵楠 于志伟 杨怀宇 刘志勇 杨平 贾建军 魏春玲
唐欣 银玉民 宋宁 陈晨 朱利 邵有福 周双全 宋德雄
易军凯 李志强 廖峰 官钊 张玲 龙小艳 潘英林 郭春凤
蒋海疆 姜毅 李强 杨正澎 李悦 田爽

班级：040892

王红涛 陆辉华 左亚力 李世宏 张守立 刘锡宇 程庆海 朴明元
何宽 聂颖 施旭光 蒋筱筠 耿安兵 刘年生 魏弘才 杨光
朱永 程霞 叶扬 陈永飞 颜贻宏 程环 孙晓雁 张辉
柴东林 宁进 杨波 范志峰 庞汇 侯薇 韩红

班级：040893

曹峰梅 刘羽 庄晟 李旭军 闫广建 祁国梁 曹爱泽 姜天浩

单成义　杨　良　吴海滨　李小苗　程社平　吴秀玲　邵新民　彭卫国
史　冀　胡　缨　汪国祥　王卫卫　余海亮　李　宇　崔宇红　秦风雷
盛　娟　李永宏　闫喜君　秦　云　程建军

班级：041896

黄晓峰　孙　宇　韩晋阳　刘东旭　彭　翔　万大平　徐　康　朱龙军
何文琴　刘海涛　丁淑芳　李寒冬　艾　琳　吴西京　雷　鹏　张晋波
吴德宝　焦长征　颜　波　程建勋　聂秋霜　熊建军

一九九零年入学名单

班级：040901

李红松　徐志刚　冯　烨　李秀彤　李　真　甄晓凌　刘　勇　王建峰
尤海平　全　云　秦少刚　高春林　闵永刚　戴增明　沈优君　吴文敏
郭　斌　李　涛　娄丽军　袁晓磊　瞿浩正　饶　淼　张晓宏　张先毅
赵雪霞　王罗韬　李小秋　胡小荣　刘　颖　于智军

班级：040902

胡戈卫　龙　毅　郑　荔　费晓琴　王　莱　陈　磊　张忠民　陈国强
郭建军　李长贵　刘雪峰　沈　瑾　许　敏　孙　昕　杨　军　崔岩梅
王　莹　赵春晖　袁　斌　全书学　杨继超　袁水忠　彭雪云　敬晓舟
王　春　曾志刚　高春煜　华　宏　郑　宇　周小元

班级：040903

张　锴　安　琨　许　晴　周　路　刘朝芳　李鹤田　罗　勇　周发磊
黄晓渝　白丹丹　黄益琳　周　健　何　定　吴春雷　黄昌星　郭剑峰
来现余　卢　平　符家兵　柳盛林　赖均钢　刘承科　李　劲　习中亚
颜清华　黄一帆　田新有　吕　晋　王锋琦　胡　锐　李远泽

班级：041906

曾循实　李文志　刘殿涛　王建军　柳立志　唐　郁　李宏为　彭　彪
闫其忠　柏苍峰　朱京洲　余江风　姜　辉　赵怀宁　钟　琳　罗　政
李　园　李　雷　孙华梅　汪维忠　项　昆　王　彤　范卫红　马　昕
王　建　侯立华　徐　元　胡　颖　葛志滨　王　莉　邢　春　罗　勇
马　静　周　磊　张淑静　李元义　苏建华　雷　源　金　力

一九九一年入学名单

班级：040911

楼立平　李红松　王　军　李廷洲　向　福　邵　刚　杨佩原　张新伟
丁慧春　梁玉鹏　王承俭　刘　硕　徐　滨　沈建洋　施建萍　金　泉
漆湘明　王　谦　白　晨　闫兆立　刘　雯　徐振波　王旭艳　林元庆
凌东瑞　刘永斌　蔡　萌　孙承贵　王福钦　于春战

班级：040912

王自强　金　峻　王　勇　冯宏川　周　勇　卢文杰　吴　松　赵　华
方庆喆　陈　静　盖俊辉　田　静　万　田　李瑞娟　蔡根红　陈建和
周琳佳　李家爱　陈　涛　何　萍　冯义民　邹正峰　魏日强　陈　伟
任凌云　陈　鹏　杜　莹　张西顺

班级：040913

邵　毓　陈朝红　杨　军　虞　远　李全喜　常宏立　张璟璟　连文峰
伍伟懿　沈兆勇　蔡京通　王智勇　郭　悦　杨树长　全奉先　葛　仑
佟国旭　张兴明　徐海涛　胡泓韬　王　烜　谢　炜　刘　军　段　弢
徐众平　杨　铨　田立凤　张海涛　徐　芳

班级：040914

张　翔　唐　轶　朱建平　尚润华　周　雅　孙文烽　廖盛彦　韩　莹
刘传诉　乔瑞军　齐　江　于　洋　曾洪庆　张正浩　高　飞　梁　勇
李小军　黄　巍　黄昭然　代彩红　董劲威　葛晓川　阮伟勋　张少猷
吴　霞　刘晓东　李文昱　王　钊　张云飞　秦高林

一九九二年入学名单

班级：040921

侯　芃　苏　星　郑云峰　施　瑞　马　东　柯　胜　李正伟　李　莹
李飞涛　谭湘巍　黄泽松　高　俊　闫祥福　李景强　张　诚　石金富
卢英威　朱永钊　哈湧刚　邹　诚　赵宗海　王景明　孙　罡　李岙然
刘士峰　常　嘉　张春雷　郭　涛　王　毅　沈兆勇　黄　芳

班级：040922

昊　莉　张广军　张宁为　李立华　岳敏杰　陈　珂　何晓军　梁杰华

李文学　展华益　李继东　乔凤霞　唐立家　张泽宇　陈文龙　王小兵
唐海蓉　张　祥　陈秀华　周继喜　毕杰敏　郝孟尧　胡晓文　张和平
邹呐群　王家赞　王　慧　吴克瑛　李鹏辉　伊怀宁

班级：040923

荆　刚　周载蓉　马筱梅　毛宇坤　夏　亮　李荣强　吴淑娟　曾勇健
罗秀芳　张　萌　朱国强　田　野　邢冀川　董春德　李　博　林子坚
周渝斌　赵旭明　蔡文洲　张海顺　李少辉　刘长青　俞　进　李　一
袁利辉　张艳钗　袭　溯　辛　峰　韩永博　谢　欣　张　卓

班级：040924

孙晓东　康文莉　魏晓强　郭明辉　章　燕　赖家富　谢学农　王华清
高敬春　邰晓峰　陈海峰　谢　斌　刘　钢　黄声野　张玉祥　王　民
袁　航　石　飞　孙丽娜　姜金梁　贺红玲　徐　彤　罗小亮　周诗未
李伟荣　王　臻　武兆斌　孙　伟　贾　川　吕　昌

一九九三年入学名单

班级：040931

周勇毅　康　琦　梁志军　刘　鹏　欧　毅　陈　群　刘传峰　刘训生
方　旭　许红英　楚建军　钟　斌　刘连峰　梁志科　杨朝辉　李英楠
赵　杨　郭晓东　张小玉　张　皞　汪继雄　杜　渊　陈慧敏　郑秋实
姚　敏　屈芙蓉　刘金元　孙占峰

班级：040932

曾勇强　赵书祥　张宏志　戴东生　郑建明　丰宗文　李　芳　崔黎明
张渭华　姚小平　刘国林　武　慧　杨庚艳　李足强　葛　亮　金　涛
金大建　张大勇　孟永宏　王　浩　陈奕坤　罗亚江　张　金　王秀河
戴小戈　王　彤　张　健

班级：040933

马素洪　陈　林　钱　晨　胡维晟　张　真　齐　威　张　雁　韩　松
田　翀　计　溢　李元明　王　静　向汝建　周　益　宋海华　李　勇
赵　丹　李　强　向　鑫　蒋　鹏　王学新　杨建勇　施志贵　水　颐
邱美良　陶　蔚　于燕军　王　淬　周殿华　孙宏建　李岙然

班级：040934

赵　嵩　张志强　沈晓勇　滕　崧　李　平　彭洪洪　郭亚棋　王　晛
林　威　邱春蓉　崔旭东　张　勇　尚林纳　朱　雷　李海刚　许峻峰
王承波　唐　林　曲卫东　曹靖华　李　航　白利民　仇谷烽　王　刚
汤　旭　廖　军　孙　燕　罗　兵　毛鹏祥　郎巍娜　石　恺

班级：040936

王　钊　王　强　王晓威　徐　奕　王洪彦　王　冉　尚铁萍　张浩宇
吴春杰　姜　波　王宇飞　林　倩　宗虹飞　张　利　薛　晶　李　鑫
刘岩钢　王　松　陈　勇　肖燕兵　鹿旭东　陈月霞　卢京斌　黄　凌
汤振宇　马宝刚　刘　培　冯　钰　王继刚　李彩玲　徐冀武　赵　刚
吕　嘉　丛　森　闫京科　杨　檑　蔡根红

一九九四年入学名单

班级：040941

王炜桥　李泽永　杨雅丽　陈桂红　王　欣　金　琦　左广辉　郑智伟
李　滨　方俊永　杨　刚　贾远林　陈生奇　韩军伟　衡　靖　朱俊青
褚旭红　徐文超　王　威　王桂敏　郑雪峰　孙　刚　胡忠胜　皮兴进
王　杉　刘南川　俞　锋　李亚晖

班级：040942

王　旭　牛亚超　王　珺　张天强　由子易　丁伟地　黄迎春　李　旭
涂　勇　郑　波　兰天凯　黄　伟　刘智峰　韩　淼　康志光　程雪岷
宋国宏　王永兵　张持岸　杨振鹏　何　珺　李凌波　唐喜平　谢冀东
黄文涵　刘　烨　王　彦

班级：040943

孙维娜　陈　炜　赵　严　何玉青　王妍峰　侯雨石　李冬文　王生祥
李含雁　王　利　周　震　尚海林　黄春梅　白　建　刘传明　张武锋
刘正夫　李　扬　赵育良　黄　龙　贾薄春　郭庆龙　赵广龙　林家力
林东平　向　华　钟逸飞　王国光　梁　烨　许俊平　李　南

班级：040944

王晓松　胡宇明　武晓光　王　刚　刘　平　谢瑞东　席红霞　傅宏伟
张劲松　荣　坚　李　娜　李　鑫　陈丹妮　许志清　周　斌　胡卫锋
曲　欣　陈　炬　翟　京　杨尚涟　姬　光　王睿哲　李　强　孙　雷

庄其瑞　张忠训　杨　宇　何　漪　邓艳红　李晓华　杜辉天　吴　燕

班级：040946

王建锁　景宏娟　张　森　于继伟　丁　成　程颖峰　王传勇　胥永信
张　平　张安坡　曲福强　范洪增　刘崇喜　马素华　曹　峰　杨　锐
白春峰　陈洪良　王　东　张余涛　杨　勇　杨　丽　高　莹　孙红卫
靳　涛　张洪霞　李有学　张开柱　左德宝　马兴庆　王　泉　程仁彬
赵保华　王忠兵　马建华　徐兴锋　刘惠娟　吴泽江　张军华　付彦章
伍　云　余　平　苏永锋　牛养梨　陈　军　邓　睿　徐　奕

一九九五年入学名单

班级：040951

孙宇枫　刘云军　曹　震　张　鹏　赵海娜　刘金荣　董海燕　蔡　悦
唐跃峰　李相军　俞　兵　王　成　申　敏　谢嵘锋　谢兵森　姜怡坤
刘惠兰　武晓军　林　涛　张　乐　李海波　齐建国　胡　锋　赵　毅
符树强　周　新　李　刚　徐　韬　李丹英

班级：040952

李夫兵　马　策　王云帆　张世平　李　涛　王会军　耿　隼　姜　浩
勾文增　卢　平　徐家新　张　政　钱菊峰　陈海荣　李大勇　王晓强
周　蒙　肖　琨　吴　昊　李　岚　周妍林　施　琦　肖明志　王　庆
刘　东　杨晓文　张泽明

班级：040953

范利群　刘晓鹏　王　珂　刘　伟　李勇量　应　莺　刘　莹　王　勇
崔建民　史俊峰　李　冬　冯立辉　高明伟　钱　悦　宋志国　郑伟波
方　灵　王　雷　张海勇　夏力伟　陈学锋　黄柯彦　戴书琴　傅　力
余小敏　向　晟　廖兴才　朱　越　肖　军　张　睿　杨豫宁

班级：040954

丁　震　唐知骏　刘　炜　李　源　李燕红　殷　聪　徐　明　梁　峰
郑大军　温家德　张志勇　朱筱巍　万　皓　陶　茜　徐　宁　胡宏清
郑　涛　贾福娟　雷翔飞　冯　光　刘华军　陈雄昊　陈小梅　尹　焱
贺　韬　靳朋飞　原亿龙　程宏昌　唐　正

一九九六年入学名单

班级：040961

邢锦晖　苏鹏　何川　黄晟年　荣烨　罗晓科　孙毅　橄芃芃
吴刚　崔继承　金铃　冯梦洪　董立泉　王士国　张旭升　伍俊慧
林孟　李凯峰　柳华　曾代斌　何凌云　李嘉　许宏强　蒲栋
行麦玲　黄晢度　王磊　郑迺梅

班级：040962

王泽　杨光辉　吴嘉骏　曾征　郑祎　王淑华　朴仁成　张鹤
辛洪伟　韩俊　童一峻　韩栋　张衡　王佳　魏文辉　周元林
白云飞　张运强　李刚　袁慧晶　罗涛　吕裕峰　龙林　徐小艾
夏华龙　杨波　刘礼　刘传峰

班级：040963

应凯　侯健　魏苏苏　范松涛　朱效明　杨昆　王福新　孙刚
徐新锋　曹阳　朱基哲　何晓燕　王永　赵凯　陈嘉　许章禄
林弋戈　隋喆　王扬　郑莉　汪建平　何飞　樊红英　廖春森
杨健　王青　李晓萍　罗德国

班级：040964

张楠　季国伟　许妍峰　汪宁　郭磊　李尚武　刘凯　吕亮
徐占基　房继宇　闫晓光　李纯江　邹思成　徐可勇　赵常见　胥进舟
王海峰　王小燕　张永奇　王强　吴梦华　贺子桐　余春超　杨晓颖
唐晓超　王战虎　蔡娜　孙盛艳

一九九七年入学名单

班级：040971

张俊峰　崔永新　祝晓驰　茹志兵　李大勇　许文斌　杜超　娄颖
纪巍　郑远生　高攀　陆爱民　汤戎昱　谭柏胜　方海波　廖志远
李召辉　陈澍　吴王虎　王庆旸　何强　王业明　刘小军　沈巧元
刘玉凤　王光磊　吴冰　袁洁　胡颖　王欣　隋军强

班级：040972

熊延峰　黄睿　黄庆学　薛东升　田亚光　姚晓剑　孟彦彬　王彦利
郝亮　何林　陈宇星　徐大琦　张海宏　骆凯明　胡中平　王伟

曾永兴　杨登才　雷　波　徐　超　尉　磊　许洪彦　林丹侠　班　龙
江晓渊　李　力　张　颖　丁　凌　郑　丽　孙垣原

班级：040973

徐　俊　李　悦　白　宇　刘　骝　黄健强　赵志勇　马　黎　刘　磊
王春宇　高雪松　丁　伟　赵　阳　郭行闯　王吉福　周　磊　曹一磊
李建东　潘　宇　杨　帆　全俊聪　杨　杰　侯广琦　顾志强　李文斌
车　畅　陈丽爱　牛凌娟　刘　琼　姚佳宁　胡　晨　翁玉蕾　张　昊

班级：040974

聂云松　翁冬冬　邹　恩　李驰原　李成刚　李　峰　唐　义　钟志国
黄　干　刘　凯　李玉珏　窦志勇　周生兵　许正光　吉远倩　戴　文
邓华旸　段　峰　闫雪涛　黄　涛　胡晓明　张丽君　陈亚娟　潘　峰
刘庆学　陈丽芳　李　元　白　扬　吴　昊　尉　铮　周熙宁

一九九八年入学名单

班级：40981

杨智诚　郭　毅　张　曦　黎　阳　吴　健　王　祎　薛晶晶　张　鹏
谢　森　张　颖　梅丹阳　王　岩　王　彤　朴银星　李剑月　沈　飞
吴建飞　刘　梅　陈寿福　刘　剑　梁伟科　隋　婧　韩建军　肖　尧
王永松　麦　苗　梁代安　刘广远　邓　超　王奇奇　王　欣　李　超
甘敏楠

班级：40982

潘奕捷　武志新　于　萱　王文林　黄晓渝　王　鹏　吕景辉　陶国征
李雪珺　付　博　姜　卓　金广海　刘传峰　王　爽　章少春　梁延伟
杨广洁　刘雅婧　王林梓　杨　飞　栗孟娟　万　众　蒋　蔚　周　大
吴梦超　陈开艺　王　伟　陈庭炜　赵　郸　刘　佳　解赵斌　李　颖
张　旭

班级：40983

付　立　高勐勐　梁　冰　郑　嘉　党宇星　吴映竹　蔡启扬　冯津京
刘国文　马妮娜　闫　伟　王　新　许嘉璐　段鑫梅　陈俊豪　孙　飞
王治华　丁德勇　程　天　王　强　付　斌　陈　珂　杨　洋　弓嵩岭
王　钱　蒋山平　周昶宁　何小飞　陆俊军　汪　洋　龚　欣　李　玮
王涛涛　尚凯文

班级：40984

丁一 郄玉双 李悦 白羽 李昊 刘哲 陆建坤 胡焱
杨文涛 陈宁 张琳 郝晨亮 于宏 李宇航 王瑞 曹光杰
杨俊 邬云飞 蔡尚真 郑阳 唐盛 侯国平 刘伟华 王成
黄飞 潘社辉 马媛媛 杨军 蓝剑飞 冯刘 谢鸿 伍友成
周瑛 张万兵 李江涛 黄楫洋

一九九九年入学名单

班级：041991

侯浩 杨宽 李瑞峰 刘良合 秦韬 李敬峰 陈亮 李雅琼
吴锋 田维 王楠 孟永祥 沈渊婷 阮宁娟 陈国平 郑晓京
陈磊 余青 梅梦潇 廖志波 陈娅 梁广 覃尉 陈凌
饶静 刘恕 王立平 韩李疆 刘铃 吴建飞

班级：041992

胡亮 付超 王轩 王辉 任鸿 李玉 乔宁宇 郝玮
李博 刘家国 冯玥 邵芳 姜维维 张毅铭 郑斌 郭茂江
马玄 叶昌庚 裴承凯 阮巍 欧迪斐 华伟行 吴圣杰 陈菊
林昭君 赖庚辛 李勇 杨丽娟 孟领朋 习锐 徐磊

班级：041993

胡鸣宇 刘宇 高宇 刘丽力 王维 孙丹 张渊 李丽
罗锋 邢宁 林军 徐江涛 孙余顺 张磊 张学杰 王敬
廉小斌 王守山 李晓东 廖敏 潘斐 覃潇 邓勇开 荣胜军
陈龙华 康果果 顾光珍 邹涛 屈峰 任建荣

班级：043991

李东升 刘涛 李巍 吴文广 宋学勇 马天雯 徐宇博 丰收
伏周 谢立 杜怀 李伟明 欧阳慧 霍乾 周潇潇 梁珺
全晓鹏 王春阳 夏琴 刘科 王国胜 唐学广 宁玮 陈旭飞
张琪琪 成军 郭强 宋亚军 许萌 甄亮 于海 王春波
余志力 吴伟江

班级：043992

郭建 刘羽 李望舒 张琼 任志琪 郑宁 许毅 郭磐

王广平　刘伯丰　田　原　陈　勇　邓景跃　金闽伟　赵　力　赵源萌
李　欣　韩　飞　王　斌　张　璐　李　夏　钟　辉　陈学明　刘海云
马　勇　熊　科　汪凌燕　郑　帆　张世巍　韩黎敏　叶青青　孙翔宇
郝晨亮

班级：043993

曹宏艳　苏学征　田　超　吴　茜　张秀勇　司华垠　李　阔　张婷婷
李　瑶　楚广生　孙　磊　张　希　林　倞　刘　伟　于　竞　赵　琳
杜　磊　刘　盈　龙海涛　刘　仿　高远山　韦　俊　尹　臣　李　毅
陈学佳　陈　文　何　松　魏冉峰　程永强　宋　睿　李天楷　夏超军
李　娜

二零零零年入学名单

班级：04120001

程　末　张　楠　吴　薇　石杏岚　杨　涛　张　坤　程广宁　王宏炜
张晓静　徐广平　高婧怡　沈晓川　刘皓玉　刘春萌　李晨曦　关斯斯
诸雪萍　周奕路　李　扬　何　斌　傅　邓　王俊强　鹿　瑶　马菲莹
付　薇　丁　曌　郑建峰　乔　鑫　程　萍　赵　丰　李　力　廖　欢
杨　健　邓　妮　詹道教　冉　群　谭中微　陈高树　陈　娇　许洪斌
王　文　刘　琳　赵涤帆

班级：04120002

任福云　陈　忱　张　鑫　董春艳　孙若端　汤　磊　王　阳　李莉华
陈　南　陈　喆　潘　博　梁　栋　唐　爽　杨　珂　龙　飞　任　博
王卫红　余　俊　程德文　赵希婷　杜洁林　徐　涛　郭　婧　王姗姗
张　洋　李　欣　李晓天　熊　静　解　明　周宇鹏　李宇红　胡艳玲
唐　曦　彭　爽　许　佳　王泓仁　吴国波　汪　梅　王　琳　岳　威
张　晔　蒋　飞

班级：04320001

艾　晶　于　彭　李　松　贺金平　彭　博　聂泽锋　崔　丽　付　宁
杨　静　李剑实　李世刚　杨　涛　张晓东　江　琴　卢　琦　林志峰
黄　峰　陈　伟　孙小金　席延胜　方正军　李勇军　徐　慧　曹由由
李志坚　董　艳　何建伟　杨　阳　冯晓燕　韦琦武　查永康　靳国斌

班级：04320002

冯帆 袁冶 郝鑫 高锋 崔涛 冯江 焦峰 金锐
姜昌录 王艳波 王宏宇 徐刚 丁传澄 张星波 吴自然 徐卓楠
余斌 王涛 冯珂 许开品 吴璐 李纪 张菁菁 黄波
林振晖 尹庆立 苏浩 周平 杨绍状 郝立科 李刚 韩霜
贠平平 安虹霖

班级：04320003

何晓强 薛珊珊 王而东 陈翼男 方丁一 李丹 马晨 曹扬
吕大旻 边光春 王晓宇 赵学敏 周忠丽 方伟 杨蒙辉 李晨
金鹏 薛路 李国琛 王琳 董冰 陶欢 陈逸轩 张帆
曹育联 韦韬 龚庆庆 张毅 夏玉婷 韩伟 卜宝英 喻东
周烨锋

班级：04320004

赵毅 刘茂桐 荣华 王俊海 刘广义 王鹏 赵毅 高磊
孙荣庆 张洪涛 李志宏 李忠宝 王翔 李磊 张永炯 蔡宏太
陈鹏瑞 黄屹 刘海军 丁琨 杨磊 谢宇洋 赵思远 皮燕燕
丁欣 蒋志勇 林万顷 郑见军 陈胜东 邓浩 杨毕春 朱博
苏楷 陈学明

班级：04320005

刘荐轩 赵磊 杨鸣 齐怀川 蒋丽丽 张亮 崔林 于丹
韩峰 方觉晓 张明敏 李娜 吴越 杨国寿 王君 卢欣
赵梓君 张琦 姜理想 高博 张雷 肖蔓君 方咪娌 陈彦任
温焱 何祖斌 李波 杜美娜 吴谡

二零零一年入学名单

班级：04120011

赵磊 计磊 王普 曾春辉 冯春花 龙娅 陆大伟 王玥
冯江宏 王玉婉 袁钾光 李晶晶 赵晨 王小磊 周天奇 杨光
张弛 李俊 张双皕 刘浩然 郭倩 李志峰 郭丽娜 牛蕾
王新全 彭秋芫 侯丹 吴书宇 王东伟 张彬 叶蓬 彭夏
罗一丹 郭思婕 廖中 魏林 何文倩 曹崧浩

班级：04120012

刘亥丰 池静安 马晋涛 黄文飞 梁军 王鹏飞 杨清波 王懿男
郭黎丽 赵莹莹 胡雄亮 王娇 颜奇勇 何征宇 赵中玺 肖力
舒先标 李楠楠 胡建国 田涛 张闻洲 孙昊 侯丽平 付睿
王丽桂 刘文 李永明 王玥 何志丽 谢枫 冯万力 高震
殷和庆 陈晶晶 张昊田

班级：04220011

刘壮 吴纬如 黄泥 轧东滨 李晨曦 涂晓强 王剑 范雪
王东阳 许军亮 吴闰瑶 蔡啸 赵歆跃 季涛 宋雨婷 张伟勋
祁彩萍 于乐 刘鑫 刘腾 刘宇刚 林可 孙琼 于筱
李俊 张慧

班级：04220012

王晨 张迎斌 陈道翀 胡怀凌 肖丰 莫晓丽 金伟强 郑楠
王颖 杨博 秦树垣 崔秀 杨倩 钟国舜 廖魏巍 葛怡然
吴维 刘焕晔 陈武辉 张庭成 张博 李永成 常文娟 杨宁
王红 朱琪 赵琳 张天浩 曹璐 程建峰

班级：04320011

徐会兴 付京 何朋 刘海龙 赵国栋 洪艺伟 许巧云 瞿柱堂
李冬青 羊诚 何超 李婷 葛曙乐 张许娜 才超 张仲桓
范磊 赵杰 杨发奎 贺松 刘骏 崔一博 王洁琼 李向仓
何向宁 常琳 郭佳 杨凡 金飞 杨燕 李敏 尹旭
陈鹏瑞

班级：04320012

朱平 吕辰庚 庹娜 王铮 胥劼 李晨 刘毅鹏 程序
陈黔 陈奕惺 白璐 孔德华 马菁 李青全 刘宪鹏 苏云
曾祥媛 王庆平 赵珍 姜金伟 张立欢 李倩 肖华峰 姚磊
郭亚丁 余雷 黄逸翔 郑汉卿 卢蓉 张莉 朱亚君 张成
黄有为 唐磊

班级：04320013

黄明 高爽 何蓬 刘晓 王艳晖 赵楠 李福文 陈超伟

童斯洛　郭亮　黄帆　王书博　金俊哲　彭丽男　张彬　王淳
肖畅　林宇　仲伟瑞　潘敏　王东琳　李晗　麻晓波　王晓磊
李军　杨静　臧磊　李朝阳　李金侠　王家雨　薛祖旭　李博聪
李维维　陆黎明　周为　于贺

班级：04320014

蒋仲霞　刘双　孙舜蓉　郑毅　钟硕朋　李晓权　康新龙　黄谢学
李洋　杨学礼　张东　张杰　刘迎辉　杨伟光　刘嘉巍　王珊珊
郭晓雷　望倩　韩喜春　陈海东　陈路　高洁　闫莹　王翔宇
李烨　臧晓军　张春涛　胡静　罗鹏　邸怡岚　王剑　杨朝佳
朱翔　邓建平

二零零二年入学名单

班级：01410201

李博　王冬　李欢　孟晓辰　张浩　葆勒珥　张珂平　张丽旸
刘飞　武洋　郑进炳　杨昆　朱德君　杨东琨　吕琛　张正宇
赖正　吕航　杨令　张懿　吴乃鑫　赵龙海　骆柏华　黄大为
张智广

班级：01410202

马林　俞盼　张倩　王叶舟　刘大礼　张建伟　张瑞清　王珂
刘南南　刘运明　付梦来　李敏　袁远　林精敦　裴远魁　王金涛
孔卫国　黄锦华　王洋　夏兴高　陈旺富　龚诚　戴静　李博
曲业飞　米志宏　苏晓岗　谢静

班级：01410203

安宇　马琳　彭琳　任秋实　银路　狄世超　王冠中　金若男
刘哲岩　高明明　沙伟　李晓蕾　刘超　夏子惟　叶锋　刘勇波
刘金华　刘子雄　张颖颖　李翔　王优　望念　郑重　王彦钦
白建博　童宏　张俊杰　刘斌

班级：01420201

康凯　罗穆夏　闫青　张蕴　刘恺迪　李辰　盛涛　马晓琨
杨岳嵩　王立波　张兵心　刘鑫　栾剑　马国江　童长华　刘乾
徐博　冯攀　张顺利　吴昊昊　吴铁甲　蒋奇君　冯程　廖文峰

黄 强 董 宁 张哲青 韩杏子 刘文君 冯学洋 刘 莹 聂经纬
周昭侃

班级：01420202
支 雷 王 喆 赵志伟 傅川宁 闫 海 武作宇 杨巳贤 郭亚北
王 灿 陈 曦 张立大 张成博 杨丹丹 顾柯佳 王 帆 程新满
郭 良 杨 璐 许 芳 王 昆 黄陈帅 马家仁 郭 凯 张书林
谢 宏 杨 魁 李明伟 沈 蕾 赵 磊 丁 艺 刘 鑫 黎焦伟

班级：01430201
王 珈 程 磊 陆 军 李小黎 孙 婷 王典泽 丁姗姗 于明洋
殷树鹏 刘广月 高 路 于同喜 李 晶 周悦林 储 敏 陈德峰
吴耀杰 王晓明 张 浩 王海涛 王晓珂 龚 平 张家敏 张 川
曹玮亮 罗 畅 杨 春 宋 昆 张 睿 王曙光 刘向宇

班级：01430202
伊春山 崔德琪 温 婧 王 冲 刘佳音 何德旺 张兆阳 凯 宇
才 浅 马 玲 曹伟佳 戴立群 梁安国 李侃戡 饶范钧 吴 魁
何 峻 张 宇 路书祥 徐英杰 唐宇航 白 阳 谭博能 陈智莹
王 漪 邵 毅 范冰龑 王 瑞 王 涛 朱 倩

班级：01430203
马越超 齐明雨 李 璐 沈燕楠 李思哲 葛崇钊 王 玢 关 婧
梁明利 杜书春 刘 秀 赵 雷 沈燕萍 薛 明 郑玉飞 薛 康
曾东波 胡巍波 马鹏飞 郑 岩 宋 扬 叶佩平 胡 云 李 季
罗 霄 颜 浩 张弘毅 于志宇 张晋青 胡凤仙 陈 铖 周中良
邱 亮

班级：01430204
曾 毅 马腾飞 陈 越 刘 晖 孙俊杰 张其扬 武 原 李 喆
李明坤 李 庆 李 想 魏 来 邹 璐 黄秋佳 邵晓光 邱思珺
张正慧 沙鹏飞 吕丽丽 吴光明 鲁 侃 柯 然 徐晓薇 吴锦辉
莫晓磊 刘远源 岳志刚 苏 航 张鲁明 郑 斌 冯学祥 郭 良
王文潇 郭小川

二零零三年入学名单

班级：01410301

张　莘　钱　耕　陆勇彪　马晓磊　孙雪婷　冯孝巍　腾　菲
王大千　赵　琳　郭　亮　李丹阳　田松野　朱　立　杜建祥
兰玉辉　刘　伟　包莉莉　代　恩　崔　鹏　曾小初　吴小三
钟树菊　司晓磊　焦璐鸣　范一由　曲　久　普布次仁　彭　鹏
王　优　罗　旋

班级：01410302

李敏慧　刘　鎏　凌　川　吴　琼　孙雪莲　张　桐　岳丽清
徐　冰　黄华成　杨　顺　范冰清　李　芍　刘晓林　窦　威
王　信　冯　健　周　文　高唯杰　陈绵辉　罗倩瑶　王　洪
王　奕　马国刚　孙小星　程　博　杨　玲　旦增达瓦

班级：01420301

董丰侨　朱　荔　周　炜　于义男　卢　丹　杨　浩　李焱磊　史宁宁
安建伟　于　博　冯　旭　朱　晶　魏　全　朱　飞　郝蔓钊　张　琳
王　悦　甘　韵　赵　亮　金晓峰　李　伟　高　鹏　周　宇　罗海硕
刘云剑　陈阳法　郭智卿　王　震　黄　强　杨　魁

班级：01420302

桑　楠　冯启聃　梁晋阳　张　波　张大飞　吴　晨　刘　洋　王季煜
吕晓宇　唐丽君　杨卓宁　李　宁　俞　杨　刘　洋　黄珊珊　万　欣
刘　健　崔鹏飞　位艳强　王　乾　潘　登　陈　文　尹桂鹏　马岗强
刘印秋　张　路　杨　犇　卢　鑫　陈　曦

班级：01420303

李元君　郭　羽　王　晔　王　晖　谭大千　鲍学飞　白云亮　王　延
常　晶　刘　佳　李　恒　沈振明　徐晶晶　刘　辉　卢亮亮　郑明江
郑　伟　孙义翔　郑　浩　蔡丽康　张振华　陈虹燕　瞿　钧　张　锦
马　维　杨开宇　徐　鹏　赵伟芳

班级：01430301

张会强　王　宇　罗珊珊　李　菁　宋　铮　孙　涛　李　宁　苑馨方
宋　楠　代晓雪　李　魏　张守才　邱聪泽　郝　鹏　孙承志　李亮亮

高海阔　高挺挺　张晶　于杰　李盈迎　薛博　黄俊　张望
曾垚

班级：01430302

刘雷　焦晨阳　丁萌　姜南　王强　门建召　刘晓博　梁进宁
王昊王　邵亮　刘娜　崔进宇　陈俏囡　郑艳　刘源　熊宇乐
陈浩　孙岩　王佳佳　杨成恩　冯文帅　黄心滢　卢升昊　腾启龙
陶一恒　唐侃　张柏乔　阮开府　骆媛　文璇

班级：01430303

阮文浩　李欣　张硕　王梓　宋兆麟　杨杰　国爱燕　姜治鲲
罗国春　陈晨　陈泽新　宋吉群　王志鹏　刘晓风　徐加晔　张雅元
陈锡峻　吴友嵩　宋铭炜　孙义斌　周艳君　王瀚正　陈琳　杜伦敦
付思超　张璇　孙云鹏　赵骞　权溪　曲邗兵

班级：01430304

李杰　高玮　田晓春　张帅　满达　林浩　卢航　李硕舟
孙伟　王亮　许翔　黎海辉　郑顺安　任培安　卢俊道　杜照敏
李小仙　卢伟　贺雪峰　高寒弢　古平　白天　张立　同兰娟
苌磊　黄寅虎　黄远军　罗黎希　王兵　王成国　王文涛

二零零四年入学名单

班级：01410401

邓辰　孟宇　乔茂永　徐攀　萨仁娜　白殿举　柳妍妍
秦莹莹　许向东　连礼泉　陈亮清　肖汉涛　褚涛　武明伟
王允　高洋　郭小虎　佘园园　骆雨田　黄正　陈金镇
王甫松　黄伟　杨森森　朱雷　李贝贝　扎西央宗　黄旭
马永安　江夔　景麟维

班级：01410402

孔令轩　高继刚　王雷　姚晓辉　张凯　李越　康邦志　张州玉
吴同　李建阳　李志强　郝金坪　黄帅　贾丽颖　郭磊　蒋振华
唐欢　李星星　吕文发　覃诗羽　尹进　吕莹　杨张强　夏显省
李洋　李晓娟　保玲　郭文奇

班级：01420401

周文娟　仰　欣　左　林　阙耀楚　韩　星　吴翔宇　林义闽　蒋观鑫
任玉鑫　于　飞　方立平　任熙明　赵　北　张　戈　周志勇　王　朋
肖　杰　孙　琰　陆　军　蔡文江　左　文　郑　帅

班级：01430401

毛金哲　施一宁　王　爽　金　杰　郭倩蕊　张佳佳　叶辉平　段一伟
张逸程　张　洋　刘　向　李华明　张　浩　关博闻　罗　啸　任宇航
王立强　高　扬　沈　杨　毛冰晶

班级：01430402

于昌双　于国瑞　申乃彧　王　丹　黄　晨　王　聪　林丹枫　张钰鹏
肖　亮　张　艺　马振华　李　楠　姚齐峰　李石林　陈　纯　冯光琴
李晓宇　刘　欢　庞　昕　周学杨　郭云婷　汪　源　王初阳　李　鸣

班级：01430403

刘志鹏　何　涛　高　雅　王利文　许　静　孙　荛　朱　真　柳雨杉
侯永昌　王笑非　鲁　婷　彭云粮　吴　畏　韩梦赟　郑志强　火东明
南　野　王子军　杨　扬　杜奔放

班级：01430404

张　烨　郭卧龙　杨　凡　李思远　范晓勇　曹　娇　夏润秋　陈　锋
张凝旻　李　飞　张国宾　夏　樊　罗　明　罗定嘉　刘登宇　郑　超
李　鹏　白茯宁　王　增　尚世博　王小军　谢思维　王　哲

班级：01430405

李云江　马兆佳　武国军　马建东　李　达　金　哲　储开丽　黄　刚
陈　飞　肖起榕　王高鹏　胡腾飞　兰　天　吴　镝　肖静敏　陈海华
陈　然　徐永彪　冯彦鹏　李卓轩　杨世雄　刘奂延　张　乔　曾令伟
方　青

二零零五年入学名单

班级：01410501

丁　琳　冯　宇　魏力中　张　宁　王　健　王　楠　翟东超　张　俊
田光东　林小娟　郭皓蓉　韩　旗　尤晓军　蒋　阳　王　帅　王伊默
熊　俊　张　魁　阙裴倩　黄　浩　张　浩　刘光廷　唐　晓　张鹏嵩

史立波　戴永龙　张晓远

班级：01410502

李　阳　杨　盼　段金鹏　王天赏　阴刚华　王振兴　王婧烨　孙广尉
王倩莹　张志伟　赵文涛　李晶晶　熊胜军　钟　卉　伍彦梓　叶增彪
潘　玲　刘　幸　邓　杨　刘洪俊　尚林洪　张晓珍

班级：01420501

陈　琦　韩　旭　翟　男　徐集贤　赵文静　陈先好　欧　文　赵　卯
罗萍萍　陈　赛　刘仁建　陈建发　龙　冬　张　涛　王　扬　沈　健
郎　超　周　松　李永卓　张长兴　陈　博　彭　月　张继丰　张　昊
卢　浩　林为秀　蔡茜玮　王　林　张　倩　贾　敏　柳辰睿　杨　丰

班级：01420502

容丽华　罗　雄　陈　志　陈　国　白陶艳　吴青青　仝　涛　李延坤
卢　华　徐维鹏　王　健　郭诗力　张　馨　周　垚　刘　蓉　王　梓
马腾飞　李　坚　于凯强　马彦君　唐球艳　符史健　姜玲玲　谭　鹤
刘　诚　王　冠　吴　霞　谢　文　代家勇　王　楠　王　超

班级：01430501

施胜昆　朱　翔　闫铭宇　李　俣　孟庆杰　宁小盈　陈　鸣
谢时岳　卢　锐　徐　鸿　何永灿　夏冬明　贺长宇　蔡俊波
汪　拓　宋席发　张　晋　王晓旭　蔡向阳　刘　敬　邱心亮
胡　萌　靳　鑫　刘冬梅　高　明　张明阳　张星宇　陈　杰
欧阳慧泉

班级：01430502

曹明明　李　冲　王英飞　雷　罗　李子园　彭圣锋　唐　兵　付　刚
范慕伟　刘乙默　房建伟　王一范　程宏伟　王　萌　李雁奇　马崇柱
刘国思　薛　超　穆生博　郑丽华　骆　昊　邹晓风　陈　威　郭　庆
翟斌斌　刘百洋　吴　昊　唐成远　李　冬　熊　充　田训卿

班级：01430503

于德强　谢正洋　刘万奎　魏树弟　燕云霞　赵斌陶　袁　磊　毛新颜
宋　博　胡珈楚　黄江川　严　涵　徐　佳　蔡财溪　李家琨　张金伟
岳丹丹　邓　松　周安立　谢令钊　洪　程　魏　皓　张　昕　李　鹏

王瑞斌　王　增

二零零六年入学名单

班级：01410601

陈　飔　崔　超　段　磊　佴威至　冯　科　蒋　吉　李季航　李　剑
李梅楠　李　甜　李亚飞　林　可　林炜翔　刘一航　马　丰　盛　忠
童　强　王　斐　王婧敏　徐　洁　杨佳苗　曾邦泽　张　丁　张康明
赵金博　周恒妍　周钰斌　朱慧时

班级：01430601

蔡　和　晁阳飞　陈榕齐　陈振跃　杜　岚　樊　凡　范敬凡　冯　猛
龚隆山　李柏阳　路　陆　马　涛　缪祥虎　潘　杰　秦鹏太　宋维涛
孙琪扬　王美荣　王　宁　魏　来　熊谊棱　徐桂英　杨　洁　臧海军
张　威　张雪静　赵浩之

班级：01430602

宋俊儒　陈　磊　陈　溪　陈子越　范　文　房祎鹏　韩　亮　何　滔
侯亦飞　胡鑫莹　李　力　李雅灿　刘　芳　刘　勇　罗　迟　马德林
齐常余　覃兆飞　王　浩　王研博　王　一　修金利　尤嘉琦　张艳芳
朱　玲　诸加丹

班级：01430603

程永钊　曹力中　董　超　冯　容　高薪茹　胡　翔　姜　曼　李　茳
李松成　李　昕　刘书辉　南天章　秦官学　荣　微　田恒源　王　超
武潇野　徐从澄　徐　一　杨　恒　张经宇　张　磊　张　威　张学彬
张止戈　张子龙　欧小琳

班级：01430604

陈祥云　陈　妍　丛鹏蓬　段文浩　樊月江　黄春超　黄威震　季丰羽
姜玉华　李秋瑞　陆　亚　彭　涛　王宝凯　王和奇　王　谦　王媛媛
谢鹏飞　严　星　杨智生　于洪波　于　跃　余红涛　赵　伟　赵　龑
郑思远　朱　进　朱占达

班级：01440601

戴　玉　高渤濡　高　雪　李　晖　李　琳　李　珑　李拾穗　李万永
李霄琦　梁迎磊　刘　练　刘宇舟　孟祥伟　孙耀东　王溪晶　温　耀

翁国强　阎　楠　张　力　张书阳　赵东明　周嘉乐　周　英

班级：01440602
安佳琪　陈志海　戴坤健　董叶明　董智勇　贺文婷　黄　夏
李为贵　李晓辰　李　鑫　李雪姣　李亚东　刘　钊　骆海潮
毛叶飞　闵祖光　王　强　王钦锋　王子龙　王子叶　巫资青
杨代青子　杨梓琦　张晨光　张志祥　赵方舟　杨　翊

光电学院研究生名单

一九七八级研究生名单
彭华良　沙定国　张静方　李海章　王永仲　王学良　宋振铎　王少川
潘顺臣　艾克聪　闫吉祥

一九八零级研究生名单
王悟敏　陈延如　栾胜奎　方　新　倪国强

一九八一级研究生名单
魏　平　恽　钢　赵　瑜　张京云　褚志平　李　林　邹　勤　史了宏
刘　庆　厉志刚　汪晓燕

一九八二级研究生名单
姚永龙　郑　刚　张晓甦　袁燕荣　张京城　朱秋东　王小蓬　金小海

一九八三级研究生名单
尚庆虎　廖向东　梅文辉　麦绿波　熊景杰　旷　路　袁　宁　绿　波
熊小雄　施伟民　曾理江　李唐军　杨乾锁　袁小玲　罗忠东　仇伯仓
刘容平　鲁　力　赵跃进

一九八四级研究生名单
汪平涛　张　晶　金永哲　唐　玲　邓　岗　阎天纵　姚　武　白廷柱
朱晓农　彭汉俊　崔桂华　江绍基　许　勤　罗庆生　候和南　姜梅英
王　跃　刘广荣　陈向颖　宫跃进

一九八五级研究生名单
陈明徊　申文高　孙　继　唐赵英　范　诚　戴俊慧　陈宇红　易治明
王典民　陈育谦　常　明　林群英　李　红　赵燕玉　顾若炜　黄志湘

王俊麟　魏泽斌　金伟其　张桂清　张齐　李狄　刘明奇

委托培养研究生名单

王双　苏秉华　张凯　刘延平　孙桂林　陈安世　金锋

一九八六级研究生名单

林宁　王敬平　赵天安　孙福生　刘劲　杨晓昀　孙惟　强西林
冯志新　陈安涛　王琪琛　刘伟　廖宁放　杨树柏　刘杰　马旭东
刘艳　吕宁　郭春燕　杨颜峰　阎平　陈逸峰

一九八七级研究生名单

康景峰　杨文运　魏刚　王文辉　梁晨　来松灿　蒋世迅　谭小地
董炎　张勇涛　陈勇　吴衍记　雒僵林　王岩　陈曙　黎高平
叶雷　吕晓春　孔羽飞　吴坚　阎宁　孔小健　崔宏　赵桂志
赵昆　倪明方　林文平　冯志新

一九八八级研究生名单

纪平　尚欣　李池娟　程航东　乔虹　锡利　梁洁　赵卉玲
段炼　万方　刘丽君　殷波　李锐　王兰岭　丁燕和　陈英
陈利　王勇猛　盛延林　郝英杰　范圣夫　顾生华　吴月安　林祥斌
陈立朋　陈学亮　罗慧　刘晨　安宝林

一九八九级研究生名单

徐晓　刘启来　胡新奇　张宏斌　陈圣平　崔志刚　李焜　孙志勇
高春清　王玉勤　减二军　王丽枝　李宏棋　杨坚　廖丹燕　周晓龙
肖斌　刘忠伯　江昕　万敏利　李萍　李建峰

一九九零年研究生名单

熊勇　周志斌　自艳　侯山峰　王强　熊剑　张哲民　朱军
王东　孙浩林　付共民　罗红　耿亮　李峋　江懿　胡向军
黄开祥　任羲明　马继光　何蔚　黄歆宇　齐华

一九九一年研究生名单

张耕　李喜蓉　白英俊　李桂桦　郭宏　项名洙　孙曙敏　马全生
胡威捷　吴健　王首虎　王玮　秦勇　张卫军　王新明　高云
徐红　李斌　李春业　王晓利　董毅　吴克　冯京毅　牛留安

一九九二年研究生名单

张雪松　魏文忠　庞长富　任　达　张　彤　鲍　放　陈　松　孙江政
阎晓梅　伍　剑　孟宪云　李姣钰　刘　进　王茜倩　欧阳赞　李戈平
陈永军　张　勇　刘诗丰　刘学泽　傅瑞斯　曾远辉　梁列国　刘效东
刘震飙　张　璞　黄丽琼

一九九三年研究生名单

冯金录　吴忠民　刘　武　赵忠耀　盛　娟　方显峰　施旭光　王红涛
唐晓军　姚传利　王卫卫　叶　杨　杨　强　朱　永　阎广建　戈　力
曹峰梅　周双全　陈冬晖　蒋筱筠　崔宇红　李　明　刘启忠　李如松
聂　颖　林雪梅　苏　林　刘锡宇　王广岩　龙小艳　温向新　潘英林
田　爽　陈　卫　余旭彬　刘　耕　张　玲　马静宜　周春阳　王　霖
吴建明　杨显强　张子俊　付建家　谢雪飞　薛　进　张禄林　郭　强
刁心玺　刚砺韬　金　旭

一九九四年研究生名单

吴天宇　刘　尧　赵　雪　李　才　郭剑锋　胡　缨　黄粤熙　董良军
柴东林　方太元　姜库鲲　金　红　李　涛　苏学刚　王　莹　尤海平
崔岩梅　李　劲　全书学　曹红军　高春林　王锋琦　袁晓磊　张诚平
郑兴华　周　健　李长贵　何　定　华　宏　娄丽军　刘　华　方高瞻
郝宏旭　李鹤田　刘雪原　饶　淼　王　澎　徐　越　彭雪云　杨继超
许建青

一九九五年研究生名单

曹　阳　陈卫剑　刘小陆　齐　江　唐新桂　王自强　王　烜　周　雅
蔡本睿　全奉先　朱建平　常建新　陈　涛　傅　雷　凌东瑞　娄英明
卢文杰　佟国旭　常宏立　代彩虹　丁　艳　方庆喆　冯义民　黎　斌
蒲　恬　邵　刚　吴　诚　吴　霞　杨佩原　杨树长　邹正峰

一九九六年研究生名单

陈　静　李国栋　刘雪峰　卢英威　汤遇春　吴秀玲　伍保锋　徐　彤
杨　良　郭向前　夏　亮　岳敏杰　刘　钢　刘琴波　卢葱葱　秦永兵
孙　杰　魏晓强　张　诚　张　卓　周海龙　周诗未　邹立建　郝孟尧
李　博　李熙莹　马　瑜　宋修元　唐海蓉　魏建中　张　祥　阎祥福

一九九七年研究生名单

李　芳　　周桃庚　　楚建军　　金大建　　刘国林　　孙胜利　　于　洋　　王长云
张　静　　赵劲松　　仇谷峰　　杜凤茂　　丰宗文　　胡日一　　梁志科　　刘真南
王肇宇　　吴　琦　　张　莹　　张建勇　　张丽芹　　周成英　　胡维晟　　宋海华
王伟坚　　张　雁

一九九八年研究生名单

张　辉　　赵春晖　　郑智伟　　方俊永　　邓　兵　　欧　毅　　张　萌　　张　波
程雪岷　　何　漪　　周　震　　皮兴俊　　时永刚　　李　凯　　何　君　　林家力
李　鑫　　李　娜　　王岭雪　　何玉青　　向　华　　王生祥　　张艳钗　　勾　瑞
李锦玲

一九九九年研究生名单

陈小梅　　董海燕　　范宏深　　韩　松　　胡宏清　　黄声野　　黄一帆　　李少辉
李升才　　李燕红　　李勇量　　林　涛　　彭洪洪　　齐建国　　秦高林　　肖　琨
徐　明　　徐　宁　　杨豫宁　　殷　聪　　尹　焱　　张泽明　　周渝斌　　黄柯彦
刘惠兰　　刘连峰　　施　琦　　宋　勇　　崔建民　　高明伟　　胡忠胜　　李　平
李云霞　　廖兴才　　刘南勃　　刘瑞鹏　　彭吉龙　　王　雷　　赵　严

二零零零年研究生名单

白云飞　　崔黎明　　董文勇　　冯梦洪　　贾福娟　　金　玲　　刘　洋　　庞文静
祁　蒙　　唐　琼　　万　英　　王　珺　　王淑华　　魏文辉　　吴嘉骏　　吴延勋
邢冀川　　行麦玲　　杨　波　　杨雅丽　　张　健　　赵新彦　　郑　祎　　周元林
郜广军　　裘　溯　　蔡　娜　　陆　海　　王　佳　　吴梦华　　袁慧晶　　张　楠
王延斌　　俞　锋　　孙　毅　　张旭升　　苏　鹏　　陈慧敏　　冯立辉　　辜　玉
何　飞　　何晓燕　　季　伟　　李晓萍　　李志强　　王会涛　　王晓东　　王小燕
王　扬　　魏苏苏　　吴文敏　　余小敏　　郑　亮　　朱效明　　王　青　　李　磊

二零零一年研究生名单

陶　茜　　纪　巍　　王　伟　　黄　睿　　李大勇　　栗兆剑　　李　华　　刘传胜
童一峻　　许正光　　李玉钰　　戴　文　　胡中平　　何　林　　丁　凌　　徐　超
李亚晖　　李　元　　张丽君　　唐　义　　王旭宇　　柴冰华　　申　玲　　商庆坤
陈　静　　唐　琼　　张　颖　　高雪松　　周生兵　　胡晓明　　袁　洁　　陈宇星
翁冬冬　　曹绘娜　　张未强　　刘贱平　　曾高秋　　吴建坤　　娄　颖　　刘玉凤
侯广琦　　王吉福　　孙文峰　　曹一磊　　孙孝波　　白　翔　　陈亚娟　　田亚光
苏　宁　　李志明　　刘　磊　　刘　琼　　白　力

二零零二年研究生名单

蓝剑飞 刘明 李宇航 王瑞 栗梦娟 李悦 蒋蔚 王林梓
谢森 王华清 陆爱民 朱晓军 梁峰 窦柳明 周瑛 李奇
陈香梅 任鹏远 黄英群 周荣彪 万众 石海丰 付博 李颖
王延伟 聂伟丽 周代兵 李江涛 郭毅 雷锦超 刘伟华 徐大琦
隋婧 董立泉 尹兵 薛晶晶 张俊生 曾嫦娥 刘克功 孙毅
邢怀飞 刘生峰 齐月静 蔡尚真 周昶宁 王文林 王祎 崔惠绒
王欣 周大 张颖 蒋山平 孙东 刘国文 王治华 王钱
杨健 陆俊军 郑嘉 徐金波 黄涛 毛华明 冯津京 邓锦辉
李新科 白杨 陈惠芳 王辉 吕敏 孙飞 汪洋 张晓娜
王新 段友峰 史晓华 苏必达 黄飞 马妮娜 杨帆 田小红
李逐贤 李松 董伟燕 张立 郭庆龙 王强

二零零三年研究生名单

顾光珍 刘科 郑阳 王永松 赵源萌 康果果 宁玮 刘家国
李丽 陈磊 孙余顺 林军 邓景跃 李夏 毛珩 邵玉波
刘伟基 金剑光 吴伦 李东平 王桓 陈宁 李闻 王广平
郭磐 沈渊婷 宋亚军 夏超军 赵琳 李玉 陈娅 龚俊
林锡龙 阚丽华 倪剑 朱启海 陈喜春 黄天智 卢萍 刘羽
刘晓峰 郄玉双 李啸炜 闵学龙 潘奕捷 刘芳 秦志峰 刘伟
赵立 林倞 黄志菊 马磊 王斌 尹德森 杨玉奇 匡文
徐丽勤 孙丹 廖志波 李雅琼 杨宪江 曹阳 李艳辉 刘春阳
甘杰 马英麒 苗文 侯素芳 要晶晶 汪明强 姚晋丽 于竞
谢立 伏周 李伟明 郭建 邓勇开 赵锋 张秀勇 钟艳红
王暖让 张明 殷明 李少晖 吴慧苗 石玉坤 赵承潭 施蕊
王灿召 刘素杰 周贤波 陶莉萍 严涛 刘伯丰 饶静 杨天乐
班龙 冯继青 孙鑫鹏 高振远 唐坤 范保虎 高岚 张维
程延霞 黄文彩

二零零四年研究生名单

边光春 覃潇 田雪冰 赵思远 张超 蔡宏太 万丽芳 王爽
郑宁 张磊 陈珂 王贺 吴朔 杜晶 赵俊亚 方伟
王宏炜 杨建宁 高磊 周烨锋 何丽 王守山 余俊 李旗
朱辉 贺书芳 许洪斌 张磊 林志峰 胡艳玲 许文斌 张鑫
刘宝元 怀武龙 杨绍状 冯晓强 刘平 黄波 杨涛 冯志成

刘再洋　黄　峰　杨　涛　高　宇　罗德国　李　丽　臧传涛　江　洵
马国强　李旭阳　曾庆春　李国琛　宋学勇　李艳华　张　乐　李宗峰
覃　尉　李永成　张　雷　刘春萌　唐才杰　刘　赟　周　平　门　陶
王　君　刘广义　周忠丽　屈　峰　王晓宇　刘海军　曹育联　陶　娅
肖　尧　刘　颜　冯　扬　徐宏兵　杨　超　吕大旻　葛艳丽　闫　伟
杨登才　马飞莹　李　松　杨柳青　杨　飞　聂泽锋　李卓娜　张洪雷
杨　静　齐怀川　马古纯　张闪闪　俞建国

二零零五年研究生名单

曹丙部　常　琳　陈　路　陈鹏瑞　陈奕悍　冯　茜　冯　玥　付　睿
韩喜春　何　蓬　何向宁　何征宇　侯丽平　胡守刚　黄丽君　黄业桃
姜金伟　金　飞　金俊哲　雷云辉　李博聪　李金伟　李　磊　李瑞玲
李晓琴　李欣毅　李怡满　梁　军　刘蓓蓉　刘呈权　刘　敏　卢　蓉
陆大伟　聂树真　庞　俊　彭　夏　祁彩萍　丘钟鸣　石　慧　舒先标
宋玉婷　孙舜蓉　王旦福　王国龙　王　娜　王晓迪　王新全　相龙锋
肖　畅　熊　科　徐　进　徐　况　许军亮　许巧云　薛志鹏　亚振钊
阎雪飞　杨朝佳　杨　虎　杨　静　杨　珂　余远华　俞纯宝　苑富强
臧晓军　张　彬　张春涛　张　东　张　杰　张双皕　张许娜　赵怡鹤
赵　珍　赵治波　周　南　周潇潇　周钟海　朱　嘉　朱黎黎　戴　珺
董春艳　冯万力　郭　莹　李春香　李九妹　刘　浩　马　翀　佘晓薇
盛建军　孙　静　王　欣　王　玥　巫晓丽　夏　倩　张晓迪　赵　琳
赵　爽　周向琼　皱桂兰　白　璐　陈　黔　高晓华　谷晓红　郭黎丽
郭　亮　洪　洋　胡建国　李永明　刘　蓓　刘宪鹏　陆　波　陆建军
罗晶晶　任仁雄　王　红　王　普　魏晋文　杨　光　姚　磊　俞小江
张大明　赵希婷　郑建锋　常文娟　陈际球　陈文钦　高　洁　郭艳薇
何　超　赖俊森　李　丰　廖魏巍　刘　骏　刘玉杰　邱慧娟　尚凯文
宋　岩　孙　琼　谭孟杰　王海伟　王珊珊　武　飞　肖　丰　徐会兴
徐向前　杨春香　杨　凡　杨　宁　于　筱　张明敏　张　鹏　史冰丹
赵歆跃　赵中玺　周　为　周晓光　周秀荣　皱　艳　白　涛　李汉宇
刘　栋　马思博　宋　博　王秀丽　张　栋　张　涛　赵　博　纳伊姆
周永峰　杨丽娜　张修举　冷　健　段玉玲　马建荣　范明月　李素英
李　宏　贾金富　胡冬梅　杨方元　陈荣娟　王蔚晨　曹立楠　陈　君
林波涛　任　恺　王保晶　王振兴　曹　恒　陈建岳　代　斯　丁而立
杜爱民　方应龙　高娟娟　高　爽　郭春吉　韩琳琳　黄扬君　惠德学
贾　菲　冷如胜　李红升　刘立力　刘忠强　卢国辉　马瑞樯　门　杰
孟　博　孟凡强　庞继文　秦绪强　任兴涛　邵　勇　孙珑后　覃　超

汪　玮　王　鹤　王素梅　王夕夕　李志峰

二零一零年毕业研究生名单

赵源萌　陈伟亮　刘茂桐　李海兰　张　晓　黄有为　张　彦　李福文
林　宇　刘迎辉　葛曙乐　李　婷　张庭成　王　欣　马晋涛　刘少鹏
程　序　韩　炜　林志锋　刘嘉巍　齐晓庆　宁春梅　赵　彬　杜保林
何永泰　华　勇　黄业桃　李宏宁　臧晓军　赵士勇　朱　楠　丁　琨
白茯宁　镡晓林　陈杰华　陈　然　储开丽　邓庆庆　范　喆　高继刚
高　路　谷振宇　郭　静　郭倩蕊　韩　犇　韩梦赟　何伍斌　黄　倩
贾丽丽　姜利芳　蒋文杰　康　键　兰　天　冷　准　李贝贝　李国红
李　伟　梁进宁　廖小逸　刘登宇　刘清蕊　刘　源　柳雨杉　孟　斌
彭云粮　任丽君　申乃彧　石恩涛　史宁宁　史小可　孙　尧　唐　波
王　斌　王　聪　王　丹　王　雷　王利文　吴　畏　吴章强　武海丽
夏　樊　肖　亮　许　静　颜　凯　杨　海　杨子建　阴　浩　尹　欢
苑朝凯　詹　力　张　洁　张晋青　张其扬　张　艺　赵淑莉　钟显云
左朋莎　柴顺起　陈　红　陈金镇　褚怡芳　崔　露　丁　勇　董泰安
高　洋　郭小虎　郭玉婷　胡　兰　胡文锐　黄　帅　黄　旭　贾　馨
姜　健　郎冠卿　李　亮　刘建虎　刘　强　吕　航　马晓瑾　马　原
乔茂永　秦晓敏　任雅青　孙文斐　田　丽　汪建生　王　彬　杨张强
张昊田　张琳琳　张雅琳　赵明月　赵　文　方立平　付国余　郭桂榕
郭　靖　胡德信　李　静　李双凤　李志威　梁蓬娟　刘　翔　马跃飞
任学成　王　鹏　王　钦　王　升　王天伟　王　伟　王云倩　吴翔宇
武明伟　肖银龙　杨恩亮　于　飞　张　戈　张　蕾　张立伟　赵蔚彬
郑　艳　周　娟　邹　璐　左　林　左　文　张吉焱　李　岩　吴　朔
莫晓丽　罗　斌　李玉琼　唐才杰　何坤娜　闫　莹　王碧茹　何　璇
宋　倩　范冰清　黄华成

附录6　北京理工大学光电学院专著、译著、教材名录

序号	名　称	作　者	出版社	出版时间
1	《工程光学讲义和练习》	李德熊译	国防工业出版社	1956 年
2	《光学仪器理论》	马士修	北京工业学院	1958 年
3	《51001 讲义》(红外技术基础)	周仁忠	北京科学教育出版社	1961 年
4	《51002 讲义》(红外导引仪器)	申亮　曹玉	北京科学教育出版社	1961 年
5	《51003 讲义》(红外探测器)	李乃吉　武学殿	北京科学教育出版社	1961 年
6	《技术光学》	鲁西诺夫著　陈晃明　王镁译	科学出版社	1962 年
7	《光学系统外形尺寸计算》	鲁西诺夫著　陈晃明译	科学出版社	1962 年
8	《几何光学》(上、下册)	甘子光	北京工业学院	1963 年
9	《波动光学》(上、下册)	于美文	北京工业学院	1963 年
10	《量子光学》(上、下册)	范少卿	北京工业学院	1963 年
11	《几何光学补充讲义》	甘子光	北京工业学院	1964 年
12	《光学量度》	张炳勋等译	中国工业出版社	1965 年
13	《激光和它的应用》	邓仁亮	北京工业学院	1970 年
14	《精密机械基础》	四系	北京工业学院	1972 年
15	《应用光学和光学设计》(第一分册)	421 教研室	北京工业学院	1972 年
16	《应用光学和光学设计》(第二分册)	421 教研室	北京工业学院	1972 年
17	《应用光学和光学设计》(第三分册)	421 教研室	北京工业学院	1972 年
18	《应用光学》	荆工　史尔	国防工业出版社	1973 年
19	《仪器制造工艺基础》(上、下册)	41 专业	北京工业学院	1973 年
20	《像管电子光学系统计算与设计》	422 教研室	北京工业学院	1973 年
21	《像管电子光学系统计算与设计及其标准化程序》	441 教研室	北京工业学院	1973 年
22	《像管中的电子光学》	四系	北京工业学院	1974 年
23	《夜视器件制造工艺学》	441 教研室	北京工业学院	1974 年
24	《军用光学仪器装配与校正》	411 教研室	北京工业学院	1974 年
25	《军用光学仪器》	411 教研室	北京工业学院	1974 年
26	《军用光学仪器第一部分:观察、瞄准仪器》	411 教研室	北京工业学院	1974 年
27	《军用光学》	411 教研室	北京工业学院	1974 年
28	《精密机械基础》	401 教研室	北京工业学院	1974 年
29	《精密机械》	401 教研室	北京工业学院	1974 年
30	《航空摄影机的快门》	李德熊译	科学出版社	1974 年
31	《光学零件制造工艺学》(上、中、下)	402 教研室	北京工业学院	1974 年
32	《光学测量》(上、下册)	421 教研室	北京工业学院	1974 年
33	《58 式一米体视测距仪光学系统分析》	四系	北京工业学院	1974 年
34	《激光原理》(上、中、下册)	431 教研室	北京工业学院	1974 年
35	《312 产品机加工艺》	41 专业	北京工业学院	1975 年
36	《光学—像的形成和处理》	光学教研室译	科学出版社	1975 年
37	《基础电子光学》	441 教研室	北京工业学院	1975 年
38	《激光器件与技术》(上、下册)	431 教研室	北京工业学院	1975 年
39	《激光原理》(上、下册)	431 教研室	北京工业学院	1976 年
40	光学零件制造工艺学	北理工　清华等	不详	1976 年

续表

序号	名　　称	作　　者	出版社	出版时间
41	《光学传递函数数学基础》	421 教研室	北京工业学院	1976 年
42	《高速摄影》	李德熊	科学出版社	1976 年
43	《高速流逝过程摄影过程》	李德熊译	北京工业学院	1976 年
44	《光学测量》	421 教研室	北京工业学院	1976 年
45	《74 式地炮 1.2 米测距机原理》	四系	北京工业学院	1976 年
46	《74 式地炮 1.2 米测距机构造与装校》	四系	北京工业学院	1976 年
47	《专业物理》(阴极与屏的机理)	441 教研室	北京工业学院	1977 年
48	《夜视新技术》	441 教研室	北京工业学院	1977 年
49	《夜视器件与仪器》(上、下册)	441 教研室	北京工业学院	1977 年
50	《夜视器件的电子光学》(第一册)	441 教研室	北京工业学院	1977 年
51	《军用摄影仪器》(上、下册)	412 教研室	北京工业学院	1977 年
52	《军用光学仪器》(测距仪部分)	41 教研室	北京工业学院	1977 年
53	《光学系统自动设计》(上、下册)	421 教研室	北京工业学院	1977 年
54	《光学设计》(上、下册)	421 教研室	北京工业学院	1977 年
55	《光学零件高速精磨工艺学》	402 教研室	北京工业学院	1977 年
56	《光学冷加工机床及其设计》	402 教研室	北京工业学院	1977 年
57	《固体激光器件与技术》	431 教研室	北京工业学院	1977 年
58	《平飞轰炸瞄准具》	411 教研室	北京工业学院	1978 年
59	《棱镜调整》	连铜淑	国防工业出版社	1978 年
60	《光学全息照相》	于美文	北京工业学院	1979 年
61	《激光和它的应用》	邓仁亮　郝淑英	北京工业学院	1979 年
62	《棱镜调整:原理和图表》	连铜淑	国防工业出版社	1979 年
63	《气体激光器件》	431 教研室	北京工业学院	1979 年
64	《应用光学》	北京工业学院	国防工业出版社	1979 年
65	《真空技术与成像器件工艺》(上、下册)	平珍　钟生东	北京工业学院	1980 年
66	《真空技术与成像器件》	平珍　钟生东	北京工业学院	1980 年
67	《真空成像器件》(上、下册)	邹异松编	北京工业学院	1980 年
68	《优化技术及应用》	何献忠	北京工业学院	1980 年
69	《仪器制造工艺学》(上、下册)	王中正	北京工业学院	1980 年
70	《夜视技术》	邹异松编	北京工业学院	1980 年
71	《物理光学札记》	范少卿译	科学出版社	1980 年
72	《精密机械零件与部件设计》	401 教研室	国防工业出版社	1980 年
73	《晶体光学》	431 教研室	北京工业学院	1980 年
74	《近代物理光学》	四系	北京工业学院	1980 年
75	《航空摄影》	李德熊	科学出版社	1980 年
76	《光学仪器装配与校正》	光学仪器教研室	国防工业出版社	1980 年
77	《光学仪器信号转换技术》	411 教研室	北京工业学院	1980 年
78	《光学测量与像质鉴定》	光学测量小组编	北京工业学院	1980 年
79	《光学测量实验讲义》	光学教研室	北京工业学院	1980 年
80	《仪器振动与隔振》	樊大钧	国防工业出版社	1980 年
81	《真空成像器件》(上、下册)	高鲁山　刘榴娣	北京工业学院	1981 年
82	《物理光学习题集》	范少卿译	科学出版社	1981 年
83	《色度学》	四系	北京工业学院	1981 年

续表

序号	名　　称	作　　者	出版社	出版时间
84	《量子光学》(上、下册)	范少卿　郭富昌	北京工业学院	1981 年
85	《棱镜调整理论、反射棱镜共轭理论》	连铜淑	北京工业学院	1981 年
86	《精密机械设计基础》	401 教研室编	国防工业出版社	1981 年
87	《激光器件》	成电 北理工	湖南科技出版社	1981 年
88	《激光概论》	431 教研室	北京工业学院	1981 年
89	《光学设计》(上、下册)	421 教研室	北京工业学院	1981 年
90	《光学全息及信息处理》(上、下册)	于美文	北京工业学院	1981 年
91	《光电变换器件及技术》	何　理　卢春生	北京工业学院	1981 年
92	《反射棱镜》	汤自义　须耀辉　王志坚	国防工业出版社	1981 年
93	《色度学》	未署名	北京工业学院	1982 年
94	《精密机械例题题解和习题》	丁伯瑜	北京工业学院	1982 年
95	《近代光学基础》	连铜淑	北京工业学院	1982 年
96	《集成光学》	光学教学小组	北京工业学院	1982 年
97	《光电及红外探测器》	陈东波	北京工业学院	1982 年
98	《对称光学系统的像差》	陈晃明　梁丽轩译	科学出版社	1982 年
99	《薄膜光学》	林永昌　卢维强	北京工业学院	1982 年
100	《波动光学》(上、下册)	赵达尊	北京工业学院	1982 年
101	《数学弹性力学》	樊大钧	新时代出版社	1983 年
102	《全息记录介质》	马春荣	北京工业学院	1983 年
103	《光学设计》	袁旭沧等	科学出版社	1983 年
104	《光学化工辅料技术》	郑武城	兵总新技术推广所	1983 年
105	《遥感技术》	李德熊	北京工业学院	1984 年
106	《物理光学》	范少卿　郭富昌	北京工业学院	1984 年
107	《散斑统计光学基础》	刘培森	北京工业学院	1984 年
108	《全息记录材料》	马春荣译	科学出版社	1984 年
109	《光学全息及信息处理》	于美文　王民草　哈流柱	国防工业出版社	1984 年
110	《光学零件制造工艺学习题与实验题解》	北理工　浙大等	不详	1984 年
111	《光电成像器件制造工艺学》	平珍	北京工业学院	1984 年
112	《固体成像器件》	陈东波	北京工业学院	1984 年
113	《电子光学器件与设计部分》	陈坤林	北京工业学院	1984 年
114	《夜视技术》	高稚允	北京工业学院	1985 年
115	《透镜设计基础》	陈晃明译	机械工业出版社	1985 年
116	《空间弹性力学:复变函数论的应用》	樊大钧	四川科技出版社	1985 年
117	《光学仪器原理与设计》	陆乃驹主编	北京工业学院	1985 年
118	《光学化工辅料》	郑武城	测绘出版社	1985 年
119	《光纤测量技术》(初稿)	孙雨南编	北京工业学院	1985 年
120	《薄膜光学》	林永昌　卢维强	北京工业学院	1985 年
121	《光学传递函数测量》	光学研究室	北京工业学院	1985 年
122	《优化技术及其应用》	何献忠	北京工业学院	1986 年
123	《应用光学》	光学教研室	北京工业学院	1986 年
124	《摄影仪器》	李德熊主编	兵器部教材编译室	1986 年
125	《精密机械设计基础》	盛鸿亮	国防工业出版社	1986 年
126	《精密机械零件与部件设计》	401 教研室	国防工业出版社	1986 年

续表

序号	名　称	作　者	出版社	出版时间
127	《激光器件与技术教程》	徐荣甫　刘敬海	北京工业学院	1986 年
128	《辐射度学》	车念曾	北京工业学院	1986 年
129	《导波光学》	秦秉坤	北京工业学院	1987 年
130	《光电及红外探测器》	陈东波	北京工业学院	1987 年
131	《光学测量实验》	赵立平	北京工业学院	1987 年
132	《光学》	范少卿译	科学出版社	1987 年
133	《光谱仪器原理》	李全臣	北京工业学院	1987 年
134	《光学零件工艺学》	查立豫	兵器工业出版社	1987 年
135	《光学数据处理——应用》	马春荣译	科学出版社	1987 年
136	《光学稳像技术》	谷素梅	北京工业学院	1987 年
137	《金属膜片的设计》	樊大钧	机械工业出版社	1987 年
138	《全息光学设计》	陈晃明	科学出版社	1987 年
139	《散斑统计光学基础》	刘培森	科学出版社	1987 年
140	《数字图像处理》	李德熊	北京工业学院	1987 年
141	《遥感技术》	李德熊	北京工业学院	1987 年
142	《光学设计》	袁旭沧　李士贤　郑乐年　安连生	国防工业出版社	1988 年
143	《设计学:理论、方法、软件》	何献忠	北京工业学院	1988 年
144	《近代莫尔测量技术》	俞信	北京工业学院	1988 年
145	《激光束光学》	魏光辉　朱宝亮	北京工业学院	1988 年
146	《激光实验原理和方法》	屠钦澧　张自襄	北京工业学院	1988 年
147	《光学仪器的调整与稳像》	连铜淑	北京工业学院	1988 年
148	《光学测量与像质鉴定》	苏大图	北京工业学院	1988 年
149	《光电子学》(上、下册)	徐荣甫　李家泽	北京工业学院	1988 年
150	《光电技术实验——Pt 工程》	404 教研室	北京工业学院	1988 年
151	《光电技术实验》	404 教研室	北京工业学院	1988 年
152	《反射棱镜共轭理论》	连铜淑	理工大学出版社	1988 年
153	《波纹管设计学》	樊大钧	理工大学出版社	1988 年
154	《波动光学》	赵达尊　张怀玉	理工大学出版社	1988 年
155	《应用光学习题集》	周文秀	理工大学出版社	1989 年
156	《仪器仪表结构设计手册》	王惠敏　王仲彬	国防工业出版社	1989 年
157	《全息显示技术》	于美文　张静方	科学出版社	1989 年
158	《晶体光学》	李家泽　朱宝亮　魏光辉	理工大学出版社	1989 年
159	《激光光谱学——原理与技术》	张国威	理工大学出版社	1989 年
160	《光学材料与辅料》	查立豫	兵器工业出版社	1989 年
161	《光计算机》	秦秉坤　孙雨南	理工大学出版社	1989 年
162	《光电统计理论与技术》	周仁忠　闫吉祥	理工大学出版社	1989 年
163	《光电检测技术》	高稚允	理工大学出版社	1989 年
164	《电真空成像器件及理论分析》	邹异松	国防工业出版社	1989 年
165	《应用傅立叶变换》	刘培森	理工大学出版社	1990 年
166	《新型精密机械零件与部件》	丁伯瑜	国防工业出版社	1990 年
167	《物理光学》	范少卿　郭富昌	理工大学出版社	1990 年
168	《微机数据处理系统与应用》	王惠民	理工大学出版社	1990 年
169	《实验数据处理》	沙定国	理工大学出版社	1990 年

续表

序号	名　　称	作　　者	出版社	出版时间
170	《色度学》	汤顺青　朱正芳	理工大学出版社	1990 年
171	《激光与生命科学》	王惠文　江先进　钮保英	理工大学出版社	1990 年
172	《光学设计手册》	李士贤　郑乐年	理工大学出版社	1990 年
173	《光学薄膜原理》	林永昌　卢维强	国防工业出版社	1990 年
174	《光电技术》	刘振玉	理工大学出版社	1990 年
175	《高速流逝过程摄影记录》(第二版)	李德熊译	科学出版社	1990 年
176	《辐射度学和光度学》	车念曾　阎达远	理工大学出版社	1990 年
177	《波动光学、物理光学实验》	未署名	理工大学出版社	1990 年
178	《遥感中的图像处理和分类技术》	李德熊译	科学出版社	1991 年
179	《微光与红外成像技术》	张敬贤　李玉丹	理工大学出版社	1991 年
180	《精密机械零件综合设计》	何献忠	兵器工业出版社	1991 年
181	《近代光学制造技术》	辛企明	理工大学出版社	1991 年
182	《介质光波导及其应用》	秦秉坤　孙雨南	理工大学出版社	1991 年
183	《光电技术实验》	404 教研室	理工大学出版社	1991 年
184	《光电电子技术》	胡士凌	理工大学出版社	1991 年
185	《固体成像器件和系统》	陈东波	兵器工业出版社	1991 年
186	《现代照相机技术》	安文化	理工大学出版社	1992 年
187	《统计光学》	刘培森	科学出版社	1992 年
188	《空间光调制器》	赵达尊　张怀玉	理工大学出版社	1992 年
189	《光学制导技术》	邓仁亮	国防工业出版社	1992 年
190	《光电探测技术及应用》	卢春生	机械工业出版社	1992 年
191	《光电检测技术》	高稚允	理工大学出版社	1992 年
192	《激光与生命科学》	王惠文	理工大学出版社	1992 年
193	《夜视系统》	张鸣平　张敬贤　李玉丹	理工大学出版社	1993 年
194	《显示技术》	刘榴娣	理工大学出版社	1993 年
195	《实用误差理论与数据处理》	沙定国	理工大学出版社	1993 年
196	《宽束电子光学》	周立伟	理工大学出版社	1993 年
197	《精密机构与结构设计》	盛鸿亮	理工大学出版社	1993 年
198	《光学仪器信号转换技术》	王惠民　孔秀英	理工大学出版社	1993 年
199	《光学塑料及其应用》	郑武城　安连生　韩亚娟　卢维强	地质出版社	1993 年
200	《光学测量实验与习题》	赵立平	理工大学出版社	1993 年
201	《光电技术实验》	刘振玉	兵器工业出版社	1993 年
202	《Theory of Conjugation for Reflecting》	连铜淑	International academic	1993 年
203	《CCD 摄影器件原理、特性及应用》	刘颖　徐荣甫	光学技术编辑部	1993 年
204	《周立伟电子光学学术论文文选》	周立伟	理工大学出版社	1994 年
205	《摄影仪器》	李德熊	科学出版社	1994 年
206	《应用光学——理论概要例题详解习题汇编考研试题》	李士贤　安连生　崔桂华	理工大学出版社	1994 年
207	《宽电子聚焦与成像》	周立伟	理工大学出版社	1994 年
208	《波动光学物理光学实验》	403 教研室	理工大学出版社	1994 年
209	《优化技术及其应用》(第二版)	何献忠	理工大学出版社	1995 年
210	《新型弹性敏感元件设计》	樊大钧	国防工业出版社	1995 年
211	《微光与红外成像技术》	金伟其	理工大学出版社	1995 年

续表

序号	名　　称	作　　者	出版社	出版时间
212	《摄影技术基础》	甘泉	理工大学出版社	1995 年
213	《矩阵光学》	闫吉祥	兵器工业出版社	1995 年
214	《精密机械习题集》	王仲彬	理工大学出版社	1995 年
215	《激光器件与技术》	刘敬海	理工大学出版社	1995 年
216	《现代光学设计方法》	袁旭沧	理工大学出版社	1995 年
217	《激光技术在兵器工业中的应用》	魏光辉	兵器工业出版社	1995 年
218	《光学材料与辅料》	查立豫	兵器工业出版社	1995 年
219	《光全息术》	于美文　张静方	北京教育出版社	1995 年
220	《电子发射光与光电阴极》	刘元震　王仲春	理工大学出版社	1995 年
221	《自适应光学理论》	周仁忠　闫吉祥	理工大学出版社	1996 年
222	《自适应光学》	周仁忠	国防工业出版社	1996 年
223	《应用光学》	胡玉禧　安连生	科技大学出版社	1996 年
224	《全息光学及其应用》	于美文	理工大学出版社	1996 年
225	《军用光电系统》	高稚允　高岳　张开华	理工大学出版社	1996 年
226	《激光武器》	闫吉祥	国防工业出版社	1996 年
227	《光学仪器计算机辅助设计》	任志文	理工大学出版社	1996 年
228	《光学设计手册》(第二版)	李士贤　李林	理工大学出版社	1996 年
229	《光学测试技术》	苏大图	理工大学出版社	1996 年
230	《光电电子线路》	胡士凌　孔得人	理工大学出版社	1996 年
231	《AutoCAD 的开发与应用》	任志文　赵跃进	理工大学出版社	1996 年
232	《近代光学制造技术》	辛企明	国防工业出版社	1997 年
233	《光学仪器计算机辅助设计作业与练习》	任志文　赵跃进	理工大学出版社	1997 年
234	《光电成像原理与技术》	邹异松　刘玉凤　白廷柱	理工大学出版社	1997 年
235	《军事地理测绘气象》 (中国军事百科全书之十)	张国威	军事科学技术出版社	1997 年
236	《一个指导教师的札记》	周立伟	理工大学出版社	1998 年
237	《虚拟现实软件编程指南》	王涌天译	电子工业出版社	1998 年
238	《实用数字图像处理》	刘榴娣	理工大学出版社	1998 年
239	《光学视觉传感》	刘巽亮	中国科技出版社	1998 年
240	《光纤技术基础》	孙雨南	兵器工业出版社	1998 年
241	《光电子学基础》	李家泽　闫吉祥	理工大学出版社	1998 年
242	《自动检测与仪表》	王仲春	理工大学出版社	1999 年
243	《科技期刊编排学》	揭得尔　夏　阳　赵保章	理工大学出版社	1999 年
244	《激光束传输与变换技术》	卢亚雄　杨亚培　陈淑芬	电子科技大学	1999 年
245	《光谱仪器原理》	李全臣　蒋月娟	理工大学出版社	1999 年
246	《光电成像器件原理》	向世明　倪国强	国防工业出版社	1999 年
247	《光电信息实验技术》	王仲春　刘榴娣　钟堰利	兵器工业出版社	1999 年
248	《应用光学》(第二版)	安连生　李　林　李全臣	理工大学出版社	2000 年
249	《应用傅立叶变换》	刘培森	理工大学出版社	2000 年
250	《Auto LISP 编程与实例: 光学仪器计算机辅助设计》	任志文等	理工大学出版社	2000 年
251	《光电技术实验》	江月松　阎平　刘振玉	理工大学出版社	2000 年
252	《物理学:基本概念及其方方面面的联系》	刘培森	上海科技出版社	2001 年

续表

序号	名　　称	作　　者	出版社	出版时间
253	《环境监测激光雷达》	闫吉祥	科学出版社	2001 年
254	《光纤传感技术与应用》	王惠文	国防工业出版社	2001 年
255	《应用光学》(第三版)	安连生　李林　李全臣	理工大学出版社	2002 年
256	《计算机辅助光学设计的理论与应用》	李林　　安连生	国防工业出版社	2002 年
257	《光纤技术基础》	孙雨南　朱昌编	理工大学出版社	2002 年
258	《光子学技术》	魏光辉	清华大学出版社	2002 年
259	《光电成像器件计算机辅助设计》(CAD)基础知识及课程设计指导书	倪国强	理工大学出版社	2002 年
260	《光子学技术》	王启明　魏光辉	清华大学出版社	2002 年
261	《可调谐激光技术》	张国威	国防工业出版社	2002 年
262	《误差分析与测量不确定度评定》	沙定国	中国计量出版社	2003 年
263	《现代仪器仪表技术与设计》	安连生　盛鸿亮　樊大钧 周立伟　胡威捷　哈流柱 李林　　王涌天　邓仁亮 谷素梅	科学出版社	2003 年
264	《精密机械设计基础》	赵跃进	理工大学出版社	2003 年
265	《工程光学》	李林　　林家明　王平	理工大学出版社	2003 年
266	《电路基础》	刘巽亮　倪国强译	电工工业出版社	2003 年
267	《激光原理与技术》	闫吉祥	高等教育出版社	2004 年
268	《光学材料非球面制造技术》	辛企明	国防工业出版社	2005 年
269	《物理光学教程》	谢敬辉　赵达尊　闫吉祥	理工大学出版社	2005 年
270	《Applied Optics》	李林　　黄一帆　王涌天	理工大学出版社	2005 年
271	《光纤技术:理论基础及其应用》	孙雨南	理工大学出版社	2006 年
272	《应用光学:概念、题解与自测》	李林　　黄一帆	理工大学出版社	2006 年
273	《光电成像原理与技术》	白廷柱　金伟其	理工大学出版社	2006 年
274	《辐射度、光度与色度及其应用》	金伟其　胡威捷	理工大学出版社	2006 年
275	《傅立叶光学与现代光学基础》	谢敬辉　廖宁放	理工大学出版社	2007 年
276	《可编程控制器应用技术》	何献忠	清华大学出版社	2007 年
277	《物理光学的概念与文化素质》	刘培森译	高等教育出版社	2008 年
278	《现代光学设计方法》	李林　　黄一帆　王涌天	理工大学出版社	2009 年
279	《光电子学导论》	闫吉祥	华中科技大学出版	2009 年

附录7 北京理工大学光电学院部分科研成果简介及获奖项目名录

一、科研成果简介

（一）78式三米焦距远程照相机

“三米焦距地面远距离照相机”研制工作开始于1958年。先后经过4次整机试制，历时20年，于1978年由“炮兵军工产品定型委员会”批准设计定型。

“78式三米焦距地面远距离照相机”是远距离侦察设备，焦距3m，相对孔径1∶12.5，视场角4.2°，像幅130mm×180mm，装片量约10m，整机重量60kg。该项目从设计到加工制造全部由我校自己完成，先后投入了大量的人力和物力，共制造了近40台样机，大部分装备了部队，填补了空白，满足了急需，获得了全国科技大会奖励。

1958年3月，苏联专家鲁西诺夫来我系讲学，开了4个课题，“远程摄影”是其中之一。我系袁旭沧、黄航汉，学生彭利铭、马宗杰等参加了该课题的光学设计工作，为了减小镜筒的体积和重量，采用了折反系统。苏联专家走后，该项目继续进行，并由陆乃驹等作了镜筒结构设计，于1960年做出了一个照相机镜头，并用遮挡方式（因无快门和暗盒）拍摄到了一些远距离的景物，比较清晰，证实了该系统具有良好的发展前景。

在1960年炮兵092会议上肯定了以上成果，并将远距离照相机的研制作为一项国家任务，通过国防科委，正式下达我院，项目代号为302。随后，我院又邀请了北京机械研究所作为协作单位。

1960年秋该镜筒和所拍照片参加了一次展出，科工委领导对此十分重视，明确指示，一定要研制出远距离照相机，用于远距离军事侦察。

此后，系里正式组织了研制班子，开始了整机设计工作，何献忠任组长，负责项目总体协调，并负责暗盒设计，樊大钧、盛鸿亮负责快慢门理论分析计算和结构设计，陆乃驹负责镜筒设计，罗文碧负责密封技术和取景器设计。支架由北京机械研究所派来的两名技术员设计，光学系统仍由袁旭沧负责。研制过程中，炮司科技处等直接领导。1961年春，由炮兵司令部及我院有关领导主持，炮兵副司令参加的研讨会上，在听取了项目负责人的汇报后，经过协商最终明确了项目的战术技术条件、使用环境要求。

1962年初夏，设计工作完成，有了全部投产图纸。

为了找试制协作单位，炮司科技处参谋常大华及我系何献忠携带项目总装图及部件装配图到上海照相机厂参观了机械光学加工设备，并与厂长座谈，了解该厂技术力量。双方认为该厂尚无能力作协作单位。回校后，向院领导作了汇报，领导作出了研制样机由我院自己进行的决定。

1963年初因老教师返回教学第一线，系里对研制机构又作了调整。成立了“四系研究室”，将搞结构设计的5人调入该室。王基鸿任组长并负责支架设计，曹会中负责镜筒设计，汤顺青负责快门设计，朱正芳负责暗盒设计，秦秉坤负责总体。在原图纸设计者指导下，学习消化并共同对图纸进行了修改。光学设计由袁旭沧负责。像的质量是照相机最重要的性能，光学设计非常关键。为提高成像质量、减轻重量，对系统作了全面修改，增加了调焦取景系统。

修改完毕后，1963年12月由国防科委第九专业组出面在我院召开了“302”项目设计方案评审会，参加会议的有西安光机所龚祖同，炮兵研究院第五研究所林友苞，长春光机所薛鸣球，总参二部朱立泰，炮司科研部陈盛云等，以及我院有关科研人员。

会后，下车间加工，设计人员也下到生产第一线，与工人师傅一起边加工边解决遇到的难题。在光学方面，经过努力，解决了大口径光学零件的加工与检验问题；并设计研制了六米焦距平行光管等一批装配调试设备。苏大图、曹根瑞等也参加了光学加工装配和系统调试工作。经过一年多加工调试，于1965年完成了第一代完整的样机。

新型相机各部件齐全，可用于实地拍照，像质有了很大提高，整机60千克，由4人背负。背负设备由伍少昊设计。

接着由总参二部和炮司派人引领，我院四系部分参研人员携带仪器先后前往重庆、福州、厦门等边界地区进行了大量实地拍摄，得到部队的好评。回来后对研制工作进行了全面总结，对发现的问题进行了认真讨论，提出了解决方案。由于设计人员参加了全部加工、装配、调试、试验的过程，有了感性知识和实践经验，心中有数了。系里又增加了李全臣、李芷、车念曾、李守德等人员。新老教师和工人师傅一同对原设计展开了全面修改工作，历时约一年，随即加工。约1968年完成了4台第二代样机。

第二代样机性能有了很大的提高，基本达到了能定型的水平，实际结果完全符合原来的设想。研制工作基本成功。又到福建、珍宝岛、绥芬河等地进行了实地拍摄和考验。

按军委〈69〉炮科武字第74号文件精神，为了解决当时急需问题，决定先生产20台。投入批量生产前又对图纸再次作了修改和完善。1971年4月经炮司、五机部、北京军区后勤部等共同研究，定出了相机验收的暂行办法，同年7月又作了补充。

于1971年生产了10台，这就是第三代样机。生产完成后开办了培训班，各军区人员参加，学习后将仪器带回了部队。1972年第二批又是10台，同样装备了部队。以后，于1974年又投产11台，并加工完毕，交付部队，暂存放总后库房。第三代样机共生产了30多台，质量比较稳定，性能达到了任务书所提指标。

1973年1月炮司科研部在我院组织了联席会议，根据20台使用情况，提出

8 条修改意见。我们又对图纸作了修改。1976 年后，完成为定型图纸。后来作了三台样机，应该是第四代样机了。

1978 年年底经“炮兵军工产品定型委员会”以（75）炮定字第 93 号文批准设计定型，取名为“78 式三米焦距地面远距离照相机”。批文是：北京工业学院 78 式三米焦距地面远距离照相机，经全面性能鉴定，符合军工产品设计定型标准，批准设计定型。

部队参谋曾说，“这个项目是上级正式批准的列装项目，很不容易。”

全国科技大会上“78 式三米焦距地面远距离照相机”获得大会奖励。

“三米焦距地面远距离照相机”代号为“401”，意即四系第一个光学仪器研制项目。三米焦距远程照相机先后多次修改、完善，历时近 20 年，经历了设计、加工、部队实验、培训，最后装备部队的全过程，获得了成功。

（二）一米焦距地面远程照相机

为了进一步提高“三米焦距地面远距离照相机”机动性能，总参二部从实战需要出发，要求我们把相机的焦距从三米缩小为一米，镜头仍采用折反射式结构，这样可以大大缩小体积，减轻重量，并于 1969 年提出了研制一米焦距地面远程照相机的任务。

该相机的研制大致分为两个阶段，即初样机研制和正样机研制。初样机研制始于 1969 年，秦秉坤任课题组长。研制过程中，遇到的技术问题较多，由于研制人员的艰苦努力，又有研制三米相机的成功经验，于 1971 年年底多数技术问题得到了解决，并完成了初样机的研制。此项工作为正样机的研制、设计定型打下了良好的基础。

正样机的研制是从 1972 年开始，安文化任课题组长。经过近 6 年的时间完成正样机的研制工作。研制工作中始终坚持与学校工厂及系光学车间的师傅相结合，并结合部分学生的毕业设计工作。正样机搞出后，在总参二部的指导下，进行了一系列部队实用试验，到南方海边、东北低温地区进行实拍试验。1978 年通过设计定型。该产品五机部定为 WG227 产品，并交付总后 3304 厂生产。

1978 年获全国科学大会奖。

该相机主要用于炮兵分队或侦察部队进行前沿侦察，拍摄敌人的前沿目标，通过拼接还可获得全景图片。

主要技术指标：

焦距 987.21mm

画幅 $55 \times 55mm^2$

快门速度为 1/500s……B 门共 6 挡

总重量 小于 16.7kg

主要参加人员：安文化、秦秉坤、陈德惠、秦月贞、袁旭沧、潘乃义、许惠英。

（三）“尖兵一号”卫星照相机

“尖兵一号”侦察卫星全景摄影机是我国自行研制的第一颗侦察卫星中的主要侦察设备。该卫星已多次发射并成功回收获取了大量有重要价值的情报资料，对我国国防现代化和国民经济信息化建设有着重要意义。

1978 年获全国科学大会奖。

主要参加人员：耿立中、高惠民、唐良桂、秦秉坤、安文化、胡士凌、李为、潘乃义、秦月贞、杨洪福、徐丽芳、明万林、刘淑君。

（四）自动安平激光平面仪（激光扫平仪）

自动安平激光平面仪是一种供基本建设工程测量和施工作业平整度控制的新型仪器。该仪器是继 1975 年人工安平激光平面测量控制成果之后开始预研的。仪器采用悬挂激光准直系统的方案，使出射激光束自动保持铅直，并经五角棱镜反射成为水平激光束。当五角棱镜由电机带动绕与光轴重合的铅直轴旋转时，出射光束使扫描出激光水平面，为水平测量及控制提供基准；当取下五角棱镜头部部件后，给出铅直激光束。

仪器的主要用途如下：

（1）大面积水平测量、施工放线。

（2）大面积模板、钢筋混凝土水平作业的水平控制。

（3）滑模、升板施工及其他施工机具水平作业的自动测量及自动控制。

（4）高层建筑的施工和设备安装的铅直、水平误差检测。

本仪器的预研和研制过程：1976 年初北京市科技局下达给北京建筑研究所、北京工业学院、北京工业大学、北京大学和第六建筑公司共同研制“自动安平激光平面仪”。根据协作会议分工，建筑研究所抓总体设计和各单位协调等工作；北京工业学院工程光学系承担仪器的方案调研和拟定、全部设计任务、光学零件加工和仪器的总装、调试及试用；北京工业大学负责机械加工；北京大学负责研制毫瓦单模氦氖激光器及直流稳压激光电源。我院领导接到任务后立刻抽调教师成立科研组，成员为谷素梅、郭富昌、张庆生和陆乃驹，谷素梅为项目负责人。我们从 1976 年 3 月开始进行调研，查找资料，进行方案论证。当时，国内没有有关资料，国外只有些外形图。在建研所欧阳立同志的配合下，终于确定了仪器的原理方案，及仪器的方块图，开始进行光学系统及结构设计。在设计过程中，有关阻尼器问题得到 232 厂的大力支持。在科研组成员加班加点的努力下，终于在 1976 年 11 月 20 日完成了仪器全套产品图纸的绘制，并进行了仪器的精度分析；满足激光束水平扫描误差 ±20 秒及铅直激光束铅直误差为 ±10 秒的要求。其他技术均达标。

在毛主席逝世后，党中央决定兴建毛主席纪念堂。因此，1976 年 11 月 30 日，在基建工程指挥部和市科技局的领导下，由科技局主持召开了协作会议，北京市城市建设工程指挥部、北京工业学院、北京工业大学、北京大学和北京建筑研究所的领导和代表，共 20 余人参会。会议要求 40 天内试制 3 台合格平面仪供纪念堂试用。各协作单位的成员加班加点，如我院光学车间和装配调校的师傅们和研制组的各位老师都用节假日和夜晚加班，仅用 38 天就完成了 3 台仪器的加工装配和调校。尔后，在严寒的冬天，又在我院西操场，由建研所、科研组成员，系科研负责人和装配师傅进行仪器的性能试验，仪器达到了预期的精度要求，并于 1977 年元月 18 日送交毛主席纪念堂工程试用。

通过纪念堂工程实地试用，所研制的自动安平激光平面仪性能良好，操作方便，精确度高，综合误差小于万分之一，工作半径超过 200 米，省工、省力、省材料，深受建筑工人和检查人员的欢迎。自动安平激光平面仪（激光扫平仪）获 1978 年全国科学大会奖。

主要完成人员：谷素梅、张庆生、郭富昌、陆乃驹。

（五）GCH—1 型光学传递函数测定仪

光学传递函数是用于评价光学系统成像质量最客观、最有效的参数指标。本测试仪可进行照相物镜系统，望远系统，对无限远目标，有限远目标的轴上、轴外、子午、弧矢方向的调制传递函数和相位传递函数测量，并附有专用备件对微光夜视仪中的像增强器的传递函数进行测量。该测定仪结构和电路采用了先进技术，测试快速简便，测试精度高。具有数字显示、曲线绘图和打印 3 种输出形式。性能指标达到了当时国际先进水平。该仪器已由川光仪器厂生产十余台。1978 年获全国科学大会奖。

主要完成人：张炳勋、赵达尊、胡士凌、王森山。

（六）DPY—1 型大型偏光应力仪

大型偏光应力仪主要用于透明材料的偏光应力分析和双折射的测量，也可用于机械的光弹试验和分析。它有 300 测量系统和半影测量系统两大部分，均可对试件进行定量测量。还可测晶体材料的双折射光程差及确定其光轴方位。该项目 1979 年通过第五机械工业部部级鉴定，鉴定委员会认为该仪器的研制成功，填补了我国大块玻璃应力定量测试的空白，为制定我国光学玻璃材料应力标准打下了基础。1980 年获国防科工委重大科技成果一等奖。

主要性能指标：

300 系统，通光孔径：Φ300mm

光程差测量精度：$< \pm 3 \sim 5$nm

半影系统，通光孔径：Φ10mm

偏振分析精度：±6°

光程差测量精度：±1nm

主要完成人：苏大图。

（七）YW—1 氩离子激光微束仪

激光微束仪是生物、遗传、医学等学科用于分析、处理细胞的有力工具。它采用氩离子激光器，用优质显微镜将光束聚焦到0.5μm左右，对细胞进行处理。该仪器有连续、脉冲两种工作方式，光能大小、脉冲宽度可以调节，使用方便。该项目1980年通过北京市科委组织的鉴定，认为该仪器性能稳定可靠，瞄准光与照射光来自同一激光器，照射准确、不易失调、光斑小（最小损伤区域直径为0.55μm），达到并超过原计划任务书要求，填补了国内空白。1981年获北京市科技成果二等奖。

主要性能指标：

氩离子激光器：主波长为514.5nm，488nm，多模输出功率≥6W，单模输出，脉冲宽度<10ms（可调），出口光斑直径2mm左右。

对被照射物体的最小损伤光斑：<1μm。

主要完成人：伍少昊、严沛然、汤顺青、陈晃明、朱正芳。

（八）交叉棱镜望远镜激光谐振腔

该项目用来改善激光器的光束质量和机械稳定性，特别是在固体激光器中可以用较差质量的工作物质达到提高光束质量的目的。交叉棱镜望远镜激光谐振腔由带凹球面的直角棱镜、带凸球面的直角棱镜和介质偏振片组成，是把交叉波罗棱镜腔和球面虚共焦腔融合在一起形成新的腔型。采用适当棱镜棱线交叉角、适当放大倍数，按规定调试要求，运转的激光器即可达到上述目的。该项目1983年通过兵器工业部组成的部级鉴定，1984年获国家发明三等奖。本发明已用于一些野外使用的激光设备和大量实际研究中，获得了较大的经济和社会效益。

主要性能指标：

激光输出能量：输入20.8J，输出123.5mJ，点效率0.59%

脉冲重复频率：10~20次/s

机械稳定性：激光能量下降1/3时，失调量小于±3mrad

主要完成人：邓仁亮、徐荣甫、穆恭谦、朱宝亮、张自襄。

（九）大型天象仪

大型天象仪是在室内表演天文现象的科普仪器，该设备采用先进的科学技术，融光、机、电、算于一体，含20多类共200多套光学系统，由近4万个专用零件组成。可放映8 900颗恒星，金、木、水、火、土五大行星及太阳、月亮等的各种视运动，如作周日、周年、岁差、极高、地平、地经、赤经等运动。有完善的赤道黄道等各种坐标系统。还有多种完成单项放映任务的附属仪器。该设备已在北京天文馆安全运行了 25 年，接待了千万人次，对普及天文知识起到了重要作用。1985 年获国家级科技进步二等奖。

主要性能指标：

天幕直径：23m

放映恒星：8 573 颗

太阳系星体：太阳、月亮、五大行星

运动：周日、周年、岁差、极高、地平、赤经、平经

坐标系统：赤道坐标系、黄道、地平坐标系、活动地平圈、活动赤经圈、时角极圈、岁差圈、平太阳等。

主要完成人：伍少昊、严沛然、谈天民、潘广钺、袁旭沧、熊威廉、张素澄、李开源、汤顺青、李全臣、朱正芳、安连生、李士贤、陈秀云。

（十）PJ—1 型光电阴极制作检控仪

该仪器能自动记录光电阴极制作过程中的主要参数、光电流的时间函数、全过程中的真空度和激活温度。配以规范工艺曲线，可获得高质量的同一标准的光电阴极，为我国光电器件的生产及科研试制提供了一部性能较全、适应性强的工艺检控设备。该仪器 1984 年通过兵器工业部部级鉴定，认为它的研制成功，填补了我国在光电技术领域中光电阴极制作工艺设备的空白。该仪器已被我国光电阴极生产工厂及研究单位广泛应用。1985 年获国家级科技进步三等奖。

主要完成人：张忠廉、王仲春、张民生。

（十一）“三七工程”膜系

“三七工程”膜系是国家重点工程“三七工程”在建设中所遇到的 8 个高难度膜系，它包括：

（1）450 ~ 900nm 宽带增透膜，R < 1%，吸收散射耗损 < 0.5%。

（2）450 ~ 1 100nm 宽带增透膜，R < 1%，在 1.06μm 处 R < 0.5%，在功率密度为 150mW/cm^2，脉宽为 10 ~ 20ns 的 1.06μm 激光，幅照 105 次膜层无损伤。

（3）工作在 450 ~ 1 100nm 波段银反射镜，45°入射，R > 95%，在 1.06μm 处 R > 97%，能在功率密度为 50mW/cm^2，脉宽 10 ~ 20ns 的激光照射下，幅照 103 膜层无损伤。

（4）可见光区和 1.06μm 双波段增透膜。

（5）反可见光透 1.06μm 立方棱镜硬质分光膜，对白光反射率不小于 85%，对 1.06μm 透射率不小于 80%。

（6）1.06μm 硬膜虑光片：峰值透射率≥70%，半宽度 250 ~ 350nm，通带起

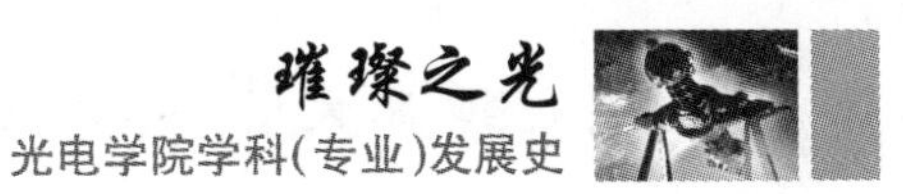

始斜率和截止斜率 <6%，阻带截止深度 <0.1%，阻带波长范围 300 ~ 1 260nm，滤光片是单片的，不用胶合形式。

(7) 染料片 1.06μm 高效增透膜：R <0.25%。

(8) 1.06μm 硬质高效增透膜。

1986 年通过兵器工业部部级鉴定，1988 年获国家级科技进步三等奖。

主要完成人：林永昌、卢维强。

(十二) 多光谱摄影技术识别地面目标

将可见光及近红外光谱区分为 10 多个窄波段，对同一景物、目标同时摄取不同波段的黑白图像，经合成图像处理后，扩大其影像互相间的微小差异而获得其假彩色图像，将难于识别的目标辨认处理。现已研制成从地面和空中摄影的多光谱相机，配套的假彩色图像合成仪。可以对地面和水中目标进行多光谱技术应用研究。

从直升机上探测地面雷场。在经合成处理的图像中，可以从绿色草地背景中辨认出呈现红色的反坦克雷及防步兵雷。在以自然植被为背景环境条件下，对各种伪装网、迷彩服及伪装涂层的伪装效果识别，能清晰地分辨出一般军绿和有防红外的伪装网、迷彩服及涂料，有一般黑白及彩色红外侦察图像所达不到的识别目标能力。具有显著的军事效益，是可见光谱段光电对抗的有效手段。该项目 1990 年通过兵器工业部组织的部级鉴定，获 1992 年度国家级科技进步三等奖。

主要性能指标：

采用窄波段多光谱摄影，将 400 ~ 700nm 的可见光谱段分为 14 个窄波段。

主要完成人：唐良桂、李芷、徐丽芳、甘泉。

(十三) 宽电子束聚焦理论与设计

宽电子束聚焦理论与设计的课题乃是从理论到设计研究各种聚焦方式下大物面宽电子束成像的问题。理论部分的研究创建了电磁聚焦同心球系统、倾斜型系统电磁聚焦移像系统的电子光学，阴极透镜的像差理论以及曲轴宽电子束聚焦理论和像差理论，建立了较为完整的理论体系，丰富了电子光学理论宝库。设计部分，研究了静电聚焦于电磁聚焦成像系统的正设计与逆设计及其软件包。

该成果 1990 年通过兵器工业部组成的部级鉴定，鉴定委员会认为该课题的理论及设计思想自成体系，学术水平居国内外领先地位，在若干方面居国际领先地位。本课题成果对推进发展我国的微光夜视行业及电子离子光学仪器仪表行业起着积极的作用，已在国内推广，并获得了数百万元以上的直接经济效益及影响较大的社会效益。获 1990 年度部级科技进步一等奖，获 1991 年度国家级科技进步二等奖。

主要完成人：周立伟、方二伦、倪国强、金伟其、艾克聪、孙九恒、王仲春、潘顺臣、仇伯仓、倪明芳。

（十四）聚四氟乙烯漫反射泵浦腔及其制作方法

该项目用以解决各类强制冷却固体激光器泵浦腔（pumping cavity，或称聚光腔、聚光器）的换代。该项目在于：第一，对聚四氟乙烯悬浮树脂（PTEF）的新应用；第二，聚四氟乙烯漫反射泵浦腔的制作方法。

这种泵浦腔的综合性能比传统的泵浦腔（如镀金、镀银腔），具有泵浦腔均匀，光、热稳定性好，转换效率高，不污染，不炸裂，寿命长，维护简便，可揭层翻新，制作工艺流程短，成本低的特点。该项目 1991 年通过兵器工业部部级鉴定，认为该项目为国内外首创，并具有当前国际先进水平，已在国内数十个单位得到应用，取得满意效果。1992 年获国家发明三等奖。

主要完成人：邓仁亮、朱宝亮、张坤、丁仁强、李绍英。

（十五）微型梯度光学元件三维折射率分布测量

随着光纤通信迅猛发展，作为耦合器件的梯度透镜（又称自聚焦透镜）也得到了可喜的发展。梯度透镜是利用离子交换的方法形成自聚焦的光学特性，如何测量其折射率分布是一个亟待解决的重要课题。

该测量采用激光横向干涉技术和计算机层析术相结合，创造性地解决了微型梯度光学元件三维折射率分布测量。提出了二次消噪技术，第一次空域滤波，第二次在干涉条纹中心萃取和追迹过程中消噪，使本测量系统实现了实时化，智能化。其次，在日本伊贺健一教授横向干涉法测量梯度光学元件折射率分布近似解的基础上发展为精确解，提高了测量精度。该系统 1991 年通过兵器工业部部级鉴定，并为国内从事梯度光学的研究和生产元件的单位使用。1992 年获国家发明三等奖。

主要完成人：秦秉坤、孙雨南、陈宇红。

（十六）高精度球面曲率半径测定仪

高精度球面曲率半径测定仪是一台高精度测量抛光凹球面曲率半径的基准仪器，该仪器采用先进的定焦技术和测长技术。它是研制高科技领域所需的高成像质量的大型光学仪器必备的关键测试设备之一，是为科研计量部门和国家计量机构而研制的。该仪器可用目视定焦或用 CCD 光电定焦。该仪器 1992 年通过部级鉴定，鉴定委员会认为该仪器在双线定焦原理和测量精度方面处于国内领先地位，达到 20 世纪 80 年代末国际先进水平。1993 年获兵器工业总公司科技进步二等奖。

主要性能指标如下。

测量精度：

(1) R = 400mm 以上，D/R = 0.2 ~ 0.4 时，相对误差为 | ΔR/R | ≤1/100 000，相当于ΔR 在 ± (4 ~ 10) μm。

(2) 160mm≤R≤399mm，D/R = 0.4 ~ 0.8 时，相对误差为 | ΔR/R | ≤1/100 000。

(3) 50mm≤R≤159mm，D/R≥0.8 时，绝对误差为ΔR = ±2μm。

测量范围：R = 50 ~ 1 000mm

可测最大零件直径：Φ = 220mm

相对孔径：D/R = 1/1 ~ 1/5

主要完成人：林家明、苏大图、尹芬、沙定国。

（十七）光纤传像束像质评价及其测试装置

该课题采用空域法获得 SSMTF。为了有效地统计像束不同位置、不同方向上扩展函数，进而提出了线扩展函数与点扩展函数相结合。分别采用窄缝和星孔作为像源，在像束出端不同位置上的扩展函数和不同方向上的扩展函数是不同的，从而全面客观反映出像束的像质。并根据空域法和 SSMTF 的基本测试原理，在国内外首先研制成非接触式光纤传像束 MTF 测试装置。为了提高测试的精度，采用了消除杂光计算机处理技术。

该项目 1996 年通过兵器工业总公司部级鉴定，认为其研究成果居国内领先，达到了 20 世纪 90 年代国际先进水平。1998 年获国家发明三等奖。

主要性能指标：非接触式光纤束串光及 MTF 测试仪器重复精度 6%。

主要完成人：王琦、方伟、秦秉坤、吴秀玲。

（十八）飞行仿真头位跟踪视景显示系统

“飞行仿真头位跟踪视景显示系统”课题是“航空武器论证仿真系统”中的重要组成部分，是供空军进行战术技术研究和飞行员训练的模拟仿真系统，是置于 10 米直径大球球心的光、机、电与计算机综合的大型光电设备。该系统于 1998 年通过部级鉴定，鉴定委员会认为该项目属于国内首创，并达到 20 世纪 90 年代初国际先进水平。1998 年获全军科技一等奖，1998 年获部级科技进步一等奖，1999 年获国防科工委科技进步一等奖。该仪器已被空军理论攻关组对多种机型空战研练方案、多种战法进行了数百架次的计算机仿真模拟，取得了很好的效果。

主要性能指标如下。

工作波段：可见光

目标系统：显示视场 3° ~ 30°

活动视场　水平 > ±150°

垂直 > +80° ~ −40°

具有 10 倍变焦能力，全程变焦时间小于 1 秒，系统透过率大于 0.5

在 5 米的球幕上，显示视场照度不均匀性小于 20%

在 5 米的球幕上，显示视场内对比度大于30:1

方位及俯仰运动：

方位最大跟踪角速度 > 20rad/sec

方位最大跟踪角加速度 > $80rad/sec^2$

俯仰最大跟踪角速度 > 20rad/sec

俯仰最大跟踪角加速度 > $80rad/sec^2$

位置误差小于 3.5″

主要完成人：安连生、李全臣、金钰、李为、蒋月娟、李林、袁旭沧、朱正芳、汤顺青、胡威捷、范秋梅。

（十九）76.2mm 全景航空照相机

此相机是无人机机载侦察设备，该相机采用卧式光学镜筒绕自身轴线转动，实现扫描运动的全景相机，因而体积小，适用于小型无人机使用。该相机 1996 年通过兵器工业总公司部级鉴定，1997 年获兵器工业总公司科技进步二等奖，已投入使用。

主要性能指标如下。

焦距：f′ = 76.2mm　相对孔径：F2.8 ~ F22　视场：41° × 180°

快门曝光速度 1/240 ~ 1/1 600s

装片量：70mm × 90m　一次装片能拍摄 340 张　像幅：57 × 239mm

摄影周期（拍摄时间间隔）：T = 1.5 ~ 20s

重量：15kg

体积：$160 \times 320 \times 295mm^3$

主要完成人：唐良桂、丁汉章、徐丽芳、陈南光、李芷、甘泉。

（二十）像管优化设计及 ODESI 软件包

该课题研究了静电聚焦像管电子光学系统优化设计理论与方法，研制成功国内外第一个微机运行环境下的像管优化设计实用软件包 ODESI。它以正设计软件包 XGSJ 为基础，国内外首创将多重网格法引入至求解电子光学场分布，并成功地将非线性约束变尺度法引入电子光学优化设计以及将曲轴宽电子束聚焦理论应用于设计实际，大大提高了电位场与优化计算的速度、效率及精度，具有鲜明的技术特色。实际计算表明：①DE 双性能稳定，计算可靠，解题适应能力强，整体收敛性好；②ODESI 高效性、稳定性和友好方便的用户接口，满足实用化要求；③ODESI 具有开发新型高质量像管的能力，国内外一些著名的像管都有可能通过优化设计进一步提高像质。该研究得到兵器科学研究院预研项目（1991—

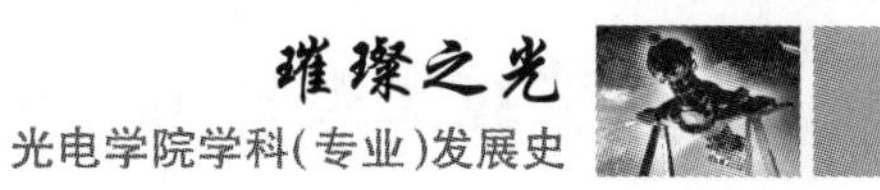

1995年）和国家自然科学（青年）基金项目（1992—1994）的研究资助。1994年1月由国内11位专家教授组成的（部级）鉴定委员会认为："此成果在国际上属首创并处领先地位，……，达到国际上90年代电子光学通用软件的先进水平，在国内外具有推广价值，……，是我国成像电子光学系统设计的重大突破，具有较大的社会效益和经济效益，对计算电子光学CAD的发展具有重要意义，并对推动我国光电成像器件的研制与发展有重要的现实意义。……"1995年获兵器工业总公司科技进步一等奖，1996年获国家科技进步3等奖。ODESI软件包已在兵器工业205所、298厂、559厂和北京天文台等单位的像管设计分析中使用。

主要完成人：周立伟、张智诠、金伟其、倪国强、王仲春。

（二十一）GOLD复杂光学系统分析优化软件包

GOLD（原名GOSA）是大型光学设计软件包。它可以对各种光学系统进行像质分析和结构优化，其适用范围囊括了目前国内外用于光学成像系统设计制造的各种技术。

主要功能如下。

（1）系统数据的输入、检验、修改和存储。

为了方便用户，GOLD软件配备了精美的图形输入界面，同时也保留了GOSA原有的指令输入方式，可根据需要随时切换使用。软件配有详尽的中、英文屏幕提示；具有很强的编辑和自检功能，允许使用者随时修改输入错误并可自动拒绝接受互相矛盾的错误输入；带有玻璃图谱以便正确选用玻璃；可随时用三视图和三维图形显示系统的9个版本，每个版本可附简短注释以记下使用者的设计思路。

（2）光线追迹和像差分析。

本软件可以追迹使用者指定的任意一条光线，并根据要求用数字或图形输出其在光学系统中的轨迹；可以计算系统的三级像差和实际像差并绘出像差曲线；可以用普通多项式或泽尼克（Zernike）多项式表示出瞳波面的波像差并验检该多项式拟合的精度。

（3）像质指标计算和其他系统分析。

本软件可以对各种复杂光学系统计算点列图、点扩散函数和光学传递函数等各项像质指标，可根据要求用数字或图形输出计算结果并提供了对轨像和红外扫描成像系统中冷反射（Narcissus）的分析和控制手段。

（4）系统结构的阻尼最小二乘法优化和全局优化设计。

本软件的优化计算可采用传统的几何像差平方和或建立在衍射理论基础上像质指标作为评价函数；可选取复杂光学系统中任何种类的结构参数作为优化变量；可方便地处理多重结构系统、折反射系统、对称系统中常遇到的关联参数问题；可按要求控制系统的焦距、后工作距、放大率和其他各种高斯光学参量，以及三级像差系数、镜片中心及边缘厚度、系统总长、玻璃变化区域等；可在每一迭代中自动选取最佳像面位置；亦可自动寻找最佳阻尼因子和自变最空间解向量的最佳长度。最新研制成功的全局优化功能可以从一个初始结构出发自动找出多个满足设计要求的结构供设计者选取；各种加工辅助功能包括光学面有效通光口径的估算；光学元件国标加工图纸的自动绘制；衍射光学元件加工掩模版的自动设计等。

该软件研制发展的不同阶段，先后通过了由中国光学学会名誉理事长王大珩院士和理事长母国光院士主持的部级鉴定，被评为“理论新颖、计算可靠、功能齐全、使用方便，为我国光学设计的发展作出了重要贡献，达到国际先进水平并处于国际前列地位”。有关的获奖项目包括：“非常规复杂光学系统计算机辅助设计的研究”成果获1991年度中国科学院科技二等奖，“军用光电光学系统的像质评价和结构优化”获1996年度国家科技进步二等奖，“近代复杂光学系统的优化设计及在光电工程中的应用”获1998年度国家科技进步三等奖。

GOLD软件的研制工作仍在继续，为此我们已和中国科学院长春光学精密机械研究所应用光学国家重点实验室、英国Reading大学以及研制著名的CODEV软件的美国Optical Research Associates公司建立了长期合作关系。正在或将要加入的功能包括公差自动分配、温度压力等环境影响考虑、镜头库、杂光分析、多层镀膜优化、机械结构设计等，逐步建设我国自己的高性能多功能大型光学工程软件。

主要完成人：王涌天。

二、获奖项目名录

序号	项目名称	获奖情况	备注
1	三米焦距地面远程照相机	1978年全国科学大会奖	
2	一米焦距地面远程照相机	1978年全国科学大会奖	
3	“739”抛光粉	1978年全国科学大会奖	
4	航甲15—60相机	1978年全国科学大会奖	
5	“尖兵一号”卫星照相机	1978年全国科学大会奖	
6	PJ—1型光电光楔测角仪	1978年全国科学大会奖	
7	74式1.2米地炮测距机	1978年全国科学大会奖	
8	激光扫平仪	1978年全国科学大会奖	
9	检验高精度抛物面的新型透镜补偿器	1978年全国科学大会奖	
10	国产电影摄影物镜中焦系列	1978年全国科学大会奖	
11	光学自动设计程序	1978年全国科学大会奖	
12	GCH—1型光学函数测定仪	1978年全国科学大会奖	
13	变像管电子光学系统设计程序	1978年全国科学大会奖	
14	大型天象仪	1978年全国科学大会奖	
15	变像管电子光学系统设计程序	1980年国防科工委重大科技成果一等奖	

续表

序号	项目名称	获奖情况	备注
16	DPY—1 型大型偏光应力仪	1980 年国防科工委重大科技成果一等奖	
17	棱镜调整理论与实践	1980 年国防科工委重大科技成果二等奖	
18	“尖兵一号”人造地球卫星照片地面处理设备	1980 年国防科工委科技成果二等奖	
19	HBZ—1 宽量程微照度计	1980 年兵器工业部技改二等奖	
20	电磁聚焦同心球系统的电子光学	1980 年兵器工业部技改二等奖	
21	哑铃型断面扭管在对称力作用下的扭变形	1980 年兵器工业部技改二等奖	
22	探讨强压处理新设想及可能	1980 年兵器工业部技改二等奖	
23	巴比内—索列尔补偿器	1980 年北京市科技成果三等奖	
24	YLX—1 型荧光屏亮度和像质测试仪	1981 年国防科工委重大科技成果四等奖	
25	光学自动设计	1981 年国防科工委重大科技成果四等奖	
26	多股螺旋弹簧制造与验收技术条件	1981 年兵器工业部技改二等奖	
27	YW—1 氩离子激光微束仪	1981 年北京市科技成果二等奖	
28	光学玻璃金刚石平面高速精磨新工艺	1982 年兵器工业部重大科技成果二等奖	
29	工艺因素对光学零件高速精磨的影响	1982 年兵器工业部重大科技成果二等奖	
30	光电调 Q 交叉直角棱镜谐振腔技术	1982 年兵器工业部重大科技成果四等奖	
31	激光旋转弹导引头原理方案论证和照射器研究	1982 年兵器工业部重大科技成果四等奖	
32	具有变折射率膜层的宽带增透膜	1982 年兵器工业部重大技改四等奖	
33	新型分光棱镜	1982 年兵器工业部技改一等奖	
34	双卷帘快门的自动设计	1982 年兵器工业部技改二等奖	
35	着色眼镜片	1982 年北京市科技成果三等奖	
36	偏光图像处理仪	1982 年北京市科技成果二等奖	
37	交叉棱镜望远镜激光谐振腔	1984 年国家发明三等奖	
38	QJM—220 小球面高速精磨机	1984 年国防科工委重大科技成果三等奖	
39	JC—1 型光电阴极制作多功能信息检控仪	1984 年国防科工委重大科技成果三等奖	
40	引信零件尺寸光电投影自动测量仪	1984 年国防科工委重大科技成果四等奖	
41	0.618 光学自动设计软件	1984 年国防科工委重大科技成果四等奖	
42	全息摄影光学玻璃均匀性检查仪	1984 年国防科工委重大科技成果四等奖	
43	像管信噪比测试理论及测试仪	1985 年国防科工委重大科技成果三等奖	
44	微激光峰值功率计	1985 年国防科工委重大科技成果三等奖	
45	83 式地炮激光测距仪测程室内检测仪	1985 年国防科工委重大科技成果三等奖	
46	1.06 微米调 Q 激光组件	1985 年国防科工委重大科技成果四等奖	
47	多光谱合成仪	1985 年国防科工委重大科技成果四等奖	
48	大型天象仪	1985 年国家科技进步二等奖	
49	BDN1.06 微米调 Q 染料片	1985 年国家科技进步二等奖	
50	PJ—1 型光电阴极制作检控仪	1985 年国家科技进步三等奖	
51	PDF—802 型电子分色机	1995 年文化部科技成果一等奖	
52	磁起偏氦氖激光器	1985 年北京市科技成果三等奖	
53	DXI 型光纤面板刀口响应测试仪	1986 年兵器工业部科技进步二等奖	
54	光纤面板透过率测试仪	1986 年兵器工业部科技进步二等奖	
55	光纤面板数值孔径测试仪	1986 年兵器工业部科技进步二等奖	

续表

序号	项目名称	获奖情况	备注
56	圆柱螺旋弹簧的设计与计算	1986年兵器工业部科技进步二等奖	
57	横向塞曼稳频 He—Ne 激光器及其应用	1986年兵器工业部科技进步二等奖	
58	光学法监测光电阴极仪	1986年兵器工业部科技进步二等奖	
59	宽波段消偏振分光棱镜	1986年兵器工业部科技进步二等奖	
60	激光横向塞曼效应实验仪	1986年兵器工业部科技进步二等奖	
61	光学塑料零件成型工艺	1987年机电部科技进步三等奖	
62	像增强器瞬时调制传递函数测试仪	1987年机电部科技进步二等奖	
63	半导体激光泵浦固体激光器研究	1987年机电部科技进步三等奖	
64	"三七工程" 膜系	1988年国家科技进步三等奖	
65	照相镜头光谱透射比测试仪	1988年机电部科技进步三等奖	
66	激光旋光双折射测试仪	1988年机电部科技进步三等奖	
67	PMMA 光学塑料成膜技术	1988年机电部科技进步三等奖	
68	闪光光谱测试仪	1989年机电部科技进步一等奖	
69	自聚焦透镜工艺研究	1989年机电部科技进步三等奖	
70	大面积图像全息处理系统	1989年机电部科技进步三等奖	
71	可调焦望远镜交叉棱镜非稳定激光谐振腔研究	1989年机电部科技进步三等奖	
72	GZC—1 型光电器件综合特性测试仪	1990年兵器工业总公司科技进步二等奖	
73	全息光学的基础理论与系统设计及应用研究	1990年兵器工业总公司科技进步三等奖	
74	高功率相关调谐双频染料激光器	1990年兵器工业总公司科技进步三等奖	
75	宽电子束聚焦理论与设计	1991年国家科技进步二等奖	
76	渐变折射率光学系统及其测量技术	1991年兵器工业总公司科技进步二等奖	
77	测色色差计系列	1991年兵器工业总公司科技进步二等奖	
78	地面多光谱相机	1991年兵器工业总公司科技进步二等奖	
79	视场仪检定规程	1991年兵器工业总公司科技进步三等奖	
80	手持稳像望远镜	1990年兵器工业总公司科技进步三等奖	
81	传像束光谱透过率测试仪	1991年兵器工业总公司科技进步三等奖	
82	CL—1 型 SI—CCLID 综合特性自动测试仪	1990年兵器工业总公司科技进步三等奖	
83	U 型波纹管和膜片设计	1991年机电部国家"七五"科技攻关优秀奖	
84	聚四氟乙烯漫反射泵浦腔及制作方法	1992年国家发明三等奖	
85	微型梯度光学元件三维折射率分布测量	1992年国家发明三等奖	
86	多光谱摄影技术识别地面目标	1992年国家科技进步三等奖	
87	非接触式微小位移光纤传感器	1992年兵器工业总公司科技进步三等奖	
88	宽视场激光定位、告警技术研究	1992年兵器工业总公司科技进步三等奖	
89	高精度球面曲率半径测定仪	1993年兵器工业总公司科技进步二等奖	
90	调 QYAG 激光眼科治疗机	1993年兵器工业总公司科技进步三等奖	
91	柔性光学铰链位标器	1993年兵器工业总公司科技进步三等奖	
92	离子镀钛—枪黑色氮钛膜技术	1993年兵器工业总公司科技进步三等奖	
93	微光电视实时图像处理技术研究	1993年兵器工业总公司科技进步三等奖	
94	射频激励波导阵列 CO_2 激光器技术	1993年兵器工业总公司科技进步三等奖	
95	积分球及靶标	1993年兵器工业总公司科技进步三等奖	

续表

序号	项目名称	获奖情况	备注
96	用可见光谱测定硝化纤维素含氮量和氮量均匀性方法的研究	1993年兵器工业总公司科技进步三等奖	
97	红外CCD器件特性测试	1993年兵器工业总公司科技进步三等奖	
98	弱光H—S波前传感器实验系统	1994年兵器工业总公司科技进步二等奖	
99	中长红外双波段辐射强度测量设备	1994年兵器工业总公司科技进步三等奖	
100	手持稳像望远镜稳像精度和动态像质综合测试系统	1994年兵器工业总公司科技进步三等奖	
101	开关变换型袖珍稳流He—Ne激光电源	1994年兵器工业总公司科技进步三等奖	
102	JZT—1激光准直装置	1994年铁道部科技进步二等奖	
103	DXZ—901光纤面板刀口响应自动测试仪	1995年兵器工业总公司科技进步三等奖	
104	0.9μm激光烟幕透过率测量设备	1995年兵器工业总公司科技进步三等奖	
105	实用的三维真彩色模压全息	1995年兵器工业总公司科技进步三等奖	
106	光电仪器技术标准数据库OPDB软件	1995年兵器工业总公司科技进步三等奖	
107	第一代通用组件热像仪静态性能模型SPTIS软件包	1995年兵器工业总公司科技进步三等奖	
108	焦距仪计量标准器——焦距标准透镜	1995年兵器工业总公司科技进步二等奖	
109	光学传递函数综合标准	1995年机械工业部科技进步二等奖	
110	像管优化设计及ODESI软件包	1996年国家科技进步三等奖	
111	电磁聚焦成像系统逆设计理论与方法的研究	1996年兵器工业总公司科技进步二等奖	
112	大型电机定子绕组振动光纤测试仪	1996年兵器工业总公司科技进步三等奖	
113	绞合式光纤传感器嵌入复合材料中的智能化技术	1996年兵器工业总公司科技进步三等奖	
114	视场仪计量标准器——视场标准望远镜	1996年兵器工业总公司科技进步三等奖	
115	保偏光纤双折射测试系统	1997年电子部科技进步二等奖	
116	保偏光纤串音测试系统	1997年电子部科技进步二等奖	
117	光纤面板数值孔径、透射比测试仪	1997年兵器工业总公司科技进步二等奖	
118	76.2mm全景航空照相机	1997年兵器工业总公司科技进步二等奖	
119	自适应光学宽视场和部分校正问题的理论研究	1997年兵器工业总公司科技进步二等奖	
120	高精度OTF计算软件	1997年兵器工业总公司科技进步三等奖	
121	光纤传像束像质评价及其测试装置	1998年国家发明三等奖	
122	自聚焦透镜阵列研究	1998年兵器工业总公司科技进步二等奖	
123	OTF标准望远镜	1998年兵器工业总公司科技进步二等奖	
124	激光彩虹模压全息防伪标识性能测试仪	1998年兵器工业总公司科技进步三等奖	
125	光电综合仪器测试方法与综合测试系统研究	1998年兵器工业总公司科技进步三等奖	
126	飞行仿真头位跟踪视景显示系统	1999年国防科工委国防科技进步一等奖	
127	红外应力双折射计量检定装置	1999年国防科工委国防科技进步二等奖	
128	大面积彩虹全息图的理论探索与实验研究	1999年国防科工委国防科技进步三等奖	
129	红外热成像图像处理系统的研究	1999年国防科工委国防科技进步三等奖	
130	准直式地球模拟器	2000年国防科工委国防科技进步二等奖	
131	红外多光谱扫描仪太阳定标器	2000年国防科工委国防科技进步二等奖	
132	灯泵钛宝石可调谐激光器	2001年国防科工委国防科技进步三等奖	
133	×××系统国产化研究	2002年国防科工委国防科技进步一等奖	协作
134	激光测距目标指示器检测仪	2003年国防科工委国防科技进步三等奖	协作

续表

序号	项目名称	获奖情况	备注
135	基于对称 3×3 耦合器的光纤干涉多波长解调仪研究	2006 年国防科工委国防科技进步三等奖	
136	激光测距机主要性能参数测试系统	2006 年国防科工委国防科技进步三等奖	
137	虚拟现实和增强现实的人机交互技术研究	2007 年国防科工委国防科技进步三等奖	
138	光学干涉多参数网络计量技术研究	2007 年国防科工委国防科技进步三等奖	
139	彩色夜视成像理论与技术研究	2007 年国防科工委国防科技进步三等奖	
140	高性能 ns 级选通微光像增强器 CCD 技术	2007 年国防科工委国防科技进步三等奖	
141	自适应光学技术在空间遥感器的应用	2007 年国防科工委国防科技进步三等奖	
142	射频/红外成像复合共口径模拟器	2007 年国防科工委国防科技进步三等奖	
143	军用光学参数综合测试技术与装置	2008 年国防科工委国防科技发明二等奖	
144	多色焦平面系统芯片数据融合及光输出技术	2009 年国防科工委国防科技进步二等奖	
145	微型数字成像系统技术研究	2009 年国防科工委国防科技进步三等奖	

附录8　北京理工大学光电学院1985年后部分学术论文名录

序号	论文题目	作　者	备注
1	《宽谱热光偏振态的统计描述》	刘培森	
2	《通过固体推进剂火焰的激光信号衰减研究》	张　平　徐荣甫	
3	《一种适于自适应光学的旋转软刀口液面传感器的研究》	俞　信　刘　晨	
4	《再现实像的大视角菲涅尔全息图的制作》	王典民　哈流柱　王民草	
5	《彩虹全息图色散观察窗的设计与综合》	谢敬辉　杨　辉	
6	《倾斜型电磁聚焦系统的电子光学》	周立伟　方二伦	
7	《用铁电晶体四波混频的实时光学检测》	尚庆虎　于美文	
8	《周视投影彩虹全息术》	王典民　哈流柱　王民草	
9	《合成多狭缝的彩虹消色像全息术》	于美文　郭春燕　张静方	
10	《面对称静电场中曲轴宽电子束聚焦的象差理论》	金伟其　周立伟　倪国强	
11	《像管电子光学系统的设计》	周立伟　方二伦　倪国强　金伟其	
12	《射频激励全金属波导 CO_2 激光器》	辛建国　魏光辉　闫　平	
13	《复杂光学系统的光路追迹和象差公式》	王涌天　H. H. Hopkins	
14	《周视彩虹全息术》	王典民　哈流柱　王民草	
15	《像管阴极透镜的调制传递函数》	周立伟　张智诠　倪国强　金伟其	
16	《弱光 H—S 波前传感器的精度分析》	曹根瑞　俞　信	
17	《人眼的色适应对荧光屏显示色貌的影响》	李　为	
18	《转镜扫描高速摄影系统的信息量》	李德熊	
19	《适合在微机上使用的杂光分析方法》	李德熊　闫达远	
20	《部分校正自适应系统激光导星》	阎吉祥　周仁忠　俞　信	
21	《大气折射率结构常数研究》	阎吉祥　周仁忠　俞　信	
22	《恒偏向高分辨率变束棱镜光谱仪》	张国威	
23	《激光二极管泵浦，包心 YAG 片调 QNd：YAG 激光器》	李家泽　高春青	
24	《一种新型光学材料——EA 光学塑料的研制》	郑武成　韩亚娟　查立豫　杨玉昆	
25	《自适应光学多共轭波前传感的层析技术》	阎吉祥　俞　信　周仁忠　沙定国	
26	《空间传感器的杂志计算》	李德熊　闫达远	
27	《具有档光环的遮光筒的等效反射率》	李德熊　闫达远	
28	《减少自变量与 ALOPEX 算法在二元光学元件设计中的应用》	易治明　赵达尊	
29	《红外扫描成像系统中冷像的分析和控制》	王涌天　崔桂华	
30	《移相干涉术的新方法——声光变频移相法》	朱秋东	
31	《新型圆束偏器》	赵跃进	
32	《基于对比度的离散小波变换图像融合》	蒲　恬　倪国强	
33	《地球作为扩展源的杂光计算》	李德熊　闫达远	
34	《电磁聚焦成像系统中曲轴宽电子束聚焦的像差理论》	金伟其　周立伟　倪国强	
35	《提高 OCR 识别率的研究》	白廷柱	
36	《自适应光学 MCAO 层折原理》	阎吉祥　俞　信　赵达尊	
37	《计算机控制抛光机床》	辛企明	
38	《角锥棱镜单频 Nd：YAG 激光器》	吴克瑛　杨苏辉　赵长明　魏光辉	
39	《迷彩伪装的谱识别方法》	宋桂兰　汤顺青	

续表

序号	论文题目	作　者	备注
40	《高 Tc 超导体 Bi－Sb－Sr－Ca－Cu－O 体系的红外光谱及［CuO_5］金字塔结构》	宋桂兰　朱正芳	
41	《连续变倍体视显微镜共用前置物镜的设计》	李士贤　安连生	
42	《多共轭校正的分析原理》	阎吉祥　俞　信　赵达尊	
43	《随机点全息图》	胡威捷　谢敬辉　赵业玲	
44	《热成像系统视距估算中景物辐射特性的研究》	金伟其　高稚允　胡士凌　高　岳	
45	《热成像系统对扩散源目标的视距估算》	金伟其　张敬贤　高稚允　王仲春	
46	《离子交换制作微透镜阵列交换电场的研究》	孙雨南　刘　进　崔　芳　熊　剑	
47	《红外双波段探测技术研究》	刘敬海　徐荣甫	
48	《论 OE－HOE 目视系统物像空间相似性》	哈流柱	
49	《窄带高反膜的研究》	谭满清　林永昌　周　建	
50	《电致变色中电介质膜参数的研究》	陈永军　林永昌	
51	《光子计数成像技术及其应用》	曹根瑞　俞　信　胡新奇	
52	《一种新型固体 Q 开关——Cr4＋：YAG 的实验研究》	雷海容　刘宏发　严柏生　张国威	
53	《一种数字化高灵敏度荧光显微镜及其在竹红菌甲素研究中的应用》	陈天明　王苏生　俞　信　曹思华	
54	《光子图像的 X2 拟合信号检验》	陈天明　俞　信　王苏生	
55	《超微弱生物发光图像中的统计检验》	陈天明　俞　信　王苏生	
56	《超微弱发光图像的统计处理方法》	陈天明　俞　信　王苏生	
57	《利用 Fraunhofer 全息图的再现实像测刀孔的椭圆度》	梁万国　沈庭芝　蒋剑良　邱大庸	
58	《全息图的假彩色编码和狭缝宽度的选择》	梁万国　蒋剑良　邱大庸	
59	《双光瞳系统的光学传递函数及扫描全息术》	梁万国　谢敬辉　赵达尊　赵业玲	
60	《激光彩虹模压全息防伪标识的一种新的加密机制》	哈流柱　郑杰辉	
61	《拉姆米经典激光理论中原子运动的唯象处理法》	阎吉祥　俞　信　阎　研	
62	《全息合束器消闪烁及光线追迹的简化》	哈涌刚　哈流柱　王涌天	
63	《GOLD 光学设计软件及其技术性能》	王涌天　华　宏　何　定　张思炯	
64	《离散成像系统的光学传递函数》	张　勇　赵达尊	
65	《一种新的光学膜系设计方法—NEED 法》	周　健　林永昌　顾永琳	
66	《热成像系统最佳角放大率的研究》	金伟其　高稚允	
67	《基于小波变换的多分辨率图像融合》	蒋晓瑜　高稚允　周立伟	
68	《光子计数成像探测系统及其在生命科学中的应用》	王晓辉　胡新奇　俞信　王苏生	
69	《基于假彩色的多重图像融合》	蒋晓瑜　高稚允　周立伟	
70	《自适应光学人造钠导星对激光能量的要求》	阎吉祥　俞　信	
71	《热图像显示的连续伪彩色编码》	李　为	
72	《像管的信噪比传递函数及静态分析》	白廷柱　闫广建　邹异松	
73	《用超薄金属膜和不对称法布里—珀罗干涉滤光片设计窄带高反膜》	谭满清　林永昌	
74	《实时观察光的波粒二象性》	王苏生	
75	《基于背向拉曼散射的分布式光纤传感器 APD 最佳雪崩增益分析》	赵洪志　李乃吉　赵达尊	
76	《反射镜组像旋转器的成像特性理论分析》	赵跃进　任志文	
77	《光学双稳系统混沌驱动保密通讯原理研究》	刘金刚　沈　柯　周立伟	
78	《声光双稳系统混沌的控制》	刘金刚　沈　柯　周立伟	
79	《声光双稳系统的混沌同步》	刘金刚　沈　柯　周立伟	

续表

序号	论文题目	作　者	备注
80	《红外热成像跟踪系统作用距离的评价》	刘　杰　高稚允	
81	《高精度的光学传递函数计算》	沙定国　赵　瑜	
82	《高精度 QTF 标准望远镜的研制》	沙定国　苏大图　尹芬　张喆民	
83	《环型光栅与菲涅尔波带板自相关特性比较》	梁万国　谢敬辉　赵达尊　赵业玲	
84	《一种热稳定混合元件研究》	辛企明　高春林	
85	《人体组织对激光辐射的吸收特性》	阎吉祥	
86	《反射型圆束偏器》	赵跃进	
87	《红外光学系统成像质量检验的技术研究》	安连生　张德平　余旭彬　王涌天	
88	《利用调幅连续超声波的动态测距系统》	华　宏　王涌天　徐　彤	
89	《基于标准实时图像编码系统的研究》	张雪松　倪国强　周立伟	
90	《用于天文成像的小倍率静电聚焦电子光学系统》	张良忠　倪国强　金伟其　周立伟	
91	《条形散斑屏与双高斯镜头用于一步彩虹》	哈涌刚　哈流柱　王涌天	
92	《大气传输条件下机场标灯光强分布的研究》	金伟其　姚向阳　张忠廉	
93	《小波变换在图像边缘检测中的应用》	丁　艳　刘榴娣　郭　宏	
94	《基于对称 33 耦合器的光纤干涉信号的软件解调技术》	江　毅　娄英明　王惠文	
95	《光纤光栅多传感器复用的成像光谱技术》	陈伟民　江　毅　黄尚廉	
96	《利用成像光谱技术的光纤光栅多传感器复用》	陈伟民　江　毅　黄尚廉	
97	《三维厄米——高斯光束的扭转》	高春清等	
98	《图像融合方法在细胞图像处理中的应用》	李　勤　代彩虹	
99	《单层共轭校正宽视场自适应光学》	闫吉祥　俞　信	
100	《瑞利导星和钠导星共用的多层波前探测技术》	闫吉祥　俞　信	
101	《条形散斑屏与双高斯镜头用于一步彩虹全息》	哈涌刚　哈流柱　王涌天	
102	《针法与初始膜系设计》	林永昌　顾永琳　张　诚　周　健	
103	《压电梁弯曲振动方程及等级体力的计算》	贾玉斌　孙雨南　秦秉坤　印　平	
104	《棱镜耦合分属介属结构中 P－机化光学调谐波导及其透射的研究》	江月松	
105	《双压电变形反射镜的优化设计》	杨　强　朱建平　曹根瑞	
106	《图像融合方法在细胞图像处理中的应用》	李　勤　代彩虹	
107	《ICCD 型与 CCD 型弱光哈特曼－夏克波前传感器的性能分析与对比》	曹根瑞　胡新奇　王　森	
108	《直角棱镜用作激光衰减器的研究》	赵长明　孙　伟	
109	《利用微失调扭转模腔产生双频激光》	卢葱葱　赵长明　吴克瑛	
110	《径向基函数网络在传感器故障检测中的应用》	崔岩梅　钮永胜　赵新民	
111	《用瞳函数控制减小离散成像系统中的频谱混淆》	张海涛　赵达尊	
112	《微扫描减少光电成像系统频谱混淆的数学原理及实现》	张海涛　赵达尊	
113	《光学系统热效应及分析软件研制》	李　林　王　煊　张丽琴	
114	《精确 CCD 光束参数测量与评价系统的设计》	孙　伟　高春清　魏光辉	
115	《应用于图像融合的多尺度对比度调制法》	蒲　恬　倪国强	
116	《基于计算机视觉技术的手形手位跟踪方法》	常　红　王涌天　华　宏　徐　彤	
117	《针式虚拟现实跟踪技术的颜色虑消算法》	常　红　王涌天　阎达远　周　雅	
118	《激光诱导荧光机理研究》	阎吉祥	
119	《显微光子计数成像系统及其应用》	王苏生	
120	《双压电变形发射镜的优化设计》	杨　强　朱建平　曹根瑞	
121	《改进的三维生标测量编码投影方法》	苏　林　刘巽亮　曹根瑞　吴孟华	

续表

序号	论文题目	作　者	备注
122	《一种行的自适应移相干涉技术》	赵伟瑞　曹根瑞　马俊琪	
123	《压电梁弯曲振动电极的位置效率和等效电路》	贾玉斌　孙雨南　秦秉坤	
124	《利用统计特性进行图像融合效果分析及评价》	崔岩梅　倪国强　钟堰利　王毅	
125	《环形光栅光学扫描全息术的研究》	梁万国　赵达尊　谢敬辉　赵业玲	
126	《基于 DPDV 算法的二元光学元件设计》	谢敬辉　刘钧宇	
127	《自适应望远镜视觉响应频率的优化》	赵达尊　陈　珂　俞　信	
128	《光电成像系统混淆效应的定量分析》	张海涛　赵达尊	
129	《减等光电成像系统周期目标莫尔赝像的双倍率法》	张海涛　赵达尊	
130	《摄像机色度学标定的神经网络方法》	周双全　赵达尊	
131	《关于三刺激变换的研究》	周双全　赵达尊	
132	《L＊a＊b＊颜色空间在色差评估中的明度标尺均匀性》	宦　晖　李　为	
133	《增强现实中虚拟物体的投影注册算法研究》	周　雅　徐　彤　阎达远	
134	《激光诱导荧光强度与被测样品温度的关系》	刘　杰　张　雁　李家泽	
135	《用于虚拟现实的六自由度电磁跟踪系统》	徐　彤　王涌天　阎达远	
136	《膜系优化设计中的模糊输入及评价函数的改进》	李　芳　张　诚　林永昌	
137	《热像仪静态性能计算机软件包 CFLIR2.0》	仇光烽　高稚允　金伟其	
138	《利用统计特性进行图像融合效果分析及评价》	崔岩梅　倪国强　钟堰利	
139	《多重网格法求解三维静电场分布》	张璟璟　周立伟　金伟其　张智诠	
140	《光纤陀螺温控技术的研究》	王　彦　陈淑芬　袁家虎	
141	《高消光比定向耦合器开关设计》	王　澎　陈淑芬　秦秉坤	
142	《求解三维电静电场的多重网格法》	张璟璟　周立伟　金伟其　张智诠	
143	《基于小波分析的红外图像配准》	钮永胜　倪国强	
144	《分光路二维剪切干涉强激光腔镜变形检测系统》	付　雷　史红民　倪受庸　辛建国	
145	《复杂光学系统的全局优化》	王涌天　程雪岷　刘惠兰　郝群	
146	《基于 CIECAM97S 的新色差公式》	宦　辉　李　为　赵达尊	
147	《增强现实系统的动态注册》	陈　靖　王涌天　施　琦　闫达远	
148	《混合编程技术在电子稳像中的应用》	时永刚　赵跃进　韩绍坤　刘明奇	
149	《基于 Dempster-Shafer》证据理论的数据融合技术研究	倪国强　梁好臣	
150	《光电跟踪定位系统统计跟踪率误差测试研究》	白廷柱　邹正峰　芦汉生　周立伟	
151	《四元探测仿真系统中实时信号传输与采集》	王生祥　苏学刚　高稚允　郭　宏	
152	《利用互利全息技术实现掺铁铌酸锂晶体多重全息图的选择性擦拭》	谢敬辉　张泽明　何庆生　邬敏贤	
153	《微小型自适应光学系统的信号处理》	胡新奇　赵达尊　俞　信　曹根瑞	
154	《微石英音叉陀螺激励与检测电极的研究》	王　莹　孙雨南　秦秉坤　印平	
155	《弱光 Hartmann-Shack 波前传感器的阈值选取》	王　慎　曹根瑞	
156	《LD 泵浦的新型单频固体激光器及其测定区测速应用》	杨苏辉　吴克瑛　魏光辉	
157	《具有轨道角动量的对称光束的产生》	高春清　魏光辉　H－Weber	
158	《构成 CIECAM97s 中的均匀颜色空间》	宦　辉　肖　琨　李　为　赵达尊	
159	《激光束的轨道角动量和二阶强度矩》	高春清　魏光辉　H－Weber	
160	《A low-cost dynamic range-finding device based on amplitude-modulated continuous ultrasonic wave》	华　宏　王涌天　闫达远	
161	《Characterization of electronic transients by an ultrafast scanning tunneling microscope》	蓝　天　倪国强	

续表

序号	论文题目	作者	备注
162	《High-accuracy long distance alignment using single-mode optical fiber and phase plate》	Li DC	郝群 王涌天
163	《Study on the deteriorating course of fresh milk by laser-induced fluorescence spectra	Liu J Yu CQ	李家泽 闫吉祥
164	《Study on the time characteristic of the laser-induced fluorescence of engine oil》	王茜蒨　魏光辉	
165	《Vision-based registration using 3-d fiducial for augmented reality》	Zhou Y;Xu T	王涌天 闫达远
166	《Automatic element addition and deletion in lens optimization》	Sasian,J	程雪岷 王涌天 郝群
167	《Degradation of modulation transfer function in push-broom camera caused by mechanical vibration》	Huang,CN	徐鹏 郝群 王涌天
168	《Characterization of Hermite-Gaussian beams by using Hartmann-Shack wavefront sensor》	Gao,MW Horst,W	高春清
169	《Generation and application of twisted hollow beams》	Gao,MW Weber,H	高春清
170	《Rotation of particles by using the beam with orbital angular momentum》	Gao,MW He,XY	高春清 李家泽 魏光辉
171	《Analysis of modulating chopper used in pyroelectric uncooled FPA thermal imager-Chopper and detector pixels' signal readout mode》	He,YQ Gao,YY	金伟其 刘广荣 王霞
172	《Analysis of modulating chopper used in pyroelectric uncooled FPA thermal imager-Chopper's exposure efficiency》	He,YQ Gao,YY	刘广荣 王霞
173	《Infrared diffractive optical element fabricated on aspheric substrate》	Li,RG Jiao,MY	刘丽萍 王涌天
174	《Theory of temporal aberrations for electron optical imaging systems by direct integral method》	Zhou, LW; Li, Y; Zhang, ZQ; Monastyrski,MA; Schelev,MY	周立伟
175	《Test and verification of temporal aberration theory for electron optical imaging systems by an electrostatic concentric》	Zhou, LW; Li, Y; Zhang, ZQ; Monastyrski,MA; Schelev,MY	周立伟 李毅
176	《Study on perceptual evaluation of fused image quality for color night vision》	Shi,JS; Jin,WQ; Wang	金伟其
177	《Study on sub-pixel processing algorithm for scanning FPA thermal imaging system》	Jin, WQ; Wang, CY; Zhang, N; Wang,LX; Lu,P	金伟其
178	《Deflectometer with synthetically generated reference circle for aspheric surface testing》	Hao,Q; Zhu,QD; Wang,YT	王涌天
179	《Studying contrast transfer function of remote sensor with physical simulation system》	Xu,P; Huang,CN; Hao,Q; Wang,YT	王涌天
180	《Distortion measurement of CCD imaging system with short focal length and large-field objective》	Lin,JM; Xing,ML; Sha,DG; Su,DT; Shen,TZ	林家明
181	《On the theory of temporal aberrations for cathode lenses》	Zhou,LW; Li,Y; Zhang,ZQ; Monastyrski,MA; Schelev,MY	周立伟 李毅

续表

序号	论文题目	作　者	备注
182	《Error evaluation of aspheric surfaces and calibration of the test instrument》	Hao,Q; Zhu,QD; Wang,YT	王涌天
183	《An improved colored-marker based registration method for AR applications》	Li,XW; Liu,Y; Wang,YT; Yan,DY; Weng,DD; Yang,T;	王涌天
184	《KEY ISSUES FOR AR-BASED DIGITAL RECONSTRUCTION OF YUANMINGYUAN GARDEN》	Liu,Y; Wang,YT; Li,Y; Lei,JC; Lin,LA	刘越 王涌天
185	《A NOVEL FRAME-SHIFT AND INTEGRAL TECHNIQUE FOR PROCESSING LOW-LIGHT-LEVEL MOVING IMAGE SEQUENCE》	Song,Y;Hao-Q	郝群
186	《MEDIA-DEPENDENT COLOR APPEARANCE MODELING BASED ON ARTIFICIAL NEURAL-NETWORKS》	Chai,BH;Liao,NF;Zhao,DZ;Yang,WP	廖宁放 赵达尊
187	《GLOBAL AND LOCAL OPTIMIZATION FOR OPTICAL-SYSTEMS》	Cheng,XM; Wang,YT; Hao,Q; Isshiki,M	王涌天 郝群
188	《REAL-TIME MEASUREMENT ON DEFORMATION FIELDS OF HOLE-EXCAVATED SAMPLES UNDER IMPACT TENSION》	Chen,SY;Huang,C;Ni,GQ	倪国强 陈思颖
189	《A SEMIEMPIRICAL EQUATION OF PENETRATION DEPTH ON CONCRETE TARGET IMPACTED BY OGIVE-NOSE PROJECTILES》	Chen,SY;Huang,CG	陈思颖
190	《REGISTRATION ALGORITHM-BASED ON IMAGE MATCHING FOR OUTDOOR AR SYSTEM WITH FIXED VIEWING POSITION》	Lin,L;Liu,Y;Zheng,W;Wang,Y	刘越 李林
191	《LASER-DIODE-PUMPED ND-LUVO4 ACOUSTOOPTIC Q-SWITCHED LASER AT 916 NM》	Zhang,CY; Gao,CQ; Lin,ZF; Gao,MW; Zhang,L; Wei,ZY; Zhang,C; Zhang,ZG;Zhang,HJ;Wang,JY	高春清
192	《Visual modeling of cathode ray tube displays for finding cross-media corresponding colors based on the natural color system color atlas and neural networks》	Chai,BH; Zhao,DZ; Liao,NF; Shao,YB	赵达尊
193	《Dual-band infrared optical system with large field-of-view and aperture》	Chang,J; Liu,LP; Wang,YT; Weng,ZC; Cong,XJ; Jiang,HL	王涌天
194	《Digital restoration of historical heritage by reconstruction from uncalibrated images》	Hou,D; Shen,X; Li,XW; Liu,Y; Wang,YT	王涌天
195	《Stable in pulses generation from cladding-pumped Yb-doped fiber laser》	Hu,SL; Yang,GR; Jing,Y; Gao,CQ; Wei,GH; Lu,FY	姜毅 高春清
196	《Study on attitude measurement system for virtual surgery navigation》	Hu,XM; Liu,Y; Wang,YT	王涌天
197	《A case of rule-based heuristics for scheduling hot rolling seamless steel tube production》	Li,JX; Li,L; Tang,LX; Wu,HJ	李林
198	《Single camera based optical tracking system for personal entertainment》	Weng,DD; Liu,Y; Wang,YT	翁东东
199	《Research on algorithms of Gabor wavelet neural network based on parallel structure》	Xu,TF; Nie,ZF; Yao,JM; Ni,GQ	倪国强
200	《Inferring vascular structures in coronary artery X-ray angiograms based on multi-feature fuzzy recognition algorithm》	Zhou,SJ; Chen,WF; Zhang,JG; Wang,YT	王涌天

续表

序号	论文题目	作　者	备注
201	《Transient thermal and structural deformation and its impact on optical performance of projection optics for extreme ultraviolet lithography》	Liu,K; Li,YQ; Zhang,FC; Fan,MZ	李艳秋
202	《Pattern density dependence of thermal deformation of extreme ultraviolet mask and its impact on full field lithography performance》	Li,YQ; Zhou,PF; Fei,Z	李艳秋
203	《Effect of resolution enhancement techniques on aberration sensitivities of ArF immersion lithography at 45 mn node》	Li,YQ; Zhang,F	李艳秋
204	《A scene-based nonuniformity correction algorithm for scanning-type infrared camera》	Sui,J; Jin,WQ; Dong,LQ; Wang,X	金伟其
205	《Research on fusion schemes of multi-band color night vision images based on opponent vision property》	Wnag,LX; Jin,WQ; Shi,JS; Wang,SX; Wang,X	金伟其
206	《Performance evaluation of thermal imaging systems based on MRTD channel width》	Wang,JH; Jin,WQ; Xia,W; Wang,LX	金伟其
207	《Time-resolved terahertz Spectroscopy of explosives》	Zhang,LL; Zhang,CL; Zhao,YJ; Liu,XH	赵跃进
208	《Laser performance of Nd:GGG operating at 938 nm》	Zhang,CY; Gao,CQ; Zhang,L; Wei,ZY; Zhang,ZG	高春清
209	《Generation of twisted stigmatic beam and transfer of orbital angular momentum during the beam transformation》	Gao,MW; Gao,CQ; Lin,ZF	高明伟
210	《Visual and infrared dual-band false color image fusion method motivated by Land's experiment》	Huang,G; Ni,G; Zhang,B	倪国强
211	《Measurement of moisture and oil content in gross cottonseed based on near-infrared reflectance technique by open detecting mode》	Zhang,XF; Yu,X; Yan,JX; Ni,Y	张晓芳
212	《A shaped annular beam tri-heterodyne confocal microscope with good anti-environmental interference capability》	Zhao,WQ; Feng,ZD; Qiu,LR	赵维谦
213	《The effects of annealing and discharging on the characteristics of MgO thin films prepared by ion beam-assisted deposition as a protective layer of AC-PDP》	Yu,ZN; Xue,W; Zheng,DX; Sun,J	薛唯
214	《On theory of the indirect coupling photodetection》	Shi,ZB; Chen,XM	陈晓梅
215	《Fiducial marker based on projective invariant for Augmented Reality》	Li,Y; Wang,YT; Liu,Y	王涌天
216	《A new parameter for evaluating spectral estimation precision of multispectral camera》	Li,SX; Liao,NF; Sun,YN	廖宁放
217	《Multiresolution elastic registration of X-ray angiography images using thin-plate spline》	Yang,J; Wang,YT; Tang,SY; Zhou,SJ; Liu,Y; Chen,WF	王涌天
218	《Near-diffraction-limited green source by frequency doubling of a diode-stack pumped Q-switched Nd:YAG slab oscillator-ampfifier system》	Zhang,HL; Liu,XM; Li,DJ; Shi,P; Schell,A; Haas,CR; Du,KM	张恒利
219	《Radio frequency excited diffusively cooled gain waveguide array CO_2 laser》	Zhong,YH; Su,N; Xin,JG	辛建国
220	《Realizing high density optical data storage by using orbital angular momentum of light beam》	Liu,YD; Gao,CQ; Gao,MW; Li,F	高春清

续表

序号	论文题目	作　者	备注
221	《Study on exploring for oil and gas using reflectance spectra of surface soils》	Xu, DQ; Ni, GQ; Shen, YT; He, JP; Jiang, LL	倪国强
222	《Electro-thermo-mechanical analytical modeling of multilayer cantilever microactuator》	Jiang, JL; Hilleringmann, U; Shui, XP	蒋剑良
223	《A broad-angle polarization beam splitter based on a simple dielectric periodic structure》	Zhang, Y; Jiang, YR; Xue, W; He, SL	薛唯
224	《A compact 532-nm source by frequency doubling of a diode stack end-pumped Nd : YAG slab laser》	Zhang, HL; Liu, XM; Li, DJ; Shi, P; Schell, A; Haas, CR; Du, KM	张恒利
225	《Preprocessing to CIECAM02 input color with chromatic background	Chai, BH; Zhao, DZ; Liao, NF; Shao, YB》	赵达尊
226	《The study on diode-pumped two-frequency solid-state laser with tunable frequency difference》	Li, L; Zhao, CM; Zhang, P; Yang, SH	赵长明

注：据不完全统计，光电学院1978年后在学术刊物或学术会议上共发表了1 300余篇学术论文，这里仅选录了226多篇。

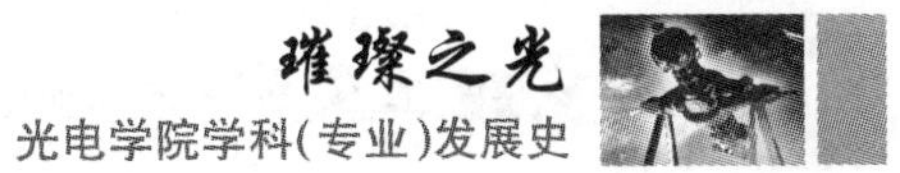

附录9 北京理工大学光电学院1985年后授权专利名录

序号	发明名称	发明人	专利号	授权日
1	单泵浦交叉棱镜腔激光振荡放大器	邓仁亮	85100857	1989. 9. 13
2	消色差λ/4光谱椭圆偏振仪	哈流柱	85200356	1985. 12. 26
3	一种液体冷却的固体激光器激光头	邓仁亮	85200327	1985. 12. 26
4	新型横向塞曼稳频激光器	明万林　王惠文	85202356	1986. 7. 3
5	变速棱镜色散放大分光法及光谱仪	张国威	85109457	1989. 6. 7
6	横偏向高分辨率变速棱镜光谱仪	张国威	86101835	1988. 8. 17
7	宽通频带耦合的多频可调谐激光器	张国威　刘　庆　刘宏发	86103373	1990. 7. 25
8	用特定的不等距栅板构成的小位移测量器	俞　信	86103771	1988. 2. 17
9	一种脉冲激光标定仪	林幼娜　刘巽亮	86105736	1989. 3. 16
10	激光塞曼效应实验方法及装置	王惠文	86105078	1989. 4. 26
11	象增强器瞬时调制传递函数测试及仪器	邹异松	87100070	1988. 12. 10
12	一种新型的全息干版	马春荣　郎恒元	87206310	1989. 2. 16
13	侧向前视观察装置	张京云	87206912	1988. 6. 7
14	彩虹全息记录介质	马春荣　郎恒元	88101091	1992. 2. 5
15	多功能数据采集转换器	冯龙龄	88206283	1989. 4. 11
16	耐用的激光功率/能量探测装置	邓仁亮　阎　平	88205974	1989. 5. 17
17	冷却液热泵自循环式激光泵浦腔	冯龙龄　邓仁亮	89200749	1990. 1. 10
18	聚四氟乙烯漫反射泵浦腔及制作方法	邓仁亮　张　坤	89106792	1991. 3. 6
19	双频高功率相关补偿调制染料激光器	张国威　刘宏发	90206205	1991. 5. 29
20	具有锯齿槽型的反射式变周期光栅	孙雨南　秦秉坤　丁汉章	90103458	1992. 2. 12
21	带柔性光学铰链的位标器	秦秉坤　彭兴泉　丁汉章	90105941	1990. 11. 5
22	用于光纤束特性测量的光学适配器	孙雨南　秦秉坤　吴秀玲	91201255	1992. 4. 1
23	开关控制型内调制稳流氦氖激光电源	冯龙龄　刘　莉	92222111	1993. 1. 17
24	方截面等腰屋脊棱镜及其阵列	连铜淑	93207182	1993. 9. 12
25	盘型像旋转器及其组件	赵跃进	93208188	1993. 9. 26
26	一种新型纹影仪	严柏生　哈流柱　赵达尊	85203469	1987. 3. 12
27	一种陀螺光学耦合式光学寻的器	邓仁亮　孟庆元	93. 1. 12236. 8	1996. 3. 26
28	寻的器陀螺快速启动与抗高过载装置	孟庆元　邓仁亮	93. 1. 12235. x	1996. 2. 13
29	分离式圆束偏器	连铜淑	93207971	1994. 4. 15
30	内调制He—Ne激光准直装置	王惠文	93223144	1994. 4. 22
31	数字化导引头电子控制装置	冯龙龄	9611930. 5	1999. 11. 2
32	超薄小型提前器	吴砚东	99200588. 4	1999. 12. 24
33	粉尘排放连续自动监测装置	周仁忠	9611413. 4	2000. 04. 26
34	用于检测片状材料红外图像印刷质量的装置和方法	周仁忠	200310113765. 8	2009. 06. 10
35	用于检测片状材料荧光图像印刷质量的装置和方法	周仁忠	200310113764. 3	2009. 04. 08
36	用于检测片状材料透射图像质量的调试台	周仁忠	200410006247. 0	2009. 06. 10
37	基于非圆形泵浦的非对称稳定腔	张恒利　王燕华　闫莹 辛建国	ZL200720190232. 3	2009－1－28
38	侧面泵浦传导冷却矩形薄片激光器	张恒利　闫　莹　王燕华 辛建国	Zl200710177626. x	2009－7－29
39	一种可调谐光纤法布里－珀罗滤波器	江　毅　唐才杰	ZL200710177835. 4	2009－3－18

续表

序号	发明名称	发明人	专利号	授权日
40	一种光纤傅立叶变换白光干涉测量法	江　毅　唐才杰	200710177837.3	2009-9-16
41	一种强度调制型光线传感器的复用方法	江　毅　张佛健	200710177834.x	2009-7-1
42	一种窄线宽单频光纤激光器	高雪松　高春清　胡姝玲　魏光辉	ZL200510079902.X	2008-9-3
43	一种头盔显示器的新型光学系统	王涌天　程雪岷　刘　越　郝　群	200510008494.9	2009-9-9
44	用于现场数字三维重建的增强现实定点观察系统	王涌天　刘　越　常　军　黄天智　郑　伟	ZL200510105577.X	2008-7-2
45	一种光纤气体浓度测量仪	江　毅　唐才杰	ZL200510112976.9	2008-7-2
46	利用相互正交的双频激光干涉仪的光学角规测试标定仪	何　川　林家明　沙定国	ZL200710100222.0	2009-3-18
47	一种端面泵浦板条激光技术	张恒利　辛建国　闫　莹　王艳华	ZL200710118960.8	2009-1-28
48	三维高清晰度乳腺成像仪	谢敬辉　孙　萍　莫晓丽	ZL200610152745.5	2009-7-15
49	CCD 摄像机分辨率客观评测方法	林家明　王玥等	ZL200610128631.7	2008-5-1
50	积分累加脉冲激光中短距离测距方法	郝　群　朱秋东　黄　强	ZL03156044.X	2007-8-1
51	自基准哈特曼波前传感器	曹根瑞　朱秋东　苏　鹏　俞　信	ZL03105547.8	2006-11-29
52	采用菲涅尔双面镜的全反射式傅立叶变换成像光谱仪	赵达尊　廖宁放　黄庆梅　楚建军　蒋月娟　李颖　胡威捷　范秋梅　吴文敏	200410074622.5	2005-2-18
53	多光谱光学角规测试标定仪	林家明等	ZL200610083776.X	2008-5-1
54	一种应用于维修的主动激光提示装置	翁冬冬　刘　越　王涌天	ZL200610086635.3	2008-12-12
55	2um 键合单块非平面单纵横激光器	高春清　高明伟　林志锋　张秀勇　李家泽　魏光辉	ZL200620120648.3	2007-10-10
56	一种统计调制传递函数的随机图案测量方法	沙定国等	ZL200710063161.5	2008-9-1
57	折轴/潜望望远光学系统透射比测试系统	沙定国等	ZL200710063160.0	2008-4-1
58	火控系统装表精度测试方法和装置	何　川　沙定国　林家明　张旭升　周桃庚　陈凌峰	ZL200710080841.8	2008-8-27
59	一种 CCD 摄像机信噪比数字化测试方法	陈凌峰　张旭升	ZL200710119819.x	2009-7-1
60	利用光纤测量激光测距机接收轴与瞄准轴平行性的装置	林家明　沙定国　张　哲　江　琴　王文林　秦志峰　韩福利　张俊生　周桃庚	ZL200410087249.7	2007-11-28
61	测量光度的双半球不等半径积分球	沙定国　林家明　张　哲　秦志峰　张　鑫　苏大图　周桃庚	ZL200410087250.X	2007-11-28
62	无限兼有限共扼光电像分析器	林家明　沙定国　秦志峰　苏大图　何　川　张旭升　潘奕捷　曾嫦娥　陈凌峰	ZL200410090673.7	2004-11-12
63	液晶光电图形发生器	沙定国　林家明　陈凌峰　孙若端　刘殿敏　潘奕捷　张旭升　秦志峰　曾嫦娥	ZL200420112732.1	2006-8-16
64	由二氧化碲声光可调谐滤波器构成的动态可调谐光分插复用器	刘　维　孙雨南　崔建民　崔　芳　班　龙	ZL200410096037.5	2007-2-14

续表

序号	发明名称	发明人	专利号	授权日
65	采用菲涅尔双面镜的全反射式傅立叶变换成像光谱仪	赵达尊 廖宁放 黄庆梅 楚建军 蒋月娟 李颖 胡威捷 范秋梅 吴文敏	ZL200510055609. X	2008 – 10 – 22
66	空间物体姿态及位置测量系统	刘 越 王涌天 胡晓明 周 大	ZL200410033988. 8	2006 – 5 – 10
67	一种空间物体姿态及位置测量装置	刘 越 王涌天 胡晓明 周 大	200420005497. 8	2005 – 4 – 27
68	反射式空间调制分振幅干涉成像光谱仪	廖宁放 赵达尊 李 颖 黄庆梅 蒋月娟 胡威捷 范秋海 吴文敏	ZL200420000405. 7	2004 – 12 – 29
69	一种调焦调平测量方法与装置	匡翠方 李艳秋 刘丽辉	200710178469. 4	2009 – 9 – 2
70	一种光线平行调整的装置	匡翠方 李艳秋 刘丽辉	200820078801. x	2009 – 3 – 18
71	大距离光线平行调整的装置	匡翠方 李艳秋 刘丽辉	ZL200820078805. 8	2009 – 1 – 28
72	基于多光谱靶板及旋转反射镜的多光轴一致性测试装置	林家明 何 川 沙定国 孙若端 张 倩 王彦钦 周桃庚 张旭升 陈凌峰	ZL200820079132. 8	2009 – 1 – 7
73	一种激光二极管侧面复合板条激光器	张恒利 闫 莹 王艳华 辛建国 张怀金 何京良	ZL200820109705. 7	2009 – 8 – 5
74	数字视差测量装置	林家明 孙若端 张旭升 何 川 任建荣 沙定国 赵维谦 周桃庚 陈凌峰	ZL200820136316. 3	2009 – 6 – 10

附录 10　北京理工大学光电学院名誉/顾问/兼职教授简介

王大珩

王大珩，中国科协副主席，中国科学院、中国工程院院士，应用光学专家。原籍江苏苏州，1915 年 2 月生于日本东京。

1936 年毕业于清华大学物理系。1938 年赴英国伦敦帝国学院留学，专攻应用光子学，1940 年获硕士学位。1942 年被英国伯明翰昌斯公司聘为助理研究员。1948 年回国后，到大连担任大连大学工学院应用物理系主任，后在长春光学精密机械研究所担任了 30 多年所长。1958 年作为主要创始人、第一任院长（1958 年 8 月—1965 年 2 月），创办了长春光学精密机械学院（长春理工大学）。

对技术光学、激光、光学计量、光学玻璃和光学工程等研究较深。指导研制成功多种光学观察设备。为中国应用光学、光学工程、光学精密机械、空间光学、激光科学和计量科学的创建和发展作出杰出贡献。20 世纪 60 年代以来，制成中国第一台激光器，第一台大型光测装备和许多国防光学仪器。70 年代主持制订了全国第一个遥感科学规划，领导了综合性的航空遥感试验。1986 年 3 月和陈芳允、杨嘉墀、王淦昌等 4 名科学家向中央提出“发展中国的战略性高技术”的建议，得到邓小平同志批准，由此国务院发出了《高技术发展计划纲要》的通知，这一纲要被称为“863 计划”。

1979 年获全国劳动模范称号。1985 年获得国家科技进步特等奖。1995 年 1 月获得 1994 年度“何梁何利基金优秀奖”。1999 年，中共中央、国务院、中央军委决定，授予他“两弹一星功勋奖章”。

曾任国防科委十五院副院长，中科院长春分院院长、光机所所长，吉林省第四届政协副主席，中国光学学会、中国计量测试学会理事长，中国仪器仪表学会副理事长。中科院科技部副主任、主任，中国科协第三届副主席。

1988 年被聘为北京工业学院工程光学系名誉教授。

孟昭英

孟昭英，物理学家、电子学家、教育家。1906 年 12 月 24 日生于河北乐亭。1928 年毕业于燕京大学。1933 年到美国加州理工学院攻读研究生，1936 年在加州理工学院获博士学位。回国后，任燕京大学副教授，在国内最先讲授以真空管原理为基础的电子学课程，是我国电子学科技、教育事业的奠基人之一。

1937 年抗日战争爆发，任由清华、北大、南开组成的临时大学的教授。1943 年第二次赴美，任 CIT（加州理工学院）客座教授。1952 年清华大学成立新的无线电系，任系主任，兼任电真空教研室主任。1956 年应邀参与国家 12 年

科学技术发展规划的制定，任电子组副组长。规划决定在中科院新建电子学、半导体、计算机等研究所。孟昭英被任命为电子所筹备副主任，率团赴苏考察，积极筹划我国电子科技事业的大发展。1979 年后孟昭英参加“共振电离光谱学”研究组，指导激光单原子探测技术研究。利用他的学识、声望和国内外交往，使该项研究取得多项重要成果，跻身国际先进行列，推动了清华大学激光单原子探测教育部重点实验室的建设，并指导了多名博士生。著有《阴极电子学》等著作。

孟昭英在全国电子科技、教育界具有崇高的声誉，曾任中国电子学会理事和科普委员会副主任，中国真空学会名誉理事，中国电源学会名誉理事长，《科技导报》主编，中国电子学会科普丛书主编等。他曾任九三学社中央参议委员和科学工作委员会委员，北京市政协委员。

1988 年被聘为北京工业学院工程光学系名誉教授。

1995 年 2 月 25 日逝世于北京，享年 89 岁。

王之江

王之江，江苏常州人，1930 年 10 月出生。中国科学院院士，物理学家。1952 年毕业于大连工学院（现大连理工大学）物理系。中国科学院上海光学精密机械研究所研究员。1964 年参加中科院上海光学精密机械研究所创建工作。在光学设计方面，发展了像差理论和像质评价理论，形成了新的理论体系，完成了大批光学系统设计（如照相物镜系统、平面光栅单色仪、长工作距反射显微镜、非球面特大视场目镜、105#大型电影经纬仪物镜等）；在激光科学技术方面，领导研制成中国第一台激光器，并在技术和原理上有所创新。20 世纪 70 年代领导完成了高能量、高亮度钕玻璃激光系统。在这项工作中解决了一系列理论、技术及工艺问题。关于某些激光重大应用对亮度要求的判断，使工作避免了盲目性，对于中国激光科学技术起了积极作用。倡议和具体领导了中国“七五”攻关中激光浓缩铀项目。对中国光信息处理和光计算起了倡导作用。著有《光学设计理论基础》等著作。

1993 年被聘为北京理工大学工程光学系顾问教授。

吴全德

吴全德，1923 年 12 月出生在浙江省黄岩市。中国科学院院士。1947 年毕业于清华大学电机系，同年进入该校物理系任教。1952 年我国进行院系调整时转到北京大学物理系，曾任电子物理教研室主任。1979 年晋升为教授。他领导的电子物理专业在 1984 年被批准为首批博士点之一，他成为首批博士生导师之一。2002 年信息科学技术学院成立，吴全德院士任学院学位委员会副主任。

1997 年组建了北京大学纳米科学与技术中心，任中心主任，1998 年承担国家自然科学基金重大项目“纳米电子学基础研究”，任首席科学家。他为我国纳米科技发展作出了杰出贡献。

吴全德院士长期工作在教学第一线，忠诚于教育事业，为人师表。曾给大学生和研究生讲授过十几门课程，包括无线电电子学、原子能应用电子学、阴极电子学、电子物理、原子物理、电子发射与电子能谱、物理电子学高级课程和表面电子学等，并培养了大批大学生、硕士和博士。

在科研工作中，吴全德院士于1963年首先提出了银氧铯光电阴极的固溶胶理论，阐明了这种阴极的光电发射特性，揭开了光电发射机理之谜，这个成果在国内外被称为“吴氏理论”。吴全德院士在光电阴极研究中取得突破性成果的同时，还深入研究了薄膜中原子团和超微粒子成核生长理论，科学地揭示了自然规律。此后又进行了纳米电子学的研究，在纳米薄膜的光学、电学和光电性能方面取得了显著成果，撰写了很多文章并出版了专著。

1991年当选为中国科学院院士（原称学部委员）。

1993年被聘为北京理工大学工程光学系顾问教授。

于2005年12月29日在京逝世，享年82岁。

母国光

母国光，男，1931年1月出生于辽宁锦西。中国科学院院士，光学家。1952年从南开大学毕业，1956—1957年在中科院长春光机所进修应用光学，1959年任南开大学物理系讲师，兼光学教研室主任，1980—1981年在美国密西根维恩州立大学、宾夕法尼亚州立大学及亚拉巴马大学访问研修，1982年任南开大学物理系副主任，1984后任系主任，1985年任副校长兼光学研究所所长，1986—1995年任南开大学校长、博导、研究生院院长，并兼中科院应用光学国家重点实验室主任。1990年入选美国光学学会Fellow，兼该会国际顾问。1991年入选国际光学工程学会Fellow。1993年当选为国际光学委员会（ICO）副会长。1994年当选第三世界科学院院士。曾任中国科学院技术科学部副主任，中国科协常委，国务院学位委员会学科组评委，国家自然科学奖评委，大学国际联合会（IAU）常务理事，第七、第八届全国人民代表大会代表。现任中国科学院学部主席团成员，南开大学学术委员会主任，兼现代光学研究所所长，天津市科协主席，中国光学学会理事长，《中国科学》、《科学通报》、美国《非线性光学》、英国《光学与激光技术》、日本《光学评论》及中国《光学学报》等编委。

母国光院士长期从事光学及应用光学的科研和教学工作，自1958年就开始讲授光学、应用光学、光学仪器理论、光学设计、光学信息处理、全息术和现代光学工程等一系列光学课程，在沈寿春教授指导下编写的《光学》成为全国各大学普遍采用的教材，获国家教委教材一等奖。母国光与一机部仪表室合作，自行设计并研制了我国第一台光谱析钢仪。20世纪60年代，母国光率先在国内开

展干涉调频分光技术（傅立叶光谱术）的研究。70 年代后期，母国光将研究重点从经典光学系统成像转到了光学信息处理及其应用领域，在他的“白光光学图像处理的基础及其应用的研究”中，创造性地提出了白光图像处理的加、减、消卷积、微分、相关等运算和褪色胶片的彩色恢复、彩色档案存储、立体显示、菲涅尔全息滤波、光学傅立叶变换光谱以及相型图像假彩色等技术，扩展和发展了白光光学信息处理技术。80 ~ 90 年代，母国光与他的课题组一起从事白光信息处理在彩色摄影中应用的研究，研制成“三色光栅编码器”，实现了利用黑白底片记录彩色图像信息，并先后完成了应用于侦察的“黑白胶片作彩色摄影及光学信息处理机”及“大幅面航空彩色摄影的光学处理器”两个型号项目，其中还创造性地用数字计算代替了复杂的光学解码，发展了数字傅立叶光学彩色解码新技术。

1993 年被聘为北京理工大学工程光学系顾问教授。

侯洵

侯洵，陕西咸阳人，1936 年 12 月 6 日出生于河南灵宝。中国科学院院士。1959 年毕业于西北大学物理系。1959 年 9 月至今，在中国科学院西安光学精密机械研究所工作。其间，1960 年 3 月—1961 年 3 月在中国科学院原子能研究所进修一年。1982 年 6 月任研究所副所长，1986 年 6 月—1995 年 3 月任研究所所长。

侯洵院士是我国著名的瞬态光学专家和光电子学专家，瞬态光学和光电子学领域的杰出代表。我国“八·五攀登计划”项目“飞秒激光技术与超快过程研究”首席科学家，“九·五攀登计划”预选项目“强场激光物理与飞秒超快过程研究”专家委员会召集人之一。

1984 年被国家人事部授予“中青年有突出贡献专家”称号。1985 年被国家计委、经委及国防科工委联合授予“国防科研协作先进个人”称号。1989 年被国务院授予“全国先进工作者”称号。2002 年被聘为国家自然科学基金委数理学部咨询专家委员会委员。1998 年及 2002 年先后被聘为陕西省第一决策咨询委员会委员和第二届决策咨询委员会特邀委员。

1993 年被聘为北京理工大学工程光学系顾问教授。

周炳琨

周炳琨，男，1936 年 3 月出生于四川成都。中国科学院院士。1956 年毕业于清华大学无线电系并留校任教。1956—1958 年，在成都电讯工程学院随苏联专家进修微波电子学。1960—1962 年，在苏联列宁格勒电工学院进修。1983—1984 年在美国斯坦福大学进修并任访问教授。现任国家自然科学基金委员会副主任，清华大学电子工程系教授兼研究所所长，西南科技大学高级顾问、国家光电子工艺中心主任。1987—1996 年任国家“863 计划”“光电子器件与集成技术”专家组首席科学家。中国光学学会理事长，中国电子学会会长，美国 IEEE，OSA 会员。

1960 年激光器在美国发明时，他在苏联参加了第一批红宝石激光器的研制工作。回国组建激光研究小组，研制成功激光测距仪、机载测高仪、氦镉激光器等，1978 年获全国科技大会奖。1980 年主编《激光原理》，获国家优秀教材奖和电子部优秀教材特等奖。1984 年在美国完成“半导体激光泵浦 YAG 固体激光器”等研制工作。回国后领导研究集体开展了“外腔半导体激光器”“半导体激光泵浦固体自倍频绿光激光器”“单晶光纤生长器”“光纤环行腔及其应用”“光纤放大器与激光器”“光纤高温传感器”“光弧子传输”“波分复用光纤通信技术”等研究，获国家级和部委奖 6 项，专利 10 余项。在国内外发表论文 90 余篇。培养博士研究生 15 人。

1994 年被聘为北京理工大学光电工程系顾问教授。

苏君红

苏君红，男，1937 年 4 月出生，上海市人。中国红外技术专家、中国工程院院士。1963 年 8 月毕业于西安交通大学无线电工程系。1963—1976 年在中国昆明物理研究所从事红外探测器及红外应用技术研究，1976 年后重点从事热成像技术研究，1983 年起任该所副所长、所长，并任热成像工程总设计师。1994 年任部科学技术专家委员会副主任。

组织领导研制的 I 类和 II 类通用组件热像仪的性能具有较高水平，适合我国各行各业使用，现已形成多种型号，并在国防、工业检控、电力监测、医疗诊断、灾害观测预防等各部门得到应用，为我国热成像技术发展作出了重要贡献。1992 年被批准为国家有突出贡献的中青年专家。所主持的科研项目多次获奖，其中中国 II 类通用组件热像仪获 1993 年部级科技进步特等奖及 1995 年国家科技进步一等奖。1995 年获“全国先进工作者”称号。主要论文有：《热图像增强技术与实验》《热成像的探测器选型》《热成像发展的若干问题》等。

1995 年被聘为北京理工大学光电工程系顾问教授。

姜文汉

姜文汉，男，1936 年 5 月出生，浙江省平湖县人。中国工程院院士，光学技术专家。1958 年毕业于哈尔滨工业大学。现任中国科学院光电技术研究所学术委员会主任、研究员，国家“863 计划”大气光学重点实验室副主任。早年从事大型光测设备研究，在精密轴系理论和技术、固定式光学测量系统等方面有开创性工作。1979 年在我国首先开拓自适应光学方向，建立整套基础技术并研制多代具有国际先进水平的系统。他在自适应光学和光束控制两方面均作出重大贡

献：用于“神光”高功率激光装置的“19 单元波前校正系统”是国际同类装置中最先使用的；“21 单元自适应学系统”使我国成为世界上第三个实现星体目标实时校正成像的国家；与北京天文台合作建立的“2. 16 米望远镜红外自适应光学观测系统”使我国拥有了世界上为数不多的实用近红外波段的自适应光学观测系统；37 单元和 61 单元两套自适应光学系统已分别实现水平和斜程大气湍流补偿，获得国际上未见报道的校正效果。作为主要参加者获国家科技进步特等奖 1 项，作为第一主持人获中国科学院科技进步奖特等奖 1 项、一等奖 6 项、国家科技进步奖二等奖 2 项。

1996 年被聘为北京理工大学光电工程系顾问教授。

张钟华

张钟华，中国工程院院士，计量学专家。1940 年 7 月 2 日出生于江苏省苏州市。1957 年考入清华大学工程物理系，1959 年转入电机系。1962 年毕业后考入本校电机系研究生班。1965 年清华大学电机系研究生毕业，而后在中国计量科学研究院从事精密电测量工作至今。张钟华院士长期从事精密电磁测量、量子计量标准的研究工作，获得国家科技进步二等奖 1 项、三等奖 1 项。在国内外各种学术刊物上发表了学术论文 60 多篇，并参加了 6 种学术专著的编写工作。现兼任《仪器仪表学报》《计量学报》《电测与仪表》等学术刊物的主编，中国仪器仪表学会副理事长、中国计量测试学会常务理事、中国仪器仪表学会电磁测量信息处理仪器分会理事长等学术职务。

由于在精密电测量方面的成就，张钟华于 1990 年获“全国先进工作者”称号，1991 年获国务院颁发的政府特殊津贴。1997 年被中国科学技术协会授予“全国优秀科技工作者”称号。2001 年因在基本电测量标准方面的贡献获得中国仪器仪表学会的科学技术奖。2003 年获得何梁何利科学与技术进步奖。

2002 年被聘为北京理工大学信息科学技术学院顾问教授。

周寿桓

周寿桓，中国工程院院士，光电子学与激光技术专家。1937 年 4 月 3 日出生于四川省成都市，原籍北京市。1962 年毕业于中国科技大学，现任中国电子科技集团公司第 11 研究所研究员，博士生导师，科技委主任，中国电子学会量子电子学与光电子学分会秘书长。信息产业部电子科技委常委，全国光辐射安全和激光设备标准化技术委员会副主任，国际 IEEE 高级会员。1994 年 8 月—1996 年 12 月美国纽约市立大学高级访问学者。

1964 年起从事固体激光工程及应用的研究，在全固态激光、高光束质量激光、高亮度激光、非线性频率变换等研究和应用领域取得重要成果。20 世纪 70 年代初提出 DPSSL 的技术设想，是我国最早开展 DPSSL 研究的学者之一。全部国产元件 DPSSL 绿光输出率先突破 100W；高重频倍频 DPSSL，Q 开关单纵模 DPSSL，突破环境关、工程实用化研究取得突破。在国内最先将非稳腔用于 Nd：YAG 激光器，开拓非稳腔、VRM 腔激光器，设计定型并发展成高可靠、高功率、高光束质量激光器产品。与国内单位合作率先实现 230 nm—1 390 nm 的可调谐激光输出；研制成功跑道视程激光探测仪、气象激光雷达、激光水下探测试验系统等。获国家发明二等奖 1 次；国家科技进步二等奖 1 次，三等奖 2 次；部级一等奖 4 次，二等奖 6 次；光华科技基金二等奖 1 次。专利 10 项，发表论文 60 多篇。

2008 年被聘为北京理工大学光电学院顾问教授。

凌宁

凌宁，研究员，博士生导师。中科院成都光电所副总工程师，国家“863 计划”大气光学重点实验室波前校正器研究室主任。

多年来一直从事光学仪器设计研究，主持研制成功了多种具有国际先进水平的变形镜、倾斜镜和精密平移器，并在多项重大科研项目中得到成功应用。开发了单模光纤耦合台和 1－6 维微动台，发展了纳米驱动定位技术，在这两个方向均取得了显著成果。主要研究领域为能动光学器件、纳米级驱动定位技术。近年来在国内外主要刊物上发表文章 60 余篇，并先后获国家科技进步成果奖二、三等奖各 2 项，科学院科技进步成果奖特等奖 1 项、一等奖 6 项，是“全国先进女职工”“全国优秀巾帼发明家”称号获得者。已培养了一批硕士、博士研究生，其中有 3 人分别获科学院院长奖学金、大恒奖学金及刘永龄奖学金。

1996 年被聘为北京理工大学光电工程系兼职教授。

顾瑛

顾瑛，女，46 岁，中国人民解放军总医院主任医师、教授，博士生导师。顾瑛教授在激光及光动力疗法治疗各种肿瘤、血管瘤以及外科、妇科、皮肤科疾病及激光美容方面造诣突出，近年来在国内外激光医学学术期刊上发表论文 100 余篇。顾瑛教授现任中华医学会激光医学专业委员会主任委员、全军激光医学专业委员会主任委员、中华医学会北京分会激光医学专业委员会主任委员、中国光学学会专家咨询委员会主任委员以及国内多家学术委员会委员、美国激光医学会（ASLMS）会员，同时担任《中国激光医学杂志》主编、《激光生物学报》编委会常委、《现代康复》编委会常委，并主编《光动力疗法》一书（人民卫生出版社，北京，2001 年），1998 年入选总后“科技新星”、1999 年入选国家“百千万人才工程”一二层。

2002 年被聘为北京理工大学光电工程系兼职教授。

宋菲君

宋菲君，男，1943 年生，研究员，博士生导师。曾任北京第三光学仪器厂设计科副科长，北京信息光学仪器研究所副所长。现任中国大恒（集团）有限公司总工程师兼大恒新纪元科技股份有限公司光电研究所所长。

1966 年毕业于北京大学物理系。现为大恒新纪元科技股份有限公司董事、副总裁兼总工程师；中国物理学会理事，国际光子工程学会院士。中国光学学会光电专业委员会常务委员；中国仪器仪表学会光机电技术与系统集成分会副理事长；美国国际光学工程学会院士（Fellow SPIE）；美国光学学会（OSA）、美国电子电器工程学会（IEEE）会员。《物理》杂志常务编委、《北京大学物理学丛书》编委。1986 年获得“国家级有突出贡献中青年科技专家”称号，1988 年获得“北京市有突出贡献科技专家称号”，享受国务院特殊津贴。在国内外学术刊物发表多篇学术论文，在 SPIE 及国内学术会议上多次做大会特邀报告。著作有《从波动光学到信息光学》《高等物理光学》《近代光学信息处理》和《信息光子学物理》；曾为美国《光学工程百科全书》撰写《空间光调制器》专题；2005 年编写了为纪念“世界物理年”而出版的《物理学照亮世界》中的《物理学与现代产业》一章。

2003 年被聘为北京理工大学光电工程系兼职教授。

刘京郊

刘京郊，高级工程师，本科毕业于山东大学物理系理论物理专业。1979—1981 年北京师范大学物理系光学光谱专业硕士毕业。1999 年 11 月—2001 年 1 月，作为访问学者在美国俄勒冈州立大学电子工程系学习。

刘京郊高级工程师，任总参第 54 研究所光电对抗室主任；总参第 54 研究所专家组组长；总参第 54 研究所光电对抗室高级工程师。

1987 年至今，任总装光电子技术专业组成员；1996 年至今，中国电子学会电子对抗分会副主席；1999 年至今，哈尔滨工业大学“物理电子学”博士生导师；2003—2005 年曾任 CLED/QEIS 年会第一分会（激光应用与光学仪器）学术委员。

刘京郊高级工程师多项科研成果获国家科技进步一等奖。发表论文 30 余篇。

2003 年被聘为北京理工大学光电工程系兼职教授。

朱振福

朱振福，男，1942 年 7 月出生，1965 年于中国科学技术大学本科毕业，1969 年中科院物理研究所硕士研究生毕业。1981—1983 年美国南加利福尼亚大学进修。现任航天科工集团二院二〇七所型号专业总师，“目标与环境光学特征”国防科技重点实验室主任。主要从事微光与红外热成像技术，光电信息获取、存储、显示与处理，图像工程与视频处理技术研究和模式识别与信号处理技术研究以及光电跟踪制导设备研制。支持研制的电视跟踪系统装备了“红旗七号”和“飞蠓八〇地空导弹武器系统”，还用于高炮电视瞄准及目标特性跟踪测量。主持研制的红外与电视符合跟踪系统用于“飞蠓九〇地空导弹武器系统”。目前还在开展红外搜索跟踪系统、新一代红外/电视符合光电跟踪系统以及空间电视观测设备等研制。获国家级科学进步二等奖 1 项，部级科技进步一等奖 2 项，二等奖 1 项。出版译著 1 部，发表学术论文 70 余篇。享受国务院政府特殊津贴。

社会兼职“863－805”专题专家，华东科技大学兼职教授，国际 SPIE 成员。

2000 年被聘为北京理工大学光电工程系兼职教授。

李天初

李天初，1945 年生，1970 年于清华大学工程力学系毕业，1991 年获清华大学博士。1981 年以来，一直在中国计量科学研究院从事时间频率基准、光电子计量、稳频激光和光干涉计量的研究工作。1994 年被聘为中国计量科学研究院研究员，1996—2005 年担任中国计量科学研究院量子部主任，2005 年被聘为中国计量科学研究院首席研究员，2006 年荣获“全国质量监督检验检疫系统先进工作者”称号。

曾担任“光纤损耗/长度和光纤 OTDR 标准检定装置”“1. 5 mm 光通讯波分复用波长标准装置”“NIM4 激光冷却—铯原子喷泉时间频率基准装置”等多项研制任务的课题组长。获国家科技进步一等奖 1 项、二等奖 1 项，中国计量科学研究院科技成果奖多项。NIM4 铯喷泉钟的研制成功表明中国时间频率基准研究进入当今世界先进水平，标志着中国成为国际少数具有独立完整时间频率计量体系的国家之一。

2003 年被聘为北京理工大学光电工程系兼职教授、博士生导师。

赵惠英

2003 年毕业于西安交通大学，获工学博士学位。博士生导师。曾任北京机床研究所副总工程师，北京诺思泰格精密技术有限公司总经理。一直从事精密超精密仪器设备、单元部件研制、工艺及应用等领域的技术研发、推广应用等，积累了丰富的技术经验，并取得了多项有价值的研究成果。主持完成国家高技术研究发展计划（“863 计划”）项目、国家“九五”科技攻关专题项目等多项国家级项目，曾获国家科技进步二等奖、机械工业部科技进步一等奖等多项奖励。

2007 年被聘为北京理工大学光电工程系兼职教授。

高思田

研究员，BIPM/CCL 及 APMP/TCL 的计量院代表；ISO/TC1 螺纹技术委员会主席；中国计量测试学会几何量分会副主任委员；全国几何量长度计量技术委员会副主任委员；全国纳米技术标准化委员会委员。

研究领域：长度计量技术、纳米计量技术等。

主持课题有："微电子与纳米材料及特性材料测量技术和计量基标准的研究"科技部重要技术标准专项、"原子力显微镜和扫描探针显微镜纳米测量系统"，"标准多刻线样板检定装置"，"扫描探针显微镜计量性能的研究"等。

取得的成果有：

(1)"微电子与纳米材料及特性材料测量技术和计量基标准的研究"研制出一台大范围、高精度的纳米测量仪器，使我国纳米计量得到突破性的发展。

(2)"原子力显微镜和扫描探针显微镜纳米测量系统"研制出计量型原子力显微镜一台。

(3)"表面粗糙度国家基准改造"改造完成表面粗糙度基准装置一台，完善和提升了我国在表面粗糙度领域的地位。

2009 年被聘为北京理工大学光电学院兼职教授。

刘玉芳

刘玉芳，博士，教授。河南灵宝人，现任河南师范大学研究生处副处长。省级重点学科原子与分子物理的学术带头人，河南省中青年骨干教师，新乡市青年专家，省教育厅学术与技术带头人、中国兵工学会光学专业委员会委员。主持国家自然科学基金项目 1 项，参加国家自然科学基金项目 1 项，获河南省高校杰出科研人才创新工程项目等。在《Chem. Phys Lett. 》《Chem. Phys》《Phys. Lett. A》等 SCI 源期刊发表论文 35 篇，EI 源期刊 40 篇。获"河南省自然科学优秀论文"一等奖 3 项，获河南省优秀教学成果奖二等奖 1 项。

研究方向：原子分子碰撞及动力学、激光与物质相互作用。

2006 年被聘为北京理工大学光电工程系兼职教授。

宋太亮

宋太亮，教授，工学博士。男，1962 年 11 月生，1982 年 7 月—1986 年 7 月在青岛建筑工程学院（现为青岛理工大学）机械工程专业学习，获学士学位，1986—1989 年在装甲兵工程学院可靠性工程专业读研究生，获硕士学位。2000—2003 年在北京航空航天大学飞行器设计专业学习，获保障性工程博士学位。

长期从事质量管理、保障性工程、可靠性工程、综合保障工程技术等研究工作。出版《装备保障性工程》《装备综合保障实施指南》等专著，获部级科技进步二、三等奖多项，在保障性工程领域研究成果处于学科前沿。现兼任中国兵工学会学术委员会委员，中国设备协会寿命周期委员会副主任委员。装备可靠性维修性保障性标准化技术委员会委员兼秘书长，装备质量管理标准化技术委员会委员。

2005 年被聘为北京理工大学光电工程系兼职教授。

杨隆荣

杨隆荣，中国视听技术委员会名誉理事长，敏通企业股份有限公司总经理，主任研究员。

毕业于台湾技术学院，曾担任中华电视台主控道播、中国业余无线电协会理事等职务。曾著《无线电猎户技术手册》《业余电台用八木天线设计》等著作，参编了《无线电寻呼 BP 机》《CCD 应用技术》等书籍并出版发行《敏通科技》杂志积极推广 CCD 应用技术，促进信息产业的发展。

1979 年创建敏通企业股份有限公司以来一直致力于 CCD 摄像机和数字视频技术的研究、新产品的开发和 CCD 摄像机的大规模产业化的生产。他领导敏通企业股份有限公司创造出了具有独立知识产权的第一代到第八代系列 DSP - IC 及高性能的 CCD 摄像机产品。近期成功研制了 TFT - LCD 时序控制单芯片，为薄型大屏幕显示技术的升级换代打下了坚实的基础。

现兼任中国安全防范产品行业协会理事；中国人才研究会视听技术人才专业委员会名誉理事长；中国光学电子行业协会直属分会理事；中国光电学会光电技术专业委员会副主任委员、中国广播电视设备工业协会高级顾问；《光学技术》杂志社副主任委员。

1993 年被聘为北京工业学院工程光学系兼职教授。

胡志城

胡志城先生是滑铁卢大学眼科学院资深教授，是美国视光学院院士及澳洲维多利亚视光学院院士，是国际视光学界备受尊敬的知名专家。胡教授早在 2004 年就被聘为华西临床医学院客座教授。

2000 年被聘为北京理工大学光电工程系兼职教授。

向世明

向世明，男，汉族，研究员，1938 年 6 月生，陕西安康人。1960 毕业于西北大学物理系半导体物理专业，1962 年至今，在中国北方兵工（集团）总公司西安应用光学研究所工作。

2000 年被聘为北京工业学院工程光学系兼职教授。

蔡毅

蔡毅，1959年9月出生，1982年毕业于四川大学，分配到211所材料研究室，参与HgCdTe晶体生长的各项工作，1984年因工作需要独立筹建X射线形貌分析实验室。

1991—1995年在中科院上海技术物理研究所国家红外物理实验室攻读博士学位，1995年获理学博士学位。毕业回所后从事一代红外探测器的研制和产业化工作，前后担任研究室副主任、主任之职，全面负责32元、SPRITE两个探测器的转产和项目重组及多个探测器型号的生产。1998年任211所副所长兼焦平面研究室主任，全面负责211所第二代红外探测器的研发和重大项目的论证及发展战略规划的制订。2004年红外集团成立后，负责主持集团的技术工作。同时还担任了几个重要项目的总设计师，如H6K、边防等。目前是兵器工业集团公司红外领域学科带头人；中国人民解放军总装火控与光电应用技术专业组成员；中国人民解放军总装预研项目责任专家；中国兵器工业集团公司科学技术委员；国家“973计划”首席科学家；中国兵器科学院博士生导师；昆明物理研究所博士后流动站导师；云南省翻译学会理事等。

1993年12月获兵器工业部级科学进步一等奖；1997年12月获兵器工业部级科学进步三等奖；2003年获国防科学技术工业委员会科技进步二等奖。曾兼任《红外与激光工程》编委，中国兵器工业集团公司科技委员，总装备部兵器火控与光电应用技术专业组成员，中国光学学会、光电器件专业委员会副主任委员，中国兵工学会夜视技术专业委员会第一届委员会副主任委员，中国宇航学会光电技术专业委员会第二届委员会副主任委员，中国光学学会第六届理事会理事，中国电子科技集团公司CCD研发中心专家委员会委员等职。

2002年被聘为北京理工大学光电工程系兼职教授。

梁佳沂

梁佳沂，博士、研究员。东莞松山湖科技产业园区管委会副处级委员，分管科技、教育及留学生创业等方面的工作，并兼任松山湖科技教育局局长、东莞市留学人员创业园管理办公室主任、松山湖生产力促进基地管理有限公司董事长、东莞市侨联副主席、中国青联委员及东莞市青年联合会副主席。

1984年7月毕业于北京理工大学光电工程系，获学士学位。1986年赴英留学，并于1987年1月起在英国伦敦大学学院电子工程系攻读博士学位，1991年7月完成博士论文。

博士毕业后在英国布鲁耐尔大学电子工程系进行博士后研究工作。1994年1月—1996年12月，在布鲁耐尔大学电子工程系任研究员；1997年1月—1998年12月在英国布鲁耐尔电子工程系任高级研究员；1999年1月起，任英国ERA技术有限公司通讯部主任工程师兼项目督导；1999 年 2 月在英国创办了英特讯有限公司，并担任董事长。2003 年 7 月回国。

留英期间，在实用技术开发方面共发表了 32 篇论文。1994 年 5 月获全美电子与电器工程师协会优秀论文奖；1998 年 12 月获日本微波大奖。1996 年被列入世界名人大全以及 1997 年世界金融工业名人录。曾先后担任过伦敦中心区学生学者联谊会副主席、主席，全英中国学生学者联谊会秘书长，副主席、主席等职务。

2002 年被聘为北京理工大学光电工程系兼职教授。

王世涛

王世涛，研究员。1966 年 2 月生，1987 年毕业于北京理工大学工程光学系光学仪器专业。

现任航天部五院研发部红外系统副总研究师。主要从事空间红外遥感技术工作。参加了资源卫星红外相机从初样到正样全过程的研制工作，获国防科工委科学技术奖一等奖 1 项、二等奖 1 项，曾荣立航天部一等功 1 次。现为五院红外遥感研发领域专家组组长。

2009 年被聘为北京理工大学光电学院兼职教授。

张存林

张存林，教授。1961 年 2 月生，1992 年获北京理工大学光电工程系光学工程工学博士学位。现任首都师范大学物理学院院长。

主要从事 THz 光谱和成像、红外热波检测、光电信息材料等方面的教学和研究工作。在《APL》《AO》《物理学报》《光学学报》等学术刊物发表论文 40 余篇，合作和单独出版专著 3 部、教材 3 部。

现为北京物理学会副理事长、首都师范大学首届学科带头人、“北京市跨世纪优秀人才”、北京高校青年学科带头人。

2002 年被聘为北京理工大学光电工程系兼职教授。

曾理江

曾理江，教授，1961 年出生，1983 年毕业于北京工业学院工程光学系，1986 年获北京工业学院光学工程专业工学硕士学位。现任清华大学精密仪器系教授。

从事昆虫运动仿生研究，精密计量与测试，干涉测量与全息光栅制作工艺。目前和日本东京大学、日本千叶大学、日本产业技术综合研究所、美国伯克利大学等有合作研究。发表论文 80 余篇，其中 SCI 检索 40 余篇，拥有 3 项发明专利。2000 年获日本“注目发明专利奖”。1999 年获国家杰出青年科学基金和教育

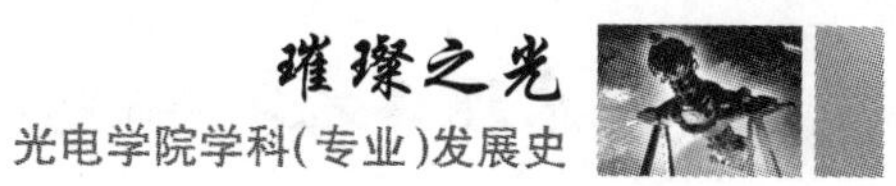

部优秀青年教师基金。

2000 年被聘为北京理工大学光电工程系兼职教授，博士生导师。

郑全宝

郑全宝，研究员。1946 年 1 月生，辽宁大连市人，中共党员。1963 年考入北京工业学院工程光学系。现任中国运载火箭技术研究院副院长、副书记。

毕业后在航天部第一研究院从事运载火箭技术研究工作。1984 年调任北京航天发射技术研究所副所长、所长兼总经济师。1991 年至今任现职。在“长征二号”捆绑火箭研制发射工作中荣立二等功，在“神舟号”飞船飞行试验工作中获突出贡献奖。现任“长征二号丙”改进型运载火箭总指挥，“双星”计划火箭系统总指挥。

现兼任第三届中国宇航学会理事、发射工程专业技术委员会主任委员、中国航天科研管理协会副理事长、中国运载火箭技术研究院学位评审委员会副主任、北京理工大学兼职教授。

享受国务院政府津贴。

2000 年被聘为北京理工大学光电工程系兼职教授。

潘顺臣

潘顺臣，研究员级高工。1949 年 7 月出生，1975 年毕业于北京工业学院光电工程系。1981 年北京工业学院光电工程系研究生毕业，获工学硕士学位。现任兵器工业第 211 所所长、党委委员，兼任南京理工大学博士生导师、云南大学客座教授。

长期从事光电技术研究工作，曾任“123 工程”热像瞄准镜，“522 工程”红外热像仪等多项科技项目总师和总指挥，获国家级科技进步一等奖、二等奖各 1 项；国防科学技术进步一等奖 1 项；部级科技进步特等奖 1 项，一等奖 3 项，二等奖 2 项，三等奖 1 项；光华科技基金二等奖 1 项。

荣立部级一等功、二等功各 1 次。1998 年被国家人事部授予“有突出贡献的中青年专家”。2001 年起享受政府特殊津贴。

2000 年被聘为北京理工大学光电工程系兼职教授。

张静方

张静方，教授。1944 年 1 月生，江苏南通市人，中共党员。1966 年毕业于北京工业学院光学设计与检验专业。现任中钞特种防伪科技有限公司首席技术顾问。毕业后留校任教，1970 年调到中国人民解放军第 3302 厂，1974 年调到 7312 厂，从事技术工作。1977 年调回北京工业学院工程光学系，1990 年 6 月—1991 年 6 月作为高级访问学者赴美国 Nebraska 大学进行科研合作。1994 年调入中国印钞造币总公司系统，历任中钞信任卡厂副厂长、厂长，中钞特种防伪科技有限公司总经理。

在校期间从事光信息技术方面的教学和科研，承担多项基金项目，获部级科技进步二、三等奖各1项，合作出版《全息显示技术》《光全息术》等专著，发表论文数10篇。调入中国印钞造币总公司系统后，自主研发了多项光学防伪技术和产品，“银联”标识卡全息防伪标志获中国人民银行科技发展一等奖，并获4项发明专利。

1999年起享受政府特殊津贴。2001年被授予全国金融“五一劳动奖章”。

2005年被聘为北京理工大学光电工程系兼职教授。

邓年茂

邓年茂，研究员，博士生导师。男，汉族，1963年3月出生，博士，中国航天科工集团四院十七所研究员，博士生导师，国防科技工业“511人才库”学术技术带头人。

一直在军用光电仪器的科研领域中工作，主要从事光电仪器工程、瞄准技术、惯性星光制导技术等。负责或作为主要技术骨干参加了包括国家“863计划”项目3项，中国科学院院长基金等重点基金项目4项，国防军工项目13项等科研课题。

从1995年开始，主要研究方向转为导弹武器系统的瞄准技术研究。先后承担了多个导弹武器型号的瞄准系统的主要研究与总体设计工作。2001年调入中国航天科工集团第四研究院十七所后，担任本所瞄准技术学科专业带头人。共发表科技论文50余篇，其中，第一作者23篇；完成科学研究报告超过70篇。获得国家专利4项，其中3项为第一发明人。获得中国科学院科技进步二等奖2项，三等奖1项；国防科学技术二等奖2项。

2005年被聘为北京理工大学光电工程系兼职教授。

周泽武

周泽武，研究员。男，1963年2月生。现任华中光电科技有限公司总经理。中国兵器装备集团公司预先研究专家，中国兵器装备集团公司科技委委员。

以激光测距、多波段观测仪器为主要研究方向，参加手持激光测距机、小高炮诸元测定仪、夜视测距仪、高炮通用数字化指挥仪、近程反导武器系统充电跟踪仪等项目的研制，获兵器工业二等奖、军队科技进步二等奖、国防科学技术三等奖各1项。编著出版《小高炮诸元测定仪原理与勤务教程》《某诸元测定仪原理与勤务》等著作。

1998年起享受国务院政府特殊津贴。

2009年被聘为北京理工大学光电学院兼职教授。

尚庆虎

尚庆虎，工学博士，教授级高工。男，1963 年 1 月生。中国电子工业发展规划研究院副总工程师、党委书记。

主要从事激光全息防伪生产、反射全息技、银盐全息图、相位共轭、数字显示等技术的研究及设备的研制。所开发的技术和研制的设备在国内得到广泛推广及应用，并出口越南、新加坡、我国台湾等国家和地区，产生了较大的经济效益和社会效益。在国际及国内一级学术刊物上发表数十篇学术论文。

原电子工业部“十大杰出科技青年专家”。

2002 年被聘为北京理工大学光电学院兼职教授。

郑竺英

郑竺英，研究员。女，1926 年 8 月生。我国生物视觉、视觉加工方面的专家。中科院生物物理研究所研究员。

主要从事果蝇变态时酶活性改变、蝗虫食性、蝗卵呼吸、中间性半年虫遗传、放射性药物防护以及生物控制论研究。后期从事视觉信息加工的研究，尤以双眼立体视觉研究为主要对象。曾在《心理学报》上发表多篇视觉信息加工方面的论文。

合作研制的双眼立体视觉检查图册，1984 年获国家发明四等奖，获尤里卡及日内瓦国际发明展览银质奖。

1988 年被聘为北京工业学院工程光学系顾问教授。

梁燕熙

梁燕熙，男，1944 年 3 月生，河北安新人，中国兵器工业第 205 所所长、研究员高工。

主要从事兵器测试技术，光学计量与测试技术，数据处理技术，传感器，无线电遥测系统等方面的研究，参加多项技术研究，其中“常规箭弹小型化通用化弹战设备及自动谐调地面站”获国家科技进步二等奖；“微波遥测技术”等多项分获兵器总公司一等奖、二等奖。发表论文 19 篇。

现任中国兵工学会测试技术委员会委员，学报编委会委员；中国兵工学会光电子专业委员会主任委员。

2000 年被聘为北京理工大学光电工程系兼职教授。

李连学

李连学，男，1964 年 2 月生，研究员级高工。现任中国电子科技集团公司第二十七研究所研究员级高工，光电技术领域的学术带头人。

一直从事电视/红外跟踪技术和光电应用系统的研发工作，在图像处理、图像分割与监测、图像显示、目标识别、光电成像及探测方面有深入的研究。主持和参加多个国家重点项目的研制工作，获机械电子工业部科技进步二等奖1项，信息产业部科技进步二等奖1项。发表论文几十篇。

2006年被聘为北京理工大学光电工程系兼职教授。

徐明

徐明，男，1961年4月生。空军第三飞行学院教授。

从事空军仿真科学与技术研究，是空军高层次科技人才，飞行软件教学学科带头人。参与“支持先进装备模拟训练的轻量级飞行模拟器”的研制，负责编写的《教八飞机停车迫降》等多部教材获全军优秀电教教材一等奖，并著有《现代多媒体技术与军事飞行教学》，撰写10余篇论文。

2006年被聘为北京理工大学光电工程系兼职教授。

杨振寰

杨振寰，美国宾夕法尼亚州立大学讲座教授、光电子研究中心主任、国际著名光电子科学家、美国IEEE院士、终身会士。

杨振寰教授主要致力于光学领域工作的研究，包括光信号处理、全息光学、信息光学、光学计算、光神经网络、光折变光学、光纤传感器及光子器件等。在光学领域取得了突出成就，发表学术论文300余篇，出版的多本学术专著被翻译成中文、日文、韩文。

现任多个国际性期刊的副编委、编辑委员会成员，南开大学荣誉教授。

2004年被聘为北京理工大学信息科学技术学院顾问教授。

黄惠明

黄惠明，研究员。男，1964年9月生。博士学位，总装测量通信总体研究所研究员。

主要从事靶场光电测量和电子对抗试验技术研究，先后主持了多种类型，不同平台的大型光电经纬仪的总体设计工作，完成“区电”电子装备试验场的保障条件的论证，顶层设计及评估方法的研究，并承担“863计划”高科技的空间攻防领域等方面的任务多项。获部级科技进步二等奖4项、三等奖14项，发表论文多篇。

现兼任中国光学学会高速摄影和光电子专业委员，中国电子学会电子对抗分会委员。

2005年被聘为北京理工大学光电工程系兼职教授。

张曾扬

张曾扬，教授级高工。男，1932年4月出生，吉林省长春市人，光学加工界资深专家，曾任北方投资咨询服务中心总工程师，兵器工业规划研究院三所总师，北京理工大学客座教授，兵工学会光学专业委员会副主任，《光学技术》杂志编委会副主任。北方光电科技股份有限公司顾问。

曾先后在设计院、规划院、298 厂、北京理工大学工作。是中华人民共和国建国后第一代光电工程设计师之一。曾担任 20 余项工程项目的总设计师。参加过几十项工程的光学设计。承担过几十项前期工作的咨询。主持了 13 项工艺科研课题成果的评审。主持了多次光电专业研究生的学位论文答辩。参加过国家计委、经贸委、国防科工委的民品、军品项目的评审和国际招投标公司等多个招投标公司的招投标项目的标书审查及评审。

编译的著作有：《光学零件公差与配合》《光学零件的金刚石加工》《光学车间工艺设计手册》《兵器工业前期工作指南》《现代光学制造技术论文集》《光学冷加工工艺和设备现状及其发展》等。

1998 年被聘为北京理工大学光电工程系兼职教授。

郑刚

郑刚，男，1956 年 10 月出生，加拿大温哥华研究科学家，现在加拿大 Photontech Instruments 公司。

主要从事物理光学、精密测量技术、光学调频连续波（FMCW）干涉术、光纤传感器与光纤陀螺的研究。是光学调频连续波（FMCW）干涉术创始人和新概念光纤陀螺发明人。首次完成了对光学调频连续波干涉的理论分析，发明了一系列调频连续波干涉仪、调频连续波光纤干涉仪、调频连续波干涉光纤传感器和调频连续波干涉光纤陀螺仪，获中国国家发明三等奖 1 项，发表了 60 多篇学术论文（SCI 收录 20 余篇），并撰写了世界第一部关于光学调频连续波干涉的专著《Optical Frequency-Modulated Continuous-Wave（FMCW）Interferometry》。由国际著名科技出版商 Springer 于 2005 年出版发行，并列为他们世界驰名的光学经典专著丛书之一。

美国光学学会（OSA）会员，美国光学学会（OSA）期刊评阅人，美国电气与电子工程学会（IEEE）期刊评阅人，国际光学学会（SPIE）期刊评阅人。

2009 年被聘为北京理工大学光电学院兼职教授。

张宏俊

张宏俊，男，1967 年 11 月出生，研究员，现任航天科技集团八院科技委总指挥，国防科工委标准化委员会委员、南京理工大学兼职教授。中国系统仿真学会理事，上海市系统仿真学会副理事长。

张宏俊一直从事航天产品的设计研制工作，主要研究方向为系统仿真总体、制导控制系统半实物仿真。现为上海航天科技产业的国家级学术技术带头人。带领设计师团队解决多项关键技术，为产品的设计定型和后续发展作出了突出贡献。1998 年被授予上海市“青年岗位能手”，2002 年获中国航天科技集团公司“有突出贡献专家”称号，2004 年评为中国航天科技集团公司“青年学术技术带头人”，2006 年获得上海市“十大青年科技英才”称号，2007 年被评为上海市“劳动模范”、上海市领军人才奖等。

2010 年被聘为北京理工大学光电学院兼职教授。

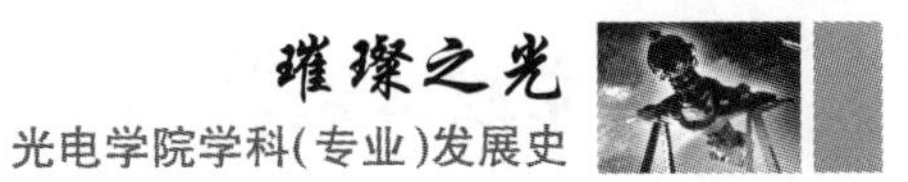

附录 11　北京理工大学光电学院部分校友简介

艾克聪

1950 年 9 月生，陕西省米脂县人，中共党员。1972 年考入北京工业学院工程光学系。现任中国兵器集团第 205 所副总工程师，研究员级高工。

1975 年毕业分配至中国兵器工业第 205 所工作，1978—1981 年在北京工业学院工程光学系攻读研究生，获工学硕士学位。1986—1988 年在美国亚利桑那大学计算机系做访问学者。

长期从事光电成像器件和微光夜视系统的理论、设计、研制等方面的工作，主持完成多个科研项目，获国家科技进步二等奖 1 项，部级科技进步一等奖 1 项，国家发明专利 1 项，省自然科学优秀学术论文二等奖 1 项。在国内外学术刊物上发表论文 60 余篇。

1995 年被授予“中国兵器工业总公司优秀中青年科技工作者”称号。

包琳玉

1936 年 6 月生，浙江宁波人，中共党员。1953 年考入北京工业学院光学仪器专业。兵总 218 厂研究员级高工。

1958 年毕业分配到云南 298 厂，任技术员；1964 年调到北京 218 厂设计所，先后任副所长、所长，218 厂副总工程师、总工程师、科技委主任等职。主要从事航空光学轰炸瞄准器、军用照相机、激光制导导航弹机载激光照射器，坦克火控系统等产品的技术设计工作，曾获机电部科技进步二等奖 2 项，兵器工业总公司科技进步一等奖 1 项。

曾兼任全国印刷机械标准化委员会委员；兵器工业国防专用科技进步、发明奖评审委员会委员；兵器工业科学技术专业委员会委员。

1992 年起享受国家政府特殊津贴。

白闻喜

1937 年 2 月生，河北安国人，中共党员。1956 年考入北京工业学院军用光学仪器专业。长春理工大学教授。

1962 年毕业分配到中科院长春光机所，后到长春理工大学（原长春光学精密机械学院）从事教学和科研工作。曾任科研处处长、光电工程系系主任等职。

长期致力于光电仪器的研发与教学工作，在光电监测技术及医用光学仪器领域从事过系统的研究。主持或参与过 20 多项科研，有 10 余项科研成果获省部级奖励。其中“HJ－73 反坦克导弹轻便式模拟训练器”1978 年获全国科学大会奖；“三维电视腹腔镜立体摄像显示技术研究”2005 年获吉林省科学技术进步一等奖。发表《产品外观疵病的光学检验及其信噪比的计算》等学术论文10余篇。获2项专利权。

1978年被第五机械工业部授予“全国兵器工业战线学铁人标兵”称号，1985年被评为“吉林省高等院校优秀教师”。

1992年起享受国家政府特殊津贴。

常宁华

1936年4月生，辽宁省铁岭市人，1956年考入北京工业学院精密光学仪器系。高级工程师。现为中国科学院西安光机所客座研究员。

1960年提前毕业留校任教，1961年调入中国科学院应用地球物理研究所从事探空火箭探测仪器的研制工作。1971年调入航天部空间技术研究院，从事航天相机系统的光机精密结构的设计，先后参加第一、二代返回式卫星测量相机镜头的设计研制，“中巴资源一号”卫星CCD相机主光学系统的精密结构设计等4个卫星型号的研制工作。获全国科学大会特等奖1项，国家科技进步特等奖1项，部级科技进步一等奖2项，发表论文5篇。

曾荣立部、院级二等功1次，三等功1次。1991年获航空航天工业部授予的“从事航天事业三十年”荣誉证书。

1993年起享受政府特殊津贴。

陈荧昌

1941年1月生，浙江省镇海县人，1958年考入北京工业学院精密仪器系。研究员。

1963年毕业分配至航天部三院工作，长期从事飞航导弹发动机控制系统的研制，参加多个型号项目控制系统的设计、试验工作，获部级科技进步二等奖1项。

曾荣立航天部二等功1次。

陈玉江

1937年1月生，上海市人，中共党员。1955年考入北京工业学院军用光学仪器专业。电子工业部第十一研究所副总工程师。

1960年毕业分配到原国防科工委某试验训练基地，从事光学测量工作，后从事测量总体工作及基地技术总体工作，任基地总体室主任，在此期间参加了在基地执行的各种东风型号的战略导弹试验任务、两弹结合任务和“东方红”卫星等任务，参加了战术导弹试验方案（含测控方案、时统通讯方案）的论证工作。获全军科技成果三等奖1次、四等奖2次，1980年立三等功1次。

1990年转业到原机械电子工业部第十一研究所，任副总工程师。

程兴伟

1955 年 4 月生，四川南充市人，中共党员。1975 年入北京工业学院军用光学仪器设计专业学习。现任西南兵工局副总工程师，研究员级高工。

1971 年参加工作，1975—1978 年在北京工业学院光学工程系学习，1979 年在国营 348 厂设计所工作，1982 年调国营 338 厂设计所从事军用光学仪器设计，1983 年 7 月—1984 年 7 月在南京理工大学管理工程系企业管理专业学习，1984 年任国营 338 厂生产计划科副科长、科长职务。1989 年调西南兵工局工作，历任西南兵工局光电处副处长，民品处副处长、信息通信处处长、成都万友公司副总经理、重庆渝兴电子公司总经理、重庆万友经济技术开发总公司常务副总经理等职。1995—1998 年在四川大学在职攻读工商管理专业研究生。1999 年任重庆长江电工厂厂长、党委副书记，2003 年任重庆长江电工（集团）公司总经理、党委副书记。2005 年至今任西南兵工局副总工程师、西南兵器工业公司总经理助理。

2005 年获“重庆市劳动模范”称号。

中国共产党重庆市第二次代表大会代表，重庆市第二届人民代表大会代表。

曾理江

1961 年出，1983 年毕业于北京工业学院光学工程专业，1986 年获北京工业学院光学工程专业工学硕士学位。现任清华大学精密仪器系教授，北京理工大学兼职教授，博士生导师。

从事昆虫运动仿生研究，精密计量与测试，干涉测量与全息光栅制作工艺。目前和日本东京大学，日本千叶大学，日本产业技术综合研究所，美国伯克利大学等有合作研究。发表论文 80 余篇，其中 SCI 检索 40 余篇，拥有 3 项发明专利。2000 年获日本“注目发明专利奖”。

1999 年获国家杰出青年科学基金和教育部优秀青年教师基金。

曾桂林

1963 年 4 月生，江苏省盐城市人，中共党员。1981 年考入北京工业学院光学工程系。现任北方夜视技术股份有限公司总经理。研究员级高工。

1988 年硕士研究生毕业分配至兵器工业 205 所，1997 年任该所副所长，主要从事微光器件研究工作，在国内学术刊物上发表论文 10 余篇。

丛增福

1938 年 12 月生，辽宁省本溪市人，中共党员。1960 年考入北京工业学院精密仪器系。研究员级高工。

1965 年毕业分配至兵器工业部 228 厂，历任 228 厂总工程师、副厂长兼总工程师。长期从事航空摄影产品的光学系统设计和科技管理工作。主持并参与研制的 WG790 产品获全国科学大会奖，主持完成的 WG233，WG124A，WG124B，WG124C，K15，K16 等产品分获部级科技进步、科技成果二、三等奖。参与编写《光学零件工艺手册》工具书。

曾任中国光学学会会员，吉林省光学学会理事会常务理事，吉林省专家协会会员。

1993 年起享受政府特殊津贴。

戴红军

1934 年 12 月生，江苏省淮阴人，中共党员。1957 年入北京工业学院光电工程系学习。1994 年退休。

1962 年毕业分配到国防部第五研究院二分院，1974 年调航天部第四研究院，历任宣传科长、物资科长、政治部主任、纪委书记、党委书记（正厅局级）。1989 年调任航天部太湖疗养院院长兼党委书记。主要从事党务工作。

曾被评为航天部第四研究院“先进工作者”，荣立航天事业三等功。

邓建军

1964 年 4 月生，1985 年毕业于北京工业学院工程光学系。现任中国工程物理研究院流体物理研究所副所长，兼任国际稠密 Z 箍缩技术组织委员会委员，四川省科技青年联合会副主席，四川大学兼职教授。研究员。

主要从事空间电荷主导电子束的纵向聚焦研究工作，先后完成强电流脉冲电子束能谱实时测量研究、自由电子激光器实验研究及大型爆轰实验的闪光照相应用等多项科学研究项目。获国家科技进步一等奖 1 项，国防科工委科技进步一等奖 1 项，部委级科技进步二等奖 8 项，三等奖 6 项。1994 年获邓稼先青年科技奖，1996 年入选国家“百千万人才工程”，1998 年获“于敏数理科学奖”，2003 年入选四川省“工程科学技术”领域学术及技术带头人。

1998 年始享受政府特殊津贴。

邓文波

1939 年 3 月生，中共党员。1957 年考入北京工业学院光学仪器系。研究员级高工。

1962 年毕业分配至兵器工业部 298 厂，后调南京 528 厂，曾任厂总工程师、厂长兼党委书记。

长期从事技术和企业管理工作，参与并主持多项国家及省部重点科技项目，主持研制的微通道板生产线获国家科技进步二等奖、部级科技进步一等奖，

XGNC10 机床数控系统获部级科技进步二等奖，TX—8N 数控系统获江苏省科技进步二等奖。1995 年被聘为香港银华国际发展（集团）公司驻番禺市办事处主任，银华番禺工业基地主任。

曾被南京市政府授予建设新南京有功个人，被兵器工业总公司授予质量先进个人及国家科委授予的“先进科技工作者”称号。

1992 年起享受政府特殊津贴。

杜玉波

1955 年 9 月出生，河北晋州人，中共党员。1975 年考入北京工业学院工程光学系。现任北京航空航天大学党委书记。研究员。

1974 年 2 月参加工作，研究生学历，自 1978 年毕业留校，先后任北京工业学院飞行器工程系学生辅导员、系团总支书记、院团委常委。1983 年 1 月任校团委副书记，1984 年任校团委书记，兼任院党委学生工作部副部长。1985 年任机械工程系党总支书记，北京工业学院党委委员。1989 年任北京理工大学党委组织部部长，1991 年 12 月任校党委常委。1993 年任校党委副书记，1996 年 7 月任校党委副书记兼任副校长。后任北京理工大学党委常务副书记。

杜玉波同志是国防科工委“511 人才工程”高级优秀管理人才，北京高校党建研究会副会长。政府特殊津贴获得者。

方新

1955 年 1 月生于北京。中共党员。1980 年北京工业大学机械工程系毕业，1982 年获北京理工大学光学工程系硕士学位，1997 年获清华大学经管学院技术经济专业博士学位。1987—1988 年在美国乔治华盛顿大学管理科学系做访问学者。中国科学院党组副书记，研究员，博士生导师。现任中国科学院党组副书记，全国人大常委会委员、教科文卫委员会委员。

1985 年从事科研管理工作以来，历任中国科学院科技政策与管理科学研究所政策研究室副主任、主任，副所长、所长、党委书记。2003 年 3 月—2004 年 12 月任全国人大常委会专职委员。

长期从事科技战略与科技政策研究，对技术创新、国家创新体系、科技体制改革等领域的研究较深。20 世纪 90 年代以来主编或参与主编、撰稿出版书籍 10 余册，发表论文 60 余篇，译著译文 10 余篇。

2001 年获中国科学院青年科学家奖，曾获国家教育部科技进步一等奖 1 项，中国科学院科技进步三等奖 4 项，国家科委科技进步二等奖 1 项。党的十六大代表。2002 年被评为中央国家机关工作委员会优秀妇女领导干部。现还兼任北京市人民政府顾问，国际科技政策研究会理事，中国科学学与科技政策研究会理事长，中国软科学研究会副秘书长，北京市软科学指导委员会主任，中国科学院研究生院管理学院教授，《科学学研究》主编等职。

丰善

1941 年 7 月生，山西省山阴县人，中共党员。1961 年考入北京工业学院光学仪器系。研究员。

1968 年毕业留校任教。1973 年调中科院西安光机所，长期从事高速摄影技术和激光全息摄影技术的应用研究和产品开发工作，作为课题负责人或主要参加人员先后完成“LBS－16A 型高速电影摄影机”“DYGQ－1 型多用途高速全息摄影机”“YSV－1 型运动粒子瞬态激光全息测试仪”“SPQ－1 型四分幅皮秒紫外激光全息探测仪”等项目的研制，获国防科工委科技进步二等奖 1 项，中科院科技进步一等奖 1 项、二等奖 2 项。

1993 年起享受政府特殊津贴。

付鑫伯

1938 年生于上海浦东，中共党员。1957 年考入北京工业学院仪器系。研究员级高工。

1962 年毕业留校任教，1983 年调到兵器工业部教育司工作，先后任副处长、处长、副局长。在校期间曾参与编写《夜视器件与仪器》《夜视技术》和《数字图像处理》等教材，参与《光电学手册》《光电技术手册》等工具书的翻译与编写。参加了“兵器工业专门人才需求预测”课题研究，该课题 1985 年获兵器工业科技成果二等奖。

甘子光

1930 年 12 月生，中共党员。1951 年考入北京工业学院光学仪器系。中国照明学会理事长。教授。

1956 年毕业留校任教，曾编写《应用光学》《应用光学与光学设计》等多种教材，1975 年调轻工业部电光源处任处长，1985 年调轻工业部科学研究院任副院长，后任轻工业部科技发展司筹备组负责人。曾成功设计多种用于影视、舞台艺术照明的灯具；参与国家科委中长期科技发展纲要起草工作。

1993 年获国家科委“做出突出贡献表彰”的荣誉证书。曾被评为“中国轻工总会先进工作者”，获中国科协“先进工作者”称号。

高昌文

1935 年 3 月生，山东省东营市人，中共党员。1956 年考入北京工业学院军用光学仪器系。教授。

1960 年毕业留校任教，1976 年调到北京光学工业公司工作，1980 年调任北

京光电技术研究所副所长，主管技术业务工作，曾任北京市第二届科协委员和北京光学学会第一届常务副秘书长。1984 年调中国科协咨询部任副部长，负责全国科协系统科技咨询工作的组织协调工作，并作为“全国技术市场协调指导小组”成员，参与了全国技术市场的建立、整顿工作，组织中国科协在上海浦东开发区的技术开发工程项目。

何绍宇

1936 年 6 月生，河北省人，中共党员。1954 年考入北京工业学院军用光学仪器专业。研究员高工。

1960 年毕业分配到兵器工业第 205 所工作，长期从事军用光电仪器总体设计及光学系统设计工作，曾任 205 所副总工程师，先后取得科学大会奖 2 项，国防科工委二等奖 1 项，省科协优秀论文一等奖 1 项等。

1991 年起享受国家政府特殊津贴。

胡士保

1944 年 12 月生，上海嘉定人，中共党员。1963 年考入北京工业学院光学工程系红外专业。研究员级高工。

1968 年毕业分配到国营第 298 厂工作。主要从事红外产品的研发，生产管理，曾任车间主任，副总工程师，生产副厂长、代理总工程师、厂长等职。2000—2006 年任云南北方光学电子集团有限公司总经理、董事长。

华珂

1939 年 3 月生，山东益都人，中共党员。1956 年考入北京工业学院军用光学仪器专业。高级工程师。

1961 年毕业分配到中国人民解放军军械研究所工作，1965—1995 年于兵器总公司第 205 研究所从事光电技术及产品的研制工作，获科技大会奖 1 项，部级科技进步二等奖 1 项，国家科技进步三等奖 1 项。

1993 年被国家授予“有突出贡献专家”称号，享受国家政府特殊津贴。

郝景尧

1938 年 5 月生，天津市人，中共党员。1956 年考入北京工业学院军用光学仪器专业。研究员级高工。

1961 年毕业分配到华北光学仪器厂工作，历任技术员、工程师、副总工程师、副厂长、总工程师等职；1989 年调任中国兵器标准化研究所所长兼党委书记；1992 年调任中国光电工业公司总经理兼党委书记。1996—1998 年任中国兵器工业集团公司经贸局巡视员。曾任中国光学学会常务理事、副理事长兼秘书长；中国光电子行业协会副理事长。

享受国家政府特殊津贴。

黄丽琼

1970 年 8 月生，1992 年毕业于北京理工大学工程光学系光电专业，1995 年获北京理工大学工程光学系工学硕士学位。现在兵器工业集团西安北方光电有限公司从事技术工作。

一直从事航空产品的研发工作。先后担任头瞄系列、平显系列等产品的火控总体、软件主管，在航空火控理论及其软件工程方面有深入的研究和较深的造诣，解决了一系列的技术难题，为工厂赢得了众多荣誉，创造了巨大的经济效益。现为集团公司级科技带头人。荣获“2005 年陕西省巾帼十杰”“全国先进女职工”“劳动模范”“优秀人才”“创新能手”等称号。

韩建忠

1962 年 5 月生，1982 年 8 月毕业于天津大学电子工程系半导体物理及器件专业，2000—2004 年在北京理工大学学习并获光学工程博士学位。

现任中国电子科技集团公司第十一研究所所长，中国光协光电子行业协会理事长，总装备部军用光电子技术专业组副组长，军口“863 高技术计划”专家组成员，研究员。

在从事光电技术领域研究工作十多年期间，曾主持和参加多项科研项目，多次获得国家科技进步奖、部级科技进步奖、光华科技基金奖等，发表学术论文 20 余篇。

享受国家政府特殊津贴。

何启予

1938 年 2 月生，江苏省丹阳市人，中共党员。1962 年毕业于北京工业学院红外导引专业。研究员。

毕业后分配到国防部五院二分院任技术员，1979 年在七机部三院工作，1987 年调 8358 所。主要从事红外成像制导技术、飞航导弹红外导引系统技术领导和研究工作，参加多个型号项目的研制和试验工作，曾担任某型号的副主任设计师、主任设计师，和某引进工程的主任研究师。在国家核心刊物上发表论文 10 余篇，出版《飞航导弹红外导引头》一书。

1991 年被航空航天工业部授予“劳动模范”称号，1992 年起享受政府特殊津贴。

贺修桂

1934 年 6 月生，湖南省津市市人，中共党员。1952 年考入北京工业学院精密仪器系指挥仪专业。已退休。教授级高工。

1956 年毕业留校任教，1962 年调至北京照相机总厂，先后任研究室副主任、机械研究所副所长、照相机总厂厂长。长期从事光学仪器设计工作，参加铁道部隧道摄影检查车等多项产品的研制，获全国科学大会奖 1 项，部级科技成果三等奖 1 项，主编《摄影手册》一书，该书获 1987 年全国图书金钥匙奖，在国内学术刊物上发表论文数篇。

曾兼任中国文化办公机械制造行业协会理事、光学协会理事、中国机电产品进出口商会专家委员会委员等职。

胡宏智

1956 年 7 月生，陕西省高陵县人，中共党员。2000 年北京理工大学仪器仪表工学硕士毕业。现任中国兵器集团公司 205 所副所长。研究员级高工。

1982 年于西安电子科技大学机电一体化专业毕业，分配至兵器工业 205 所工作，主要从事于光学稳瞄技术研究，先后承担 10 多项部委级科研项目，获部级科技进步一等奖 1 项，其他科技进步奖 8 项，发表论文 20 余篇。

胡克俊

中共党员。1966 年毕业于北京工业学院工程光学系红外导引专业。现任兵总 203 所研究员。

毕业后分配到兵器某所，从事反坦克导弹、光电技术及导引头的研制，曾任研究室主任、国家重点科研项目主任设计师，某反坦克导弹获国家科技进步特等奖，某反坦克导弹获国家科技进步一等奖。

胡玉禧

1941 年 12 月出生，江苏无锡市人，1964 年毕业于北京理工大学光学工程系。现为中国科学技术大学教授。

毕业后分配到中国科学院西安光学精密机械研究所从事靶场光学测试仪器光学设计工作，1984 年 10 月调到中国科学技术大学从事工程光学的教学和研究工作。主要研究领域为光学设计、衍射光学、光学系统无热化设计等，获中国科学院科技成果一等奖 1 项，中国科学院科技成果二等奖 1 项，国防科委科技成果二等奖 1 项。发表研究论文 50 余篇，著有《应用光学》。

曾获宝钢教育基金优秀教师奖。

胡绍楼

1939 年 11 月生，1956 年考入北京工业学院光学仪器系。研究员。

1961 年毕业，先后在二机部九所、国营 221 厂和中国工程物理研究院工作，主要从事高速摄影技术、激光干涉测速技术和光谱测试技术及其应用技术的研究，获国家科技进步二等奖 1 项，部级科技进步二等奖 1 项，三等奖 7 项。用于激光干涉测速仪的光纤传输系统获国家发明专利。编写《激光干涉测速技术》一书。

1993 年起享受政府特殊津贴。

季一勤

1965 年 4 月生，1986 年北京理工大学光电工程系委培研究生，获硕士学位。现任航天科工集团 8358 研究所光学工程部主任，研究员。

一直从事光学薄膜的应用研究，重点是：① 光学窗口的超硬保护膜层；②透可见或红外电磁屏蔽膜层；③超低损耗光学膜层。

获部级科学技术进步二等奖 2 项。

姜会林

1945 年 7 月生，辽宁人，中共党员。1973 年在北京工业学院光学设计专业学习。现任长春理工大学学术委员会主任，教授、博士生导师。

1969 年毕业于长春光机学院精密仪器专业并留校任教。1981 年获中科院长春光机所硕士学位；1987 年获得博士学位。主要从事光学系统设计、光学 CAD 技术、医用光学仪器、光电仿真技术、光电检测技术、激光通信技术等方面的研究与教学工作。完成国家和省部科研课题 22 项，目前正主持总装备部和国家“863 计划”等项目 6 项，获国家科技进步三等奖 1 项，省部级科技进步一等奖 2 项、二等奖 5 项、三等奖 3 项，国防科工委光华科技基金三等奖 1 项，国家发明专利 1 项，发表学术论文 130 篇，已被国际四大检索系统 SCI 收录 8 篇、EI 收录 31 篇、ISTP 收录 23 篇，其中有 1 篇论文被收入《里程碑丛书》，由美国 SPIE 出版社出版发行。培养了硕士生 30 余名，博士生 20 多名。

1989—2006 年历任长春光机学院副院长、院长，长春理工大学校长；兼任中国兵工学会副理事长、中国光学学会常务理事、中国人民解放军总装备部光电火控专业组成员、中国兵器工业集团科技委委员、国家科技奖国防工业兵器专业组成员、国家“863 计划”专家委员会顾问等。

被国务院学位委员会评为“作出突出贡献的中国博士学位获得者”；吉林省科技英才奖；吉林省“有突出贡献中青年专业技术人才”；吉林省“省管优秀专家”；2001 年被吉林省授予“全省优秀教育工作者”称号；2002 年入评第二批

吉林省优秀专家和长春市“特等劳动模范”；2004年被吉林省授予“吉林省特等劳动模范”称号。在国庆50周年阅兵项目中荣立三等功。

1992年被国务院批准享有政府特殊津贴。

蒋尚智

1936年9月生，上海市人，1955年考入北京工业学院精仪系军用光学仪器专业。中央电视台教授级高级工程师。

1960—1970年在原国防部第五研究院、酒泉卫星发射基地从事导弹测量系统总体设计工作，任工程组长。1970年开始从事电影同步录音机研制，取得成功。1977年调中央电视台工作。参加并作为技术负责人筹建了中央电视剧制作中心所需各种音频机房，历任中央电视台中国电视剧制作中心教授级高级工程师，并曾兼任中国录音师协会设备维修及新技术开发专业委员会副主任。1981年编著出版了约33万字的《录音机》一书，参与《电视节目制作手册》一书电视音响及多声轨录音母板的制作部分的撰写，约20万字，先后翻译了《PD-464硬盘数字音频记录和编辑系统》《M4000自动化混音系统》等全部资料。

江运泰

1940年9月生，江苏省扬州市人，中共党员。1958年考入北京工业学院精密仪器系。现受聘于苏州东菱振动试验仪器有限公司任总工程师。研究员。

1963年毕业分配至国防部第五研究院一分院（现为航天部中国运载火箭技术研究院第702所）工作，一直从事电动振动台等试验设备的设计研发工作，完成400kg，1t，1.5t，10t电动振动台及微型力马达，低频校准振动台、60kN风冷式电动振动台及160kN水冷式大型电动振动台等成果，获航空航天部科技进步二等奖1项。

荣立二等功1次，三等功1次。

姜烈君

1946年10月生。河南省虞城县人，中共党员。1965年考入北京工业学院工程光学系。现任空军基地副司令员。大校军衔。

1970年毕业分配到空军某部工作，1974年任连副政治指导员、副连长、代连长，1975年任营长，1979年任团参谋长、副团长，1991年任旅长。

焦世举

1936年2月生，湖北省襄樊市人，中共党员。1956年考入北京工业学院精密仪器系。研究员。

1960年提前毕业留校任教，1961年起在校攻读航空摄影专业研究生，1965

年毕业分配到兵器工业部205所，1968年调入航天部中国空间技术研究院从事空间相机的研制工作。先后任工程组组长、研究室主任、第一代返回式卫星相机系统主任设计师等职，1986年任508所副所长，兼任第二、第三代返回式卫星，“资源一号”“资源二号”等卫星相机的指挥。1992年任508所所长、通天公司董事长，1996—2002年任中国空间技术研究院科技委常务副主任。

曾获国家科学大会特等奖1项，国家科技进步特等奖1项，一等奖1项，部级科技进步一等奖1项。荣立航天部一等功1次，院级二等功1次、三等功2次。

1992年起享受政府特殊津贴。

焦建华

1939年2月生，中共党员。1960年考入北京工业学院光学工程系。研究员级高工。

1965年毕业分配到国营338厂工作，曾任厂设计所副所长、所长、厂副总工程师、总工程师等职。长期从事军用光学仪器产品的设计、研制和开发工作，主持开发了5.8枪族和5.8狙击步枪两种瞄准镜国家换代产品。先后获国家科技进步一等奖1项，三等奖1项；部级科技进步特等奖1项、一等奖1项、二等奖1项、三等奖5项。

1992年起享受政府特殊津贴。

黎高平

1966年3月生，1990年毕业于北京理工大学光电工程系学习，获工学硕士，2000年获北京理工大学光电工程系工学博士。现在中国兵器工业第205研究所光学计量一级站工作，研究员。

一直从事光学计量测试技术研究工作，先后负责参与的项目有“自聚焦透镜参数计量标准装置”“激光晶体消光比计量标准装置”“红外材料折射率温度系数计量标准装置”“激光测距机参数计量标准装置”“皮秒激光脉冲脉宽测量标准装置”“高能激光计量标准装置”“强激光计量测试技术的研究”等10余项。在国内外刊物上发表论文20多篇。

1997年获国防科工委颁发的“计量先进个人”称号，2002年获第四届陕西兵工系统“十大杰出青年”，2003年被评为“中国兵器工业总公司学科带头人”。

蓝邦固

1936年10月生，四川人，中共党员。1955年考入北京工业学院精仪系光学仪器专业。中国科学院光电技术研究所研究员。

1960年分配到中国科学院光电技术研究所工作，长期从事国防光学工程项

目情报研究与定题跟踪工作。是中国科学院重大项目的情报研究负责人和主要完成者之一。“靶场光学跟踪测量情报定题跟踪服务”获1996年中科院科技进步三等奖，参与中国光学信息系统工作，该项目获1993年中科院科技进步三等奖。发表论文30多篇，译文100多篇，主编的《光学工程》被EICompendex数据库收录文摘。

曾任中国光学学会情报专委会常务副主任，光电技术专委会委员，四川光学学会理事。

1988年获国防科工委“献身国防科技事业”荣誉证章、证书。

林国村

1941年9月生，福建省龙岩市人，中共党员。1959年考入北京工业学院精仪系光学仪器专业。研究员级高工。

毕业后分配到兵总205所，主要从事光学工程总体设计工作，先后参加10多项测距、瞄具等任务的研制，曾任步兵战车战斗部及光电防空火控系统的光电设计项目的副总师。其中72式86mm高炮指挥镜获1987年全国科学大会奖，三光合一跟踪镜获兵器工业部级科技进步一等奖。在核心刊物上发表多篇文章，完成多项标准的定制。曾任部军用光学仪器标准化技术委员会副主任委员。

曾被评为陕西省兵工局局级“劳动模范”，中兵总军品局的“先进工作者”荣誉称号，荣获总参兵种部、兵器工业总公司三等功，国防科工委“9910工程”个人三等功。

刘新民

1946年4月生，中共党员。1964年考入北京工业学院工程光学系。现任河南中原特殊钢厂厂长。研究员级高工。

1969年毕业分配至河南中原特殊钢厂工作，历任分厂厂长、副总工程师、副厂长、厂长。任职前主持多个大型项目的设计和实施，参加油压快锻机、连轧管机限动芯棒等产品的开发等。任职后主要从事企业管理工作。曾获中国设备协会“全国优秀设备工作者”称号，河南省国防科工办“优秀企业经营者”称号，中国兵器装备集团公司“企业经营特别奖”，河南省总工会授予的“五一劳动奖章”，河南省国防科学技术工业委员会“扭亏增盈优秀工作者”称号。

1993年起享受政府特殊津贴。

刘群华

1953年6月出生，陕西人。1975年考入北京工业学院军用光学仪器专业。现在西安工业大学任教，教授。

毕业后分配到西安工业大学工作，从事测试技术、近代光学、基础光学的教学，现主要研究方向为光电测试仪器、医疗器械。主持并完成10多项研制课题，“万向强光灯头”项目获省国防科技进步三等奖，国家专利银奖，“JYJ－90天幕靶”获省国防科技进步三等奖和省教委科技进步二等奖。在国内学术刊物上发表论文10多篇，获陕西省自然科学优秀学术论文奖二等奖1项、三等奖1项。

李汉宾

1937年7月生，广东五华人，中共党员。1957年9月考入北京工业学院光学仪器专业。国营298厂研究员级高工。

1963年毕业分配到298厂，一直在厂设计研究所从事光学仪器设计研究工作。先后担任或主持过双130岸炮中央指挥镜，“东风某型”地面瞄准设备，二代头盔微光观察镜，20～40倍望远镜等多项大型光电仪器的研制工作，“东风某型”产品组件和检测仪器等10多个项目的研制工作，获1978年全国科学大会奖1项，国防科工委重大科技成果二等奖1项，部级科技进步三等奖1项。在组织和完成多项国家和部队重要装备的研制任务的同时，曾主持红外热像仪检测设备的总体方案论证工作，发表过多篇学术论文。是工厂光学仪器和光学检测仪器设计研究专业的学科带头人。

令狐安

1946年10月生，山西平陆人，中共党员，1965年考入北京工业学院精密仪器系。现任国家审计署副署长。

1970年毕业分配到大连前进机械厂历任见习技术员、班长、组织科负责人、厂革委会副主任兼厂工人大学校长，1977年调任大连市机械工业局政治部副主任、团市委副书记、市人大常委会委员；1982年任中美工业科技管理大连培训中心学员、大连市仪表电子工业局副局长、市仪表电子总公司副总经理、市总工会主席兼市体改委副主任，1985年任中共大连市委常委兼市总工会主席、常委副市长；1988年调任国家劳动部办公厅主任、机关党委书记兼老干局局长；1989年任国家劳动部副部长、党组成员、国家体改委委员，1993年任中共云南省委副书记兼省委政法委书记，1997年任中共云南省委书记，云南省政协主席。是第十五届中央委员。

刘雪峰

1971年7月生，黑龙江人，中共党员。1990年考入北京理工大学光学工程专业。现任大唐高鸿股份有限公司副总裁。

1994年参加工作，现任大唐高鸿股份有限公司（深交所000851）副总裁，曾任合资企业大唐东盛通信设备有限公司总经理等高级管理职务。

2003年作为主要参与人员通过收购、资产置换重组了大型企业中国七砂

(现更名高鸿股份)，使公司业务整体上市。该重组方案在2003年当年被有关媒体评为“年度最佳重组方案”，成为学术界、证券界、法律界等至今仍在研究的重组典型案例。

李义安

1944年9月生，安徽蚌埠人，中共党员。1962年9月考入北京工业学院光学仪器专业。现任中国航空工业第一集团第613所研究员。

1967年毕业分配到航空工业第613研究所，从事机载红外技术应用研究，分别参加或主持过机载微光观察仪、机载红外观察设备、机载红外搜索和跟踪装置、前视红外系统等项目的研究与设计。其中的2甲型航空红外观察仪经过航空装备定型委员会批准定型，并于1979年获得中国航空工业科学技术进步奖一等奖。合作翻译《红外系统工程》一书。曾任研究室主任，所中层干部，负责技术管理工作，后期从事标准化技术工作，主编过国家军用标准、航空工业标准和研究所内部标准，参与多项国家重点国防工程项目和重要型号研制的标准化技术工作。曾获中国航空工业第一集团公司科学技术进步二等奖。

曾分获河南省国防工办颁发的“先进质量工作者”和“标准化先进工作者”荣誉称号。

李平辉

1939年2月生，四川资中人，1955年8月考入北京工业学院光学仪器系红外夜视专业。现任中科院长春光机所研究员。

1960年毕业分配到中科院长春光机所工作，从事光电产品的研制，曾主持并参与了“激光电视探测仪”“超低照度积累电视系统”“脑血管造影一次减影仪”等项目的研制，获吉林省科技进步二等奖1项，中科院长春分院科技进步二等奖1项，长春市第六届发明与新技术一等奖1项。发表论文10余篇。

李承德

1932年9月生，山东省德州市人，中共党员。1951年考入北京工业学院光学设计专业。研究员。

1956年毕业，同年赴苏联专业实习，1958年回国分配到西安248厂设计所工作，任光学设计组组长。1960年调至核工业部北京九所（中国工程物理研究院前身）工作，历任九院一所光学室测试技术组长、副主任、主任、一所副总工程师。长期从事高速摄影测试技术及其应用、爆轰物理实验的基础研究，多次负责主持大型半球内聚爆轰实验光测任务，获国家科技进步二等奖1项，部级科技进步一等奖2项、二等奖5项、三等奖3项。

享受国家政府特殊津贴。

李秋娥

1935 年 3 月出生，沈阳市人。1963 年毕业于北京工业学院仪器系。014 中心高级工程师。

长期从事光学设计及光学冷加工工艺工作，在完成“PL－5”“PL－8”攻关项目中作出重要贡献。

曾荣获全国“三八”红旗手称号。

李周书

1937 年 6 月生，湖南省涟源市人，中共党员。1955 年考入北京工业学院仪器系。现任航空工业二集团科技委专职委员。

1960 年毕业分配到第三机械工业部，历任技术员、航空工业部处长、副局长、航空航天部副司长、中国航空技术进出口总公司党委书记兼副总裁等职。

任职期间曾参加我国第一代地空导弹的研制和定型，参与组织多种舰舰导弹、空空导弹、飞机的研制和改型。曾荣获航空工业部三等奖、航空航天部一等奖、航空航天部和中国民航局联合表彰的“单项先进个人”称号。参与编审《中国民用飞机手册》《民用飞机适航验证的探索》等书，合作编著《航空春秋》等著作，发表论文 20 多篇。

1996 年起享受政府特殊津贴。

李仲青

1943 年 12 月生，浙江省海宁县人，中共党员。1962 年考入北京工业学院精密仪器系。现任中国兵器工业集团第 205 所副所长，陕西省兵工学会光电专业委员会主任委员，研究员级高工。

1967 年毕业分配到中国兵器工业第 205 所工作，主要从事光电技术研究和科技管理工作，获兵器工业部科技进步一等奖 2 项。

曾荣立兵器工业集团公司一等功 1 次。

廖光福

1937 年生，湖南临武人。中共党员。1965 年毕业于北京理工大学光电工程系。研究员级高工。

毕业后分配到中国兵器工业第 205 研究所，曾任 205 所副所长，多项科技项目副总设计师和主任设计师，其中，主持参与的国家重点项目“红箭－8”，1987 年获国家科技进步特等奖，通用组件热像仪，1994 年获国家科技进步一等奖。

1988 年被国家授予“有突出贡献的中青年专家”称号。

林瑞海

1946 年 12 月生，福建省莆田县人，中共党员。1964 年考入北京工业学院精密仪器系。现任首都医科大学纪委书记、工会主席。

1970 年毕业留校任教，1976—1982 年任光电工程系副主任，1984 年任北京工业学院总务处长，1990 年 8 月调任首都医科大学副校长。长期从事行政管理工作，参与《高等学校后勤现代化管理科学》和《高等学校后勤管理工作规范》两本书的编写工作，发表论文 20 多篇。曾兼任机电部后勤管理研究会常务理事、副秘书长、秘书长；北京市红十字会第七届理事会理事，北京市红十字会高校工作委员会理事、副主任委员、常务副主任委员等职。

吕邦正

1938 年 2 月生，江苏省泰兴人，中共党员。1958 年考入北京工业学院光学仪器系。研究员。

1963 年毕业分配到中国人民解放军总字 926 部队，历任所试验工厂筹备组组长、所党委副书记。1984 年任 014 中心党委副书记、中心副主任。长期从事职工政治思想和管理工作，多次被部和省评为“优秀职工思想政治工作者”，被洛阳市委授予“优秀党务工作者”称号，1993 年被全国职工政研会授予“全国政研会集体工作奖”。曾获部级科技进步二等奖 1 项，部级思想政治工作成果一等奖 1 次、二等奖 2 次，发表论文 5 篇。

曾任中共洛阳市委候补委员。

马忠杰

1936 年 5 月生，上海市人，中共党员。1954 年考入北京工业学院军用光学仪器专业。第二炮兵工程学院教授。

1959 年毕业分配到第二炮兵工程学院物理教研室从事普通物理、固体物理、几何光学等课程的教学工作；1963—1964 年在南京大学理论物理教研室进修动力学、场论、中微物理实验及数学物理方程的课程；1972—1984 年，负责组建阵地自动化专业，调研、编写专业教材，培训年轻教员，给大专、本科生授多门专业课，后在电工电子教研室讲授本科电路、电子技术、计算机原理与汇编语言和研究生的人工智能、单位机等课程。

多次被评为“学院科技大会先进工作者”。

麦绿波

1956 年 1 月出生，广东顺德人，中共党员。1978 年考入北京工业学院光学工程系光学设计与检验专业，1982 年大学毕业；1983 年考入北京工业学院光学工程系硕士研究生，现就读北京理工大学在职博士生。现任中国兵器工业标准化研究所副所长，研究员。

1986 年研究生毕业分配到兵器工业部标准化研究所，主要从事兵器专业产品的标准化研究及标准制定工作，编写了《激光术语》《热像仪通用规范》《微光像增强器试验方法》等国家标准、国家军用标准、兵器行业标准 12 项，完成国家重点研究课题 10 多项，发表学术论文 30 多篇，编著书籍 4 本；曾任标准化所武器研究室副主任、主任、副总工程师、所长助理、副所长。帮助国家申办成为国际标准化组织光电技术委员会（ISO/TC172/SC9）正式成员国；获国家委部级科学技术一等奖 1 项，二等奖 4 项，三等奖多项；获国务院颁发的政府特殊津贴。

任国际标准化组织光电技术委员会（ISO/TC172/SC9）国际专家组成员，全国光学、光学仪器标准化技术委员会副主任委员，国防科工委光电火控指控标准化技术委员会副主任委员，中国兵工学会高级会员理事，中国标准化协会理事。

倪志生

1935 年 10 月生，江苏省无锡市人，中共党员。1954 年考入北京工业学院仪器系。研究员。

1959 年毕业分配到中科院长春光机所，1971 年调七机部五院 506 工程处，历任研究室副主任、508 所科技委副主任。长期从事远程相机的研制，曾任返回式摄影测量卫星相机系统副主任设计师、主任设计师，参加并完成 1m 焦距航空相机、低空瞄准具及大型电影经纬仪的研制，获国家科技进步特等奖 1 项。

1991 年被航空航天部批准为“有突出贡献的老专家”。1992 年起享受政府特殊津贴。

牛荣祥

1943 年 7 月生，北京市人，中共党员。1961 年考入北京工业学院光学仪器系红外专业。研究员。

毕业后，1968—1970 年在兰州 8110 部队农场劳动，1970—1974 年在冶金部第四冶金建设公司工作，1974 年调中科院西安光机所，主要从事光电经纬仪及光电对抗转台、雷达标校电视等的设计研制工作，涉及同步高速摄影机、电视摄像、红外跟踪、高速电视等多种测量系统，曾担任课题或分系统负责人。论文《方位伺服系统扭转振动固有频率分析与计算》《196 经纬仪同步摄影角度测量》曾在国家核心刊物上发表。

潘顺臣

1949 年 7 月出生，1975 年毕业于北京工业学院光电工程系。1981 年北京工

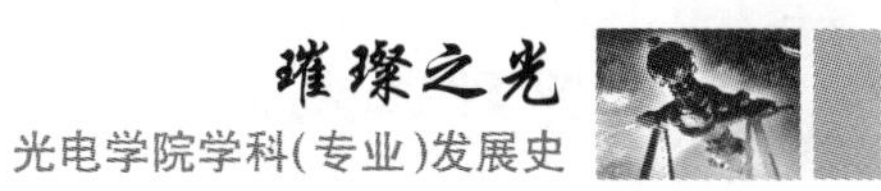

业学院光电工程系研究生毕业，获工学硕士学位。现任兵器工业第211所所长、党委委员，研究员级高工，兼任南京理工大学博士生导师、云南大学客座教授。

长期从事光电技术研究工作，曾任“123工程”热像瞄准镜，“522工程”红外热像仪等多项科技项目总师和总指挥，获国家级科技进步一等奖、二等奖各1项；国防科学技术进步一等奖1项；部级科技进步特等奖1项，一等奖3项，二等奖2项，三等奖1项；光华科技基金二等奖1项。

荣立部级一等功、二等功各1次。1998年被国家人事部授予“有突出贡献的中青年专家”荣誉称号。2001年起享受政府特殊津贴。

皮安荣

1954年4月生，重庆丰都人，共产党员。1975年考入北京工业学院光学仪器结构设计专业，现任中国机械工业集团公司党委委员、纪委委员；中国工程与农业机械进出口总公司党委书记、副总裁、纪委书记。研究员级高工。

1978年12月毕业留校在光学仪器教研室任教，1983年调入学院人事处工作，1989年调机械电子工业部，先后任教育司人事处副处长、机械工业部人劳司处长、国家机械工业局人劳司领导干部处处长，1999年后任中国机械装备公司人事部副总经理、人力资源部党委干部部部长，2004年任中国机械工业集团公司党委委员、纪委委员、人力资源部党委干部、部长，2006年至今中国机械工业集团公司党委委员、纪委委员，中国工程与农业机械进出口总公司党委书记、副总裁、纪委书记。

邱关明

1934年12月生，江苏省镇江人。1955年9月考入北京工业学院光学仪器专业研究生。现任长春理工大学教授、博导。

1958年7月研究生毕业分配到长春光机学院工作，从事材料、化学、器件的教学与科研工作。1960年创建学院光学材料学科，光学材料系，后参与“新型陶瓷”专业的创建，“建筑材料与制品”专业的仿建及筹建高功率激光国防科技重点实验室等工作。负责并完成科研主要课题10多项，发表学术论文分别被SCI，EI，ISTP收录46，49，45篇。参加编写并出版科技图书10余本。曾任光机学院学委会副主任、光学材料系主任。

现系兵工材料与工艺教委会主任，国际光学材料科技工作组成员。兼职中国稀土玻璃陶瓷专委会主任，省硅会副理事长；《中国稀土学报》中、英文版常务编委，《稀土》杂志编委；国家科技部稀土专家组成员等。

曾被评为吉林省“先进科技工作者”，获“吉林省英才奖章”。

享受国家政府特殊津贴。

任恩华

1949 年生，天津市武清人，中共党员。1973 年入北京工学院军用光学仪器专业学习。现任总装备部某炮兵研究所所长，少将军衔。

1967 年入伍，1968 年 3 月—1969 年 4 月参加援越抗美出国作战，1971 年从北京军区某部调到军委机关工作，1973 年入北京工业学院军用光学仪器专业学习，1976 年 12 月毕业，分配到炮兵某研究所工作，先后从事科研工作和科技管理工作，历任科技处科长、副处长、处长、副所长、所长。获军队科技进步奖 11 项，其中一等奖 2 项、二等奖 2 项；发表学术论文 10 余篇。曾任《世界炮兵防空兵年鉴》《炮兵防空兵武器装备论证指南》编委会主任。

宋振铎

1945 年 6 月出生，1977 年考入北京工业学院弹药工程专业，毕业后在北京工业学院工程光学系光电技术专业攻读硕士。现任总装炮兵装备技术研究所研究员。文职少将。

长期从事制导弹药及反坦克导弹的型号论证及工程研制。曾获全军科技进步一等奖 3 项、二等奖 5 项及三等奖多项，出版专著《反坦克导弹论证与实验》1 部，发表高水平论文 12 篇。现兼任北京理工大学、中北大学博士生导师，讲授“制导原理”“爆炸力学与冲击动力学”等课程。

宋振铎系国家级“有突出贡献中青年专家”，第十一届全国政协委员。

宋志平

1936 年 7 月生，内蒙古丰镇市人，中共党员。1958 年考入北京工业学院光学工程系。高级工程师。

1963 年分配至西北光学仪器厂，1970 年调至甘肃平凉 5207 厂，主要从事瞄准镜的设计和研发工作，曾任厂技术科科长、总工程师、厂长等职。1986 年调河南华夏光学电子仪器厂任副厂长、科技委主任。主要从事计量、产品质量管理和新产品开发研制工作。

曾荣获甘肃省“先进工作者”称号。

苏德坦

1963 年 4 月生，中共党员。1981 年考入北京工业学院工程光学系。现任北方夜视南京公司经理。

1985 年毕业分配至兵器工业南京 528 厂，曾任 528 厂光纤分厂副厂长，长期从事微光夜视仪器的核心器件光纤面板、微通道板的设计研制，场发射显示器的研制工作，获国家科技进步二等奖 1 项，部级科技进步一等奖 1 项，三等奖

2 项。

盛尔镇

1925 年 2 月生，四川成都市人，中共党员。1946 年，金陵大学电化教育专业毕业，1954—1959 年任北京工业学院仪器系讲师，系实验主任。研究员级高工。

在北京工业学院期间编译出版《摄影光学》《高速摄影学》两书。1959—1973 年调北京科学仪器厂任工程师，负责光学仪器及近代光学仪器的研制。1973—1981 年调北京光电研究所，任所学术委员会副主任，曾翻译出版《光全息学》一书。1981 年调兵器工业部 218 厂，任国际标准化组织专业委员会专家、中国科技委员会专家。

谭显祥

1937 年 3 月生，湖南省冷水江市人，中共党员。1954 年考入北京工业学院光学仪器系，中国工程物理研究院流体物理研究所研究员。

1959 年毕业分配到第二机械工业部九所工作，曾任研究生部光学教研室主任，所科技委副主任，流体物理研究所副所长，现任《高速摄影与光子学》、《光子学报》副主编。长期从事瞬态光学测试技术、超高速相机的研制与应用的研究工作。“爆炸物理实验研究中的高速摄影技术” 1988 年获国家科技进步二等奖。此外，先后获委、部级科技进步二等奖 4 项，三等奖 6 项，四等奖 1 项。在国内外学术刊物上发表论文 50 余篇，主编《高速摄影技术》，著有《光学高速摄影测试技术》。

1992 年起享受政府特殊津贴。

童本康

1942 年 7 月生，上海人。1959 年考入北京工业学院光学仪器设计制造专业。现任中国北方车辆研究所研究员。

1964 年毕业分配到中国北方车辆研究所工作，一直从事坦克火控系统观瞄仪系数仪仪器的研制工作，所属产品已装备部队。此外，还有炮控系统中有关部件及非标准设备的研制工作。获全国科学大会奖 1 项，兵器工业部科技进步三等奖 1 项，发表论文 2 篇。

唐仁介

1935 年 5 月生，中共党员。1954 年考入北京工业学院光学仪器专业。现任 298 厂研高工，技术顾问。

1959 年毕业分配到 298 厂工作。长期从事新产品的设计、研制工作，曾主持和参加过多个产品的设计、研制，“东风3号”地面瞄准系统，1977年获全国科学大会奖，“东风4号”地面瞄准系统，1985年获国防科工委科技进步二等奖，获“双管双目夜视仪同轴调焦机构”发明专利，1990年获云南省优秀发明专利银质奖等。曾任298厂设计研究所技术员、设计师主任、副所长，厂副总工程师、总工程师，副厂长，厂科技委主任等职。

曾荣获云南省国防系统科技“先进工作者”称号。

1992年起享受国务院政府特殊津贴。

田克

1953年2月生，陕西白水人，中共党员。1970年入伍，1973年入北京工业学院工程光学系激光专业学习。现任第二炮兵装备部副部长，少将军衔。

毕业后分配到第二炮兵科技部工作，历任参谋、副处长、处长、办公室副主任、主任等职。主要从事导弹武器装备发展规划、计划和建设管理工作。

王双

1963年出生，1988年毕业于北京理工大学工程光学系，硕士学历，现任九城数码关贸股份有限公司CEO。北京市软件行业协会常务理事。

在王双的领导下，九城公司始终致力于为进出口企业、进出口服务和物流机构以及政府贸易管理部门提供一站式B2G电子政务软件、整体解决方案及相关服务。截至2005年3月，九城公司自主开发的软件产品及相关服务，已广泛应用于国家质检总局、全国440个检验检疫机构、海关总署、各地海关及10.3万余家进出口企业之中，市场占有率高达88%。九城公司现有分支机构遍布全国22个大中城市，是中国进出口行业应用软件领域的领军企业之一。

2003年王双被评选为“中国软件企业十大领军人物”。2004年九城公司入选“中国电子政务IT100强”，名列第14名，同时入选“电子政务软件收入30强”，名列第8位。2004年12月，九城公司入选“德勤亚太地区高科技高成长500强企业”。2004年12月，九城公司作为中国第一家纯软件公司在美国纳斯达克成功上市。

王世涛

1966年2月生，1987毕业于北京理工大学工程光学系光学仪器专业。现任航天部五院研发部红外系统副总研究师，研究员。

主要从事空间红外遥感技术工作。参加了资源卫星红外相机从初样到正样全过程的研制工作，获国防科工委科学技术奖一等奖1项，二等奖1项；曾荣立航天部一等功1次。

为五院红外遥感研发领域专家组组长。

王士铨

1941年9月生，天津市人，中共党员。1959年9月考入北京工业学院光学仪器专业。现任兵器集团公司第201研究所教授级高级工程师。

1964年毕业分配到兵器工业部201所工作，从事坦克火控系统的研制并主攻光学瞄准仪器，自主研制的坦克稳像式火控系统获国家科技进步二等奖和国家机械委员会科技进步一等奖，主持设计的炮弹瞄准镜获国防科工委科技进步一等奖和兵器集团总公司一等奖。

享受国家政府特殊津贴。

王建华

1946年11月生，河南省项城人，中共党员。1965年考入北京工业学院光学仪器系。现任河南北方平原光电有限公司党委副书记。高级政工师。

1979年毕业分配至5127厂工作，1981年调平原光学仪器厂。主要从事企业党务工作，历任厂党委组织部干事、组织部副部长、部长、厂党委副书记兼纪委书记、工会主席。

曾荣获河南省“职工思想政治工作先进个人”“保障工作先进个人”等荣誉称号。

王金堂

1931年6月生，山东省寿光县人，中共党员。1953年考入北京工业学院仪器系。研究员。

1958年毕业分配到中科院长春光机所，1971年调七机部五院，先后在506工程处、501部、529厂任研究室主任、总工程师。1986年调任508所科技委副主任，返回式卫星相机系统主任设计师。长期从事远程相机的研制工作，参加并负责高速摄影机、照相机和瞄准器材课题的研制，返回式卫星和“东方红一号”卫星1985年获国家科技进步特等奖，返回式摄影定位卫星1990年获国家科技进步特等奖。

1990年被航空航天部批准为“有突出贡献的中青年专家”。1991年起享受政府特殊津贴。

王承苾

1939年6月生，上海市人，中共党员。1958年考入北京工业学院精密仪器系。高级工程师。

1963年毕业分配至五机部国营559厂科研所工作，长期从事光电仪器光学系统的设计工作，曾任光学设计室主任，先后承担10余项国家重要科研项目，获全国科学大会奖 1 项，国家科技进步特等奖 2 项，科技进步二等奖 1 项，部级科技进步二等奖 3 项。发表论文 2 篇。

曾被评为无锡市“先进个人”，获江苏省“妇女创造发明竞赛荣誉奖”。1992 年起享受政府特殊津贴。

王永仲

1944 年 12 月生，湖南澧县人，中共党员。教授、博士生导师、文职少将。

1967 年、1981 年先后从北京工业学院光电工程系本科和研究生毕业，获硕士学位；1981—2001 年在国防科技大学任教，2002 年调军械工程学院。曾主持完成国家“863 计划”重大专项、国家科技创新、国家专项预研及国家自然科学基金等 10 多项科研任务；“模仿和集成生物视觉优势的系列红外设备”2006 年获国家技术发明二等奖；另获国家科技进步三等奖 1 项，部级科技进步一等奖 2 项，二等奖 6 项；国家级教学成果二等奖 1 项；获发明专利 10 项；1991 年获光华基金奖。先后著有《鱼眼镜头光学》《新光学系统的计算机设计》《现代军用光学技术》《智能光电系统》《光学设计与微型计算机》等专著。

荣立二等功 2 次、三等功 1 次。1994 年获国家“有突出贡献中青年专家”称号，2004 年被国家授予“全国模范教师”称号，2006 年被中央军委授予“中国人民解放军专业技术重大贡献奖”。1992 年起享受国家政府特殊津贴。

汪岗

1962 年 7 月生，1981 年毕业于在北京工业学院工程光学系。现在兵器工业集团西安北方光电有限公司从事技术工作，研究员级高工。

一直从事光电火控产品光学系统的设计与研制工作，参加多种机型平视显示火控系统的光学系统的设计和研制工作，主持 XX 工程中重点型号机载彩色摄录系统光学系统设计及多种机型瞄准系统的光学系统的设计研制工作，解决头戴小型光学显示系统的设计及人机工效技术问题；主持研制了伞兵头盔夜视装置。多数项目已批量生产，为工厂创造了巨大的经济效益。2005 年当选“兵器工业集团公司级科技带头人”。

魏守礼

1937 年 5 月生，河北保定人。1956 年 9 月考入北京工业学院军用光学仪器专业，现任兵总 218 厂研究员级高工。

1962 年毕业分配到国营 218 厂，长期从事飞机瞄具、激光制导照射器、武器系统稳定跟踪平台的研制，先后负责并参加多项研制课题，曾任某反坦克导弹武器系统稳瞄跟踪平台项目副主任设计师，该武器系统 1995 年获科技进步一等奖，并被授予“科技之星”称号。系统设计定型后，于 1996 年获兵器工业部级科技

进步特等奖，另获国家科学大会奖1项。除此参与编写《I型航空光学轰炸瞄准具技术说明书》，全书30余万字，主持并参加了10册Ⅲ类图纸，16种资料的整理编写工作。

曾受到机械委的表彰。

吴凤柱

1951年2月生，辽宁省盖平县人，中共党员。1972年考入北京工业学院光学工程系。现任中国白城兵器试验中心副总工程师。大校军衔。

1975年毕业回中国某兵器试验中心，长期从事常规兵器试验鉴定工作，曾获部委级和军队科技进步二、三等奖10余项。历任兵器试验中心轻武器部科技处副处长、副总工程师、总工程师，兵器试验中心装备部部长等职。

吴志敏

1963年6月出生，中共党员。1981年考入北京工业学院光电工程系。现任兵器工业集团公司行政管理局副局长、兵器工业机关服务中心副主任、党委委员。高级经济师。

1985年毕业留校任教，曾任光电工程系团总支书记，1988年调兵器工业总公司人事劳动局工作，历任科技干部处主任科员、工程师，综合处副处长、处长、高级经济师、人事劳动局党支部副书记。1993—1996年曾在吉林大学国民经济专业攻读硕士研究生，并获经济学硕士学位。1999年调兵器工业集团公司行政管理局，长期从事科技人员队伍建设、毕业生就业、干部调配与安置、企业领导人员队伍建设等工作。参与《兵器工业科技人才断层状况分析与对策》的项目研究，获部级科技进步二等奖。

任北方世纪建筑装饰有限公司董事长、北方新兴长安铃木汽车销售服务有限公司副董事长。

武有田

1940年3月生，辽宁省丹东市人，中共党员。1960年考入北京工业学院光学仪器系。研究员级高工。

1965年毕业分配至第五机械工业部第五设计院工作，1984年调第五机械工业部建设局设计处工作，后在兵器装备集团公司计划处、发展部、光电新产业部工作。主要从事工程工艺设计、设计审查、发展规划的制订和项目评审工作，曾任工程工艺设计设计师。先后发表论文12篇。

鲜浩

1969年8月生，四川省眉山人，中共党员。1986年考入北京工业学院精密仪器与检测技术专业。现任中科院成都光电技术研究所研究员。

毕业后分配到中科院成都光电所，从事自适应光学系统总体设计与关键技术研究，大型望远镜总体结构设计等工作，获国家科技进步二等奖 1 项，中科院科技进步一等奖 2 项。其他部委级科技进步一等奖 1 项，三等奖 1 项。获发明专利 8 项。在各类期刊上发表论文 20 余篇。

熊辉丰

1938 年 2 月生。湖北省秭归县人，中共党员。1962 年 7 月毕业于北京工业学院红外导引专业，研究员。

毕业后分配到国防部五院二分院第六设计部红外研究室任技术员，1965 年随单位划归三院。先后担任工程组长，研究室副主任，主任。8358 所技术副所长，科委主任。

长期从事红外激光系统技术研制和技术管理。先后任“鹰击某型号”导弹激光引信主任设计师、红外成像制导技术副总研究师，海红制导系统副主任设计师兼红外跟踪技术行政指挥，三院光电对抗副总设计师。主持研制对空激光跟踪测距雷达，主持激光驾波束制导系统研究，提出分组交替发射，解决了不用致冷而有较高的发射功率的技术难题。

1991 年起享受政府特殊津贴。

肖功弼

1936 年 8 月生，湖南长沙人，中共党员。1954 年考入北京工业学院仪器系光学仪器专业。现任中科学自动化研究所技术顾问。

1959 年参加工作，主要从事自动化仪表研究和新产品开发工作。在完成“原子弹和氢弹的突破与武器化”任务中，担任“核爆试验检测技术及设备”分项目负责人。主项目获 1986 年国家科技进步特等奖。主持“歼六仪表飞行练习器”设计，1978 年获全国科学大会奖。主持过“火箭发动机钢管激光扫描测径仪”“高精度太阳敏感器”等科研，4 次获中国科学院和省部级重大科技成果奖。近年来主持红外测温仪表系列产品开发，1989 年获中国科学院科技进步奖，并取得较大经济效益。担任《计量测试技术手册》特邀撰稿人，发表论文 10 余篇。

1991 年起享受国务院政府特殊津贴。

谢尧庭

1937 年 1 月生，湖南长沙人，中共党员。1955 年 9 月考入北京工业学院精密光学仪器设计专业。现任 298 厂研究员级高工。

1960 年分配到昆明 298 厂，一直从事光学仪器设计研究工作。曾任设计所标准化室副主任，仪器设计研究室主任，主任工程师，设计所副所长等职。参加或

主持设计、开发了近百种军用、民用光学仪器和测试仪器，获国家科技进步二等奖1项，国防科工委科技进步一等奖1项，省部级科技成果一等奖2项、二等奖1项、三等奖2项。曾参加兵器部编写《光学测量与仪器》、国军标《炮兵光学通用技术条件》，发表论文多篇。

曾被评为云南省“有突出贡献专业技术人才”，云南省劳动模范，2006年1月获得298厂颁发的“终身成就奖”。

1991年起享受国家政府特殊津贴。

徐长山

1949年10出生，中共党员。1973年考入北京工业学院光仪系夜视专业。现任装甲兵工程学院政治教研室主任、教授。

1969年入伍，曾任班长、营书记，1973—1976年在北京工业学院学习，毕业后任指导员。1978年调装甲兵工程学院政治教研室任教，1985年9月—1988年7月为北京师范大学在职学习硕士研究生课程。主要研究方向为技术哲学。主编教材、著作12部，论文16篇；获军队科研教学成果奖10项；荣立三等功2次；荣立二等功2次；获军队育才金奖；中国自然辩证法研究会理事。

徐鹏

1961年生，1983年毕业于北京工业学院光学仪器专业，2003年获北京理工大学光电工程系博士学位。现任中国空间技术研究院研发中心副总研究师，研究员，博士生导师。

一直从事航天光学遥感系统总体设计、系统仿真、返回式卫星的有效载荷技术研究工作，先后参加了多种卫星型号的研制工作，获航天部科技进步二等奖1项，在国内外刊物和会议上发表论文和科技报告20余篇。航天科技集团公司和空间技术研究院的空间光学遥感技术学科带头人。

许春帆

1937年11月生，上海市人，中共党员。1955年考入北京工业学院仪器系。研究员级高工。

1960年毕业分配到南京741厂，1977年调至772厂，历任总工程师、副厂长、厂长兼党委书记。长期从事技术及管理工作，获电子工业部科技成果二等奖3项。发表论文20余篇，编著《激光及临床应用》一书。

获电子工业部“‘八五’期间，在承担军工电子工作中，成绩显著，予以表彰”荣誉证书及信息产业部颁发的“‘9910工程’个人一等功”荣誉证书。

1996年起享受政府特殊津贴。

许社全

1935 年 9 月生，安徽省祁门县人，中共党员。1954 年考入北京工业学院光学仪器系。教授级高工。1997 年退休后，任中国国际科技合作协会秘书长。

1958 年毕业留校在光学仪器系应用光学教研室工作，从事“应用光学与光学设计”“光学系统自动设计”等课程的教学和科研工作。1974—1975 年赴英国帝国理工学院做访问学者，1978 年调国家科委任中国常驻联合国代表团技术专员、国家科委国际合作局总工程师。1985 年调任电子工业部国际合作司司长、机械电子工业部国际合作司司长，1991 年任中国电子工业总公司国际合作局局长，1993 年任中国电子信息产业集团公司专务及常驻香港代表。

曾主编或参与编写教材、手册 5 部，发表、翻译专题论文和报告 30 余篇。

姚多舜

1940 年 1 月生，安徽人，中共党员。1957 年 8 月考入北京工业学院军用光学仪器专业，现任兵器集团公司 205 所研究员级高工。

1962 年毕业分配到中国人民解放军炮兵科学技术研究院第五研究所（即现在中国兵器工业集团总公司第 205 研究所）。一直从事军用光学仪器光学系统设计及光学仪器总体设计工作。参加并主持过多项课题的研制任务，72 式 85mm 高炮指挥镜项目 1978 年获得全国科学大会奖，AFT－8Z 稳瞄红外装置 1996 年获部级科技进步一等奖，AFT09 车长观测镜和潜望式光学瞄准镜等 2 个项目，2003 年获部级科技进步三等奖。参加编制《军用光学仪器设计手册》，任编辑组副组长兼（下册）组长，获全国科学大会奖。发表过数十篇学术论文。

1999 年被陕西省政府授予“建国五十周年国庆首都阅兵装备工作先进个人”荣誉称号。

姚立生

1948 年 6 月生，河北省盐山县人，中共党员。1972 年入北京工业学院光学工程系。现任中国人民解放军 63861 部队高级工程师，大校军衔。

1975 年毕业分配到中国人民解放军 63861 部队从事火箭、导弹、火炮等常规兵器的外弹道测试工作，作为科研项目负责人，完成了设备科研任务 20 余项，获军队科技进步二等奖 1 项，三等奖 4 项，国防科工委优秀教材二等奖 1 项，在国内外学术刊物上发表论文 20 余篇，编写出版教材 2 部。

曾荣立三等功 2 次。

严佩英

1945 年 8 月生，浙江省海宁县人，中共党员。1966 年毕业于北京理工大学光学仪器系。研究员。

1973 年调入中国科学院光电技术研究所工作。曾任研究室副主任和科技处副处长职务。

从事光电技术及仪器的科研，先后参加“DX 系列相机”“自适应光学望远镜原理和技术”“蜂窝夹芯结构熔石英轻型反射镜技术”和“生物芯片仪器研制”等靶场光电跟踪测量设备、自适应光学技术、微电子专用光学设备和航天航空光电仪器等研制工作和科研管理工作。1995 年获国家科技进步二等奖 1 项，2001 年和 1993 年分别获中国科学院科技进步一等奖各 1 项；1995 年获中国科学院科技进步三等奖 1 项；1989 年获中国科学院科技进步二等奖 1 项。发表科技论文 10 多篇；参加了《电子束、离子束、光子束微纳加工技术系列专著》中的《光学投影曝光微纳加工技术》一书的编写工作。

2001 年起享受政府特殊津贴。

严瑛白

1955 年考入北京工业学院精密仪器系。现任清华大学精仪系教授、博士生导师。

长期从事光学仪器与光学信息处理的教学与科研工作。在二元光学、计算全息、数字光计算及光电图像识别等方面先后主持完成多项国家自然科学基金和“863 计划”高技术科研项目，取得了一批居国内领先、国际先进或首创的研究成果。三项成果分获国家科委及国家教委科技进步奖。其中，“高衍射效率二元光学器件的设计与制备技术”获 1996 年国家科技进步三等奖，“二元光学技术与器件研究”获 1995 年国家教委科技进步二等奖，“计算全息理论及应用的研究”获 1993 年国家教委科技进步二等奖。在国内外发表论文近 100 篇，其中近 40 篇被 SCI，EI 检索。撰写了国内唯一的《二元光学》专著一本。指导的博士论文有两篇先后获得第一届和第三届“全国百篇优秀博士论文”奖。

闫平

1965 年 9 月出生，河南省人，中共党员。1982 年考入北京工业学院工程光学系光电子技术专业，后在校继续攻读硕士、博士。现任职清华大学精密仪器与机械系，博士、研究员。

1992 年博士毕业留校任教，1992 年 10 月—2000 年 3 月在北京理工大学光学工程系工作，主要从事光电系统科研和教学工作。2000 年 4 月至今在清华大学精密仪器与机械学系工作，主要从事固体激光技术科研和教学工作。

长期从事光电子领域研究工作，以光纤激光器、高亮度固体激光器、微型激光器及其技术研究工作为主，特别是在二极管泵浦的光纤激光器方面进行了深入研究。先后承担和完成多项科研项目，包括国家重大基础研究“973 计划”项目、高技术“863 计划”项目、国家自然科学基金项目和省部委级科研项目等。获国防科学技术二等奖 1 项，获北京市科学技术一等奖 1 项。发表论文 50 余篇，其中 SCI 收录论文 15 篇，EI 收录 20 余篇，拥有发明专利近 10 项。

杨文运

1966 年 5 月生，1987 年毕业于北京理工大学光学仪器专业，同年入北京理工大学攻读物理电子学硕士研究生，获工学硕士学位。现任兵器工业第 211 所红外探测器研究室主任，研究员级高工。

一直从事红外探测器、热像仪等方面的研制和生产线的建设工作，参加并主持包括国家重点任务“9901 工程”在内的 20 多个研发项目，获部级科学技术一等奖 2 项，二等奖 4 项。2001 年被国防科工委、人事部授予“全国国防科技工业系统劳动模范”称号，2005 年荣获“全国劳动模范荣誉”称号。

杨惠光

1941 年 12 月生，河北乐亭人。中共党员。1966 年毕业于北京工业学院光学设计及检测专业。研究员级高级工程师。

毕业后分配到国营 298 厂从事技术工作，1979 年调至兵器工业部光学电子局任技术员、工程师和副总工程师；1988—1999 年任兵器工业总公司副局长和中国北方光电工业总公司副总经理等；1999—2003 年任兵器工业集团公司光电事业管理部副主任和一级业务主管（正局级）。

长期从事兵器光电行业的科研、规划、生产、质量方面的管理工作。担任过兵器工业专家委员会委员，中国兵工学会常务理事，中国光学学会常务理事，中国光电子工业协会和国际光学工程学会（SPIE）会员。

杨培根

1967 年毕业于北京工业学院光学工程系，现任北方科技信息研究所研究员。

毕业后分配到北方科技信息研究所，从事科技情报研究工作，获部级科技进步一等奖 1 项、二等奖 6 项、三等奖 4 项。主持编写《汉英光电技术词汇》《CCD 摄录放一体机》《世界军用侦察手册》《激光技术在兵器工业中的应用》等书；参与编写《国防科技名词大典——兵器卷》《在未来的战场上——地面战场》等。

中国兵器工业集团级科技带头人，被所授予“兵器综合情报研究专家”称号。享受政府特殊津贴。

杨云章

1945 年 12 月生，四川省巴中市人，中共党员。1965 年考入北京工业学院工程光学系。现任四川省体育局党组成员、直属机关党委书记。

1960年毕业分配至空军工作，先后任空军某团宣传股副股长、指导员，某团副政委，成都军区某部组织处副处长、处长，成都军区某部组织处处长，空军某师副政委。1992年调入四川省体育运动委员会工作。

先后5次受嘉奖，荣立三等功1次。

叶式灿

1939年2月生，四川省成都市人，中共党员。1958年考入北京工业学院精密仪器系军用光学仪器专业。研究员。

毕业后分配到青海221厂实验部工作，1972年在中国工程物理研究院流体物理所，后到中国工程物理研究院成都精密光学工程研究中心工作，任中心书记。从事摄影物理技术方面的研究，获全国科学大会奖1项，国家科技进步一等奖1项，部级科技进步二等奖1项，国防科工委科技进步三等奖1项。

张凯

1963年11月生，1985年毕业于北京理工大学工程光学系光电成像技术专业，同年入北京理工大学工程光学系攻读硕士研究生，获工学硕士学位。现任中国工程物理研究院应用电子学研究所科技委主任，研究员，博士生导师。

从事光学测量技术、激光技术研究。获国家科技进步三等奖1项，部级科技进步一等奖3项，部级二、三等奖9项。

张德强

1964年7月毕业于北京工业学院光学工程系。同年8月参军入伍，从事海军靶场的试验工作。

入伍后先后任业务助理员、专业所副所长、所长、师参谋长、海军试验基地技术部总工程师，海军试验基地副总工程师、某专项建设工程指挥部主任等职，曾任工程师、高级工程师、武职大校、文职少将等军衔，技术三级，享受副军职待遇。

从军40余年，先后独立完成论文20余篇，均发表在省军级刊物，多篇文章被评为海军试验基地的优秀论文。主持完成的《靶场试验丛书》计14册，300余万字，总结了海军靶场试验技术多学科、多专业的经验，为提高年轻技术干部的业务水平提供了条件，为“靶场试验工程学”的建立打下了基础。主持完成的《靶场试验名词术语》240余万字，术语在提高靶场试验标准化、规范化方面发挥了作用。组织主编的《8710工程建设纪实》一书在军内发表，该书为大型工程建设提供了借鉴。

主持并完成了靶场测控系统建设数10项，其中统一测控系统、矢量脱靶量测量系统、水中实况记录等均填补国内空白，处于国际领先地位。主持完成的大距离轻型水下光纤通信工程创造了一根25km长的记录。

先后荣获军队科技进步奖多项，其中一项一等奖为第一完成人。主持的“8710”工程获奖10余项。荣获海军试验基地和海军颁发的三等功和二等功各1次。

张存林

1961年2月生，1992年获北京理工大学光电工程系光学工程专业工学博士学位。现任首都师范大学物理系主任，教授。

主要从事THz光谱和成像、红外热波检测、光电信息材料等方面的教学和研究工作。在APL，AO，物理学报，光学学报等学术刊物发表论文40余篇，合作和单独出版专著3部，教材3部。

现为北京物理学会副理事长、首都师范大学首届学科带头人、北京市跨世纪优秀人才、北京高校青年学科带头人。

张国瑞

1939年1月出生，北京市人，中共党员。1959年考入北京工业学院光学设计与检验专业。现在空间机电研究所，研究员。

1964年毕业分配到北京机电研究所，主要从事光学设计方面的工作，并于1967年参加我国首颗航天遥感卫星光学有效载荷的研制开始，在其后的40年间，一直从事航天光学遥感器的工程光学设计方面工作，主导以及设计了多种型号的光学系统、制订光学系统装校方案和检测方案，完成了我国多种型号航天光学遥感器的研制。其中：“尖兵一号”甲卫星光学遥感器，1996年获部级科学技术进步一等奖；“资源一号”光学遥感器2000年获国防科学技术奖、一等奖和奖章；“资源二号”光学遥感器2001年获国防科学技术奖、一等奖和奖章。

1995年起享受政府津贴。

张庆林

1931年8月生，江苏涟水人，中共党员。1955年9月考入北京工业学院光学仪器专业，现任兵器集团公司318厂研究员级高工。

1949年2月参加工作，1960年毕业分配到兵器工业部企业工作。从事军用光电仪器的研发工作，先后主持并参加“枪用红外线瞄准镜”“坦克夜间驾驶仪”“69式四零火箭筒瞄准镜”“1. 2m地炮测距机”“69式四零火箭筒通用瞄准镜”等项目的设计与研制，获国家科学大会奖1项，兵器部科技进步二等奖1项。参加了《光学仪器设计手册》的编写工作，该书获国家科学大会奖。发表了多篇论文。

张德欣

男，1934 年 11 月生，河北平安人，中共党员。1955 年 8 月考入北京工业学院光电仪器专业，1960 年 8 月毕业。

1960—1966 年从事红外探测器性能参数测量与评价研究。1967 年至 1985 年从事点目标红外跟踪系统研究。负责单元红外跟踪系统的项目开发、方案论证、总体设计、性能分析及野外参数评价。完成使用样机一台，装备部队。1976 年通过鉴定，1978 年获科学大会奖。负责多元红外跟踪测量系统的投标，方案论证、总体设计。完成五台正式样机，通过五所技术检测。装备部队，执行任务。

1986—1996 年从事两维红外焦平面阵列多目标成像——跟踪技术研究。承担“八五”期间“大视场多目标成像——跟踪技术”预研课题。负责方案论证、总体设计。完成仿真、半仿真、光机电自动控制样机一套，研究结果达到方案规定的技术要求。完成专题报告 5 篇，2 篇被评为所级甲级报告，一篇在 ICOEL95 光电与激光国际会议上宣读并发表在会议专辑上。1988 年被评定为正高级职称。

管理工作方面，曾担任研究室主任，所科学技术大会委员会委员，所学位评定委员会委员，所职称评定委员会委员，硕士研究生指导工作以及参加本专业有关单位的硕士、博士研究生的论文评审及答辩工作，1996 年退休。

张喜和

1954 年 11 月生，吉林农安人，中共党员。1995 年 9 月考入北京理工大学光学工程专业博士生，现任长春理工大学理学院院长，教授。

1980 年毕业于吉林大学物理系光学专业，分配到长春光机学院工作。1992 年毕业于长春光机学院光学专业获硕士学位，1999 年毕业于北京理工大学光电工程系获博士学位。主要从事高能固体激光系统和激光与物质相互作用方面的研究与教学工作。主持完成总装备部、国防科工委及省部级科研项目 5 项，获国防科学技术二等奖 1 项。发表学术论文 30 余篇，收入 SCI 和 EI 检索 8 篇，申报发明专利 4 项。指导博士研究生 7 名，硕士研究生 22 名。

重点学科——光学学科带头人，吉林省首批拔尖创新人才之一。

现兼任吉林省光学学会副秘书长，国防科工委“毁伤与防护”专家组成员。

张桓

1942 年 1 月生，中共党员。1960 年考入北京工业学院精密仪器系。少将军衔。

1965 年毕业分配到总装备部某基地，主要从事靶场测控技术及电子对抗试验总体技术工作，获军队科技进步一、二等奖 4 项，三等奖 16 项，著有《电子装备试验概论》等。曾任基地副参谋长、试验部主任、基地副总工程师等职。

曾荣立三等功1次，1993年起享受政府特殊津贴。

张世堉

1940年生，河北省安新县人，中共党员。1965年毕业于北京工业学院工程光学系。研究员级高工。

毕业后分配到兵总205所，1976年调入中国兵器科学研究院任光电火控处处长，主管兵器光电技术预研、科技项目的管理，组织行业“七五”“八五”和“九五”发展规划的制订与实施。在担任红外热成像工程项目办公室主任期间，组织参与国内外考察、技术引进等工作，该项目1992年获国家科技进步特等奖。

张智铨

1959年3月生，云南昆明人。1993年北京理工大学工程光学系军用光学专业博士生毕业。现任中国人民解放军装甲兵工程学院控制系教授。

从事光电成像、微光夜视、光电检测的教学与科研工作，参加“火炮身管内膛质量自动检测技术”“125mm坦克炮自动装弹机故障诊断系统”“履带装甲车辆——动力传动装置性能模拟与优化”“火炮封存与免启封技术”等项目的研究及国家自然科学基金项目“飞秒级时间分辨率光电子成像的电子光学”“静态和动态宽束光电子学理论与设计”的研究，获国家科技进步三等奖1项，兵器工业科技进步一等奖1项、二等奖1项，军队科技进步二等奖4项三等奖1项。发表科技论文30余篇。

学院军用光学学术带头人，2004年被授予军队优秀专业技术人才三类岗位津贴，2005年获军队育才奖银奖。

张炳勋

1932年10月生，河南省洛阳市人，中共党员。1951年考入华北大学工学院机械制造系，后转入军用光学仪器专业。1993年退休，教授。

1955年提前毕业留校任教，从事光学测量与像质鉴定领域的教学与科研工作，主持研制的大型多功能光学传递函数测定仪，获全国科学大会重大科技成果奖。1983年调任国营378厂厂长；1985年调至兵器工业部任五局（光学电子局）局长、局党组书记。1988年转任中国兵器工业总公司审计局局长。

张静方

1944年1月生，江苏南通市人，中共党员。1966年毕业于北京工业学院光学设计和光学测量专业。现任中钞特种防伪科技有限公司首席技术顾问。教授。

毕业后留校任教，1970年调到中国人民解放军第3302厂，1974年调到7312厂，从事技术工作。1977年调回北京工业学院工程光学系，1990年6月—1991

年6月作为高级访问学者赴美国 Nebraska 大学进行科研合作。1994 年调入中国印钞造币总公司系统，历任中钞信任卡厂副厂长、厂长，中钞特种防伪科技有限公司总经理。

在校期间从事光信息技术方面的教学和科研，承担多项基金项目，获部级科技进步二、三等奖各1项，合作出版《全息显示技术》《光全息术》专著，发表论文数10篇。调入中国印钞造币总公司系统后，自主研发了多项光学防伪技术和产品，“银联”标识卡全息防伪标志获中国人民银行科技发展一等奖，并获4项发明专利。

1999 年起享受政府特殊津贴。2001 年被授予全国金融“五一劳动奖章”。

张永进

1942 年6月生，辽宁省开源人，中共党员。1961 年考入北京工业学院光学仪器系红外专业。现任 8358 所科技委顾问。研究员。

1966 年毕业分配至七机部三院 8358 所工作，长期从事光电武器系统设计工作，获国家科技进步三等奖1项，航天部科技进步二等奖2项、三等奖2项。

曾荣立航天部三院三等功2次。

张玉珊

1940 年2月生，辽宁省绥中县人，中共党员，1960 年考入北京工业学院光学仪器系。现任中国兵器工业第 205 所研究员级高工。

1965 年毕业分配至中国兵器工业第 205 所工作，曾任研究室主任，研究所副总工程师。长期从事光电技术研究和军用光学仪器开发，作为分系统总设计师先后研制成导弹制导光学装置、潜望式红外测角仪等多项成果，获国家科技进步特等奖1项，二等奖1项，部级科技进步特等奖1项，一等奖1项，二等奖1项。

曾荣获部级“劳动模范”“全国优秀科技工作者”称号。享受政府特殊津贴。

张泽

1940 年7月生，河北省滦南县人，中共党员。1965 年毕业于北京工业学院光学工程系。

曾任四川国营 348 厂副厂长、厂长等职。1987 年调河南省人大常委会机关工作，曾任河南省人大常委会财经工作委员会副主任，河南省第九届人民代表大会代表。在任 348 厂厂长期间，组织研发了 30 多种军民产品，其中获国家科技二等奖1项，被评为国家优质产品1项。工厂曾被兵器工业部授予“民品生产先进企业”称号。

被国家环保世纪行组委会评为“先进工作者”。

朱永

1973 年 2 月生，中共党员。1989 考入北京理工大学工程光学系光电检测技术及仪器专业，1993 年毕业，继续在北京理工大学光电工程系物理电子学和光电子学专业攻读研究生，1998 年毕业，获工学博士学位。

现任重庆大学光电工程学院教授、副院长。毕业后到重庆大学仪器科学与技术博士后流动站从事博士后研究工作，出站后留校任教。从事激光原理等四门专业基础课程的教学和光纤传感技术、光电技术及系统、智能结构及系统等领域的科研工作，作为负责人承担国家自然科学基金等项目 1 项，省部级项目 4 项，重大横向项目 2 项。作为主研人承担国家科技部攻关项目 1 项，“863 计划”项目 1 项，自然科学基金重点项目 2 项，其他省部级重点项目 8 项。获得国家发明专利 6 项，实用新型专利 4 项。发表学术论文 30 余篇，其中 SCI，EI 收录 8 篇。

荣获重庆大学“优秀青年教师”“先进工作者”称号。

朱鼎涛

1941 年 2 月出生，浙江宁波市人。1964 年毕业于北京工业学院工程光学系光学设计专业。现在中国运载火箭研究院工作，研究员。

1964 毕业，在国防部五院、七机部及航天总公司所属中国运载火箭研究院工作，长期从事航天光电探测技术研究，曾任国家某重点工程主管设计师及硕士导师。1978 年以来，获重大的科技成果奖多项，国家级三等奖 1 项，国防科工委二等奖 1 项，部级二等奖 3 项。

1993 年参加北京国际光电探测学术会议并发表论文，被选登在《美国国际光学工程协会（SPIE）论文集》中。

从事“两弹一星”研制中，曾荣立二等功 1 次。

朱文开

1939 年 6 月生，重庆市人。1959 年考入北京工业学院仪器系光学仪器设计专业。现在中国科学院西安光学精密机械研究所工作，研究员。

1964 年 8 月毕业分配到中国科学院西安光学精密机械研究所，从事超高速相机、电影经纬仪等光电系统的设计与研制，参加“超高速分幅相机 ZFK－250”、我国第一套“112 工程小型高速电影经纬仪”及“GP－911B 自动通用胶片判读仪”的研制，分获中科院科技进步一等奖和二等奖，其中“112 工程 ZFK－250”获全国科技大会奖，为 1985 年国家科技进步特等奖覆盖项目。

作为工程负责人研制成“180/185 船载微光标校跟踪测量电视”和“921 工程 USB 电视跟踪标校分系统”和“921 工程测量雷达微光电视分系统”的镜头系统，已应用于航天测控船“远望 1 号”“远望 2 号”船上和各测区雷达上。其

中“180/185 船载微光标校跟踪测量电视”获中科院科技二等奖，“921 工程 USB 电视跟踪标校分系统”和“921 工程测量雷达微光电视分系统”，获科工委奖。2004 年后参加了“神舟六号”箭载摄像机等的研制，已获成功。

郑保熹

1935 年 11 月生，浙江省宁波市人，中共党员。1959 年毕业于北京工业学院军用光学仪器专业。研究员。

毕业后分配到中国科学院力学研究所二部工作，1968 年调航天部五院 511 所，历任工程组组长、研究室主任、所科技委常委。

主要从事光学测试技术、力学环境试验中测试技术研究，先后参加了 KM4 太阳模拟器研制；爆炸分离冲击，静动态应变，高速摄影等测试工作；负责红外多光谱扫描仪辐射定标设备的研制和定标试验工作。多次完成返回式卫星和“东方红二号”卫星试验测试任务，两次荣立三等功。红外多光谱扫描仪辐射定标设备中低温黑体分系统和光学件装卡机构分系统分别获部级科技进步二等奖和三等奖；“真空低温环境下辐照度标准”课题 2000 年获国防科工委科技进步三等奖。并于“1999—2000 年度型号”首飞工作中作出了突出贡献，荣立一等功。

郑全宝

1946 年 1 月生，辽宁大连市人，中共党员。1963 年考入北京工业学院工程光学系。现任中国运载火箭技术研究院副院长、副书记、研究员。

毕业后在航天部第一研究院从事运载火箭技术研究工作。1984 年调任北京航天发射技术研究所副所长、所长兼总经济师。1991 年—今任现职。在“长征二号”捆绑火箭研制发射工作中荣立二等功，在“神舟号”飞船飞行试验工作中获突出贡献奖。现任“长征二号丙”改进型运载火箭总指挥，“双星”计划火箭系统总指挥。

现兼任第三届中国宇航学会理事、发射工程专业技术委员会主任委员、中国航天科研管理协会副理事长、中国运载火箭技术研究院学位评审委员会副主任、北京理工大学兼职教授。

享受国务院政府津贴。

赵汉章

1935 年 5 月生，河北长润人，中共党员。1955 年 8 月考入北京工业学院光学仪器系红外夜视专业，现任吉林省科技厅研究员。

1960 年毕业分配到吉林省科技厅工作。主持研制的“X 线医用电视”获全国科学大会重大成果奖。“眼科红外电视摄像机”获 1980 年卫生部和吉林省双重科技二等奖。1984 年后，在吉林省科委从事科学研究和管理工作，任吉林省软科学指导委员会秘书长。主持完成的“吉林省2000年依靠科技进步，促进经济、社会协调发展战略研究”获吉林省1991年科技进步二等奖。“发展吉林省光机电新兴产业论证”获国家科委三等奖。出版专著《依靠科技进步——2000年的吉林》，发表论文20余篇，其中《软科学研究课题的工程化组织方法的探讨》获全国软科学研究优秀论文一等奖。

1985年被评为吉林省“有突出贡献的中青年专业人才”。享受国家政府特殊津贴。

赵家琪

1937年11月生，山东省青岛市人，中共党员。1956年考入北京工业学院军用光学仪器专业。研究员。

1961年毕业分配到炮兵研究院二所工作（即中国兵器工业第205所前身），1988年调至兵器工业第209所。长期从事激光技术和成像制导方面的研究工作，参加红箭反坦克导弹，“7551”二代通用组件热像仪，某重型反坦克导弹等多项目的研制，获多项国家及部级科技进步奖。

崔庆丰

男，1954年生。1982年毕业于北京理工大学光学工程系，获学士学位。1996年毕业于中国科学院长春光机所，获博士学位。1997—1998年在加拿大LAVAL大学光学中心从事博士后工作。曾任中国科学院长春光机所研究员，新加坡政府生产力标准局技术发展署高级公务员，加拿大国家光学研究所研究员。现任长春理工大学光电工程学院教授，博士生导师，中国宇航学会光电技术专业委员会委员，中国科学院西安光机所客座研究员。

研究方向：光学系统设计，衍射光学，航空与空间光学系统，红外光学系统，精密塑料光学。

教学方面：曾为加拿大LAVAL大学光学中心的研究生讲授“光学设计及其进展”课程；目前为本科生讲授“光学设计”、为研究生讲授“高级光学设计”课程。

国内完成的代表性工作有：在成像衍射二元光学系统的研究方面，在国内做了开创性的工作，研制成功国内第一个衍射二元光学成像系统；所设计的多项高科技光学系统已应用于多项国家重大光学工程。

国外完成的代表性工作有：在加拿大国家光学研究所工作期间负责设计的，由加拿大、法国和美国合作建造的长焦距、多波段、制冷型红外照相机已于2004年上半年安装在美国夏威夷；所负责设计并参与研制的高分辨率中远程主动红外夜视系统于2002年被加拿大国家光学研究所认定为世界上最先进的系统，已被欧美多国政府采购，并于2004年12月获得美国ACCS评选的唯一的“04年新产品”称号。

周云俄

1946年6月生，中共党员，1964年考入北京工业学院精密仪器制造专业。现任中国工程机械学会理事。研究员级高工。

1968年毕业分配至兵器工业部338厂，1971年调入湖南5618厂，1975年调到江麓机械集团公司，曾任厂生产科副科长、分厂厂长、信息中心主任、副总工程师、总工程师、副总经理、副厂长等职。长期从事工程机械的研制与开发，主持开发的SHZ22型扫路机获中国兵器工业总公司科技进步二等奖、湖南省巨龙科技二等奖，QTZ160型、QTZ250型等型号自动升塔式启动机W1802D型振动压路机曾被国家科委评为国家级重点新产品。

曾获“中国质量协会全国优秀质量管理工作者”“湖南省技术监督局优秀质量工作者”称号。

周绍祥

1941年1月出生，浙江省嵊州市人，1964年毕业于北京理工大学光学工程系，现为中国科学技术大学教授。

1964年9月—1968年9月为中国科学院西安光学精密机械研究所研究生，1968年10月—1984年10月在中国科学院西安光学精密机械研究所从事靶场光学测试仪器研制。1984年10月调到中国科学技术大学，从事精密仪器和图像检测技术的教学和研究工作。侧重高速摄影仪器研制及应用、图像检测、精密测量等方面的研究，获中国科学院科技成果二等奖2项。发表研究论文近50篇，著有《物理常数手册》。

现任中国光学学会高速摄影与光子学专业委员会副主任，《光子学报》第八届编委。

后　　记

值此北京理工大学建校七十周年之际，我们编写了《璀璨之光——光电学院学科（专业）发展史》，回顾光电学院的发展历程，展望我们更加辉煌的美好未来。

在编写过程中，光电学院离退休教师作为学科发展历史的亲历者，积极参加学院组织的学科发展史各种座谈会、访谈会，回忆学科（专业）发展过程中的往事，有的老师还专门撰写了回忆录，有的老师拿出了珍藏多年的有历史价值的照片、书籍和实物，为本书的编写提供了大量的素材和资料。

在编写、查阅历史资料的过程中，校档案馆的领导和同志们为我们提供了很多方便和帮助。研究生院也为我们提供了有关“985”工程和“211”工程的部分资料。不少大学生志愿者也参与了查阅档案，整理座谈会纪要的工作。

在此一并向大家表示感谢，多谢大家了！

还需要说明的是学科（专业）发展史中写到的事，有不少是发生在四五十年前的事，由于年代久远，每个人的记忆不完全一样，回忆难免有不一致的地方；另因时间关系，书中难免有遗漏、失误的地方，敬请谅解。

编者

2010 年 7 月 1 日